STUDIA ROMANICA

Herausgegeben von

KURT BALDINGER · KLAUS HEITMANN · ERICH KÖHLER

42. Heft

SUSANNE KLEINERT

Nicolas de Bonneville

Studien zur ideengeschichtlichen
und literaturtheoretischen Position eines Schriftstellers
der Französischen Revolution

HEIDELBERG 1981

CARL WINTER · UNIVERSITÄTSVERLAG

Gedruckt mit Hilfe der Geschwister Boehringer-Ingelheim Stiftung für Geisteswissenschaften in Ingelheim am Rhein

CIP-Kurztitelaufnahme der Deutschen Bibliothek

Kleinert, Susanne:
Nicolas de Bonneville: Studien zur ideengeschichtl. u. literaturtheoret. Position e. Schriftstellers d. Franz. Revolution / Susanne Kleinert. – Heidelberg: Winter, 1981.

(Studia Romanica; H. 42)

ISBN 3-533-03008-3 kart.
ISBN 3-533-03009-1 Gewebe

NE: GT

ISBN 3-533-03008-3 Kart.
ISBN 3-533-03009-1 Ln.

Imprimé en Allemagne. Printed in Germany
Reproduktion und Druck: Carl Winter Universitätsverlag, Abteilung Druckerei, Darmstadt

Inhaltsverzeichnis

Vorwort

Die vorliegende Arbeit wurde im Sommer 1979 von der Philosophischen Fakultät der Friedrich-Alexander-Universität Erlangen-Nürnberg als Dissertation angenommen.

Sie entstand unter der umsichtigen Betreuung von Herrn Prof. Dr. Leo Pollmann, dem ich für zahlreiche wichtige Hinweise und Ratschläge aufrichtigen Dank schulde. Herrn Prof. Dr. T. Heydenreich danke ich für die Übernahme des Korreferats, Frau Dr. E. Schmid für anregende Fragen und manche Ermutigung, meinen Eltern für vielfache großzügige Unterstützung. Frau E. Reum hat tatkräftig bei der Erstellung des Typoskripts geholfen.

Herrn Prof. Dr. K. Heitmann und Herrn Prof. Dr. E. Köhler bin ich für die Aufnahme der Arbeit in die Reihe "Studia Romanica" verpflichtet.

Erlangen 1981

S.K.

0. Einleitung

Nicolas de Bonneville wurde in der deutschen Forschung kaum rezipiert, obwohl er eine zumindest quantitativ beachtliche Produktion hinterließ, in den ersten Jahren der Revolution stark politisch engagiert war, seine Werke einen großen Themenkreis aufweisen und verschiedenste philosophische Einflüsse und neue literarische Impulse aufnehmen.
Bonneville, 1760 in Evreux (Normandie) geboren, beteiligte sich von 1783 bis 1785 an der von Friedel initiierten Übersetzung deutschen Theaters, dem Nouveau Théâtre Allemand, das die ersten Dramen von Goethe und Schiller enthält; er übersetzte den größten Teil allein. 1786 gab er Choix de petits romans imités de l'allemand heraus, das eine Übersetzung deutscher Prosatexte, einen Essai zu Chatterton und zu der gesellschaftlichen Situation junger Dichter, sowie eigene Gedichte und verschiedene literarische Stellungnahmen enthält.
1786 reiste er nach England, veröffentlichte dort 1787 seine Lettre de Nicolas de Bonneville à M. le Marquis de Condorcet über die Aufgaben der modernen Geschichtsschreibung und beschäftigte sich mit dem Freimaurertum. 1788 publizierte er in London Les Jésuites chassés de la Maçonnerie et leur poignard brisé par les maçons, worin er nachzuweisen versucht, daß die Freimaurergesellschaften von Jesuiten unterwandert seien; er verweist dabei auf Nicolais Untersuchungen über den Templerorden.
1789 - 1792 erscheint die unvollständige Histoire de l'Europe Moderne depuis l'Irruption des peuples du Nord dans l'Empire Romain jusqu'à la paix de 1783, eine Übersetzung von William Russells History of Modern Europe, in die Bonneville eigene Kommentare einschiebt. Zu seinem Projekt, eine eigene Geschichte Europas zu schreiben, dürfte er aus Zeitgründen nicht gekommen sein.
Bonneville kehrt 1788 aus England zurück, um - nach seinen eigenen Worten - der Sache des Gemeinwohls, d.h. der Revolution zu dienen. 1789 gibt er Le Tribun du Peuple mit Unterstützung von Mirabeau heraus. Diese Schrift hatte vier weitere, zum Teil veränderte Auflagen. 1790 gründet er mit Fauchet den

"Cercle Social" und gibt die Zeitschriften Cercle Social und La Bouche de Fer heraus. 1791 publiziert er sein Hauptwerk De l'Esprit des Religions, das einigen Erfolg hatte[1] und 1792 neu aufgelegt wurde, um den Band "Appendices" stark erweitert. Nach Einstellung der Bouche de Fer und der Auflösung des "Cercle Social" im Juli 1791 arbeitet er an verschiedenen Zeitschriften mit, deren wichtigste die girondistische Chronique du Mois (Nov. 1791 - Juli 1793) war. 1792 erscheint Le Nouveau Code Conjugal, 1793 die gesammelten Poésies, 1796/97 Le Vieux Tribun et sa Bouche de Fer in enger Zusammenarbeit mit Louis-Sébastien Mercier, 1800 übersetzt er Thomas Paines Pacte Maritime, 1812 dessen De l'origine de la Franc-Maçonnerie.

Bonneville wurde wiederholt verfolgt, er entkam nur knapp der Guillotine, 1800 ließ Napoleon seine Druckpressen beschlagnahmen, was den finanziellen Ruin bedeutete; er stand während Napoleons Herrschaft mehrere Jahre unter Polizeiaufsicht und konnte erst 1815 nach Amerika auswandern, wohin seine Frau und seine drei Kinder 1802 mit Hilfe von Thomas Paine geflohen waren, der bis zu seinem Tod (1809) die Familie unterstützte.

Gegen 1819 kehrte Bonneville nach Paris zurück, wo er bis zu seinem Tod am 9. November 1828 eine kleine Buchhandlung betrieb. Wie Nodier, der mit Bonneville schon zur Zeit Napoleons in Kontakt stand, schreibt, lebte er in seinen letzten Jahren in großer Not und starb halbverrückt; eine von Nodier initiierte Geldsammlung kam zu spät. Einer seiner Söhne, Benjamin Bonneville, brachte es in Amerika bis zum General; Washington Irving beschreibt ihn in seinem Buch Adventures of Captain Bonneville (1837).[2]

Daß Bonneville ein recht bewegtes Leben führte und von seinen Jugendjahren an von finanziellen Problemen und später von politischer Verfolgung bedroht war, ist in seinen Werken spürbar: sie sind deutlich unter Zeitdruck geschrieben und haben einen äußerst fragmentarischen Charakter. Während seiner Arbeit an De l'Esprit des Religions beispielsweise schrieb er an der Übersetzung von Russells Geschichtswerk, gab La Bouche de Fer heraus und verfaßte die drei verschiedenen Teile von

De l'Esprit des Religions gleichzeitig. In der Begründung der Form dieses Werkes, das in verschieden langen Paragraphen geschrieben ist, die oft in keinem Zusammenhang miteinander stehen, beruft sich Bonneville auf Montaigne, ermahnt den Leser, er solle keine "beaux discours oratoires, bien peignés" erwarten, und bereitet ihn folgendermaßen vor:

> "Ce n'est point un livre que je veux faire; je viens naïvement t'inviter à un repas frugal, à quelque brouet de la nature; encore faudra-t-il que tu le digères toi-même."
> (Esprit des Religions I, p. 10)

Der Hinweis ist berechtigt. Eine erste Lektüre kann den an eine säuberliche Einteilung der Literaturepochen gewöhnten Leser zur Verzweiflung bringen: da gibt es die klar als aufklärerisch erkenntlichen Stellen, dort die Gedanken, die bereits in Richtung Romantik gehen, und ansonsten viel auf den ersten Blick Undefinierbares, das Ganze kreuz und quer, sodaß die Leseerwartungen ständig enttäuscht werden, bald nüchtern geschrieben, bald pathetisch. Bonneville wirkt konfus und überspannt. Und doch setzen sich bei einer näheren Beschäftigung gerade die Stellen fest, die man am ehesten als Verrücktheiten abzutun bereit ist, machen neugierig, lassen den Eindruck entstehen, daß es sich hier nicht nur um eine individuelle Originalität handelt, sondern um einen Ausdruck des allgemeinen Phänomens, daß die Denkstrukturen des 18. Jahrhunderts im Übergang zum 19. Jahrhundert zerfließen. Das Problem der vorliegenden Arbeit bestand zunächst darin, die verschiedenen gedanklichen Linien bei Bonneville zu entwirren, soweit dies möglich ist, und dabei auch die so merkwürdig anmutenden Stellen ernstzunehmen und die Brüche in der Argumentation genauer zu analysieren.

In dieser Hinsicht gab es keine Vorarbeiten. Le Harivel gibt zwar in seiner Dissertation Nicolas de Bonneville, préromantique et révolutionnaire (1760-1828) von 1923 eine zur Orientierung nützliche Darstellung der einzelnen Werke und ist besonders, was die biographischen Angaben, die Rezeptionsgeschichte des deutschen Theaters in Frankreich und Bonnevilles Übersetzung betrifft, sehr hilfreich, geht aber im allgemeinen auf die Brüche und Eigenarten der Argumentation nicht ein,

womit zum Teil wichtige Passagen unberücksichtigt bleiben. So schließt etwa Le Harivel eine Behandlung von Bonnevilles Reflexionen über die Sprache von vornherein aus, mit dem durchaus richtigen Argument, daß sie vom Standpunkt der Philologie des 19. und 20. Jahrhunderts aus betrachtet nicht als wissenschaftlich zu bewerten seien. Ausgeklammert bleiben auch die Einflüsse des Illuminismus; dazu ist jedoch zu bemerken, daß Viattes grundlegendes Werk Les sources occultes du romantisme, auf das ich mich stützen konnte, erst nach Le Harivels Arbeit erschien. Bei Le Harivel erscheinen Bonnevilles Werke klarer und aufklärerischer, damit auch weniger vielfältig, als sie in Wirklichkeit sind, was allerdings zum Teil von seinem Anliegen her, einen ersten Überblick zu geben, verständlich ist.
In der weiteren Sekundärliteratur wird Bonneville meist nur in Randbemerkungen erwähnt oder unter einzelnen Aspekten rezipiert: Claus Werner behandelt in seinem Artikel in Neue Beiträge zur Literatur der Aufklärung (herausgegeben von Werner Krauss und Walter Dietze) Bonnevilles Geschichtsauffassung, wobei er sich hauptsächlich auf dessen wenig ergiebige Histoire de l'Europe Moderne stützt und De l'Esprit des Religions ausklammert; Viatte diskutiert seine Zugehörigkeit zum Illuminismus, Maier sieht ihn in Revolution und Kirche als Vorläufer des politisch und sozial engagierten Christentums des 19. Jahrhunderts, ähnlich auch Bowman, der in Le Christ romantique genauer auf Bonnevilles Christusbild eingeht. Georges Duval gibt in seiner Histoire de la littérature révolutionnaire (1879) einen ersten Überblick über Bonnevilles Leben und seine literarischen Orientierungen, Monglond bezieht sich in Le Préromantisme français in einem Abschnitt des Kapitels "Mages et ratés" auf seine Lyrik und den Geniebegriff, Jean Roudauts Artikel "Trois poètes au début de la Révolution (P.S. Maréchal, Bonneville, Chassaignon)" besteht überwiegend aus Textbeispielen. Alles in allem ist Bonneville von der Forschung wenig beachtet worden.
Das liegt zum einen sicher an seiner Art zu schreiben. Bonneville ist wirr und widersprüchlich, er konnte nicht stringent argumentieren, seine Gedankenverbindungen sind eher assozia-

tiv, und es kostet einige Anstrengung, die Mosaiksteinchen seiner Ideen zu einigen wenigen Linien zu ordnen. Der fragmentarische Charakter seiner Werke begründet sich aber auch aus den Inhalten: er versucht, aufklärerische Gesellschaftstheorie und Religionskritik mit illuministischem Gedankengut zu verschmelzen, was allein schon ein widersprüchliches Unterfangen war, verbindet damit eine eigenwillige und originelle, dabei historisch weiterführende Interpretation der Bibel, träumt von einer Gesellschaft und Religion nach germanischem Muster und einer Position des Dichters nach dem Vorbild der Barden und biblischen Propheten, orientiert sich literarisch an der englischen und deutschen Dichtung, die er dem französischen Publikum nahebringen will, hat schließlich eine Sprachtheorie, die sich nirgendwo präzise einordnen läßt. Dieser Synkretismus wirkt befremdlich. Bonneville steht zwischen Aufklärung und Romantik, allerdings nicht so, als könnte man ihn quasi als eine Mischung aus Voltaire und Chateaubriand erklären: er hat die verschiedenen Einflüsse zu einem eigenwilligen und selbständigen, wenn auch nicht geschlossenen Gedankengebäude verarbeitet.

Nun sind im allgemeinen die Zeiten des Übergangs kein sehr dankbarer Forschungsgegenstand, zuviel entzieht sich dem ordnenden Zugriff, der klare Zäsuren zwischen den Epochen haben möchte und jedes theoretische und literarische Phänomen in das Reich des "Noch" oder des "Schon" verweisen möchte, zuviel erweist sich auch, wenn man von den epochalen "Höhepunkten" aus urteilt, als epigonenhaft oder wirr. Es soll hier nicht jede Epocheneinteilung schlechthin kritisiert werden, gerade bei Bonneville erweist sie sich als sehr hilfreich und ermöglicht erst ein Verständnis der verschiedenen Linien; vielmehr geht es mir um eine Erklärung des Phänomens, daß Bonneville so wenig beachtet wurde, obwohl sich bei ihm Stellen finden lassen, die in ungewöhnlicher Klarheit frühromantische Positionen vorwegnehmen und durchgehend das Bedürfnis nach neuen Ideen, nach einer neuen Literatur und neuen Position des Dichters manifestieren. Das mangelnde Interesse an Bonneville scheint mir allerdings mehr noch von der Tat-

sache her zu rühren, daß er während der Französischen Revolution geschrieben hat und der Diskussion um die politischen Ereignisse breiten Raum gibt.
Die Literaturhistoriker neigen dazu, die Französische Revolution auszuklammern, mit ihr die Zeit der präromantischen "sensibilité" enden und erst bei Chateaubriands Génie du christianisme und Mme de Staëls De l'Allemagne die Literaturgeschichte wieder anfangen zu lassen oder zwar André Chénier anzuführen, ihn aber als Ausnahmeerscheinung in der Revolution zu deklarieren.
Nun mag dies soweit eine Berechtigung haben, als es kaum ernstzunehmende literarische Werke in der Revolution gibt. Soweit allerdings Literaturgeschichte nicht nur auf Höhepunkte abzielt, sondern das ganze bewußtseinsgeschichtliche Umfeld zu erfassen versucht, scheint mir eine Vernachlässigung dieses Zeitraums nicht gerechtfertigt zu sein, und zwar nicht nur von dem Stellenwert her, den die Revolution in den Reflexionen von Mme de Staël, Chateaubriand, Ballanche oder Joseph de Maistre einnimmt, sondern auch von den Ansätzen zu einer Neubestimmung der Literatur her, die bei Louis-Sébastien Mercier, Bonneville und wohl auch Restif de la Bretonne zu finden sind. Grob gesehen teilen sich traditionell die Bereiche so auf: die Französische Revolution für die Politologen und Historiker, Chateaubriand für die Literaturhistoriker, Rousseau für beide Richtungen. Möglicherweise ist diese Aufteilung ein Reflex davon, daß sich - nach Foucault - das epistemologische Feld im Übergang von 18. zu 19. Jahrhundert grundlegend ändert und im Lauf des 19. Jahrhunderts die Literatur sich als "autonomer" Diskurs konstituiert, während die Trennung von Literatur und Theorie für das 18. Jahrhundert nicht gilt und daher der Gegenstand der Literaturgeschichte dieses Zeitraums notwendig umfassender ist. Gerade dann aber wäre die Zeit des Umbruchs ein interessanter Forschungsgegenstand. Bonneville nun fällt, wird diese Einteilung praktiziert und akzeptiert, als Forschungsgegenstand überhaupt aus, er sitzt sozusagen zwischen allen Stühlen: als politischer Theoretiker ist er nicht theoretisch genug, vom Standpunkt der Geschichtsschreibung aus hatte er zu wenig Einfluß auf den Verlauf der Revolution, als

Dichter ist er nicht gut genug, als Literaturtheoretiker zu politisch, als Sprachtheoretiker überhaupt nicht einzuordnen.

Darüberhinaus ist die literaturgeschichtliche Diskussion des Zeitraums, in dem er gelebt hat, belastet von dem traditionellen Begriff des "préromantisme", der die literarische Produktion dieser Zeit nach ihrer Vorläuferfunktion für die Romantik aufnimmt und darum Gefahr läuft, wichtige Phänomene auszuklammern, die in diese Perspektive nicht einzuordnen sind. Die Problematik dieses Ansatzes, der in seinem verengten retrospektiven Blickwinkel eine Würdigung eigenständiger Erscheinungen nicht erlaubt, wird in dem Sammelband Le Préromantisme: hypothèque ou hypothèse? behandelt. Hinsichtlich der Einordnung Bonnevilles in die frühe romantische Strömung, deren Grenzen nicht scharf zu ziehen sind,[3] waren für die vorliegende Arbeit folgende neuere Werke nützlich, die dem Problem der Abgrenzung von Aufklärung und früher Romantik Rechnung tragen: Béatrice Didiers Le XVIIIe siècle III (1778-1820) und für den Bereich der Ideengeschichte Gusdorfs Naissance de la conscience romantique au siècle des lumières. Das Selbstverständnis der Literaten dieser Epoche erhellt Bénichou, Le sacre de l'écrivain (1750-1830), der in überzeugender Weise Entwicklungsschritte von der Aufklärung zur Romantik aufzeigt und dem die vorliegende Arbeit wichtige Impulse verdankt.
Ein weiterer Grund für die Nichtbeachtung Bonnevilles könnte darin liegen, daß bestimmte Bereiche seiner Ideen mit dem traditionellen wissenschafts- und ideengeschichtlichen Instrumentarium kaum zu erfassen sind. So wird auf den ersten Blick deutlich, daß seine Erklärung von antiker Mythologie und christlicher Symbolik keine Ähnlichkeiten mit Chateaubriands Interpretation im Génie du christianisme hat, sich aber auch von der rationalistisch-aufklärerischen Mythendeutung abhebt, und daß seine Reflexionen zur Sprache nicht als erster Versuch einer Sprachwissenschaft zu werten sind, aber auch nicht in der Linie von Condillacs oder Rousseaus Sprachtheorie gesehen werden können. Bonneville bleibt hier zunächst fremd, zum Teil sogar unverständlich. Erst die Lektüre von Foucaults Les mots et les choses gab mir einen interpretatorischen Be-

zugsrahmen, der eine mehr als deskriptive Darstellung und eine zumindest partielle Entwirrung von Bonnevilles Denkmustern ermöglichte und überhaupt erst erlaubte, die Brüche und die neuen Ansätze in der Argumentation zu benennen.
Eine eingehendere Beschäftigung mit Bonneville scheint mir auf verschiedenen Ebenen gerechtfertigt:

1. Bonneville ist durch die Arbeit von Le Harivel nicht ausreichend erfaßt, vor allem was das Problem der Einordnung betrifft, das Le Harivel schlüssig nur für die Übersetzung deutschen Theaters angeht; im allgemeinen gibt er keine Analyse, sondern eine deskriptive Zusammenstellung der wichtigsten Ideen.
2. Bonneville kann schon von seinen persönlichen Kontakten her als Bindeglied zwischen den Theoretikern der Aufklärung und den Romantikern betrachtet werden: er arbeitete mit Condorcet zusammen, dessen Werk als ein letztes großes Beispiel des aufklärerischen Diskurses zu werten ist, gab in seiner Druckerei Saint-Martin heraus, war mit Le Tourneur, dem Übersetzer von Young und Shakespeare, und mit Restif de la Bretonne befreundet, arbeitete eng mit Mercier zusammen, der schon vor 1789 heftig die normative Geltung der französischen Klassik bekämpfte. Nodier verkehrte in seinen Jugendjahren vorzugsweise in dem Kreis um Bonneville und Mercier und bezeichnet sie in Souvenirs et portraits als "romantiques de l'époque"; Sainte-Beuve teilt diese Einschätzung.[4]
3. Bei Bonneville läßt sich sehr schön ein Nebeneinander und Ineinander von aufklärerischen und frühromantischen Positionen beobachten und am Text dokumentieren. Er nimmt nicht nur neue Impulse, vor allem literarischer Art, von außen auf, sondern formuliert in frappierender Deutlichkeit Gedanken, die bereits als romantisch bezeichnet werden können, so vor allem die Vorstellung des Dichters als Priester der Sprache, als Prophet und Führer der Menschheit. Allein von der literarhistorischen Fragestellung nach frühen Ansätzen und Entstehungsbedingungen der Romantik aus gesehen ist eine Beschäftigung mit Bonneville lohnend.

4. Bonnevilles Werke reflektieren die historische und geistige Umbruchsituation auf einer grundsätzlicheren Ebene als auf der in der traditionellen Unterscheidung von Aufklärung und Romantik berücksichtigten. Hier ist zunächst die Heterogenität seines Denkens anzugeben: im Versuch einer Synthese von Aufklärungstheorie und Illuminismus löst er für sich den systematischen Anspruch der Aufklärer ebenso auf wie die Geschlossenheit von Saint-Martins Metaphysik. Die Sprache des "raisonnement" und der Analyse wird ständig durchbrochen, Bonnevilles Ambition geht auf einen imaginativen, energischen, assoziativ-kühnen Stil. Als größte Aufgabe des Literaten sieht er nicht die Vermittlung von Wissen, sondern einer "puissance créatrice et de réflexion qui environne soudain le coeur de l'homme d'une grande lumière" (Esprit des Religions, Appendices, p. 279). Daß er meistens nur ein formelhaftes Pathos zustande bringt, scheint mir weniger an seiner überschwenglichen Begeisterung für die Revolution zu liegen, als an der Tatsache, daß im allgemeinen seine Fähigkeit literarischer Ausarbeitung hinter seiner Intuitionen zurückblieb.
5. Darüberhinaus läßt sich an Bonnevilles Sprachbegriff, Spracherfahrung und Wortdeutungen material nachweisen, wie die Idee der analysierenden Kraft der Sprache und des Diskurses zerfließt, die die Grundlage des epistemologischen Feldes im 17. und 18. Jahrhundert bilden (Foucault). Ansätze zu einer Sprachkonzeption, die auf die Philologie des 19. Jahrhunderts hinführt, sind nicht zu erkennen; eher tendiert Bonneville zu einer Spracherfahrung, die literarisch genannt werden kann und die auf eine Aufwertung des Wortes abzielt, wobei ihm diese Spracherfahrung jedoch nicht als literarische bewußt ist; Bonneville verbindet mit der Vorstellung einer möglichen magischen Wirkung der Wörter die alte Idee, daß die Sprache diskursive Erkenntnisse vermittle. Insgesamt zeigen seine Reflexionen zur Sprache in ihrer Fremdartigkeit und Inkohärenz eher die Tiefe des Bruchs, der sich im Übergang vom 18. zum 19. Jahrhundert in der Spracherfahrung vollzieht.

Daraus ergeben sich für die vorliegende Arbeit verschiedene Untersuchungsziele: es gilt,

1. eine umfassendere Analyse und besonders eine Darstellung der bei Le Harivel ausgeklammerten Bereiche zu liefern;
2. die Einflüsse von Aufklärungsphilosophie und Illuminismus aufzuarbeiten und die sich daraus ergebenden verschiedenen gedanklichen Linien gegeneinander abzugrenzen;
3. Bonnevilles politische, religiöse, literatur- und sprachtheoretische Ideen auf ihre ideengeschichtliche Relevanz hin zu beleuchten und die historisch weiterführenden Ansätze zu markieren;
4. aufzuzeigen, in welcher Form er den klassischen Diskurs durchbricht, d.h. ihn auf dem Hintergrund der epistemologischen Verschiebungen von 18. zu 19. Jahrhundert zu situieren.

Diese verschiedenen Untersuchungsziele und Bonnevilles Inkohärenz erlauben ein Vorgehen nach einer einheitlichen Methode nicht. Die Problematik des unter 4. aufgeführten Untersuchungszieles liegt darin, daß die Umgruppierung des epistemologischen Feldes nur schwer an konkreten Textbeispielen und an einem einzigen Autor aufzuzeigen ist. Für Bonneville scheint mir diese Untersuchung ohne allzu weite Umwege nur möglich im Bereich der Mythenerklärung, soweit sie Wortanalyse ist, und vor allem im Sprachbegriff selbst. Auch hier allerdings liegen die Veränderungen nicht völlig klar vor Augen, sodaß es mir nötig scheint, auch andere Ansätze als den Foucaults aufzunehmen, die zu ähnlichen Ergebnissen kommen und mehr auf einer "Oberflächen"-Ebene argumentieren; insbesondere ist hier Genette, Mimologiques, eine historische Untersuchung der Idee sprachlicher Mimesis zu erwähnen. Die Bedeutung von Foucaults Ansatz für eine Analyse von Bonnevilles Werken besteht darin, daß er eine Diskussion auch der fremdartigen Stellen ermöglicht, die aus einer einseitigen Situierung nach der traditionellen Perspektive Aufklärung - Romantik herausfallen würden.

Auf der anderen Seite ist es für die vorliegende Arbeit nicht sinnvoll, diese traditionelle Perspektive aufzugeben, da sie

wesentliche Bereiche abdeckt und es erlaubt, die historische Neuheit einiger Positionen am Text zu erläutern.
Im 1. Kapitel, das die politischen Ideen behandelt, in denen Bonneville sich am stärksten an der Aufklärungsphilosophie orientiert, wird an den einzelnen Gedanken - z.B. zum Prinzip des allgemeinen Willens, der Öffentlichkeit usw. - diskutiert, wie weit er jeweils konform mit aufklärerischer Gesellschaftstheorie geht und welche Ansätze eines anderen Gesellschaftsmodells er zeigt. Diese sind nur in geringem Maße aus der Perspektive frühromantischer Gesellschaftstheorie begreifbar.
Als Grundlage dient daher vorrangig Rousseaus Contrat social, von dem ausgehend die Neuansätze bei Bonneville sich als Versuch einer Ablösung vom Vertragsgedanken erschließen lassen. Der letzte Abschnitt über seine Sicht der gesellschaftlichen Funktion der Literaten greift über den Rahmen einer Analyse der politischen Ideen hinaus und bereitet schon die Diskussion seiner Vorstellung der politischen Funktion des Dichters (6. Kapitel) vor.
Das 3. Kapitel über die religiösen Ideen will ebenfalls eine Zweidimensionalität der Argumentation aufzeigen, hier aber in der Ordnung einer aufsteigenden Linie. Den Anfang bildet eine Darstellung von Bonneville als Vertreter aufklärerischer Kirchen- und Dogmenkritik, das Ende des Kapitels die Diskussion der - mit Einschränkung - als romantisch zu wertenden Idee der Göttlichkeit des Menschen, wobei sich diese Positionen von ihren gedanklichen Voraussetzungen her ausschließen. In der Darstellung seiner positiven Bibelinterpretation, der pantheistischen Weltvorstellung, der Idee der Wiedergeburt und der Einflüsse des Illuminismus soll nicht nur jeweils eine historische Situierung geleistet werden, sondern auch aufgezeigt werden, wie Bonneville eine Säkularisierung christlichen Gedankengutes intendiert und sich wie die Aufklärungsphilosophen gegen die katholische Orthodoxie wendet, zugleich aber schrittweise die deistische Trennung von göttlicher und menschlicher Sphäre gedanklich aufhebt und die Argumentationsmuster aufklärerischer Religionskritik hinter sich läßt.
Während in diesen beiden Kapiteln von der Annahme zweier unter-

schiedlicher gedanklicher Richtungen und einer Zäsur zwischen Aufklärung und Romantik ausgegangen wird und Bonneville von diesen verschiedenen Positionen her beleuchtet wird unter der Fragestellung, in welcher Form er seine Selbstsituierung in der Tradition von Voltaire, Rousseau und Montesquieu durchbricht und neue gedankliche Linien entwickelt, soll im 2. Kapitel in einer ausführlichen Diskussion von Bonnevilles Sicht des Verhältnisses von Revolution und Religion untersucht werden, ob die verschiedenen gedanklichen Linien immanent noch vermittelbar sind. Bonneville unterscheidet im Grunde nicht die Bereiche von Politik und Religion, und zwar in einer so eigenartigen Weise, daß er sowohl als Jakobiner wie als früher Christdemokrat und sein Gesellschaftsmodell sowohl als Theokratie wie als totaler Revolutionsstaat betrachtet werden kann, der sich selbst als Objekt religiöser Verehrung setzt. Diese Widersprüchlichkeit ist bei Bonneville eklatant, jedoch nicht eine individuelle Marotte: die Einschätzung der Revolutionskulte ist in der Forschung umstritten und reflektiert schon in ihrer Fragestellung, ob die Revolutionskulte eine religiöse Bewegung waren oder nicht, die interpretatorischen Schwierigkeiten. Ziel der Untersuchung im 2. Kapitel ist, nicht bei einem Konstatieren der Widersprüche stehen zu bleiben, sondern über eine reine Opposition der Bereiche von Politik und Religion hinauszugehen und eine Ebene zu suchen, auf der sich die Positionen Bonnevilles schlüssig vermitteln lassen. Dabei zeigt sich allerdings, daß seine gedanklichen Strukturen, was das Verhältnis von Revolution und Religion betrifft, und wohl auch allgemein die den Revolutionskulten zugrunde liegenden Vorstellungen mit dem heutigen begrifflichen Instrumentarium nicht völlig nachvollziehbar sind, weshalb ich an dieser Stelle den vorläufigen Charakter meiner Einschätzung Bonnevilles betonen möchte.

Das 4. Kapitel behandelt Bonnevilles Erklärung christlicher Symbole und antiker Mythologie und seine Darstellung des bildhaften Stils der Antike. Neben der Frage danach, wie er die bildhafte Ausdrucksform beurteilt, soll genauer sein Erklärungsverfahren beleuchtet werden. Dabei erweist sich, daß er dem grundlegenden Muster der "Wissenschaft" des 18. Jahrhunderts, der Idee der Sprache als Analyse, weitgehend verpflichtet bleibt. Zwar lassen sich Neuansätze beobachten, doch werden sie entweder nicht entwickelt oder führen in eine Sackgasse.

Im 5. Kapitel wird Bonnevilles Sprachbegriff behandelt. Untersucht werden soll, in welcher Form er die Idee der Sprache als Analyse durchbricht, dabei aber eine grundsätzliche Auflösung dieser Denkstruktur nicht erreicht. Diese Fragestellung wird ergänzt durch eine Untersuchung der Position, die Bonneville in der mimologischen Richtung des 18. und 19. Jahrhunderts einnimmt (Court de Gébelin, Nodier). Genette, der in *Mimologiques* die Veränderungen der mimologischen Sprachkonzeption und deren Wirkung auf die romantische und moderne Theorie der Dichtung untersucht, ergänzt hier Foucault, der zwar darauf aufmerksam macht, daß parallel zur Entstehung der Philologie im 19. Jahrhundert die Literatur sich als eigenständiger Diskurs konstituiert, die Genese dieses Phänomens aber nicht untersucht. Darüberhinaus soll aufgezeigt werden, wie Bonnevilles Sprachbegriff zu einer als romantisch zu wertenden Definition des Dichters als Organ der "parole" führt.

Das 6. Kapitel behandelt Bonnevilles literarische Positionen, die in der Wahl der literarischen Vorbilder, der Übersetzung deutschen Theaters, im Geniebegriff und im Bild des Dichters deutlich auf eine literarische Erneuerung orientiert sind. Dieses Kapitel steht unter dem Ziel einer Erhellung der Genese der Romantik und will am Beispiel Bonnevilles aufzeigen, welche Grundlagen dafür in der literarischen Diskussion schon zur Zeit der Französischen Revolution vorhanden waren.

Unter der Perspektive, daß Bonneville als ein Zwischenglied zwischen Aufklärung und Romantik gewertet werden kann, bildet dieses Kapitel den logischen Abschluß der Arbeit: erweist er sich in seinen politischen Ideen am stärksten von der Aufklärungstheorie beeinflußt, so sind seine literaturtheoretischen Äußerungen durchgehend auf eine gedankliche Überwindung der klassizistischen Ästhetik und der Vorbildgeltung der französischen Klassik ausgerichtet und ganz von dem Bedürfnis nach einer neuen Dichtung getragen. Darin und in der Übersetzung des deutschen Theaters hatte er wohl auch seine größte historische Wirkung.

1. Die politischen Ideen

1.1 Bonnevilles Position in der Französischen Revolution

Bonneville war überzeugter Anhänger der Ideale der Französischen Revolution. Seine journalistische Tätigkeit, die sich über einen Zeitraum von zehn Jahren erstreckte, war zu einem Großteil der Darstellung und Kommentierung der Diskussionen in Nationalversammlung und Konvent gewidmet. Von 1789 bis 1791 hatte er direkte politische Funktionen inne, die er selbst in folgender Passage darstellt:

> "Electeur de 1789, et l'un des 14 à l'hôtel-de-ville dans la nuit du 12 Juillet, député commissaire-général pour l'escorte des convois dans le mois de Juillet, ancien colonel en second des premières gardes nationales de Rouen, président de district, représentant de la commune, notable-adjoint; voilà mes artifices, pour avoir obtenu les suffrages, dans une section où j'entrois pour la première fois." (Bouche de Fer IV, no. 103, p. 5)[5]

Vor allem auf seine Tätigkeit als "électeur" bezieht sich Bonneville wiederholt. Er begreift sich als einen der Wegbereiter der Revolution und beruft sich diesbezüglich gern auf seine Haltung in der Versammlung der Wahlmänner am 25. Juni 1789, in der er die Schaffung einer Bürgergarde forderte:

> "Ce fut alors que, me dévouant tout entier, et pour échauffer le coeur de mes collègues, par un exemple de courage, je donnai le signal de ralliement à tous les amis de la liberté: aux armes, citoyens, aux armes. Ce cri formidable, dans l'assemblée des électeurs de Paris, qui étoit publique, réveilla tous les bons esprits de la capitale, et servit de mot d'ordre pour tous les électeurs de l'empire."
> (N. Bonneville (...) Aux véritables amis de la liberté, p. 5)

Im Rahmen der Versorgung von Paris mit Lebensmitteln, die neu organisiert werden mußte, wird Bonneville zum Generalkommissar für die Transporte von Rouen und Le Havre ernannt und für seine dabei erbrachten Verdienste ausgezeichnet. Er führt die Freiwilligen von Rouen, die ihm den Titel eines "lieutenant-colonel" verleihen, und schlägt einen durch die Hungersnot hervorgerufenen Aufstand nieder. Die Anregung zu einer Bürgergarde wird von Mirabeau aufgenommen und in der Nationalversammlung vorgetragen und erhält am 17. Juli die königliche Sanktion.

Am 18. September 1789 wird Bonneville in die Versammlung der Dreihundert gewählt, deren Aufgabe in der Erarbeitung einer Munizipalverfassung bestand, wozu er bereits im Juli nähere Vorschläge gemacht hatte.[6] Am 13. Oktober 1970 gründet er zusammen mit Fauchet den "Cercle Social".

Der "Cercle Social" war nach der Konzeption seiner Gründer eine lockere Vereinigung mit dem Ziel, Katholizismus, Freimaurertum und Republikanismus zu vereinen und aus diesen verschiedenen Ansätzen allgemeine Prinzipien einer neuen Gesellschaftsordnung zu entwickeln und so auf eine universelle Regeneration der Menschheit hinzuwirken. Er tagte im "Cirque National" im Palais Royal, was wiederholt den Spott der revolutionären Zeitschriften hervorrief:

> "La vérité vient d'établir son trône au Cirque du Palais Royal. Cette galerie a plusieurs usages. Les mardi, jeudi et dimanche on y chante des ariettes, les mercredi et samedi les nymphes circonvoisines des entresols y dansent et les lundi et vendredi on y dit la vérité."[7]

Die Sitzungen des "Cercle Social" waren im Gegensatz zu den Clubs öffentlich, jeder Bürger hatte das Recht, eine Rede zu halten, über deren Abdruck abgestimmt wurde. Der "Cercle Social" erreichte eine große Breitenwirkung, an den Versammlungen nahmen bis zu 7000 Menschen teil. Zu den prominentesten Besuchern gehörten Mme Roland, Condorcet, der Abbé Sieÿes und Camille Desmoulins, der im Dezember 1790 zu einem der Sekretäre des "Cercle Social" ernannt wurde.[8]

Der Name "Cercle Social" soll nach Bonneville bereits die Differenz zu den Clubs ausdrücken:

> "Un Cercle, symbole éternel de l'égalité, nous a paru indiquer l'inflexibilité de nos principes, existans par eux-mêmes, sans avoir eu besoin de circonstances particulières pour leur donner un commencement, & qui, toujours pur comme la Vérité, n'ont point à craindre qu'ils finissent de nous être chers.
> Un Cercle Social peint, ce nous semble, un pacte social, une convention fraternelle, une parenté germanique (...) Au reste, nous ne sommes ni Jacobins, ni Augustins, ni modérés, ni impartiaux: des Clubs de Révolution peuvent convenir à des Lords Anglois & à d'autres, mais nullement à des hommes tels que nous." (CS II p. 3)

Der "Cercle Social" sollte nicht eine außerparlamentarische Organisation zur Förderung einer bestimmten politischen Richtung sein, sondern eine brüderliche Vereinigung nach dem Vorbild des Freimaurertums; er sollte verschiedenste weltanschauliche Richtungen vereinen und intendierte einen internationalen Zusammenschluß revolutionärer und freimaurerischer Zirkel:

> "Ainsi NOUS INVITONS aujourd'hui tous les Clubs, toutes les Loges, toutes les Sociétés nationales et étrangères à s'unir à nous (...) Jusqu'à la confection de notre Pacte fédératif et des Loix conventionnelles pour établir dans toutes les Villes du Monde un Cercle social et correspondances actives d'une Bouche de fer, qui en assurent l'exécution, nous déclarons reconnoître (...) pour Membres de la Confédération universelle, les Electeurs de 1789 dans tout l'Empire, les Amis de la Liberté de la Presse, tous les FRANCS-Maçons de l'Univers, quelque soit leur systême particulier, les Amis de la Constitution, Gardes nationales, et tous ceux qui ont été élus par le Peuple à quelque charge publique." (BdF I, p. 15)

Bonneville möchte nicht nur die Freimaurerlogen als Verbündete gewinnen, sondern zusätzlich in die Doktrin des "Cercle Social" inhaltliche Elemente des Freimaurertums einbringen. So schwebt ihm die Einrichtung eines "Orient national" vor; er verwendet wiederholt freimaurerische Terminologie,[9] kritisiert jedoch das Sektenwesen, die hierarchische Gliederung und die seiner Meinung nach übertriebene Geheimhaltung der Freimaurer. Enthüllung des sozialen Gehalts der Mysterien der Geheimgesellschaften (bei Bonneville), Wiederentdeckung der sozialen Tugenden des Urchristentums (bei Fauchet), sind zentrale Programmpunkte des "Cercle Social". Im Zusammenhang damit sollten die Prinzipien wahrer Gesetzgebung und freiheitlicher Gesellschaftsorganisation ausgearbeitet werden. Daraus resultiert eine eigenartige Mischung verschiedenster Gedankengänge zu Religion und Politik, die einigen Revolutionären recht verdächtig war:

> "Rien n'est plus plaisant ni plus ridicule que la démence sérieuse qui règne dans cet ouvrage, où se trouvent pêlemêle toutes les rêveries des illuminés avec des discussions politiques, le jargon de la mysticité avec l'emphase des prédicateurs, où l'on remonte jusqu'à la tour de Babel et l'arche de Noe, pour redescendre aux sections et aux districts, où l'on ne projette rien moins qu'une religion universelle, une régénération universelle etc. (...)

Ainsi, grâce à eux, la Révolution aura eu aussi ses illuminés tout comme si nous étions aux temps des frères rouges de Cromwell et des confrairies de la Ligue. Heureusement ceux-ci ne sont pas dangereux: ils ne sont qu'extravagans, et ne veulent régénérer l'univers que par l'amour".[10]

Aus der Druckerei des "Cercle Social" sind mehrere Zeitschriften hervorgegangen: Cercle Social von Januar 1790 bis Juli dieses Jahres, Bulletin de la Bouche de Fer im Juli 1790, La Bouche de Fer von Oktober 1790 bis Juli 1791, die Annales de la Confédération universelle des Amis de la Vérité, die eine Ergänzung zur Bouche de Fer darstellen (ebenfalls 1791), die erweiterten Nachdrucke von Bonnevilles Tribun du Peuple, der 1789 erschienen war; Le Républicain 1791 und La Chronique du Mois von November 1791 bis Juli 1793 - bei diesen beiden Zeitschriften girondistischer Tendenz war Bonneville nur Ko-Redakteur, ebenso bei den folgenden: Le Bulletin des Amis de la Vérité (1793) und Le Bien Informé (Fructidor Jahr V bis Germinal Jahr VIII).

Die für eine Interpretation Bonnevilles wichtigsten Zeitschriften sind Le Tribun du Peuple, Cercle Social und vor allem La Bouche de Fer, deren Erscheinen mit der Existenz des "Cercle Social" koinzidiert, da in ihnen Bonneville seine politischen Ideen entwickelt, die in der späteren journalistischen Tätigkeit nur geringe Modifikationen finden.

Bonneville signiert seine Artikel mit verschiedenen Pseudonymen, zum Beispiel "Le Tribun du Peuple" "Moïse" oder "Le petit-neveu de Racine". Auf den ersten Seiten des Cercle Social werden verschiedene fiktive Mitarbeiter vorgestellt, hinter denen der Beschreibung nach meist Bonneville selbst sich verbirgt.[11]

Bonneville betrachtet sich als höchst vielseitig: er sieht sich als "Tubalcain" (Bezeichnung für einen der Freimaurergrade), beschäftigt mit der Erforschung des Testaments von Jacques Molay, dem Gründer des Templerordens; als Riesen "Fort-par-les-Bras", Begründer der Distrikte,[12] der sich durch seine Abneigung dem Klerus gegenüber auszeichne; als leicht verrückten Dichter, Verehrer von Shakespeare und Ossian; als Reisenden und gleichzeitig als einen der Menschen, die sich zurückziehen, um ein großes Werk zu schreiben: eine Geschichte des menschlichen Geistes verbunden mit einer Geschichte der Revolutionen.[13]

Die Zeitschriften Cercle Social und La Bouche de Fer bestanden der Konzeption nach zum einen Teil aus aktueller Berichterstattung und Kommentierung des politischen Tagesgeschehens, der andere Teil sollte der Diskussion der allgemeinen Prinzipien einer neuen politischen Ordnung dienen und ein höheres theoretisches Niveau besitzen:

> "Une partie (...) ressemblera, pour la forme, et s'il est possible pour l'intérêt, aux Essais de Montaigne, de Bacon, de Mably, aux développemens du Contrat Social de Jean-Jacques, et encore aux feuilles périodiques des Spectateurs Anglois et Allemands." (BdF I, p. 16)

Dieser Anspruch wird eingelöst durch die Reden Fauchets über den Contrat Social Rousseaus. Sie stellen eines der wenigen Beispiele einer ausgearbeiteten Rousseaurezeption in der Revolution dar, sind allerdings beschränkt auf die ersten beiden Bücher, eine Kommentierung des wichtigen Religionskapitels fehlt.[14] La Bouche de Fer enthält weiter mehrere Reden Condorcets im "Cercle Social", darunter die wichtige Rede über die Republik, eine der ersten theoretisch begründeten Stellungnahmen gegen die Monarchie als Staatsform,[15] außerdem die "Leçons au Prince de Galles", eine Entgegnung auf Edmund Burkes Kritik der Französischen Revolution, die von einem befreundeten Londoner Zirkel verfaßt wurde, und eine längere Artikelserie, in der die rechtliche Gleichstellung der Schwarzen gefordert wird.

Bonnevilles Artikel erreichen nicht das theoretische Niveau der Reden Fauchets und Condorcets, seine wenigen Reden im "Cercle Social" sind in emphatischem Stil gehalten und nicht zuletzt aufgrund der verwendeten Freimaurerterminologie recht undurchsichtig. Er hatte außerdem als Hauptredakteur eher die Aufgabe, den Rahmen der Zeitung zu gestalten und wichtige politische Ereignisse zu kommentieren, die Sitzungen des "Cercle Social" zu protokollieren und die Korrespondenz mit befreundeten in- und ausländischen Zirkeln zu führen. Bonnevilles Artikel lassen sich trotz oft fehlender Signierung relativ gut erkennen, da er sich im Stil sehr von Fauchet, Condorcet und anderen Rednern des "Cercle Social" unterscheidet und viele Artikel auch im Tribun du Peuple oder im Esprit des Religions erscheinen.[16]

In den Zeitschriften des "Cercle Social" manifestiert sich Bonnevilles Entwicklung von einem Vertreter der konstitutionellen Monarchie hin zum Republikanismus. Sie bedeutet nicht einen Bruch innerhalb seiner politischen Ideen, sondern erscheint eher als Reaktion auf die aktuellen Ereignisse der Flucht des Königs im Juni 1791. In seinem offenen Brief an Louis XVI von 1790 erweist er dem König zwar seine Hochachtung und stellt ihn als Opfer schlechter Ratgeber dar, gibt jedoch deutlich zu verstehen, daß der König als "premier citoyen de l'Empire" nur ein begrenztes Mandat besitze und prinzipiell dem Urteil des ganzen Volkes unterstehe:

> "O Louis XVI! Si tu es fidèle à ta promesse, l'empire est sauvé, et tu auras une belle place parmi les bienfaiteurs du genre humain; si tu violois encore tes sermens, la liberté ne périroit pas; (...) Suis-je leur empereur seulement pour leur plaire? Oui!"
> (Le Vieux Tribun du Peuple 1790, p. 177, 5e éd.)[17]

Für die Auseinandersetzung von Gardes-du-Corps und Gardes nationales macht Bonneville nicht den König verantwortlich, sondern den Hof. Mit der Flucht des Königs verliert er jedoch jede Sympathie:

> "Non, tu n'as point voulu le bonheur du peuple François, c'est toi seul qui as entravé les glorieux desseins de ses représentans, véritable serpent réchauffé dans son sein!" (BdF IV, no 72, p. 2)

Er vergleicht Louis XVI mit Johann-ohne-Land und fordert seine Bestrafung. Mit den Cordeliers hält er den Zeitpunkt für gekommen, die Republik auszurufen, verurteilt die zögernde Haltung Lafayettes und der Nationalversammlung und warnt davor, Philipp von Orléans als Regenten einzusetzen. Daß die Monarchie prinzipiell im Widerspruch zu politischer Freiheit steht, hält er nun für erwiesen:

> "Roi! - Nous n'aurons jamais que d'infructueuses révolutions, si nous conservons l'ombre d'un Roi, qui, l'éternel ennemi de l'égalité et de la liberté qu'il ne connoît pas, rappellera les distinctions, les privilèges, la soif de dominer, et cachant ses vengeances sous les voiles du prêtre hypocrite, ramenera les tenèbres et les forfaits du clergé romain." (BdF IV, no 72, p. 4)

Noch 1790 hatte Bonneville dem Königtum die Exekutivgewalt zugestanden:

> "Le pouvoir exécutif au Roi, le pouvoir administratif aux assemblées provinciales, le pouvoir législatif aux assemblés nationales, le pouvoir censorial à tous les individus." (CS I, p. 232)

Mit der endgültigen Ablehnung der konstitutionellen Monarchie verstärkt sich Bonnevilles plebiszitäre Tendenz. Bereits 1789 betont er in einem Brief an die Wahlmänner der "Commune de Paris" die Verpflichtung der Abgeordneten gegenüber den zu repräsentierenden Instanzen:

> "Tant que les Etats-Généraux de 1789 subsisteront, les députés ne sont que les mandataires des électeurs, comme les électeurs ne sont que les représentans des districts, bourgs, villes ou bailliages ou états; autrement vous auriez déjà substitué au despotisme d'un seul ministre le despotisme de plusieurs." (Le Tribun du Peuple 1789, p. 145)

Bonneville fordert also im Grunde genommen ein imperatives Mandat. Weiter plädiert er für die Abschaffung des "marc d'argent", der Unterscheidung in aktive und passive Bürger nach der Besteuerung, die er durch die Erklärung aller politisch engagierten Bürger, vor allem der Bastillekämpfer, zu Aktivbürgern ersetzt sehen will.[18] Im Juni 1791 begründet Bonneville seine Ablehnung des Zensuswahlrechts in einer Petition, die von mehreren Gesellschaften, unter anderem den Cordeliers, unterschrieben wurde. Sie beginnt mit dem markanten Satz: "Pères de la patrie. Ceux qui obéissent à des lois qu'ils n'ont pas faites ni sanctionnées, sont des esclaves." (BdF IV, no 68, p. 9)

Bonneville engagiert sich nun für das allgemeine Wahlrecht, er fordert die direkte Sanktionierung der Gesetzesvorschläge durch die Bevölkerung in jährlich stattfindenden dreitägigen Volksversammlungen in ganz Frankreich, womit er letzten Endes sogar das Repräsentationsprinzip ablehnt und ein System direkter Demokratie vertritt.

Diese politische Entwicklung weist weitere typische Merkmale auf. Wie ein Großteil der Revolutionäre stellt Bonneville bei Ausbruch der Revolution nicht das Königtum als Institution in Frage - er wünscht allein eine engere Verbindung von König,

aufgeklärtem Bürgertum und Volk -, richtet sich aber von Anfang an dezidiert gegen Aristokratie und Klerus, nicht zuletzt deswegen, weil diese angeblich den Bezug des Königs auf sein Volk verhindern. Im Tribun du Peuple stellt er in einem längeren Artikel die Geschichte Europas allegorisch dar in den Figuren "Le grand enchanteur" (Klerus) und "Paladin" (Adel), die sich darum streiten, wer auf den Schultern des Riesen "Fort-par-les-Bras" (Volk) reiten darf.[19] Bemerkenswert ist, daß das Königtum in dieser Allegorie der sozialen und politischen Unterdrückung des Volkes nicht figuriert.
Den Standesprivilegien stellt Bonneville als positives Prinzip das allgemeine, unparteiische Gesetz und die Öffentlichkeit gegenüber. Eine funktionsfähige Öffentlichkeit, institutionalisiert in einem Tribunat, dessen Vertreter vom Volk direkt gewählt werden, erscheint ihm als wichtigster Garant politischer Freiheit. Er tritt für eine absolute Pressefreiheit ein und plädiert sogar für das Recht auf anonyme Veröffentlichung.

Nach Bonneville muß der Kampf gegen die Privilegien eine umfassendere sozialpolitische Orientierung erhalten. Der Konflikt zwischen Drittem Stand und Adel und Klerus entzündete sich ja vorerst nur an Fragen der Fiskalpolitik, nämlich an dem Privileg der beiden Stände, von der Besteuerung ausgenommen zu sein. Bonneville geht weiter: seine Kritik bezieht sich auf deren parasitäres Dasein, auf die für ihn eindeutige Tatsache, daß die beiden Stände von der Arbeit des Volkes leben:

> "Tant qu'il existera des privilèges exclusifs et héréditaires, qui accordent à un seul ce qui appartient à tous, les formes de la tyrannie pourront changer avec les occurences, mais la tyrannie existera toujours." (EdR II, p. 11)

Im Januar 1790 beschuldigen die Jakobiner die Zeitschrift Cercle Social der Subversivität, da sie ein Agrargesetz fordere. Bonneville antwortet darauf mit dem taktischen Argument, daß der "Cercle Social" schon immer alle bisherigen historisch bekannten Formen von Landverteilung abgelehnt habe, da diese gewaltsam durchgesetzt wurden. Den Vorwurf der Subversivität wendet er positiv:

"On accuse la Bouche de fer d'être incendiaire; et en cela on n'a pas tout-à-fait tort, car nous sommes bien sûrs que jamais on n'a parlé avec plus de chaleur de la fraternité (religion) universelle, du besoin de s'aimer avec franchise, de respecter les loix, et de repousser avec intrépidité les tyrans qui menacent nos frontières." (CS I, p. 2: Programme du Cercle Social)

Das Agrargesetz wird in den Zeitschriften des "Cercle Social" nicht explizit gefordert, aber in De l'Esprit des Religions von Bonneville als eine seiner wichtigsten Ideen und als eine neue Frohe Botschaft dargestellt, die den Beginn eines neuen Zeitalters markiere. Als höchste Stufe gesellschaftlicher Vollkommenheit betrachtet er eine jährliche Neuverteilung des Landes. Da Bonneville eine plötzliche Umwälzung der Eigentumsverhältnisse für gefährlich hält, schlägt er als einen ersten praktischen Schritt zur Herstellung sozialer Gleichheit eine Änderung der Erbfolgegesetze vor:

"Le seul moyen possible d'arriver à la grande communion sociale, est de diviser les héritages territoriaux en parts égales et déterminées par les enfans du défunt, et d'appeller au partage du reste tous les autres parens." (EdR I, p. 59)

Diese Anregung greift Athanase Auger auf und formuliert sie zu einer Petition, die die Nationalversammlung am 21. Oktober 1791 an das Legislativkomitee weiterleitet. Er schlägt vor, den Grundbesitz zur einen Hälfte an die Kinder des Verstorbenen und zur anderen in gleichen Teilen an alle Verwandten zu verteilen, da dadurch eine unproportionale Ansammlung von Grundbesitz verhindert werde. Auger bezieht sich in seiner Petition auf Bonneville und sein Werk:

"Sans tout approuver dans l'Esprit des Religions, nous nous faisons un plaisir de reconnoître qu'il est remarquable par beaucoup de grands apperçus, et surtout par cette charité universelle qui voudroit réunir tous les hommes, et faire du genre humain entier, une société de frères." (EdR App., p. 288)[20]

Die Forderung nach einer Umgestaltung der Besitzverhältnisse auf dem Land, nach einem Agrargesetz, wird nur von wenigen Anhängern der Revolution vertreten.[21] Den fundiertesten und entschiedensten Ausdruck findet sie in Babeufs Schriften. Babeuf wurde zwar in der Entwicklung seiner Ideen nicht von Bonneville beeinflußt - sein System des Agrarkommunismus datiert von 1787 -, hat aber vermutlich seine Zeitschrift nach Bonnevilles Tribun du Peuple benannt, der eine relativ hohe Auflagenzahl erreichte.[22]

Nach der Flucht des Königs fordert Bonneville weiter die Konfiszierung seines Vermögens und dessen Verwendung für öffentliche Arbeiten, wie Straßenbau, als ein Mittel zur Eindämmung der Arbeitslosigkeit. Industrie und Handel werden kaum thematisiert, auch die Forderung nach dem Agrargesetz resultiert - anders als bei Babeuf - nicht aus einer ökonomischen Theorie; Bonneville überträgt vielmehr das Postulat der Rechtsgleichheit auf den sozialen Bereich ohne eine genauere Analyse der realen Durchsetzungsmöglichkeiten. Die Reaktion der Jakobiner läßt jedoch darauf schließen, daß Bonnevilles Gedanken nicht als unverbindliche Utopie aufgenommen wurden, sondern als Ideen von unmittelbarer politischer Sprengkraft.

Bonneville versuchte die Jakobiner zu gewinnen, indem er sie neben Freimaurern, Gardes Nationales und allen Volksvertretern zu Mitgliedern des "Cercle Social" erklärte. Die Annäherung scheiterte: im November 1790 warnt Laclos bei den Jakobinern alle befreundeten Gesellschaften davor, sich dem "Cercle Social" anzuschließen. Bonneville beginnt darauf in der Bouche de Fer eine längere Kampagne gegen die Jakobiner. Er bezieht sich in seiner Kritik kaum auf die politischen Standpunkte der Jakobiner, sondern greift vor allem die hierarchischen Strukturen dieser Organisation an: gegenüber der breiten Masse der Jakobiner, die von ehrlichem Patriotismus erfüllt sei, sei die Politik ihrer Führer rein auf die Gewinnung von Machtpositionen ausgerichtet und darin jesuitischer Machtpolitik vergleichbar:

> "Ils parlent de république! quelques-uns d'entre eux en sont bien loin; ce sont ces mots obscurs, qui ne signifient pour eux, que la possibilité de la dictature."
> (BdF II, p. 184)

Für Robespierre zeigt Bonneville dagegen zunächst Sympathie, er bezeichnet ihn als "le vertueux Robespierre"[23] und zählt ihn zu den echten Republikanern zusammen mit Péthion, Grégoire, Buzot, Condorcet und Brissot.[24] Die Politik Marats und Frérons betrachtet er als exzessiv, aber funktional zur Abschreckung der Volksfeinde.[25]

Seine größte Sympathie gehört jedoch den Cordeliers, die er als Sammelpunkt aller unterdrückten Bürger feiert:

> "C'est aux Cordeliers que toutes les victimes de l'aristocratie militaire viennent aujourd'hui réclamer l'égide de la loi & de la justice," (CS II, p. 123)

Nach seinem Bruch mit Fauchet,[26] der mit seiner Weihe zum Bischof von Calvados die Mitarbeit an der Bouche de Fer einstellt, räumt Bonneville den Cordeliers breiten Raum in dieser Zeitschrift ein. Er unterstützt die Marsfeldpetition, in der die Verurteilung des Königs, die Abschaffung der Monarchie und die Ausrufung der Republik gefordert wird. Bonneville erlebt die Ereignisse auf dem Marsfeld am 17. Juli 1791 persönlich mit und gibt einen langen Bericht darüber in der Bouche de Fer. Da die Partei der Republikaner keine Unterstützung in den politischen Gremien findet, beschließt Bonneville, der sich als überzeugter Republikaner stark exponiert hatte, die Bouche de Fer einzustellen. Auch der "Cercle Social" wird noch im Juli 1791 aufgelöst.

Bonneville schließt sich nun den Girondisten an. Mit Brissot, Condorcet, Mercier, Lanthenas, Auger, Collot d'Herbois und anderen gründet er im November 1791 die Chronique du Mois und liefert darin eine Darstellung der Diskussionen der "Assemblée Nationale Législative".

Eine umfassendere Stellungnahme zum politischen Geschehen findet sich erst in der Ausgabe vom September 1792:

> "Ce n'est pas le tyran dans les fers qu'il faut tuer, sans pitié, c'est la royauté toute entière, qu'il faut immoler, il faut tuer la tyrannie toute entière, la dictature toute entière. Il nous faut une nation souveraine et sa volonté seule pour loi.
> Les plus méprisables flatteurs du peuple vous parlent bien des droits sacrés du corps représentatif, et de la nécessité des conventions libres et nationales pour organiser un gouvernement, mais examinez leur conduite, ils n'en voudroient pas, ils n'y voudroient au moins recontrer que leurs favoris, ceux qui déjà les flattent sans pudeur, parce qu'ils les craignent." (Chronique, Sept. 1792, p. 62f)

Bonneville sieht also die Revolution eher von innen gefährdet, durch den versteckten Machtanspruch anderer revolutionärer Parteien. Besonders heftig kritisiert er die "Commune":

> "Avec leurs pots-pourris de dénonciations vagues, de stériles déclamations et de prose délabrée, ils ressemblent merveilleusement aux filles de Pélias qui ont égorgé leur père, en voulant le rajeunir." (Chronique, Nov. 1792, p. 79)

Die Septembermorde hält er für bewußt organisiert und begreift sie als Vorspiel eines Staatsstreiches. Aus Protest stellt er seine Berichterstattung über die Arbeit der Legislative ein und veröffentlicht nur noch ein Gedicht, in dem er die Septembermorde verurteilt, und eine Stellungnahme gegen die "Commune".

In der Konventssitzung des 18. Mai 1793 wird Bonneville von Marat und Levassier als Aristokrat denunziert; Lanthenas verteidigt ihn folgendermaßen:

> "Désigner ici un homme comme aristocrate, c'est l'indiquer au poignard des assassins. C'est une scélératesse de la part de Marat. Bonneville est un citoyen connu pour de bons ouvrages (...) Il n'a jamais cessé de prêcher la liberté et le respect pour les autorités constituées..."[27]

Bonneville wird darauf verhaftet, jedoch wieder freigelassen.[28] Während der Girondistenverfolgung wird er erneut verhaftet und entkommt der Guillotinierung nur durch die Entmachtung Robespierres. Mit der Einstellung der Chronique du Mois im Juli 1793 und der Girondistenverfolgung, der auch Fauchet zum Opfer fällt,[29] werden Bonnevilles politische Aktivitäten sporadischer. 1796/97 erscheint in Zusammenarbeit mit Mercier Le Vieux Tribun du Peuple et sa Bouche de Fer, in dem allerdings weitgehend Stellungnahmen zum aktuellen politischen Geschehen fehlen. 1800 übersetzt er Thomas Paines Maritime Compact, eine Abhandlung über das Seerecht. Bonnevilles letzte Zeitschrift ist Le Bien Informé, die er zusammen mit Mercier herausgibt. Ein Vergleich von Napoleon und Cromwell (19. Brumaire Jahr VIII) führt zur Konfiskation seiner Druckpressen und neuem Gefängnisaufenthalt.[30] Bonneville mußte nun in seine Heimatstadt Evreux zurückkehren und stand dort bis zum Ende des Empire unter Polizeiaufsicht. Spätere politische Stellungnahmen von Bonneville sind nicht bekannt. Bonnevilles Haltung gegenüber der Revolution insgesamt verändert sich in diesen Jahren nur wenig. Schon 1791 sagt er in der ersten Auflage des Esprit des Religions, daß die Revolution seine Erwartungen nicht erfülle, allerdings ohne eine nähere Konkretisierung seiner Kritik. Im Vieux Tribun du Peuple von 1796 greift er diese Stellungnahme wieder auf:

> "Nous avons prévu dès lors ce lendemain fatal où après une heure de liberté nous serions tous enchaînés les uns par les autres, si les forces de la raison universelle, ne plaçoient de toutes parts des guides, des flambeaux et des barrières pour s'opposer aux débordemens incalculables de toutes les passions d'un grand peuple irrité, qui s'est armé desses fers." (Vieux Tribun du Peuple, 1796, p. 27)

Bonneville war persönlich sehr betroffen von der Tatsache, daß der revolutionäre Prozeß so viele Opfer auf Seiten der Republikaner forderte. Er gibt von seiner Situation im Jahre 1796 ein Bild tiefen Kummers:

> "C'est lui que vous avez pu rencontrer, dans ces derniers tems de proscription universelle, pâle et défait, errant sur les montagnes qui regardent la ville ensanglantée. Et il pleuroit; il se pleuroit! Assassiné dans tout ce qui lui étoit cher, tout lui manquoit, tout manquoit à son art chéri, destiné à des siècles moins corrompus!" (Vieux Tribun du Peuple, 1796, p. 6)

Dennoch hält Bonneville fest an der Legitimität der Revolution, er denkt dabei allerdings eher an ihre ersten Jahre, in die ja auch seine eigene größte Produktivität fällt. Die als Verfallserscheinung interpretierten innerrevolutionären Verfolgungen hält er sogar für reversibel in ihrer Wirkung:

> "Un entier dévouement a commencé la révolution la plus étonnante, et qui peut être encore, si nous oublions le passé, la plus belle révolution qui fut jamais; un entier dévouement doit la finir." (Vieux Tribun du Peuple, 1796, p. 114)

Diese Hoffnung, die durchaus von einer tiefen Enttäuschung der eigenen Erwartungen begleitet ist, hat Bonneville nie aufgegeben, wenigstens soweit er publizistisch tätig war. Der Revolution verdankt Bonneville zum größten Teil die Motivation seines schriftstellerischen Engagements. Daß er mit dem Ende der Revolution seine literarische Tätigkeit abbricht, zeigt die Verquickung seines persönlichen Werdegangs mit der politischen Bewegung.

1.2 Der Zusammenhang der politischen Ideen

Bonneville sieht seine politische Aufgabe weniger in einer Stellungnahme zum aktuellen Geschehen, obwohl dies einen Großteil seiner journalistischen Arbeit einnimmt, sondern hauptsächlich in der Erarbeitung allgemeiner politischer Theorie; die Frage nach der bestmöglichen Gesellschaftsform stellt sich ihm als ein Problem universal gültiger Wahrheit.

> "Mon objet embrasse tous les siècles, tous les empires et tous les hommes. J'ai à révéler les mystères de la liberté, à résoudre le problême du bonheur social, et j'en dois montrer la douce et bonne jouissance, assurée par le pacte fédératif des nations." (EdR I, p. 1)

Mit diesen Sätzen leitet er sein Hauptwerk De l'Esprit des Religions ein.

Von politischer Theorie ist bei Bonneville allerdings mit der Einschränkung zu sprechen, daß er zwar den universaltheoretischen Anspruch der Aufklärungsphilosophie übernimmt, jedoch nicht zur Ausarbeitung eines in sich geschlossenen Systems gelangt; seine Überlegungen bleiben fragmentarisch und unsystematisch, bewegen sich allerdings um zentrale Elemente der politischen Theorie der Aufklärung.

Daß Bonneville die politische Theorie der Aufklärung sich angeeignet hat, geht aus seinen Verweisen auf deren bedeutendste Werke hervor,[31] die er jedoch nicht detailliert kommentiert. Er bezieht sich auf den ersten Seiten des 2. Teils des Esprit des Religions explizit auf diesen Hintergrund und beschwört folgende "génies supérieurs" herauf:

> "Un autre Voltaire s'armera tour à tour du poignard de Brutus, grande leçon des rois, et de la verge du ridicule. (...) Montesquieu redira des paroles pleines de majesté; (...) Helvétius, ami de la vérité, recueilli dans le silence et les ténèbres minera les autels du fanatisme. Mably, par ses hautes prévoyances, affermira vos pas chancelans. Quelque Jean-Jacques, moins irascible, mais peut-être plus prompt et plus ferme, s'adressera violemment à des jeunes courages, (...)" (EdR II, p. 2f)

Daß Bonneville sich durchgehend positiv auf die Aufklärungsphilosophie bezieht, wird kenntlich daran, daß eine Kritik nur in einzelnen Punkten erfolgt.[32]

Tatsächlich besteht jedoch eine Diskrepanz zwischen dieser Selbsteinordnung Bonnevilles und seiner Gesellschaftstheorie. Sie ist nicht immer in den unmittelbaren Aussagen nachweisbar: Bonneville übernimmt zentrale Kategorien der politischen Theorie der Aufklärung, oft formuliert er ihren Gehalt in traditioneller Form, gibt ihnen aber auch unvermittelt einen neuen Sinn. Dieses Schillern in der inhaltlichen Füllung der Begriffe resultiert daraus, daß Bonneville schon im Ansatz widersprüchlich ist: er verbindet eine naturrechtliche Betrachtungsweise, die eine legitime Gesellschaftsordnung aus angenommenen natürlichen Bedürfnissen und Rechten ableitet und als wechselseitigen Vertrag aller Gesellschaftsmitglieder begreift, mit dem Rekurs auf eine hypothetische geschichtliche Tradition von Gesetzgebung, die in den Religionen noch versteckt enthalten und aus göttlicher Inspiration begründet sei. Bei Bonneville ist daher sowohl die Vorstellung zu finden, daß Recht und Staat rational konstruierbar seien, wie im Ansatz eine frühe Formulierung der Konzeption des Staates als kollektiven Organismus. Seine Idee gesellschaftlicher Einheit bewegt sich zwischen dem Konzept der "volonté générale" und der Vorstellung quasi-religiöser Kollektivgemeinschaft.

Die Differenz zur politischen Theorie der Aufklärung haben auch zeitgenössische Autoren gespürt; bezeichnend ist La Harpes Kritik, Bonneville verstoße gegen den "bon sens":

> "Chacun écrit comme il peut: les auteurs de la Bouche de Fer ne sont peut-être pas les maîtres d'écrire autrement; mais ils peuvent au moins (et c'est tout ce que j'aurais voulu leur faire comprendre) ne pas affecter l'emphase prophétique dans des matières qui ne demandent que du bon sens; ne pas substituer à la réalité des droits de l'homme l'illusion des hiéroglyphes et au solide pouvoir de la raison les frivolités mystiques; ne pas faire du titre de Citoyen un grade d'illuminé, de la liberté une enigme, et de la Constitution une Apocalypse."[33]

La Harpes Kritik trifft den Kern der Unterschiede von Bonnevilles Position gegenüber der politischen Theorie der Aufklärung, nämlich die Verschmelzung von Fragmenten des aufklärerischen Diskurses mit religiösen Themen.

1.2.1 Das Gesellschaftsmodell

Die Idee des Naturzustandes im Sinne Rousseaus, als eines vorgesellschaftlichen Zustandes, fehlt bei Bonneville völlig, der Begriff Natur spielt in seinem Gesellschaftsmodell allerdings eine wichtige Rolle. Wie die Naturrechtstheoretiker geht er davon aus, daß eine Gesellschaftsform nur dann legitim ist, wenn sie konform der Natur des Menschen strukturiert ist. Dabei erscheint ihm das Postulat der natürlichen Gleichheit aller nicht als ein Problem der Theoriebildung, sondern als unmittelbar einsichtige Wahrheit:

> "Est-il donc si nécessaire d'aller citer à tort et à travers un Grotius, un Barbeyrac, ou un de Lolmes, pour savoir si une centaine d'hommes appartient au genre humain, ou si le genre humain appartient à cette centaine d'hommes?" (EdR II, p. 27)[34]

Bonneville diskutiert die Vertreter der Naturrechtslehre nicht, auch Rousseaus Naturzustandskonstruktion nimmt er nicht auf, noch findet sich eine Stellungnahme zu Fauchets Rousseau-Kritik. Entgegen Rousseau behauptet er, daß Soziabilität dem Menschen natürlich ist und daß dieser Impuls zur Gesellschaftlichkeit, kann er sich ungehindert entfalten, auf die Herstellung gesellschaftlicher Einheit und Gleichheit gerichtet ist:

> "Ne calomniez donc pas la nature, qui s'efforce de travailler à des loix impartiales. Lorsqu'un grand danger menace des hommes assemblés, la nature qui fit tous les hommes égaux, réclame tous ses droits. (...)
> C'est alors que s'établit entre des hommes réunis par le danger, un pacte social qui ne peut avoir d'autre objet que le bien de tous, qui les engage tous sous des conditions mutuelles qui ont pour base et pour garant la force et la volonté de tous: contrat sacré, qui fait que chacun se sent dans le tout dont il fait partie, et que l'homme le plus dépravé, tout-à-coup régénéré par de sages loix, et bon de toute la bonté de sa nature, ne fait pas un voeu qui ne l'unisse à ses semblables." (EdR II, p. 26f)

Die Anlehnung an Rousseausche Formulierungen des Gesellschaftsvertrags ist hier eindeutig,[35] ebenso jedoch die inhaltliche Differenz: Bonneville gebraucht zwar den Begriff "pacte social", Gesellschaftlichkeit in dem auch bei Rousseau betonten Sinn einer legitimen, herrschaftsfreien Ordnung erscheint jedoch nicht als bewußtes, freiwilliges Produkt der Menschen, sondern als Wirkung einer Notsituation. Während bei Rousseau der Gesellschaftsvertrag das Heraustreten der Menschen aus ihrer natürlichen Verfaßtheit markiert, begreift ihn Bonneville als deren Verwirklichung und als Produkt instinktmäßigen Verhaltens. Mit den in der Formulierung "tout-à-coup régénéré par de sages loix" angesprochenen Gesetzen sind die Gesetze der Natur gemeint, denen auch der Mensch unterliegt, die jedoch in einem nur auf Macht basierenden gesellschaftlichen Zusammenhang in ihrem Wirken beeinträchtigt sind; Bonneville nimmt eine Teleologie der Natur an, die sich nicht nur auf die natürliche Reproduktion der Menschheit richte, sondern ebenso auf ihre gesellschaftliche Existenz - daher die eigenartige Formulierung "la nature qui fit tous les hommes égaux, réclame tous ses droits". In Rousseaus Konzeption des Gesellschaftsvertrags hebt dagegen die mit dem Gesellschaftszustand erreichte sittliche Gleichheit die Wirkung der natürlichen physischen Ungleichheit auf.[36]

Weiter fehlt bei Bonneville die wenn auch hypothetische geschichtliche Dimension, in die der Gesellschaftsvertrag bei Rousseau gestellt ist als Urform jedes gesellschaftlichen Zusammenhangs und gleichzeitig erstes Prinzip einer noch nicht existenten legitimen Gesellschaft. Der Gesellschaftsvertrag als wechselseitige gleiche Verpflichtung aller gegenüber allen ist nach Bonneville historisch zu jeder Zeit gleich möglich, es muß nur eine Situation eintreten, die die Wirkung äußerlich gesellschaftlicher Konventionen (Privilegien, Macht) außer Kraft setzt, was er sich nur als Freisetzung des reinen Selbsterhaltungstriebs vorstellt, der schon als Instinkt Soziabilität enthält. Was dieses Beispiel der Gefahrensituation, das sich im Bild ja nur auf eine überschaubare Gruppe von Menschen bezieht, für den Entwurf eines neuen Staatswesens an Konsequenzen hat, gibt Bonneville nicht mehr an. Insgesamt tritt die Idee des Gesellschaftsvertrags bei Bonneville wenig auf und nicht in der inhaltlichen Präzision wie bei Rousseau. Der Vertragsgedanke, d.h. die Vorstellung eines Interessenaustausches isolierter Individuen, war ihm im Grunde fremd. Sein Gesellschaftsmodell basiert eher auf dem Gedanken unmittelbarer gesellschaftlicher Einheit und Totalität. Wieweit deren Legitimität von dem konkreten Wohlergehen des Individuums abhängt, spricht er nur in folgender Stelle an:

> "S'il périt dans un état un seul Citoyen innocent, un seul Citoyen désesperé faute de travaux, de secours ou de commisération publique, il n'y a point de Pacte Social. La cause d'un seul est la cause de tous, par-tout où l'on fait un Pacte Social, un contrat fraternel, des Loix impartiales, une cause commune." (CS I, p. 240)

1.2.1.1 Das Idealbild der germanischen Gesellschaft

Die Idee des Naturzustandes hat bei Rousseau die Funktion der Kritik an der bestehenden Gesellschaft: jede Gesellschaftsform hat sich in Bezug auf die vorgestellte natürliche Freiheit und Gleichheit des Menschen zu legitimieren; der Gesellschaftsvertrag - nach Rousseaus Contrat Social - muß so beschaffen sein, daß er zumindest ein Äquivalent für diese natürlichen Eigenschaften bereitstellt. Diese Kritikfunktion nimmt bei Bonneville die Darstellung einer historischen Gesellschaftsform ein: der Gesellschaft der alten Franken, Germanen und Skandinavier vor und während der Völkerwanderung.
Das Verfahren, der aktuellen Gesellschaftsform als Ideal ein anderes historisches Modell entgegenzustellen, ist für die politische Theorie der Aufklärung untypisch. Dem Ancien Régime, das seine Legitimationsbasis in der Berufung auf historische Tradition - und nur am Rande auf göttliches Recht - hatte, wurde ein Legitimationsprinzip konfrontiert, das gerade nicht auf Geschichte fußte, sondern auf dem hypothetischen Konstrukt einer universalen Vernunft und Bedürftigkeit aller Menschen und einem ihnen immanenten, ewigen Rechtsbewußtsein.[37] Bonnevilles Gesellschaftsmodell begründet sich dagegen aus der Darstellung einer vergangenen historischen Gesellschaftsform, die zwar eine Projektion idealtypischer Züge von Gesellschaftlichkeit ist, die er dennoch mit den damals erreichbaren historischen Zeugnissen in Übereinstimmung zu bringen sucht.[38]

Bonneville nimmt allgemeine Rechtsprinzipien von Gesellschaftsorganisation an, hat also noch den universalen Ansatz der Aufklärungsphilosophie, wendet ihn jedoch historisch, indem er

auf ein geschichtliches Modell rekurriert: die Gesellschaft der Germanen begreift er als Verwirklichung der im esoterischen Wissen der Geheimkulte überlieferten allgemeinen Prinzipien. An ihr sei in der Errichtung der neuen Gesellschaft anzuknüpfen: "... soyez FRANCS, comme vos pères, et vous serez libres comme eux." (EdR II, p. 138)
Bonneville unterscheidet nicht zwischen Kelten, Franken, Germanen und Skandinaviern, "franc" erscheint zudem in einigen Stellen in Affinität zu "franc-maçon".
Die Vorbildlichkeit der germanischen Gesellschaft sieht Bonneville auf mehreren Ebenen bestätigt. Wichtigstes Anzeichen dafür, daß die Germanen ein freies Volk waren, ist ihm deren Praxis von Volksversammlungen, in denen die Gemeinschaft über Belange von größerer Wichtigkeit entschied. Bonneville sieht darin das Souveränitätsprinzip realisiert:

> "La souveraineté nationale est là, pour la première fois dans l'ancien monde, religieusement établie, fraternellement propagée, courageusement défendue; et vous les appelez barbares! O Érudits!" (EdR App., p. 64)

Im selben Maße, wie die Volksversammlungen konstitutive Bedeutung für die Aufrechterhaltung der politischen Freiheit haben, führen die jährlichen Landneuverteilungen zu sozialer Gleichheit. Sie markieren für Bonneville das Ziel, auf das die Französische Revolution im sozialen Bereich hinzuarbeiten habe.

Die germanische Gesellschaft habe weiter die Identität von geistlicher und weltlicher Macht im Status der Druiden erreicht, dessen Einmaligkeit Bonneville im Fehlen eines Interpretationsmonopols des göttlichen Willens nach Art des christlichen Klerus und in der Vorrangigkeit von Lehrer- und Richterfunktionen sieht. Als Basis dieser Ideale - politischer Freiheit des einzelnen, sozialer Gleichheit und gesellschaftlicher Einheit - betrachtet er die Religion der Germanen, da diese allein die für die Aufrechterhaltung der Institutionen erforderliche Subjektivität geschaffen habe:

> "La religion des Scandinaves étoit merveilleusement combinée pour en faire un peuple d'hommes, et doit nous intéresser particulièrement, puisque de tous les peuples du nord, ce sont eux qui ont eu la meilleure part aux nombreu-

> ses révolutions de l'Europe, et qu'ils sont la principale cause de cette hauteur d'ame, de cette aversion pour la servitude, et de cet empire de l'honneur qui caractérisent presque toutes les nations européennes." (EdR II, p. 40)

Die wesentliche positive Leistung dieser Religion liegt für Bonneville in der Erziehung zu Heroismus, Askese und Todesverachtung; selbst die daraus resultierende Kriegsbereitschaft befürwortet er als Zeichen von Freiheitsliebe:

> "Qu'on examine attentivement les moeurs et la religion des peuples du nord, faite pour leur inspirer l'enthousiasme du courage, et dans les travaux et les dangers une patience presque divine, on ne sera plus étonné des prodiges de valeur dont ils ont donné tant d'exemples. La guerre étoit pour eux la source de l'honneur, des richesses et d'une vie heureuse dans l'autre monde." (EdR II, p. 55)[39]

Bonneville sieht die Freiheit der Nordvölker weiter darin begründet, daß sie kaum zivilisiert waren. Zivilisation erscheint ihm rein negativ als Herrschaftsmittel:

> "Si les peuples du Nord n'avoient pas été <u>civilisés</u> à votre manière, ô érudits, ils seroient libres encore.
>
> Ces <u>barbares</u> d'Occident, endurcis aux veilles, aux fatigues, aux dangers, que la nature dès leur enfance, avoit forcés d'être libres ou de mourir, étoient des guerriers invincibles tant qu'ils savoient braver la faim et la soif; qu'ils ne vouloient d'autres délassemens à leurs travaux que l'heureux sourire d'une compagne bien aimée, entourée de ses nombreux enfans; et qu'ils ne chérissoient d'autres besoins que ceux des animaux féroces de leurs déserts, le besoin de haïr la tyrannie; car c'étoit là l'instinct des peuples du Nord." (EdR App., p. 62f)

Er wendet sich hier direkt an die Gelehrten und kritisiert ihren auf dem Umfang der materiellen Produktion basierenden Begriff von Zivilisation, indem er implizit eine Kategorisierung der verschiedenen Gesellschaftsformen nach dem Kriterium der Sittenstrenge fordert.[40] Neben der Freiheitsliebe ist vorrangige Tugend die Liebe zur Familie. Die Stellung der Frau in der Gesellschaft kennzeichnet Bonneville auch an anderer Stelle als Kriterium für die Bewertung des gesellschaftlichen Zustandes:

> "Les peuples du Nord avoient beaucoup de déférence pour les femmes: ils regardoient leurs réponses et leurs con-

> seils comme des oracles; persuadés qu'il y avoit en elles quelque chose de divin." (EdR II, p. 58)

In der Praxis, daß bei den Nordvölkern die jungen Männer vor einer Heirat erst Beweise ihres Mutes liefern mußten, sieht er den Ursprung des Rittertums.[41]

Ein weiterer Indikator für die "Zivilisiertheit" der Nordvölker besteht für Bonneville schließlich in deren Verehrung der Poesie und der Unabhängigkeit ihrer Dichter:

> "Une preuve incontestable que les Scandinaves étoient sensibles au charme de la poésie, c'est qu'ils l'appelloient le breuvage d'Odin, et qu'il n'y eut jamais de pays où les poëtes ayent été plus honorés. La vénération des peuples enfloit le courage du poëte, élevoit son génie, et les historiens assurent qu'ils ignoroient toute espèce de flatterie ou de crainte, et qu'ils ne louoient les princes et les héros qu'après avoir bien mérité de la patrie. Les princes se faisoient une gloire d'être aussi bons poëtes que grands guerriers; et sans parler de Fingal et d'Ossian, ce qui nous reste de la poésie des peuples du Nord, prouve que le génie poétique est de tous les climats où l'on en connoît le prix." (EdR II, p. 60)

Das Gesellschaftsideal Bonnevilles weist also inhaltlich folgende Punkte auf: Volkssouveränität und Beteiligung des einzelnen am politischen Entscheidungsprozeß, Gemeineigentum, Identität von weltlicher und geistlicher Macht. Als konstitutive Tugenden fordert er: materielle Bedürfnislosigkeit, einen rigiden Heroismus und Aufopferungswillen, Hochachtung den Frauen gegenüber und Verehrung der Dichtkunst.

Bonnevilles Beschreibung des skandinavischen und germanischen Gemeinwesens ist in ihrer zivilisationskritischen Intention ähnlich Rousseaus Darstellung der ersten gesellschaftlichen Zusammenschlüsse im Discours sur l'inégalité und im Essai sur l'origine des langues. Wie Fetscher aufzeigt, relativiert Rousseau im Essai die Idealität des Naturzustandes dahingehend, daß sich das natürliche Gefühl des Mitleids erst mit der im Gesellschaftszustand erworbenen "imagination" entwickeln kann.[42] Seine Kulturkritik bezieht sich hier deutlich nur auf die mit den Hochkulturen einhergehende Konkurrenz der Menschen untereinander, die schrankenlose Entfaltung des "amour-propre"; die Hirtengesellschaften erscheinen dagegen in ihrer selbstgenügsamen Autarkie und weitgehenden sozialen Gleichheit als Goldenes Zeitalter der Menschheit. Leo Strauss' Formulierung "das gute Leben besteht in der größten Annäherung an den Naturzustand, die auf der Ebene der Humanität möglich ist"[43] läßt sich auch auf Bonneville beziehen, der zwar die Vorstellung des Naturzustandes als isolierter Existenz der Menschen nicht kennt, jedoch eine Art gesellschaftlichen Naturzustandes annimmt. Die Entfernung von der Natur liegt für ihn in der Schaffung künstlicher Bedürfnisse und materiellen Überflusses, der den Despotismus hervorbringt; die durch Sitten und Religion unterstützte freiwillige Selbstbeschränkung auf den Reichtum, den die Natur zur Verfügung stellt, ist Garant der Freiheit:

> "Le despotisme naquit long-tems après des besoins factices, inventés, à l'envi, par les esclaves et les tyrans. Là où il existe du superflu, il n'y a point de liberté, il n'y a point de tempérance, il n'y a point de santé, il n'y a point de courage, point de bonheur; celui de la nature, qui ne coûte rien, on le dédaigne; on ne le connoît pas; il n'est plus de saveur exquise pour un palais blâsé.
>
> Bénissez donc la nature, qui tant de fois a forcé la tyrannie elle-même à réveiller, avec ses fers, la liberté qui repose au sein des mers, ou dans les climats glacés du Nord." (EdR App., p. 64)

Es zeichnet sich hier eine Parallele zu Rousseaus These ab, daß jede materielle Errungenschaft einen weiteren Schritt zur Unfreiheit bedeutet, allerdings fehlt bei Bonneville die Reflexion über die Bedeutung der gesellschaftlichen Arbeitsteilung, er geht nicht ein auf die historische Differenzierung der Produktionsmittel. Die Übereinstimmung mit Rousseau liegt insgesamt weniger in konkreten inhaltlichen Argumentationspunkten als in einer durchgehenden Ablehnung des Eudämonismus der aufklärerischen Kulturgeschichtsschreibung, deren Zivilisationsbegriff sich vorrangig auf den Umfang der materiellen Produktion und des Handels, von Technik, Wissenschaft, Architektur usw. richtet. Der Ansatzpunkt besteht demgegenüber bei Bonneville in der Frage nach der Identitätsmöglichkeit, die die Gesellschaft dem einzelnen bereitstellt. Wie Rousseau differenziert er nach dem Grad der Eingebundenheit des Menschen in die Gesellschaft - von daher die Betonung der Wichtigkeit von Religion und Sitten für die Entwicklung der staatsbürgerlichen Subjektivität -, und unterscheidet davon die allseitige

Abhängigkeit in der hochentwickelten Gesellschaft, die eine Identität des Menschen mit dem großen Ganzen und mit sich selbst verhindere. Das Rousseausche Thema der Zerrissenheit des zivilisierten Menschen findet sich auch bei Bonneville:

> "Nos institutions, de hazard, ont tellement flétri le coeur de l'homme social, et le mettent tellement en contradiction avec lui-même, que nécessairement les persécuteurs de l'ami de l'humanité augmentent toujours à proportion du bien qu'il fait à ses semblables." (EdR II, p. 164)

Als Revolutionär folgt Bonneville nicht dem geschichtsphilosophischen Pessimismus Rousseaus, der die von ihm konstatierten Verfallserscheinungen des gesellschaftlichen Systems für irreversibel hält. Er feiert den Ausbruch der Revolution als das historische Ereignis, das zur Wiedergewinnung der alten Tugenden führt: "Un peuple-frère prend naissance, nous redevenons Germains." (EdR II, p. 206)
Dieser heute in geschichtlicher Hinsicht naiv wirkende Wunsch nach direkter Rückbindung an eine längst vergangene Gesellschaftsform war innerhalb der Französischen Revolution nicht ungewöhnlich: andere Revolutionäre erhoben die römische Republik zu ihrem Leitbild. Die Revolution erforderte von ihren Trägern ein heroisierendes Selbstbewußtsein, das seine Bilder aus dem realen bürgerlichen Lebenszusammenhang nicht abstrahieren konnte und sie daher aus dem historischen Rückgriff auf vergangene Republiken bezog, deren herausragende Gestalten als Menschen vorgestellt wurden, deren menschliche und politische Existenz eins war. Der Bezug auf die Antike ist in der Französischen Revolution durchgängig vorhanden, vor allem in den revolutionären Zeremonien, z.B. bei der Überführung Voltaires ins Pantheon oder bei den "Fêtes nationales",[44] bis hin zu der Mode, die Namen berühmter antiker Redner und Politiker anzunehmen. Der Revolution wird zwar eine historisch neue Aufgabe zugeschrieben:

> "Tout a changé dans l'ordre physique, tout doit changer dans l'ordre moral et politique. La moitié de la révolution du monde est déjà faite; l'autre moitié doit s'accomplir."[45]

doch drückt sich ihr Selbstverständnis demgegenüber in eigen-

artig sterilen und konventionellen Bildern aus.[46] Die Theoretiker der Französischen Revolution sind noch dem Geschichtsbild der Aufklärungsphilosophen verhaftet, die trotz der Annahme eines linearen Fortschritts der Erkenntnis den Topos des Goldenen Zeitalters beibehalten haben.[47]
In diesem historischen Kontext ist Bonnevilles dezidierte politische Ablehnung der Antike erstaunlich: die griechische und römische Republik wird kaum erwähnt, die Römer werden global als "peuple-roi" abqualifiziert gegenüber dem "peuple-frère" der Germanen und Franken, das in der Französischen Revolution wieder auferstehe:

> "(...) nos ancêtres avoient juré une haine éternelle aux Romains, peuple altéré du sang des hommes, dont les féroces vertus furent si fatales à la terre, égaré par des fausses idées de gloire; que des préjugés barbares entraînèrent à toutes sortes d'excès, aux plus affreuses injustices, à tant de cruautés exquises, que toutes les nations allarmées se réunirent pour l'accabler, comme on l'a dit, du poids de tout l'Univers, pour le maudire; on l'appella le Peuple-Roi." (EdR II, p. 50f)

Bonneville spricht der Antike in politischer Hinsicht jede Vorbildgeltung ab und lehnt es sogar ab, sie als Gegenstand der Geschichtsschreibung zu betrachten, da die Geschichte der Griechen und Römer keine Erkenntnisse ermögliche, die nicht allein schon aus dem Studium der neueren Geschichte Europas resultieren würden:

> "(...) ces colonnes de la tyrannie sont brisées, laissons-les se perdre dans l'abyme des siècles; l'histoire de notre Europe moderne fournira tout ce qui nous est nécessaire pour connoître les hommes et les Empires;"
> (Hist. I, 1ère partie, p. 2)

Bonneville orientiert sich dabei an Russell, der jedoch in seiner Kritik der Römer nicht so dezidiert verfährt und beispielsweise die römische Zivilisation prinzipiell für gut erachtet und nur deren gewaltsame Verbreitung negativ bewertet.[48]

Einen Bezugspunkt in seinem Bild der germanischen Gesellschaft hatte Bonneville sicher in der verstärkten Beachtung der skandinavischen und keltischen Mythologie, die in der zweiten Hälfte des 18. Jahrhunderts einsetzt und sich vor allem in der breiten Rezeption von Mallets <u>Monuments de la mythologie et</u>

de la poésie des Celtes manifestiert,[49] auf die sich Bonneville explizit bezieht. Sein Freund Le Brigant gehört mit seiner These, das Bretonische stelle die ursprüngliche Universalsprache dar, ebenfalls zu dieser Richtung. Charakteristisch ist bei Bonneville auch die fehlende Unterscheidung zwischen Skandinaviern, Franken, Germanen und Galliern, die es ermöglicht, die Nordvölker als eigentliche Ahnen der Franzosen darstellen und eine Rückbesinnung auf dieses Erbe zu fordern. In seiner Darstellung, die Nordvölker seien die Träger des freiheitlichen Erbes Europas, beruft er sich auf Montesquieu.[50] Der entscheidende Anstoß für das Interesse Bonnevilles an diesen alten Gesellschaftsformen ist allerdings in seiner Bewunderung für Shakespeare, Young und vor allem Ossian zu sehen. Bonneville kannte sicher die Übersetzung Ossians von Le Tourneur, mit dem er befreundet war, und dessen Schilderung der altschottischen Religion und Sitten in der Einleitung der Ossian-Übersetzung.[51] Das Bemerkenswerte an Bonneville ist nun, daß er ausgehend von dem in der allgemeinen Ossian-Verehrung manifestierten neuen literarischen Geschmack und den damit verbundenen Inhalten privater Subjektivität die Rezeption der nordischen Mentalität auf eine politische Ebene wendet und diese als vorbildlich für die zu konstituierende neue Gesellschaft deklariert. Dabei wird das Bild dieser Mentalität entscheidend modifiziert: so tritt etwa das Thema der Melancholie bei Bonneville ganz zurück.

1.2.1.2 Erklärung und Begriff gesellschaftlicher Unterdrückung

Bonneville hat keine ausgearbeitete Theorie über die Ursachen der gesellschaftlichen Ungleichheit und das Phänomen der Herrschaft. Aus seiner Darstellung der germanischen Gesellschaft läßt sich jedoch erschließen, daß er zum einen die Zivilisation mit ihrer Erzeugung künstlicher Bedürfnisse dafür verantwortlich macht und zum anderen die Freiheit der nordischen Völker mit der Aufhebung ihrer Religion zerstört sieht; das Christentum produziere im Status des Klerus als Vermittlungsinstanz zwischen Gott und Menschen ein geistiges Herrschaftsverhältnis, das die Etablierung politischer Unterdrückung erst ermögliche.[52] Beides sind Faktoren, die dieser Gesellschaftsform von außen aufgezwungen wurden. Bonneville reflektiert nun darüber, warum diese äußeren Faktoren überhaupt derart destruktiv wirken konnten, und kommt zu der Annahme einer inneren Schwäche des politischen Systems der Germanen. Er entwickelt hier einen interessanten Gedanken: die öffentliche Meinung als die vornehmliche Instanz zur Bewahrung der Sitten und Tugenden sei in der alten Gesellschaft noch nicht universal genug gewesen, da die adäquaten Kommunikationsmittel fehlten:

> "Nos pères n'avoient pas la bousssole, la poudre, la communication des postes, ni l'art des imprimeurs, qui, tout imparfait qu'il est encore, tient de l'enchantement qui crée la parole, ressuscite les bons esprits, qui force de croire à l'éternité, qui, une fois bien établi chez un peuple libre, fera, de sa constitution fondamentale une constitution universelle, impérissable, et saura perfectionner, dans tous les empires, un gouvernement national. Par cet art, si persécuté, tout citoyen est législateur-né de sa patrie et du genre-humain. Son droit à lui, c'est son génie; sa force est la vérité, irrésistible et bienfaisante, comme la loi de la nature." (EdR II, p. 147f)

Dieser Gedanke ist wichtig für das Verständnis von Bonnevilles Begriff der Tyrannei und der Freiheit. Der Begriff Tyrannei tritt kaum im Sinne materieller oder militärischer Unterdrükkung auf. Bonneville nimmt ein dem Menschen natürliches und so starkes Freiheitsstreben an, daß kein einzelner Mensch offen und gewaltsam unterdrückt werden könne, ohne daß er einen Rächer finde.[53] Die Tyrannei beruhe daher entweder auf freiwilliger Zustimmung oder Unwissenheit, bzw. Zustimmung aus einer Unwissenheit, die von der Tyrannei bewußt produziert wird: sie ist ihrem Wesen nach Lüge:

> "Aussi voyons-nous que la tyrannie n'est qu'un perpétuel mensonge; elle entasse, à la dérobée, ses ténèbres, couvre légèrement les yeux, vous détourne de la voie droite, et vous aveugle toujours, ainsi que les témoins de votre infortune, avant de glisser son poignard et saisir sa proie."
> (EdR I, p. 65)

Bonneville sucht im Grunde nicht nach den Ursachen der Tyrannei, er fragt kaum danach, aus welchen Faktoren Unterdrückung entsteht, sondern danach, wie sie funktioniert und durch welche Maßnahmen sie dauerhaft verhindert werden kann. Diese Problemstellung resultiert weniger aus dem Anliegen praktisch-politischer Lösungen als aus seiner Idee der Tyrannei. Sie erscheint nämlich bei Bonneville als ein voraussetzungsloses Phänomen, das sich nicht aus der menschlichen Psyche erklären läßt. Ein Gedankengang ähnlich Rousseaus Konzeption der dialektischen Entwicklung von "amour-propre" gegenüber "amour de soi" im Zusammenhang mit fortschreitender gesellschaftlicher Arbeitsteilung ist bei ihm nicht andeutungsweise vorhanden. Soweit steht er in Übereinstimmung mit anderen Revolutionären, die diese Kategorien Rousseaus entweder nicht aufnehmen oder ihnen - wie Fauchet - das Prinzip der "bonté naturelle" als ausschließliche Kennzeichnung des Menschen entgegenstellen.[54] Die Besonderheit seines Herrschaftsbegriffs liegt jedoch darin, daß die Tyrannei als ein quasi metaphysisches Prinzip dargestellt wird. Die Entgegensetzung von Freiheit und Tyrannei nimmt bei Bonneville den Raum des Dualismus von Gut und Böse ein. Der Begriff Tyrannei enthält die üblichen Konnotationen von "Willkür" und "Exklusivität", aber auch von "Lüge", "Dunkel", "Unfruchtbarkeit", "Unreinheit", wie etwa in folgender Stelle,in der er die Verehrung Karls des Großen durch die zeitgenössische Geschichtsschreibung kritisiert:

> "Le nom de roi tout-puissant souille les éloges que peut mériter un grand homme. Peignez-le bienfaisant et généreux, il importe peu: la tyrannie ne s'embellit point d'un sourire; c'est toujours la terreur de la tempête: ce que l'une et l'autre nous laissent de lumière, est un jour obscur, illusoire, sinistre. A leur aspect, tout se décolore, s'alanguit, se ride, se dessèche; la nature, qui n'ose plus créer, fait une pause." (EdR II, p. 102)

Der Vorwurf der Widernatürlichkeit erhält bei Bonneville eine eigentümliche Prägung: seinen religiösen Vorstellungen zufolge ist die Natur selbst und die Geistigkeit des Menschen als dessen "Natur" identisch mit Göttlichkeit - die Tyrannei verstößt damit gegen ein göttliches Prinzip. Worin für Bonneville die Beschränkung der Schöpferkraft der Natur durch die Tyrannei besteht, geht aus folgender Stelle hervor:

"Les cieux ont sur la terre envoyé quelques Sages
Des peuples opprimés, véritables flambeaux!
Mais les rois et le prêtre et les antropophages
Eteignent les pensers et les feux les plus beaux
Qui pourroient éclairer leurs obscurs brigandages!
Ils voudroient enlever, que d'attentats divers!
La couleur, la parole et l'ame à l'univers."
(aus "Le Poëte", Poésies, p. 210)

Die Wirkung der Tyrannei besteht also wesentlich in geistiger Unterdrückung, sie ist zuallererst "Ungeist". Ihre Anerkennung beruht auf der geistigen Passivität der Untertanen, die erst die falschen Identifikationsmöglichkeiten, die die Tyrannei für einzelne bereitstellt - Privilegien, Ruhm, gesellschaftliche Geltung - anziehend macht:

"Sois tout ce que t'a fait la nature! dépouille-toi de tout ce qui n'est pas éternel <u>en soi</u>; abandonne à la tyrannie ses misérables espérances, ces tristes <u>riens</u>, à la faveur desquels elle n'a de prise sur <u>toi</u> et ta pensée, que parce qu'en effet ta pensée, qui ne connoît pas sa force et leur foiblesse, y reste volontairement attachée, et qu'elle y demeure inerte et passive, comme au sein de ta mère!" (EdR App., p. 4f)

Dem Gedanken und allen Mitteln seiner Verbreitung, in erster Linie der Sprache, kommt daher für die Gewinnung der Freiheit entscheidende Bedeutung zu. Tyrannei wird als ständiger Kampf finsterer Mächte gegen das Licht des freien Gedankens dargestellt. Eine der wichtigsten praktisch-politischen Forderungen Bonnevilles ist daher die Forderung nach unbeschränkter Pressefreiheit: "... enchaîner la parole, la <u>parole qui se fait chair</u> pour punir les despotes, c'est vouloir enchaîner la création. O sacrilège!" (EdR II, p. 194) Auch folgende Stelle, die gegen die Gegner der Pressefreiheit gerichtet ist, verdeutlicht diesen Dualismus:

"(...) il faut uniquement conférer ensemble, et s'entendre sur les mesures équitables à prendre pour accourcir et rogner <u>les griffes</u> de ces démons qui voudroient dégrader le créateur dans son image, en le privant du sens <u>intellectuel</u>, qui le rend semblable à lui, qui lui permet de rouler dans sa pensée, des mondes qui ne sont pas encore, et d'en balayer d'un regard les trônes, charge importune, les barrières qui divisent les frères égaux en droits, et de jouir d'avance par son coeur de ces tems de délices <u>où la lumière consommant son ouvrage</u>, reverroit ces premiers jours, où l'univers ne formoit qu'un seul peuple."(EdR II, p. 194)

Bonneville wendet hier das illuministische Thema von paradiesischem Urzustand, Sündenfall und künftiger Reintegration der Menschheit in Gott auf den politischen Bereich an. Die Freiheits- und Gleichheitsideale der Revolution werden in der Perspektive messianischer Heilserwartung interpretiert. Geistige Freiheit wird als Voraussetzung politischer Freiheit begriffen. Wichtigstes Mittel zu ihrer Realisierung ist daher nach Bonneville die technische Errungenschaft der Kommunikationsmittel. Nur in dieser Hinsicht wird Technik bei Bonneville relevant, doch wird schon dadurch sein Bild der geschichtlichen Entwicklung modifiziert. Das Ideal des geschichtlichen Urzustandes wird ergänzt durch eine zukunftsorientierte Perspektive, und der archaisierende Charakter des Gesellschaftsmodells somit relativiert.

Die Kommunikationstechnik ermöglicht nach Bonneville eine Gesellschaft, die, soweit das historische Wissen zurückreicht, nicht oder nur als Traum in den Mythen der Völker existiert hat - den universalen Zusammenschluß aller Menschen:

> "Les premiers bienfaiteurs du genre humain, voulant tout guérir, sentirent le besoin de tout connoître. Delà mille inventions ingénieuses pour attirer la confiance, lire au fond des coeurs, réveler des mystères, entasser les trésors de l'expérience & prononcer des oracles. Malheureusement ils ne possédoient pas tous nos moyens d'être utile au peuple, si long-tems aveuglé à sa naissance, ils ne connoissoient point l'art de l'imprimerie, & tant d'autres arts, (...) qui déja permettent à l'homme attentif, de suivre la nature à la piste & de la prendre sur le fait lorsqu'elle prépare ses miracles. Le plus puissant d'entr'eux, ne pouvoit pas comme le plus foible d'entre nous, à l'aide du plus précieux des arts, créer une volonté pure comme la sienne, éterniser son âme, son esprit, sa bienfaisance, se multiplier comme Dieu même, & par-tout invisible & par-tout sensible, parler à la fois à la conscience de tous les peuples de la terre." (CS II, p. 1)

Bonnevilles Begriff der Tyrannei und seine Interpretation der Möglichkeiten moderner Kommunikationsmittel unterscheiden sich in der merkwürdig dualistischen Sicht und Eindimensionalität grundlegend von Condorcets Gesellschaftstheorie. Erstaunlich ist dies angesichts der Tatsache, daß Bonneville Condorcets Ideen aus nächster Nähe gekannt hat - Condorcet war einer der Hauptredner des "Cercle Social" - und in seiner Lettre à

Condorcet sur les devoirs de l'histoire moderne von 1787 in ganz aufklärerischer Manier sich vornimmt, ein Werk über die Vorurteile der Europäer zu schreiben.[55] Das ganze Spektrum der Mittel, mit denen Condorcet fortschreitende Aufklärung, Wohlstand und politische Freiheit gesichert sieht: sozialpolitische Maßnahmen, Entwicklung von Technik und Wissenschaft und vor allem Entwicklung der "raison" durch eine sich vervollkommnende, generalisierende Methode der Faktenkombination und daraus resultierende Kalkulierbarkeit des gesellschaftlichen Lebens[56] - dieses Spektrum fehlt bei Bonneville. Zwar liegt in der Berufung auf die Kommunikationstechnik ein Moment rationalistischer Gesellschaftstheorie, gleichzeitig wird diese Technik aber als Vehikel einer Gedankenübertragung begriffen, deren Funktionsweise als magische Kraft beschrieben wird. Die Kommunikationstechnik hat bei Bonneville nicht die Funktion, die Vermittlung von Wissen und Reflexionen zu erleichtern, um dem einzelnen ein vorurteilsfreies Urteil zu erlauben, sondern soll eine unmittelbare Einheit herbeiführen, eine gedankliche Verschmelzung, wie auch aus folgendem Zitat hervorgeht:

> "Qui ne chériroit pas un véritable Ami des hommes (...) qui, loin de vanter ses propres efforts, en reconnoît la stérilité, s'il ne peut charmer tous les coeurs, les aimanter, les appeller à un foyer central, pour y épurer, avec franchise, une PREMIERE étincelle (...)" (BdF I, p. 39)

Insgesamt ist Bonnevilles Beschreibung der Wirkungsweise der Kommunikationstechnik eines der deutlichsten Beispiele dafür, wie sich in seinen politischen Ideen Elemente rationalistischer Theorie und aufklärerischen Fortschrittsdenkens vermischen mit irrationalistischen Gedankengängen.

1.2.2 Prinzipien revolutionärer Gesellschaftsgestaltung

1.2.2.1 Begriff der "volonté générale"

Da die Tyrannei auf Privilegien und Trennung der Menschen beruht, muß Bonneville zufolge eine freie und gerechte Gesellschaftsordnung auf dem Prinzip von Einheit und Universalität, der "volonté générale" basieren:

> "Ce que voudra l'universalité sera toujours bon, sera trop puissant pour éprouver des résistances; demandons que l'esprit universel régisse le monde." (EdR I, p. 76)

Die Forderung nach Universalität im gesellschaftlichen Bereich leitet Bonneville aus der Annahme des grundlegenden einheitlichen Charakters der Welt ab:

> "Une seule des loix de la nature, bien comprise, doit conduire l'Ami de la vérité à la découverte palpable de son dessein universel. Tout est dans tout, et le grand tout ne peut être composé que d'unités. Il n'y a donc pour moi qu'une cité, qu'un seul peuple, une langue, une même loi sociale, un même esprit public, et un même Dieu en trois personnes: moi, toi et lui." (EdR I, p. 1)

Die merkwürdig anmutende Formulierung "un même Dieu en trois personnes: moi, toi et lui" drückt Bonnevilles These aus, daß die Menschheit als gattungsmäßige Einheit göttlich ist, wenn sie auch diese Bestimmung historisch noch nicht manifestiert. Der religiöse Charakter seines Universalitätsbegriffs kommt deutlich in folgendem Zitat zum Ausdruck, in dem er die Forderung "propager les bons principes" erläutert:

> "C'est rappeller toutes les nations vers l'unité sociale, pour ne former de tous les peuples, qu'un seul peuple, qu'une même nation, et de tous les hommes en esprit et en vérité, qu'un seul homme, qu'une seule parole: car s'universaliser, c'est être uni à la parole, à l'esprit, à l'être, au grand être, et c'est n'être que soi tout entier, c'est devenir l'intègre ami de la nature et de la vérité." (EdR App., p. 335)

Deutlich wird hier wieder - wie in Bonnevilles Vorstellung der Kommunikationstechnik - das Bedürfnis nach Verschmelzung und einer geistigen Erlösung, die mit dem Begriff von Aufklärung wenig zu tun hat. Die politischen Implikationen dieses Universalitätsbegriffs liegen darin, daß die Vorstellung, das Ziel einer neuen Gesellschaft sei die größtmögliche Freiheit des Individuums, über sich selbst bestimmen zu können, aufgegeben wird zugunsten der Forderung nach Schaffung eines einheitlichen Kollektivs, einer gesellschaftlichen Totalität.

Dabei ist es wichtig festzuhalten, daß die Forderung nach Ein-

gebundensein des einzelnen in das Kollektiv bei Bonneville einen revolutionären Charakter hat, sie wird historisch erst später, bei de Maistre und de Bonald, im Sinne eines strikten Konservatismus interpretiert.
Das Verhältnis von allgemeinem Willen und persönlichem Interesse wird bei Bonneville kaum behandelt, was auffallend ist angesichts der großen Bedeutung, die die Kategorie des persönlichen Interesses innerhalb der politischen Theorie der Aufklärung hat - sei es in der Vorstellung einer naturwüchsigen gesellschaftlichen Harmonie durch das freie Zusammenspiel der Einzelinteressen wie bei Helvétius, den Bonneville mehrmals zitiert, oder in der Vorstellung, daß die "volonté générale" eine Transformation des unmittelbaren persönlichen Interesses in staatsbürgerliches Bewußtsein voraussetze, wie bei Rousseau. Bonneville zitiert zwar ausführlich diesen Gedankengang Rousseaus, ohne ihn jedoch selbst weiterzuführen; er steht unverbunden in Bonnevilles System.[57]
Bonneville verwendet die Kategorie des persönlichen Interesses insgesamt nur zweimal, und zwar in gegensätzlicher Bedeutung:

> "Il y a une constitution fondamentale et un peuple libre là où la loi n'est jamais que le résultat de la volonté générale. Un seul homme faisoit la loi, toujours incertaine et capricieuse, comme l'intérêt personnel qui se préfère à tout. La féroce et tyrannique hypocrisie de l'égoïsme, qui joue tous les rôles, celui même de désintéressé, qui craint toujours le reproche, la plainte, et sur-tout la vérité, avoit étouffé, dans tous les coeurs, jusqu'à l'espoir des remontrances." (EdR II, p. 141)

Das ungehinderte persönliche Interesse würde demnach zu Gewaltherrschaft führen - in der zweiten Stelle wird es dagegen als Basis der freiheitlichen Vereinigung dargestellt:

> "Faisons cheminer ensemble, amis et ennemis, ils se réuniront sans s'en appercevoir, et tu peux répondre de cette union universelle, si, ne leur donnant que leur intérêt personnel pour guide, et pour mot de ralliement la vérité, tu ne sèmes jamais sur la route où tu les attires, ni mensonge, ni déloyauté, germes impurs de la discorde et de la tyrannie." (EdR I, p. 77)

Entweder war sich Bonneville dieser Widersprüchlichkeit nicht bewußt oder er hatte unausgesprochen ähnlich Rousseau zwei verschiedene Konzeptionen des persönlichen Interesses: ein natürliches, auf Zusammenschluß gerichtetes Interesse (Soziabilität) und das gesellschaftlich depravierte persönliche Interesse (Konkurrenz). Daß er jedenfalls davon ausging, daß unter der Bedingung eines noch von den Wirkungen der alten Unfreiheit geprägten gesellschaftlichen Bewußtseins die Einzelinteressen nicht automatisch den allgemeinen Willen konstituieren, zeigt seine Forderung nach freiwilliger Selbstverpflichtung des einzelnen gegenüber dem Gesetz:

> "Que chacun de nous s'écrie, c'est moi qui les (= les loix, SK) représenterai, qui leur servirai d'organe! tout citoyen qui aime la liberté, ne doit jamais permettre que la justice éternelle soit violée, il doit tout oser et tout dire. C'est à notre ineptie, à notre lâcheté, à notre indifférence cruelle que nous devons l'accroissement de tous ces germes impurs qui se mêlent à la dérobée, aux doux fruits de la raison, les empoisonnent." (EdR II, p. 253)

Der allgemeine Wille erfordert ein moralisches Bewußtsein. Wie dieses im einzelnen Individuum allerdings entstehen soll, reflektiert Bonneville nicht. Er unterscheidet nicht zwischen "volonté de tous", der nach Rousseau bloßen Aggregation und Summation der auf das persönliche Interesse bezogenen Einzelwillen, und der "volonté générale", die von vornherein auf das Wohl des ganzen Gemeinwesens gerichtet ist.[58] Daß die "volonté générale" eine gegenüber der Summe der Einzelwillen höhere Qualität hat und prinzipiell die Dimension von Wahrheit umfaßt, wird jedoch auch bei Bonneville angedeutet: "Vouloir tous ensemble une même chose, sera toujours vouloir la justice et marcher vers la vérité." (EdR II, p. 249)
Dieses Thema der Einheit und Gemeinsamkeit hält er in der weiteren Entwicklung der Prinzipien neuer Gesellschaftsgestaltung durch. In der Behandlung der Themen Volk, Verfassung, Gesetz, öffentliche Meinung konkretisiert er zum Großteil nur die Grundidee der "volonté générale".

1.2.2.2 Das Volk als Träger der "volonté générale"

Der allgemeine Wille existiert für Bonneville nur dann, wenn im Staat der Wille des Volkes zur Geltung kommt. Dabei sieht er als Voraussetzung zunächst noch nicht die Übernahme des Staates durch das Volk bzw. durch gewählte Vertreter; die Monarchie erscheint ihm als legitim, solange der König den Willen des Volkes erfüllt und von jeder Verpflichtung gegenüber partikularen Körperschaften, vor allem Adel und Klerus, unabhängig ist. Der Stimme des Volkes ein Organ zu schaffen, betrachtet er als vorrangige Aufgabe des "Cercle Social": "La première & la principale entreprise du Cercle Social que nous avons formé, est de donner à la voix du Peuple toute sa force." (CS II, p. 5)

Bonneville verwendet den Begriff des Volkes in der Bedeutung einer politisch konstituierten Einheit:

> "La voix du peuple est la voix de Dieu; c'est donc elle seule qui doit partir du centre pour régir les états, et les rendre heureux, justes et florissants." (EdR I, p. 80)

Das Thema, daß die Stimme des Volkes Ausdruck göttlichen Willens sei, findet sich auch bei Rousseau.[59] Als Volk begreift Rousseau allerdings nicht die jeweilige empirisch-historische Einheit verschiedener Staaten, sondern einen erst zu konstituierenden inhaltlichen Zusammenhang der Bürger, der ihnen eine kollektive Identität verleiht. Die Nationalitäten Europas erscheinen ihm als bloße Aggregation der Individuen, denen die einheitsstiftende Kraft staatsbürgerlicher Moral fehlt. Rousseaus Begriff des "peuple" ist kein historischer, sondern ein idealtypischer Begriff.[60]

Ein Hinweis auf eine ähnliche Bestimmung des Volksbegriffs bei Bonneville liegt bereits in folgender Modifikation seines Leitspruchs: "La voix d'un peuple libre (Hervorhebung von mir, SK) est la voix de Dieu." (EdR II, p. 253) Die idealtypische Dimension erhält bei ihm eine ausgesprochen metaphysisch-mystische Wendung:

> "La voix du peuple est la voix de Dieu; voilà l'oracle de l'univers; il ne se taira plus; on l'entendra sur tout le globe; il éveillera par-tout la liberté; il commandera les loix de la justice; il RESSUSCITERA la vérité; il enfantera le bonheur; il re-créera la nature." (BdF II, p. 258)

Bonneville identifiziert unmittelbar Volk und Gott: "le Peuple, c'est l'Éternel, c'est le Maître, c'est le Tout-Puissant." (EdR App., p. 115) Es handelt sich hier nicht um eine bloße

Übertragung religiöser Terminologie auf den politischen Bereich. Dieser Gedanke resultiert vielmehr wiederum aus Bonnevilles Universalitätsbegriff, aus der Vorstellung, daß jede wahre Allgemeinheit in sich ein göttliches Vollkommenheitsprinzip trägt und jede Spaltung und Trennung die Wesen degradiert.
Wie vermittelt aber nun Bonneville seine idealtypische Sicht des Volkes als Instanz von göttlicher Wahrheit mit dem konkreten Zustand des französischen Volkes? Im Zusammenhang einer Kritik der zeitgenössischen Gesellschaft verliert der Begriff des Volkes die Bedeutung einer politischen Einheit, er dient hier als soziale Kategorie zur Bestimmung des niederen Volkes, dessen wesentlichstes Merkmal eine unverschuldete Unwissenheit sei:

> "N'abandonnons pas si légèrement (il y va de notre intérêt,) à la fureur de croire, cet homme du peuple qui, grace à vos institutions, dépouillé de son héritage et même de sa raison, ne se sent point, ne se juge point, qui laisse la plupart de ses facultés naturelles, oisives (...)"
> (EdR App., p. 239)

Bonneville beschreibt den Zustand der Armen sogar als ein fast animalisches Vegetieren - allerdings in der festen Überzeugung, daß auch diese Schicht der menschlichen Vollkommenheit fähig ist:

> "Vous saurez un jour, dévorateurs des biens du pauvre, de quelle perfection sont capables ces animaux aujourd'hui si stupides, que le plus foible d'entre vous les enchaîne par milliers; qui n'ont des oreilles que pour être saisis de frayeur au seul son de votre voix; dont l'oeil imbécille n'oseroit soutenir un de vos plus tendres regards, et qui n'ont des mains que pour ouvrir le sein de la terre, déchirer les bêtes féroces, et s'entr'assommer avec leurs fers." (EdR II, p. 87)

Die Qualifizierung der Armen als tierähnlicher Wesen steht zunächst der Behauptung der göttlichen Verfassung des Volkes und seiner Rolle als Verkünder der Wahrheit entgegen. Diesen Widerspruch löst Bonneville dahingehend auf, daß er zwar das Volk in seiner empirischen Verfassung noch nicht als Träger von Wahrheit begreift, ihm aber einen natürlichen Instinkt zuspricht, der es jederzeit die Wahrheit finden lasse, solange es nicht bewußt getäuscht werde; er geht nicht wie Rousseau von der Irreversibilität der sittlichen Depravierung des Volkes aus: "le peuple a toujours des idées saines quand on ne prévient point, quand on ne corrompt point ses jugemens." (EdR II, p. 206) Selbst in der Frage, welches die beste Staatsform für Frankreich sei, hält Bonneville nicht die aufgeklärte Öffentlichkeit für die kompetente Entscheidungsinstanz, sondern das Volk:

> "Dans les questions les plus simples sur les diverses formes de nos innombrables gouvernemens, l'instinct du peuple lui fera toujours sentir la meilleure forme, et successivement en reformant ses abus, ses erreurs, la nation libre arrivera à ce qui est bon, équitable, conforme à la justice et à la vérité." (EdR App., p. 401)

Damit bescheinigt Bonneville dem Volk die Fähigkeit, jederzeit Träger des allgemeinen Willens im Sinne der Verwirklichung einer gerechten Gesellschaft zu sein. Allerdings hält er es nicht immer für fähig, die Taktiken seiner Feinde zu durchschauen:

> "Craignons que dans un instant de douleur ou d'ivresse, le Peuple, qui ne soupçonne point les profondeurs de la politique des méchans, ne se laisse émouvoir et séduire."
> (CS I, p. 43)

Den tieferen Grund dafür sieht Bonneville in der durch die jahrhundertelange Unterdrückung eingewurzelten Passivität, der Unkenntnis der eigenen Kraft und dem Mißtrauen gegenüber allen Zukunftsversprechungen:

> "Simple comme l'enfance qui ne sait rien du passé et du lendemain, le Peuple ne lit point dans l'avenir. Ce n'est pas lui qui sauroit acheter un bonheur futur par l'abandon volontaire de ce qu'il auroit saisi du présent. On diroit que le peuple ne veut vivre que pour le jour dont il est maître: trop souvent trompé sur l'avenir, il n'y compte pas, il n'y croit pas.
> Que faire pour lui inspirer cette confiance dont il a besoin pour être heureux? Il faudroit lui montrer l'avenir, et mettre cet avenir sous ses yeux et sous sa main, qu'il faut encore y arrêter et exercer jusqu'à ce qu'il ait en soi-même le sentiment de sa puissance pour se créer l'avenir."
> (CS I, p. 43f)

Bonneville setzt hier den Ort von Aufklärung an: nicht Wissensvermittlung ist für das Volk nötig, sondern Vermittlung des Bewußtseins der eigenen Kraft. Es ist potentiell jederzeit von sich aus in der Lage, die Wahrheit zu erkennen und die "volonté générale" zu bilden, Aufklärung kann daher nur eine initiierende Funktion haben.

In der sozialen Dimension des Volksbegriffs unterscheidet sich Bonneville nicht nur von Rousseau, der "Volk" überhaupt nicht nach dem Merkmal des sozialen Status definiert, sondern auch von anderen Revolutionären, die Volk und Dritten Stand, also auch das Besitzbürgertum, identifizieren, wie z.B. der Abbé Sièyes. Er bestimmt das Volk zunächst als Schöpfer des materiellen Reichtums, ausgeschlossen sind damit die parasitären Stände, Adel und Klerus:

> "Pauvre peuple, ces palais dorés où vos ennemis se perdent de mollesse, vous les avez bâtis: vous leur préparez, à jeun, ces repas somptueux, qui les enivrent de luxure. Ces chevaux sous lesquels ils vous écrasent, en courant à leurs rendez-vous stériles, c'est vous qui les avez domptés. Que vous a-t-on laissé?" (EdR II, p. 12)

Die Darstellung von Adel und Klerus als müßiger Nutznießer des gesellschaftlichen Reichtums ist ein gängiger Bestandteil der Kritik am Ancien Régime. Bonneville richtet sich jedoch auch gegen das Besitzbürgertum, er unterscheidet zwischen "classes moyennes" und Volk und stellt die Reichen insgesamt als Ausbeuter des Volkes, das Geld als soziales Verhängnis dar:

> "Peuple malheureux, toujours écrasé sous toutes les formes du gouvernement, aucune révolution n'atteindra-t-elle donc jamais jusqu'à ta profonde misère? Placé trop bas pour être compris dans aucune de ces sphères d'activité qui rajeunissent et qui élèvent les classes moyennes; dans ces lieux bas que n'éclaira jamais le flambeau de la liberté, je te vois toujours sellé et bridé pour quelque nouveau maître; et les vils alimens par lesquels on soutient tes travaux, tu les payes plus cher que le riche à qui ses trésors rendent les achats plus avantageux. Ainsi les petits ruisseaux enrichissent de leurs eaux, en se desséchant, les grands fleuves, qui ne savent plus où contenir tant de tributs. Voilà les funestes effets de ce mercure des sociétés, que rien ne peut fixer, et qui va devenir d'autant plus désastreux, qu'il sera la seule force <u>activ</u> (sic) de vos modernes citoyens." (EdR App., p. 291)

1.2.2.3 Die Unterscheidung von "constitution" und "gouvernement"

Der Frage der richtigen Definition von "Verfassung" und "Regierung" spricht Bonneville entscheidende Wichtigkeit für den Aufbau der neuen Gesellschaftsordnung zu. Seine grundlegende These

ist dabei, daß klar unterschieden werden müsse zwischen Verfassung und Regierung: die Verfassung müsse unveränderlich, die Regierung variabel sein.
Dieses Thema ist nicht neu: bei Rousseau läßt sich dieselbe Argumentationsstruktur nachweisen in den drei Bestimmungen der Souveränität (Unzerstörbarkeit, Unveräußerlichkeit, Unteilbarkeit) und demgegenüber der Bestimmung von Typen der Regierung aus historischen, geographischen und kulturellen Bedingungen.
Rousseau wird in diesem Punkt von revolutionären Autoren - soweit sie den Contrat Social ausführlicher rezipierten - kritisiert; erstens konnte sein Souveränitätsbegriff nicht als Grundlage der Verfassung verwendet werden, da er die Ablehnung des Repräsentationsprinzips implizierte; zweitens hätte eine Übernahme von Rousseaus Darstellung der Regierungstypen zu dem Schluß geführt, daß die Frankreich adäquate Staatsform die Monarchie sei. Wollte man im Contrat Social eine Anleitung für das eigene politische Handeln finden, so mußte im einen Fall Rousseau als Träumer, im anderen als Pragmatiker erscheinen.
Fauchet bemängelt beispielsweise am Contrat Social, daß Rousseau nicht an ein gemischtes System von Repräsentativverfassung und Elementen direkter Demokratie als der idealen Verbindung des Souveränitätsprinzips mit den politischen Erfordernissen von Regierungsgewalt gedacht habe.[61]
Bonneville vertritt in der Frage, wie die Forderung nach größtmöglicher Beteiligung aller Bürger am politischen Entscheidungsprozeß mit der Notwendigkeit einer funktionsfähigen Regierung in Einklang zu bringen sei, unter Berufung auf das Prinzip der "volonté générale" eine radikal plebiszitäre Position. Die in seinem "Décret qu'il faut obtenir sur l'heure ou mourir esclaves" enthaltene Kritik des Repräsentationsprinzips erinnert in der Art der Begründung an Rousseaus Ablehnung der Parteien:[62]

> "1°. Que le seul gouvernement légitime est républicain, c'est à dire national.
> 2°. Que jamais un corps, quel qu'il soit, toujours froid, oppresseur et indifférent, ne peut mettre sa volonté particulière à la place de la volonté universelle.
> 3°. Qu'ils (= les représentants, SK) ne peuvent être chargés, dans les affaires d'une grande importance, que d'un pouvoir initiatif pour préparer des loix de gouvernement, demandées par des circonstances imprévues.

> 4°. Que seulement dans les affaires de peu d'importance, et pour faire exécuter les loix qui sont faites, ils ont un pouvoir réel et représentatif de la volonté souveraine, déjà manifestée ou présumée.
> 5°. Que les plus sages décrets ne sont et ne peuvent être, en vérité, que des loix provisoires." (BdF IV, No. 74, p. 5)

Der allgemeine Wille regiert Bonneville zufolge nur, wenn die direkte Entscheidungsgewalt des Volkes gesichert ist: die Gesetzesentwürfe sollten in alljährlich einzuberufenden Volksversammlungen in den einzelnen Bezirken über drei Tage zur öffentlichen Abstimmung vorgelegt werden. Um die Entscheidungsfähigkeit des Volkes zu garantieren, sollte diesen "fêtes nationales" ein Programm staatsbürgerlicher Erziehung vorausgehen, bestehend in der wöchentlich stattfindenden Diskussion der Gesetzesinitiativen der Volksvertreter. Die Institutionalisierung der Referenda festzulegen, sollte nach Bonneville einziger Inhalt der Verfassung sein:

> "7°. Que la constitution ne consiste que dans un seul principe, qui perfectionnera tous les gouvernemens, celui de recueillir annuellement toutes les volontés partielles.
> 8°. Qu'ils (= les représentants, SK) avouent avec loyauté, qu'une déclaration des droits de l'homme et du citoyen, chose déjà faite, même par les décemvirs et les tyrans, n'est point une constitution." (BdR IV, No. 74, p. 6)

Für die Geltung einer Verfassung fehlt nach Bonneville der Menschenrechtserklärung sowohl die allgemeine Legitimation durch Volksentscheid wie die praktische Wirkung. Unter "constitution" versteht Bonneville nicht einen schriftlich fixierten Katalog von Bürgerrechten, sondern ein einheitliches Prinzip, auf dem sämtliche Bereiche der Staatsorganisation beruhen sollen: "constitution" bedeutet die Manifestation des allgemeinen Willens und beinhaltet daher die Dimension gesellschaftlicher Praxis.

Der Position, daß die Verfassung nur in der Praxis direkter Volksentscheide bestehen kann, liegt eine allgemeinere Reflexion über die Bedeutung des Begriffs "constitution" zugrunde. Dabei verliert dieser Begriff die Bedeutung einer staatsrechtlichen Kategorie. Bonneville geht aus von der These, daß eine legitime staatliche und gesellschaftliche Ordnung der natürlichen Verfassung des Menschen entsprechen müsse. Dieser Gedanke steht an sich in der Tradition der Naturrechtslehren. Während deren Theoretiker jedoch darunter verstehen, daß die Gesellschaft den Individuen die Verfolgung natürlicher Bedürfnisse garantieren müsse im Recht auf Leben und Eigentum, führt Bonneville diese Idee dahingehend aus, daß das Staatswesen ein Abbild der körperlichen Konstitution des Menschen sein müsse. Dabei greift er auf die alte römische Fabel vom Magen und den Gliedern zurück:

> "Certes, la constitution d'un état, la constitution de la cité et la constitution du corps humain, comme le disoit ce Menennius, sont une même chose; les principes qui les éternisent l'un et l'autre sont les mêmes, mais si vous alliez imprudemment confondre la constitution du corps humain avec le régime ou gouvernement de ce même corps, craignez encore ce qui est arrivé toujours dans l'application malentendue des meilleurs principes. Au lieu d'arriver d'efforts en efforts à une perfection sensible d'invariabilité, de simplicité, d'universalité, vous tomberez égaré de précipices en précipices, isolé, et séparé du Grand Tout." (EdR App., p. 111)

Der entscheidende Fehler im Vergleich des Menennius Agrippa besteht Bonneville zufolge darin, daß die Einheit des menschlichen Körpers über der Betonung der Verschiedenartigkeit der einzelnen Funktionen übersehen wird. Er entwickelt daraus ein Bild der "constitution sociale" in Analogie zum menschlichen Körper, das in der Vorstellung eines Systems verschieden bewerteter Funktionen bei gleichzeitiger Austauschbarkeit ihrer Träger resultiert:

> "Dans la constitution sociale il doit y avoir diverses places, postes inférieurs ou éminens, dont le systême est invariable; c'est à le vrai dire, la constitution unique et universelle de l'homme.
> Car la race humaine a un corps; un homme par cela seul qu'il est homme a une tête élevée vers le ciel, des ossemens, des pieds, des mains, et divers canaux ou veines de communication universelle; mains la nature ne fait rien à part dans la constitution de l'homme, (...)
> Pourquoi donc, voudriez-vous que, dans la constitution de l'état, on nâquit, par privilége et par isolement, la tête ou les pieds?
> La constitution d'un état et la carcasse humaine, est un Tout indivisible, qui ne tient pour sa forme et ses diverses puissances, à aucun régime ou systême de gouvernement!"
> (EdR App., p. 112)

Hier zeigt sich ganz offensichtlich, daß Bonneville die Idee der Konstituierung des Staates durch freiwillige Übereinkunft,

die Idee des Gesellschafts<u>vertrages</u> fremd ist. Der Vergleich von Staat und menschlichem Körper impliziert die Vorstellung eines organischen Staatswesens; sie war keineswegs original, wurde allerdings in der Tradition der politischen Theorie nur auf die Einheit eines historischen Volkes angewendet.[63] Ein Bild, das bei Montesquieu die Funktion der Zeichnung nationaler Individualität hat, wird von Bonneville dazu verwendet, universale Prinzipien der Gesetzgebung zu bestimmen.
Bei den Theoretikern der Revolution ist meines Wissens kein Beispiel einer ähnlichen Argumentation zu finden. Sie steht bei Bonneville in einem immanenten Zusammenhang mit dem Verfahren der Erklärung des Makrokosmos aus dem Mikrokosmos, das sich illuministischen Einflüssen verdankt:

> "L'Homme est tout. - Donc l'homme est Dieu. <u>Tout est dans tout</u>. Donc on trouvera dans la constitution de l'homme qui est <u>universelle</u>, la résolution du problême de la constitution du genre humain. (...)
> Gouvernement divers et constitution unique, voilà la loi de la nature et <u>tout l'esprit</u> de la religion des anciens sages!" (EdR App., p. 97)

Bonnevilles Analogie von politischer Verfassung und natürlicher Konstitution des Menschen ist schwer zugänglich, da sie sich keiner Richtung des staatstheoretischen Denkens eindeutig zuordnen läßt. Die Differenz zur politischen Theorie der Aufklärung besteht im Fehlen des Vertragsgedankens und der Diskussion staatlicher Prinzipien unter der Perspektive des Individuums, der Unterschied zur romantischen Idee des Nationalstaates besteht im Anspruch auf Universalität der "Verfassung" und darin, daß die für den romantischen Begriff des Staates als eines kollektiven Organismus so wichtige Vorstellung des historischen Gewordenseins fehlt. Dennoch bin ich der Meinung, daß Bonnevilles Konzeption unter der Perspektive eines romantischen Staatsbegriffs betrachtet werden kann und zwar von der Differenz her, die dessen Organismusbild zu früheren Vergleichen von menschlichem Körper und Staat hat: die romantische Staatstheorie verbindet mit diesem Bild nicht die Vorstellung einer strengen hierarchischen Ordnung, sondern die Idee eines lebendigen Ganzen. Diese Vorstellung ist eindeutig bei Bonneville schon vorhanden:

> "Le gouvernement de l'état, comme le régime ou la conduite du corps humain, est plus ou moins parfait, quand chaque individu ou esprit particulier du grand Tout, circule sans privilége par tout le corps, et qu'il arrive à son tour comme le sang, lorsqu'il est élaboré, au RENDEZ-VOUS des esprits les plus purs, avec les grandes pensées et les excellentes vues.
> C'est-là que se forme la volonté qui dirige le corps; qui lui prépare ses jouissances! Cette volonté sera toujours bonne, quand elle sera la volonté du grand Tout!" (EdR App., p. 113)

Vor allem der Gedanke, daß der Staat ein Medium geistiger Entfaltung sein soll ("rendez-vous des esprits les plus purs"), ist so deutlich untypisch für die politische Theorie der Aufklärung, daß Bonneville hier nicht in diesen Zusammenhang eingeordnet werden kann. Auch bei den frühromantischen französischen Gesellschaftstheoretikern (de Maistre, de Bonald) findet sich aufgrund ihrer restaurativen Ausrichtung kein ähnlicher Gedankengang.[64]

Die grundlegende Orientierung von Bonnevilles politischem Denken auf das Thema gesellschaftlicher Einheit erscheint auch in folgender Bestimmung von "constitution" im Sinne von Vereinigung, Prozeß der Herstellung des allgemeinen Willens:

> "On s'assemble, voilà une volonté; on s'unit, voilà un peuple; on s'arme pour faire exécuter la volonté générale, voilà un peuple libre: nation libre, souveraine de droit et de fait, voilà un contrat national, une véritable constitution.
> Si facile à faire, qu'il suffit à un peuple de vouloir qu'elle soit, et elle sera; si naturelle, qu'elle convient également, et dans tous les tems, à tous les hommes et à tous les peuples; si pure, qu'elle donne la certitude que les principes invariables d'un gouvernement légitime seront recherchés avec franchise, et maintenus avec courage." (EdR II, p. 139)

Die Verfassung wäre demnach realisiert in den Volksversammlungen, aber auch in jeder Form brüderlichen Zusammenschlusses, in jeder institutionalisierten Bestrebung, den kollektiven Willen zu bilden und dem natürlichen Bedürfnis der Menschen nach gegenseitiger Achtung und Eintracht Folge zu leisten. Die Herstellung der "constitution" erfordert nicht politisches Handeln im Sinne von "art", da sie allen Zeitumständen und allen Menschen entspreche, jedermann einsichtig sei und kein spezifisches Wissen erfordere.

In der Bestimmung von "gouvernement" nimmt Bonneville dagegen den Begriff von Politik als Kunstfertigkeit auf und stellt sich in die Tradition von Montesquieus Klimatheorie:

> "La constitution ne peut varier jamais. La forme du gouvernement, au contraire, doit céder aux tems, aux climats, aux moeurs, à des circonstances imprévues. Le gouvernement existe le même, tant que la nation ne l'a pas changé; c'est alors un gouvernement constitutionnel, mais ce n'est pas la constitution.
> S'assembler, s'unir, s'armer, rester armé, voilà une constitution: mais s'assembler n'est pas concilier tous les intérêts, n'est pas vaincre tous les obstacles, n'est pas connoître tous les avantages des saisons et des lieux, ce n'est pas remédier à tous les abus, nés et à naître; s'assembler n'est pas régir: régir est un art, et, par cela même, toujours susceptible de se perfectionner: delà la nécessité d'un gouvernement national." (EdR II, p. 143)

Diese Vorstellung von politischem Handeln wird jedoch selbst wieder in Frage gestellt; die Praxis der Interessenvermittlung, hier als notwendig für die Aufrechterhaltung des Staates dargestellt, erhält an einer anderen Stelle ein negatives Urteil; Politik als "art" wird als Borniertheit und Unfreiheit abqualifiziert:

> "Si la vérité n'arrive point jusqu'au peuple, c'est la faute de nos prétendus patriotes. Avoir des intérêts à concilier; c'est n'être plus libre, c'est avoir cessé d'être homme. Plus de génie, plus de raison; car c'est avec le coeur qu'on pense juste, et qu'on invente des images sublimes: ce qui explique toutes les inconséquences de nos grands politiques modernes, et ce mauvais goût dont les écrits des mal-honnêtes gens sont infectés." (EdR II, p. 23)

Insgesamt behandelt Bonneville die Frage der Organisation der Regierungsgewalt kaum. In seiner Betonung des Unterschiedes von "constitution" und "gouvernement" entfernt er sich von Montesquieu, der den Inhalt des Verfassungsprinzips ausschließlich in der Organisation der Staatsgewalt sah, nämlich im Prinzip der Trennung der drei Gewalten. Bei Bonneville zielt der Begriff der Verfassung dagegen auf den außerstaatlich lokalisierten Bereich der Entstehung des allgemeinen Willens - die Staatsorganisation erscheint im Unterschied zur politischen Theorie der Aufklärung, auch im Unterschied zu Rousseau, nicht mehr als die einzige Sphäre von Politik; sie ist ein der Bildung wahrer und

bewußter Gesellschaftlichkeit nachgelagerter Bereich und stellt diese nicht erst her.
Auch Robespierre nimmt in der Begründung seines Verfassungsentwurfs einen elementaren, von der Regierungsgewalt unterschiedenen politischen Bereich an, auf dessen Wahrung jede Verfassung ausgerichtet sein muß: "(...) que le premier objet de toute Constitution doit être de défendre la liberté publique et individuelle contre le gouvernement lui-même."[65] - allerdings wird der Ursprung der Verfassung, der gerade wieder in einer staatlichen Körperschaft liegt, nicht thematisiert. Bonneville dagegen identifiziert "constitution" und jenen außerstaatlichen Bereich, in dem die Einheit des Volkes sich konstituiert; ihre Existenz ist abhängig vom realen Zusammenschluß der Bürger. Die Vereinigung der Bürger kommt nun nicht nur in den jährlichen Volksversammlungen zustande, sondern auch in Organisationen wie dem "Cercle Social", die für jeden Bürger zugänglich sind und das Prinzip der freien Diskussion realisieren, also nicht eine Partei bilden und den einzelnen auf bestimmte politische Positionen verpflichten, wie dies Bonneville an den Jakobinerklubs kritisiert. Derartige lockere und unabhängige Zusammenschlüsse sollen die Basis des Staates bilden, sie verkörpern das Verfassungsprinzip. Bonneville sieht die Aufgabe des "Cercle Social" darin, "constitution" modellhaft zu realisieren:

> "Mais il est <u>nécessaire</u> qu'il n'y ait pour tous les Peuples qu'une même Constitution; il est <u>nécessaire</u>, qu'il y ait pour tous les peuples et pour tous les <u>ORIENTS</u>, un foyer central, une confédération universelle, et une langue choisie, et en quelque sorte commune à tous."
> (BdF I, p. 122bis)

Hier wird wieder die Affinität Bonnevilles zum Freimaurertum deutlich: die "confédération universelle" sollte nach seiner Vorstellung aus einem Zusammenschluß der Freimaurerlogen mit republikanischen Klubs entstehen. Mit "langue choisie" ist die freimaurerische Symbolsprache gemeint. Bonneville spricht wiederholt davon, daß der "Cercle Social" den "grade constitutionnel" vorbereite. Ob er darunter die Schaffung eines neuen Freimaurergrades versteht oder damit nur den revolutionären Ideen des "Cercle Social" die Aura eines initiierten Wissens verleihen will, läßt sich nicht eindeutig klären. Ein religiöses

Moment ist in dieser Vorstellung jedenfalls vorhanden, so spricht er beispielsweise von "ce grade constitutionnel, qui est émané du sein de la sagesse suprême," (BdF I, p. 221).

1.2.2.4 Der Begriff der "opinion publique"

Bonneville plädiert im Gegensatz zu Rousseau für die Gewaltenteilung, hält ihre Institutionalisierung jedoch nicht für eine Garantie der Freiheit. Die Teilung der drei Gewalten sei nur sinnvoll, wenn diese der Kontrolle einer vierten Gewalt unterliegen, die sie im Gleichgewicht hält:

> "La distinction des trois pouvoirs commence enfin à bien s'établir dans toutes les têtes: mais de quoi vous servira-t-elle, si vous ne parvenez à créer un autre pouvoir, supérieur, qui ne tenant à aucun d'eux, ait assez de force pour les garder en équilibre, et les empêcher de se confrondre?"
> (BdF I, p. 8)

Diese Gewalt ist die öffentliche Meinung. "Opinion publique" wird hier eindeutig als politisch wirkende Instanz verstanden; sie soll, in einem überstaatlichen Raum angesiedelt, in Distanz zu den drei Gewalten stehend und ohne direkte, realpolitische Macht, gleichwohl die Kraft haben, die Staatsorgane zu kontrollieren. Zugleich ist sie die Instanz, in der jedem Bürger eine Teilnahme am Staatsganzen möglich wird: "L'opinion publique est l'espèce de loi dont tout individu peut être le ministre." (BdF I, p. 1) Dieser Satz ist angelehnt an folgende Formulierung Rousseaus: "L'opinion publique est l'espèce de loi dont le censeur est le ministre."[66]
Der Begriff "opinion publique" wird in der vorrevolutionären Theorie auf zweierlei Art bestimmt: bei Mercier als öffentliche, kritische Reflexion eines gebildeten Publikums, bei Rousseau als nichtöffentliche, auf den Sitten basierende Meinung des Volkes, deren Organ die Zensur ist.[67] Bonneville dürfte von seiner Zusammenarbeit mit Mercier her beide Positionen gekannt haben. Er erweitert den Begriff "opinion publique" gegenüber diesen Definitionen: entgegen Mercier bestimmt er als Träger der öffentlichen Meinung jeden Menschen, entgegen Rousseau sieht er ihre Funktion in der Herstellung von Öffentlichkeit und in

der Kontrolle der Regierungsgewalt:

> "Le Peuple, qui est Tout, ne peut exercer par soi-même ni la puissance législative, ni la puissance exécutrice; mais un peuple auroit cessé d'être libre ou ne le seroit pas encore, si un seul de ses membres étoit privé de son droit de censure, qui forme l'opinion publique, pondératrice de tous les différens pouvoirs. Ce seroit-là vraiment renoncer à sa qualité d'homme, aux droits de l'humanité, & même à ses devoirs." (CS I, p. 14)[68]

Bonneville gibt hier explizit als Beleg für den letzten Satz dieser Textstelle Rousseaus Kapitel über die Sklaverei aus dem 1. Buch des Contrat Social an; dort heißt es: "Renoncer à sa liberté c'est renoncer à sa qualité d'homme."[69] Er begreift Freiheit wesentlich als Meinungsfreiheit, "opinion publique" erhält die Bedeutung einer Instanz, die das Naturrecht realisiert; öffentliche Meinung hat damit gegenüber der Regierung den prinzipiellen Vorsprung der moralischen Legitimation. Bonnevilles Begriff der "opinion publique" liegt auf derselben Ebene wie seine Idee der "constitution". Sie verkörpert gegenüber der Regierung das Souveränitätsprinzip:

> "Le pouvoir de surveillance et d'opinion (quatrième pouvoir censorial, dont on ne parle point) en ce qu'il appartient également à tous les individus, en ce que tous les individus peuvent l'exercer par eux-mêmes, SANS REPRÉSENTATION, et sans danger pour le corps politique, constitue essentiellement la souveraineté nationale." (BdF I, p. 9)

Die öffentliche Meinung ist nicht nur von ihrer Aufgabe her, der Kontrolle der Regierungsgewalt, sondern auch organisatorisch auf der außerstaatlichen Ebene angesiedelt: Organe der "opinion publique" sind Vereinigungen im Sinne des "Cercle Social":

> "Mais comment établir cette surveillance universelle, sans craindre les émotions populaires ou le zèle indiscret d'une multitude de bons citoyens qui ne sont pas encore assez éclairés pour savoir ce qu'ils désirent? Voici un premier moyen d'exécution." (BdF I, p. 9)

Bonneville weist im folgenden merkwürdigerweise den Freimaurerzirkeln die Aufgabe zu, Organe der öffentlichen Meinung zu sein, mit der Begründung, daß diese Gesellschaft weit verbreitet und in ihren Zielen integer sei. Dies bedeutet, daß Bonneville die Forderung nach Öffentlichkeit im Grunde zurücknimmt: die freie, voraussetzungslose Ausübung des Rechtes auf Meinungsäußerung führt eo ipso noch nicht zu einem aufgeklärten Gesamturteil. Daß er ausgerechnet den Freimaurern und dem "Cercle Social" die Funktion, öffentliche Meinung zu bilden, zuspricht, liegt wahrscheinlich in seiner Meinung begründet, daß die Freimaurer schon immer das Prinzip der Brüderlichkeit realisiert und dabei eine einheitliche, kollektive Identität ausgebildet hätten.

Bonnevilles Begriff der "opinion publique" weist also einige Unstimmigkeiten auf: so soll jeder Mensch Träger der öffentlichen Meinung sein, was Bonneville wieder einschränkt in dem Vorbehalt, daß nicht jeder Bürger genügend aufgeklärt sei, diese Kontrollfunktion zu übernehmen. Vor allem aber läßt sich der Begriff "droit de censure" kaum mit der Vorstellung der Teilhabe aller an "opinion publique" und der Forderung nach absoluter Pressefreiheit vereinbaren. Meint Bonneville damit nichts weiter als das Recht auf freie Meinungsäußerung und übernimmt er nur die Formulierung "censure" von Rousseau? Eine auch inhaltliche Affinität zu Rousseau liegt darin, daß Bonneville "opinion publique" nicht als Meinung einer <u>informellen</u> Öffentlichkeit begreift. In seiner bürgerlich-liberalen Version hat der Begriff der Öffentlichkeit zum wesentlichen Inhalt das Prinzip der Kritik; Kritik richtet sich dabei nicht nur nach außen auf einen Gegenstand, als zunächst Kunst-, später politische Kritik, sondern bildet selbst das Organisationsprinzip der Öffentlichkeit: nur über Kritik und Gegenkritik, über die freie Konkurrenz der Meinungen stelle Wahrheit sich her, ebenso wie das allgemeine Wohl durch die freie Konkurrenz der Einzelinteressen zustande komme. Öffentlichkeit in diesem Sinn widerstrebt daher einer festen Institutionalisierung; jede Instanz, die beanspruchen würde, die öffentliche Meinung verbindlich, d.h. unter Ausschluß oppositioneller Meinungen auszudrücken, wäre Zensur. Bei Bonneville hat dagegen "opinion publique" ihren Raum zwar außerhalb der staatlichen Organe, soll jedoch in einer festen Institution ihren Ausdruck finden: im Tribunat. Dieses soll die Verbindung von Volk und Regierung herstellen, aus mehreren vom Volk gewählten, verdienten und aufgeklärten Bürgern bestehen und in jedem Bezirk die Vertretung des Volkes gegenüber der Regierung übernehmen:

"O! mes citoyens, (...) c'est là une institution par laquelle la France peut et doit conserver sa liberté; et qui même de nos jours, formant une liaison ou moyen terme entre les Gouverneurs et les Gouvernés, ne faisant corps avec aucun d'eux, les replacera les uns et les autres, par la seule force de l'opinion publique ou volonté générale, qui est toujours droite, dans le rapport exact des divers emplois qui leur sont fixés par la Loi!" (CS I, p. 53)

Das Tribunat sollte selbst keinerlei exekutive oder legislative Funktionen ausüben, womit sowohl die Distanz zu den staatlichen Organen wie die moralische Kraft des Tribunats gewahrt bleiben sollte. Der Regierung gegenüber hat es die Funktion, in der Stellungnahme zu deren konkreten politischen Entscheidungen den allgemeinen Willen auszudrücken und die allgemeinen Ziele gesellschaftlicher Entwicklung präsent zu halten. Soweit steht die Idee des Tribunats im Einklang mit der Vorstellung der Funktion, die im liberalen Konzept politisch fungierender Öffentlichkeit der Publizistik zugeschrieben wird. Der Unterschied zu diesem Konzept liegt bei Bonneville in der Vorstellung der Beziehung von Tribunat und öffentlicher Meinung.

Das Tribunat soll die öffentliche Meinung ausdrücken. Da es aber durch den Wahlmodus zu einer offiziellen, halbstaatlichen Institution wird, erhält es ein Monopol der Interpretation öffentlicher Meinung. Das mit der Publizistik gegebene Prinzip der Vielfalt von Interpretationen der öffentlichen Meinung ist in der Idee des Tribunats aufgehoben. Zwar ist das Tribunat wählbar, solange es jedoch seine Funktionen ausübt, ist es eine Institution, die verbindlich die öffentliche Meinung formuliert. Eine Kontrollmöglichkeit des Tribunats sieht Bonneville nicht vor. Zwar gibt er als eine wesentliche Funktion des Tribunats die Veröffentlichung von Petitionen, Vorschlägen und Hinweisen der Bevölkerung an, die in eigens für diesen Zweck öffentlich aufgestellten Kästen, den "Bouches de Fer", gesammelt und von den Volkstribunen in öffentlichen Versammlungen besprochen werden sollten, legt jedoch die Entscheidung über die Wahl der zu veröffentlichenden Meinungen in die Hand der Tribunen. Implizit bestimmt Bonneville damit die Funktion des Tribunats dem Volk, aber auch der Regierung gegenüber als pädagogische Aufgabe. So schreibt er etwa über die Wirkung der vom Tribunat ausgeübten Zensur: "Elle punit comme un père qui ôte à son fils un poignard dont il peut être blessé." (Vieux Tribun du Peuple, 1796, p. 372) Das pädagogische Moment ist auch in folgender Qualifizierung des Tribunats als "un véritable censurat, paternel, civique, patriarchal" (Vieux Tribun du Peuple, 1796, p. 27) ausgedrückt.

Im Konzept der "Bouches de Fer", einer von Bonnevilles Lieblingsideen, wird besonders deutlich, wie dürftig - angesichts seines Anspruchs auf Genialität - seine Ideen in der Umsetzung in praktisch-politische Forderungen sind. Die Idee der "Bouches de Fer" bedeutet ja nichts weiter, als daß jeder Bürger potentiell über die Vermittlung des Tribunats seine Meinung sollte publizieren können. Der "Cercle Social" ließ eine derartige "Bouche de Fer" aufstellen und veröffentlichte mehrere Eingänge in seiner Zeitschrift. Bonneville begreift die "Bouches de Fer" als politisches Allheilmittel; sie seien

> "un moyen (...) qui serviroit à-la-fois de remède au despotisme, à l'anarchie, au désordre des moeurs, à la décadence des bonnes Lettres, à l'avilissement des Sciences exactes, au charlatanisme, à de profondes conjurations, et enfin à l'esclavage, qui comprend tous les affronts, tous les abus et toutes les calamités." (CS I, p. 47)

Diese Euphorie ist historisch und biographisch erklärbar: als Literat erfuhr Bonneville im Ancien Régime Repression vornehmlich als Unterdrückung der freien Meinung, als Zensur. Die Vorstellung, daß allein die freie Äußerung der Meinung und ihre Verbreitung durch ein Gremium aufgeklärter Bürger, durch die Volkstribunen, alle Mißstände aus der Welt schaffen könne, paßt durchaus in den Rahmen des frührevolutionären Selbstverständnisses, wie es sich in der Menschenrechtserklärung ausdrückt. Auch die Vorstellung, die Meinungsfreiheit werde zu einer Wiederbelebung der antiken politischen Tugenden führen, ist typisch für ein bürgerlich-revolutionäres Denken:

> "La voix de la Bouche de Fer, éternelle et toute-puissante, puisqu'elle sera la voix de la Vérité qui a créé la lumière, fera sortir des hommes du sein de la corruption. Elle reproduira les Gracques, et l'on verra naître parmi les immondices de l'ancienne Rome, un autre JUNIUS." (CS I, Introduction au Tableau Analytique des Principes Constitutionnels, p. 4)

Hier ist allerdings wieder die irrationalistische Tendenz bei Bonneville erkennbar, die noch deutlicher in seiner These zum

Ausdruck kommt, daß die Institution der "Bouche de Fer" an verlorengegangene religiöse Traditionen anknüpfe:

> "Qu'est-ce que la BOUCHE DE FER? C'est une institution dont l'origine se perd dans la nuit des tems, religieusement consacrée en Egypte, à la Chine, à Delphes, dans les Indes, à Rome & chez nos anciens *Francs*." (BdF I, p. 1)

Was Bonneville darunter konkret versteht, bleibt unklar, doch läßt allein der Rekurs auf religiöse Tradition den Schluß zu, daß ihm im Grunde die Vorstellung der Öffentlichkeit als informeller Meinung fernliegt, die sich direkt in publizistischer Vielfalt und indirekt im Prinzip parlamentarischer Diskussion ausdrückt. Die *Bouche de Fer*, ob er sie nun als Produkt eigener journalistischer Tätigkeit oder als Sammelstelle von Meinungen aus der Bevölkerung begreift, erscheint ihm nicht als nur eine der revolutionären Zeitschriften, die das Prinzip des kritischen "raisonnement" realisieren, sondern als Organ, das eine *prophetische* Wahrheit verkünde. In folgender Textpassage behauptet Bonneville eine Tradition von esoterischem Wissen, die die *Bouche de Fer* aufnehme:

> "La Bouche des *invisibles* est une institution dont l'origine se perd dans la nuit des temps, religieusement consacrée dans les mystères de l'ancien monde.
> Les premiers bienfaiteurs du genre humain voulant tout guérir, sentirent le besoin de tout connoître: de-là l'invention de la Bouche des *invisibles*, pour *révéler* des *mystères*, ceux de la nature et des gouvernemens, recueillir les trésors de l'expérience et prononcer des *oracles*."
> (BdF I, p. 16 bis)

Diese Stelle ist unmittelbar nicht verständlich. Bonneville bezieht sich hier entweder auf die Praxis religiöser Orakel und Prophezeiungen oder umfassender auf die traditionell-religiöse Behauptung göttlicher Offenbarung ("Bouche des invisibles"), hinter der sich nur die höchste Form menschlichen Wissens, allerdings eines esoterischen Wissens, verborgen habe. Die "Bouche des invisibles" habe in einer symbolischen Sprache alle Natur- und Gesellschaftserkenntnisse enthalten und die Zukunft vorhergesagt. Bonneville hält eine Vorhersage der Zukunft für möglich und zwar zum Teil sogar als rationales Vorausdenken.[70] Wie die Aufnahme dieses behaupteten Wissens in der Gegenwart denkbar sei, wird nicht ausgeführt. Sein Versprechen, er werde alle Geheimnisse der Natur, Sprache und Gesellschaft offenbaren, wird natürlich nie eingelöst. Der Versuch, aufklärerische Modelle gesellschaftlichen Umgangs ("volonté générale", Öffentlichkeit, Naturrecht) an Beispiele religiöser Gemeinschaften gedanklich rückzubinden, reduziert sich wiederholt auf sprachliche Verbrämungen freimaurerischer Provenienz.

1.2.2.5 Die Idee des Gesetzes

Die Unterscheidung von Allgemeinheit und Unveränderlichkeit im Begriff "constitution" und Variabilität in Bezug auf "gouvernement" wiederholt sich in der Bestimmung des Gesetzes.
Aufgabe der Regierung ist, das positive Recht zu schaffen, das inhaltlich auszurichten sei auf den Stand der gesellschaftlichen Entwicklung, der Sitten und das politische Bewußtsein des Volkes. Die notwendige Anpassung des positiven Rechts an historische Gegebenheiten bedeutet für das Frankreich der Revolution, daß die besten Gesetze noch nicht realisierbar sind:

> "(...) nous accourûmes (...) pour aider à y établir, non les meilleures loix imaginables, mais les plus sages qu'un peuple avili par tant de siècles de servitude, pût supporter de nos jours." (BdF I, p. 402)

Seinen Vorschlag, zunächst nur die Erbfolgegesetze zu ändern, statt eine Neuverteilung des Bodens durchzuführen, begründet er ebenfalls mit der historischen Situation: "(...) les meilleures loix ne vous conviennent pas. Le peuple aveuglé ne connoît pas sa force (...)" (EdR I, p. 59) Bonneville warnt davor, den revolutionären Prozeß zu forcieren und dabei die historischen Voraussetzungen ungenügend zu reflektieren; grundlegende gesellschaftliche Veränderungen seien nur langsam zu erreichen, eine gute Politik müsse ähnlich dem Wirken der Natur unmerklich, aber stetig verfahren.
Darüber hinaus erscheint der Begriff Gesetz als idealtypische Kategorie. Er ist aus der Idee des Naturrechts philosophisch fundiert. Das Gesetz erscheint bei Bonneville bereits in der Bedeutung, Konstitutionsprinzip einer gewaltfreien Gesellschaft zu sein: es existiere nicht z.B. in einer Gesellschaft, die noch Sklaverei kenne; von daher begreift er Lykurgs Gesetzgebung nur

als Versuch, nicht als Realisierung des Gesetzes:

> "Lycurgue trouva des esclaves, et ne les regarda point comme des hommes. Cette injustice eut sa récompense; et de nouveaux brigandages succédèrent à d'horribles brigandages.
>
> Ce n'étoit pas la loi, ou le magistrat au nom de la loi, comme chez les Francs, c'étoit l'insurrection des opprimés contre les oppresseurs: delà toujours des tyrans et des esclaves: on n'achevoit jamais l'entreprise. Elle restoit toujours à consommer." (EdR I, p. 57)

Eine derartige Bestimmung des Gesetzes schließt das positive Recht aus, das Gesetz erscheint als ideale Norm, als Ausdruck von Recht und Gerechtigkeit, nicht als empirische Regelung in einer je besonderen historischen Ausprägung. Dieser Gesetzesbegriff ist konform mit der allgemeinen Rechtsidee der Französischen Revolution.
Die Idee des Gesetzes ist eine zentrale Legitimationskategorie der Französischen Revolution. Ihr revolutionärer Charakter liegt in der Verbindung von Gesetz und Recht, d.h. in der Frage nach der Rechtmäßigkeit des Gesetzes und zwar einer Rechtmäßigkeit, die sich nicht bestimmt aus der Berufung auf Tradition oder historische Umstände, da ein dadurch legitimiertes Gesetz immer die Sanktion früherer Gewaltnahme bedeuten kann.[71] Das Gesetz muß vielmehr einem allgemeingültigen, überhistorischen Maßstab unterworfen sein, der jederzeit und von jedermann erkennbar und für jeden Menschen gültig ist: dem Naturrecht. Die Idee des Naturrechts bedeutet die Annahme bestimmter unveräußerlicher Rechte, die jedem Menschen von Natur aus zukommen. Die Vorstellung, daß alle Menschen die selbe natürliche Konstitution und daher die gleichen Grundrechte haben, ist charakteristisch für die politische Philosophie der Aufklärung, wenn auch diese Rechte inhaltlich verschieden bestimmt werden: als Recht auf Selbsterhaltung und Eigentum bei Helvétius, als das Recht auf Freiheit und Selbstbestimmung bei Rousseau. Die Französische Revolution greift im Namen dieser natürlichen Rechte die absolutistische Herrschaft an: der Schutz der natürlichen Rechte ist nur gewährleistet, wenn der Souverän keine willkürliche Macht über das Leben der Untertanen ausüben kann, wenn er selbst dem Gesetz unterworfen ist. Bonneville wirft darüber hinaus - ähnlich Robespierre - dem Absolutismus vor, die Entwicklung der sozialen

Tugenden zu verhindern:

> "Quand on aura bien senti que l'incertitude éternelle du pouvoir arbitraire empêche de naître toutes les vertus sociales, on commencera peut-être à vouloir imiter ces peuples fiers qu'on admire; on frémira à la vue de ces gouvernemens sans prévoyance, qui exposent chaque jour la destinée de tout un peuple à la merci de tel ou tel homme d'argent.
>
> Que de ténèbres épaisses et encore palpables cachent le flambeau de la raison! Et lorsqu'on voit au dix-huitième siècle, des peuples entiers, et ceux mêmes qui sont appellés peuples penseurs, se payer de mots, on est prêt à désespérer de pouvoir amener jamais les hommes à rien comprendre de leurs droits, à bien comprendre que la nature leur a donné à tous des droits égaux pour protéger leurs personnes et leurs biens. Je le veux, je l'ordonne, ma volonté est ma raison. Voilà ce qu'il faut traduire dans la langue du peuple, et l'on ne mettra plus en question, s'il est nécessaire que le peuple soit éclairé." (EdR II, p. 22f)

Mit dem Satz "ma volonté est ma raison" überträgt Bonneville die Grundlage des individuellen Freiheitsrechtes, die Willensfreiheit, auf das Volk.[72] Das individuelle Freiheitsrecht bedeutet, daß kein Mensch dem Willen eines anderen Menschen unterworfen sein darf; dies schließt jede absolutistische Herrschaft aus. Konsequent fordern daher die Republikaner, daß anstelle des Monarchen eine unpersönliche Gewalt, das Gesetz herrschen soll. Die Frage der Legitimität von Herrschaft verschiebt sich auf das Problem, wer das Recht haben solle, das Gesetz zu machen, und wird dahingehend beantwortet, daß das Gesetz nicht Produkt eines einzelnen sein könne, da ihm in diesem Fall der erforderliche Charakter von Allgemeinheit und Unpersönlichkeit fehle. Nach Bonneville ist das Gesetz erst legitim, wenn es Resultat des allgemeinen Willens ist:

> "Il y a une constitution fondamentale et un peuple libre là où la loi n'est jamais que le résultat de la volonté générale." (EdR II, p. 141)

Das Prinzip der Willensfreiheit bedeutet für Bonneville nicht nur, daß der Mensch nicht seinesgleichen gehorchen darf, es bedeutet darüber hinaus, daß er nur einem Gesetz gehorchen darf, an dessen Sanktionierung er selbst beteiligt war:

> "Pères de la patrie. Ceux qui obéissent à des lois qu'ils n'ont pas faites ni sanctionnées, sont des esclaves." (BdF IV, No. 68, p. 9)

Bonneville sieht nun ebenso wie Rousseau das Gesetz nicht als notwendige, aber soweit wie möglich einzuschränkende Bedingung der Funktionsfähigkeit einer Gesellschaft - dies wäre die liberale Version des Gesetzesbegriffs -, sondern als positive Erfüllung des natürlichen Freiheitsbedürfnisses:[73] "La Loi! La loi qu'un Peuple s'impose à soi-même est la véritable liberté." (CS I, p. 44) Der Begriff des Gesetzes steht bei Bonneville in Zusammenhang mit der Idee positiver staatsbürgerlicher Einheit:

> "Point de loi, point de culte, point d'union. Tout est esclavage et mensonge, quand la fourbe et l'hypocrisie règnent à la place de la loi." (EdR I, p. 71)

Bonneville verbindet die Idee des Gesetzes mit den Begriffen Wahrheit, Religion, Einheit, Brüderlichkeit, Gleichheit; negativ ausgedrückt auch in folgender Kritik an den Jakobinern:

> "Ce qu'ils ont appelé la loi commune ne l'étoit pas, elle enfermoit encore partialité, inégalité, exclusion, ineptie et cruauté." (EdR I, p. 73f)

Der Gesetzesbegriff hat bei Bonneville eine weit größere Tragweite als die Vorstellung einer durch die Allgemeinheit sanktionierten Regelung des gesellschaftlichen Verkehrs; er umfaßt das Bild idealer Gesellschaftlichkeit, "loi commune" existiert nur, wenn die der Menschheit zukommende Bestimmung von Allgemeinheit und Universalität real sich manifestiert, d.h. alle gesellschaftlichen Schranken zwischen den Menschen abgebaut sind. Die Gesetzgebung soll auf einem elementaren Wissen basieren, auf dem Wissen um die Gesetze der Natur. Wenn die Gesetze der Gesellschaft mit denen der Natur übereinstimmen, verliert staatliche Gewalt den Charakter von Herrschaft und Willkür: Bonneville stellt diesem als illegitim empfundenen "pouvoir" den Begriff der "autorité" gegenüber:

> "L'autorité qui est le fruit de notre sagesse à obéir aux loix de la nature, marche comme elle à pas mesurés, insensibles; elle n'a de force que parce qu'en tout elle est conforme à la volonté du grand tout." (EdR App., p. 336)

Bonneville definiert den Inhalt dieser Naturgesetze, die die Entwicklung der Gesellschaft bestimmen sollen, nicht näher, er behauptet sogar, die Zeit sei noch nicht reif für ihre Enthüllung - hier zeigt sich wieder die esoterische Tendenz:

> "On saura quelles sont les véritables loix de la nature, quand nous aurons pu établir sur la terre des moyens éternels, UN TRIPLE CERCLE de Francs armés pour leur servir de sauve-garde, pour empêcher qu'elles ne soient violées. Jusques-là qu'on nous juge par nos oeuvres, selon la loi des sages." (BdF I, p. 323f)

Der Verweis auf die Gesetze der Natur ist in der Rechtsphilosophie des 18. Jahrhunderts keinesfalls ungewöhnlich. Wie Groethuysen in seiner Philosophie der Französischen Revolution nachweist, bildet die Idee der Natur als eines harmonischen, zweckgerichteten Ganzen und gleichzeitig einer auch im Menschen wirkenden Kraft den Hintergrund der Naturrechtskonzeption. Der teleologische Charakter der Natur manifestiert sich diesem Naturverständnis zufolge in den natürlichen Anlagen der einzelnen Lebewesen. Auch das Handeln des Menschen gehorcht einer inneren Zweckmäßigkeit, zuallererst dem natürlichen Zweck der Selbsterhaltung. Diese teleologische Struktur ist der einzige gemeinsame Nenner aller Menschen, es muß folglich allen Menschen das Recht gegeben sein, ihre natürlichen Anlagen frei entfalten zu können. Die Grenze dieses Rechtes bildet allein die Freiheit des anderen.[74] Der theoretische Hintergrund der individuellen Freiheitsrechte, wie sie in der Französischen Revolution formuliert wurden, liegt also in der Annahme einer allgemeinen Struktur, einer inneren Gesetzmäßigkeit, die sowohl in der Natur insgesamt als auch im einzelnen Menschen vorhanden ist. Welche Bedürfnisse der Menschen im einzelnen natürlich oder widernatürlich sind, ob die Natur mit der in den einzelnen Wesen erkennbaren Ordnung einen höheren, inhaltlich bestimmbaren Zweck verfolgt, erscheint demgegenüber von untergeordneter Wichtigkeit. Die Erklärung der Menschenrechte bezieht ihre Rechtsbasis gerade daraus, daß sie die allgemeine teleologische Struktur des Menschen rechtlich sanktioniert und über deren Inhalte keinerlei Aussagen trifft.

Für Bonneville enthalten - nach dem Erklärungsmodell des Makrokosmos aus dem Mikrokosmos - die Naturgeheimnisse die Bestimmung des Menschen:

> "C'est au fond de votre coeur que vous trouverez la résolution de tous les mystères de la nature, l'homme intègre est Dieu." (EdR II, p. 248)

Die einzelnen inhaltlichen Implikate dieser Vorstellung sind an dieser Stelle nicht von Interesse, wichtig ist dagegen, daß Bonneville nicht der oben skizzierten Argumentationsstruktur folgt: wenn die Natur den Zweck verfolgt, die Menschheit zu einem idealen, göttlichen Zustand zu führen, kann das Ziel der Gesetzgebung nicht darin liegen, die Entwicklung der natürlichen Anlagen rechtlich abzusichern, deren Gestaltung aber dem Individuum zu überlassen; die Übereinstimmung der Gesetzgebung mit der Natur muß dann vielmehr darin bestehen, daß die Gesellschaft insgesamt das Leben des einzelnen im Hinblick auf das Ideal von Menschentum gestaltet. Bonneville läßt hier einen Gesetzesbegriff erkennen, der sich von seiner bereits zitierten Idee, daß die Gesetzgebung die natürlichen Rechte des Individuums auf Leben und Eigentum garantieren müsse, strukturell unterscheidet: das Gesetz solle zur Aufgabe haben, einen festen gesellschaftlichen Zusammenhang zu konstituieren. Eine Konsequenz dieser Vorstellung ist, daß Bonneville das historische Vorbild eines so bestimmten Gesetzes nicht im Römischen Recht sieht, das in der Französischen Revolution das Modell für die Verwirklichung der individuellen Freiheitsrechte in der Sphäre des Privatrechtes war,[75] sondern in der theokratischen Gesetzgebung des Juden- und Urchristentums:

> "La loi nouvelle doit succéder, comme au tems du fils de Marie, à la loi ancienne. Cette loi nouvelle exige un nouveau culte; un même culte, le culte de la loi." (EdR App., p. 131)

Das Gesetz soll Ausdruck und Konstitutionsprinzip eines kollektiven Ganzen sein. Der Bezug auf das Christentum ist bei Bonneville nicht eine bloße Analogie in dem Sinne, daß das neue Gesetz dieselbe gesellschaftliche, den ganzen Lebenszusammenhang des Individuums gestaltende Kraft haben soll; er beruft sich sogar direkt auf die Bibel:

> "Annoncez à la terre qui se réveille, cette bonne nouvelle, inscrite dans un code également cher à tous les peuples, et que jamais tyran n'a pu détruire." (EdR II, p. 160)

Mit "code" meint Bonneville die Bibel![76]
Revolutionäre Gesetzgebung als Verwirklichung der in der Bibel niedergelegten Prinzipien von Gesellschaftsgestaltung: ein grös-

serer Widerspruch zu den rechtsphilosophischen Grundlagen der Menschenrechtserklärung und Verfassung von 1791 läßt sich kaum vorstellen. Bei Bonneville stehen zwei ursprünglich einander ausschließende Begründungsprinzipien des Rechtes nebeneinander: die Berufung auf "raison" und auf Tradition.[77]

> "Il s'agit de former des loix impartiales, sans trop s'embarrasser des privilèges antérieurs; il s'agit de concourir de tout son pouvoir, au triomphe de la raison, qui peu-à-peu et presque sans qu'on s'en apperçoive, forcera la terre à se purger de ses erreurs." (EdR II, p. 27f)

Auf der einen Seite propagiert Bonneville in typisch aufklärerischer Form die Abschaffung der Privilegien und die Herrschaft der Vernunft, auf der anderen Seite steht die Berufung auf eine in den Geheimgesellschaften aufrechterhaltene Tradition, die Bonneville in seinem Esprit des Religions zu enthüllen verspricht:

> "Cet ouvrage important dans les circonstances, offre des recherches neuves, des principes démontrés et appuyés de faits, sur les bases inébranlables d'une bonne constitution: sur la forme d'un gouvernement, toujours susceptible de se perfectionner, et sur les rapports intimes et nécessaires de la législation d'un peuple avec son culte; principes conservés dans les mystères des anciennes initiations et dont la révélation a été promise, d'âge en âge, par les amis de la vérité, au premier peuple libre."
> (BdF IV, No. 104, p. 8)

Bonneville kann die Berufung auf Tradition mit seinem revolutionären Anspruch natürlich nur dadurch vereinbaren, daß er eine versteckte, von den Tyrannen verfolgte Tradition mit revolutionären Inhalten annimmt. Dies ist dennoch im Verfahren konträr zur Theorie der Französischen Revolution, umsomehr, als er diese Tradition nicht bei den Philosophen, sondern in religiösen Sekten sucht.
Bonnevilles Idee des Gesetzes läßt sich in ihrer Uneindeutigkeit nicht schlüssig in die Entwicklung der Ideengeschichte einordnen. Festzuhalten bleibt jedoch, daß die in der Aufklärungsphilosophie behauptete Antinomie der Begriffe Vernunft, Natur und Tradition bei Bonneville aufgelöst wird; nur darin, nicht in der inhaltlichen Füllung der Gesetzesidee, läßt sich ein weiterführender Ansatzpunkt feststellen. Die führenden Gesellschaftstheoretiker des nachrevolutionären Frankreich, de Maistre

und Bonald, haben als Vertreter der Gegenrevolution keine unmittelbaren Gemeinsamkeiten mit Bonneville, verwischen aber in ähnlicher Weise die in Aufklärung und Revolutionstheorie streng unterschiedenen Prinzipien.[78]
Wenn Bonneville die Begriffe Religion und Tradition in den Dienst eines revolutionären Denkens stellen will, so berufen sich umgekehrt de Maistre und Bonald auf die Vernunft und den allgemeinen Willen, um der Revolution jede Legitimation abzusprechen. Bonald sieht in den historisch gewachsenen Institutionen, in Monarchie und Kirche, die universelle Vernunft und die "volonté générale" verkörpert, deren Ziel die Erhaltung der Gesellschaft sei. De Maistre fordert zur Aufrechterhaltung der Ordnung eine Staatsreligion, deren wesentliche Aufgabe darin bestehen solle, die soziale Kohärenz zu garantieren. Der Begriff des Gesetzes hat bei beiden nicht die Bedeutung des positiven Rechts oder von durch Vertrag zustande gekommenen Regeln, sondern signalisiert einen gewachsenen kollektiven Lebenszusammenhang.
Eine direkte Übereinstimmung mit der frühromantischen restaurativen Staatstheorie ist in Bonnevilles These erkenntlich, daß das Gesetz nicht konstruierbar sei:

> "Faire des lois! - Faire! - Est-il donc au pouvoir d'un mortel de faire une loi! (...) Faire une loi, créer une langue, fonder une religion! Tout cela est fait! Je te remercie, ô providence éternelle, ils ne peuvent rien faire de tout cela. (...)
> Vous pouvez inventer une loi; une loi déjà faite: savez-vous seulement ce que c'est que d'inventer?
> Invenit legem; il a inventé une loi, non ce n'est pas l'avoir faite. Invenit, il a trouvé, il a retrouvé ce qui est, ce qui étoit fait. La loi sociale, comme la loi de la nature, est faite, car c'est aussi une loi de la nature; c'est la justice éternelle, c'est l'éternelle vérité."
> (Vieux Tribun du Peuple, 1796, p. 27f)

Dies ist eine späte Stellungnahme Bonnevilles zum parlamentarischen Geschehen, sie drückt eine gewisse politische Resignation aus. Er formuliert hier das für das Menschenbild der frühen Romantik konstitutive Thema, daß der Mensch nichts erfinden könne,[79] das ein wichtiges Argument gegen die Französische Revolution und den konstruktiv-emanzipatorischen Anspruch der Aufklärungsphilosophie darstellte. Dabei bleibt allerdings festzuhalten, daß Bonneville als Revolutionär nicht die Konsequenz de

Maistres und Bonalds zieht, daß die Menschen stärker in die <u>bestehenden</u> gesellschaftlichen Institutionen eingebunden werden müßten: er begreift den "culte de la loi", der das Gesetz mit dem Lebenszusammenhang aller verbinden soll, als erst zu realisierende Institution, die in religiösen Traditionen nur versteckt vorgezeichnet sei.

1.2.3 Die gesellschaftliche Funktion der "république des lettres"

Der Begriff der "république des lettres" hat bei Bonneville durchgehend eine politische Dimension. Die gesellschaftliche Funktion der "république des lettres" faßt Bonneville in zwei verschiedenen Rollen: in der Rolle des Intellektuellen als Volkstribun schreibt er ihr vorwiegend die Funktion einer kritischen Instanz zu, in der Rolle des Intellektuellen als Priester des "culte de la loi" eine gestaltende, staatstragende Funktion.

1.2.3.1 Der Begriff Aufklärung und die Rolle des Intellektuellen als Volkstribun

Bonneville begreift die "république des lettres" als eine per se politisch fungierende Macht:

> "L'artillerie toute spirituelle de la république des lettres, est bien plus rapide et bien plus sûre que les canons bronzés de la tyrannie." (BdF IV, No. 91, p. 4)

Geistige Ausstrahlungskraft wird also in ein unmittelbares Verhältnis zu staatlicher Macht gesetzt, die "république des lettres" erscheint als Gegengewalt zum Staat. Auch dem revolutionären Staat gegenüber soll sie eine Korrektivfunktion beibehalten:

> "Tous les individus qui forment la <u>république</u> des lettres, sont membres essentiels de la cité libre (...) Si l'erreur ou la trahison se glissoit dans les assemblées délibérantes, c'est de la <u>république</u> des lettres que nous attendons le triomphe du patriotisme et de la vérité; c'est elle qui doit rassurer l'homme timide ou foible, en butte aux persécutions

> des nombreux ennemis du genre humain. C'est à la république des lettres à former à la fois un foyer de lumière et un corps de résistance. Que des ministres sans pudeur ne voyent plus une poignée d'hommes isolés, faciles à séduire ou à intimider; qu'ils entendent dans la bouche d'un seul la voix de tout un peuple, les réclamations de tous les peuples."
> (EdR II, p. 86f)

Die Funktion der "république des lettres" soll weiterhin dem Staat gegenüber, und auch dem Staat der Revolution gegenüber, in Kritik und Kontrolle bestehen - sie wird damit in Übereinstimmung mit der aufklärerischen Definition der "république des lettres" bestimmt. Die Gelehrtenrepublik wird als höchste gesellschaftliche Richterinstanz dargestellt, ohne daß sie jedoch mehr als verbale Sanktionen verhängen könnte. Politischer "Führungsanspruch" und reale politische Macht fallen auseinander, und zwar schon von der strukturellen Bestimmung her: Bonneville erwartet von der Gelehrtenrepublik den Triumph von Patriotismus und Wahrheit, gerade weil sie mit den täglichen politischen Entscheidungen unmittelbar nichts zu tun hat.
Nach Koselleck, Kritik und Krise, liegt der Angelpunkt einer derartigen Konzeption im Begriff der Kritik;[80] die Gelehrtenrepublik begreift sich als kritische Domäne außerhalb und in Abgrenzung zur politischen Sphäre zunächst als unpolitisches Reich der gedanklichen Freiheit, das einer eigenen Gerichtsbarkeit unterliegt, nämlich den Maßstäben der Kritik. Die Überschreitung der Grenze, d.h. die theoretische Unterwerfung des Politischen unter das Urteil der Gelehrtenrepublik, hat nach Koselleck zur Voraussetzung, daß der Begriff Kritik identisch wird mit "raison". Vernunft kann nur herrschen im "règne de la critique"; die Ausweitung des Wahrheitsanspruches, den die Gelehrtenrepublik erhebt, auf alle Bereiche steht von daher offen, gleichzeitig erfordert die Kritik die Aufrechterhaltung der Distanz:

> "Die alles erfassende Kritik weitete sich zwar auf die Politik aus, verzichtete aber nicht auf ihren eigenen unpolitischen, d.h. auf ihren vernünftigen, natürlichen oder moralischen, das Vorrecht der Wahrheit garantierenden Anspruch."[81]

Welche Bedeutung Bonneville dieser Kritik zuschreibt, wird daraus ersichtlich, daß er die Zensur - und nicht etwa die soziale Not breiter Schichten der Bevölkerung - für das größte politische Übel hält:

> "On pourroit classer le malheur des peuples de l'Europe par le despotisme plus ou moins rigoureux, avec lequel on enchaîne la voix de ces hommes de toutes les nations et de tous les siècles, qui, liant leur propre cause à l'intérêt de tous, éclairent l'humanité, même lorsqu'ils se trompent, parce qu'ils sont de bonne foi." (EdR II, p. 122)

Die emiment politische Funktion, die Bonneville der "république des lettres" zuschreibt, wird daran deutlich, daß er sie als Vorwegnahme der politischen Republik und die Revolution indirekt als ihr Werk begreift; anläßlich der Überführung Voltaires ins Pantheon schreibt er:

> "République des lettres, république universelle, sainte religion des hommes libres, après des combats de tant de siècles, que ces prémices de votre gloire, récueillis sur les débris d'un trône qui avoit des racines de neuf cents ans, animent encore votre zèle infatigable! Vous nous avez fait voir ce qu'il y a de plus beau au monde, la reconnoissance d'un peuple libre, d'un peuple qui s'est armé à votre voix pour affranchir l'Univers." (BdF IV, No. 90, p. 2f)

Bonneville bestimmt als Träger einer Politik der Befreiung die Allianz von "république des lettres" und Volk. Revolutionäre Politik nimmt für ihn damit ihren Anfangspunkt in einem Programm von Aufklärung. Kritik dem Staat gegenüber, Beanspruchung einer geistigen Führungskraft und Aufklärung des Volkes wird also nicht nur als politische Funktion der Gelehrtenrepublik, sondern auch als Ausgangspunkt jeder revolutionären Politik bestimmt. Damit begreift Bonneville auf der einen Seite die "république des lettres" als die vorwärtstreibende Kraft des Revolutionsprozesses, auf der anderen Seite erscheint revolutionäre Politik wesentlich als Formulierung und Vermittlung neuer Ideologien; das Volk folgt als materielle Gewalt nur dem Entwurf der spirituellen Gewalt, der Gelehrtenrepublik.
In dem behaupteten engen Bezug von "république des lettres" und Volk unterscheidet sich diese Konzeption allerdings vom aufklärerischen Begriff der Gelehrtenrepublik: wenn als Träger der Revolution Volk und "république des lettres" in der Funktion materieller und geistiger Gewalt angegeben werden, so bedeutet dies auch, daß die Intelligenz auf das Volk verwiesen ist. Im vorrevolutionären Denken wurde die Gelehrtenrepublik jedoch als

völlig autonomer Bereich verstanden, der nur aus der Distanz zu jeder realgesellschaftlichen Kraft zur Erkenntnis der Wahrheit gelangen könne. Voltaire sieht das Volk als eine Masse, deren Handeln von blinden Instinkten geleitet und daher einer Politik der Aufklärung gefährlich sei.
Bonneville propagiert zwar eine Politik der Aufklärung des Volkes, versucht dabei jedoch, Aufklärung neu zu definieren. Gerade von der Sicht des Volkes als politisch aktiver, handelnder Kraft her begreift er die für das Volk notwendige Form der Aufklärung nicht als Wissensvermittlung, sondern als Anregung, eine eigene schöpferische Kraft zu entfalten, die es dem Volk ermögliche, selbst die erforderlichen "lumières" sich zu erarbeiten:

> "Quand on veut ajouter à ses desseins quelque autre autorité que celle de la raison, c'est-là du despotisme; ce n'est point servir le Peuple en vrai Tribun.
> L'art d'éclairer le Peuple n'est pas de lui apporter de la lumière dans une lanterne, qui le laisse dans les ténèbres quand on l'éteint ou qu'elle s'éloigne: c'est toujours bon; cette clarté l'amuse, et souvent même lui est utile; mais ce n'est point assez. Enseignez au Peuple la manière la plus prompte de s'enrichir d'une faculté créatrice, qui lui procure, à volonté, un trésor de lumière." (CS I, p. 187)

Bonneville entfernt sich in der Betonung der Notwendigkeit einer "faculté créatrice" deutlich von der aufklärerischen Idee, die Kunst des "raisonnement" sei die Basis der "lumières"; exemplarisch für seine Suche nach einer Ausweitung des Erkenntnisvermögens in Richtung auf ein inneres, nichtreligiöses Offenbarungserlebnis ist die folgende Stelle:

> "Hélas, ce ne sont pas des traits de lumière qui nous manquent, ce ne sont pas des livres qui nous manquent; c'est je ne sais quel ouvrage d'homme qui nous enseigne à nous servir des ouvrages des hommes; c'est je ne sais quel <u>ouvrage-miroir</u>, qui force l'ami de la vérité, de se voir par-tout, <u>de se lire</u> par-tout, de recueillir par-tout et <u>dans tout</u> un nouveau sens, une puissance <u>créatrice</u> et <u>de réflexion</u> qui environne soudain le coeur de l'homme d'une grande lumière." (EdR App., p. 279)

Die Notwendigkeit der Aufklärung des Volkes betont Bonneville zwar durchgehend als eine wesentliche politische Aufgabe, ihre Möglichkeit erscheint ihm aber abhängig von gesellschaftlicher Praxis: Aufklärung als Befreiung der ganzen Gesellschaft von

Vorurteilen hat selbst zur Voraussetzung das revolutionäre Handeln des Volkes:

> "On nous dit que le peuple, quelque forte que fût la lumière qu'on allumeroit pour lui, n'y verroit pas davantage: certes je le crois bien, ils nous ont tous aveuglés à notre naissance. Il ne s'agit pas de multiplier vos inutiles flambeaux: ôtez au peuple le bandeau qui lui couvre les yeux. Des philosophes, de siècle en siècle, peuvent à peine soulever, pour eux et à la dérobée, le voile des préjugés. Mettez en badinant la main du peuple sur le voile, et une fois au moins, ce sera la première, ne le tompez (sic) pas: il sera bientôt déchiré;" (EdR II, p. 121)

Das Volk ist zwar blind und benötigt daher Unterstützung von Seiten der Intelligenz; das Bildungselement, das die Intelligenz vermitteln soll, ist das Bewußtsein der Möglichkeit von Freiheit, sie leistet bestenfalls Hilfe zur Selbsthilfe, ist jedoch im strengen Sinn nicht Führer des Volkes. Umgekehrt benötigt die Intelligenz das Volk. Aufklärung im Sinne individueller Erkenntnis ist nach Bonneville nur bruchstückweise möglich. Die endgültige Durchsetzung von Aufklärung, die Zerstörung der Vorurteile kann Bonneville zufolge nur Werk des Volkes sein. Damit wird Aufklärung aus dem Bereich rein intellektueller Einsicht und ihrer Vermittlung in die Dimension kollektiven Handelns gerückt. Die aufklärerische Relation von "philosophe" - als Träger der Aufklärung - und Volk - als ihrem Objekt - wird aufgelöst. Intelligenz und Volk werden gleichberechtigt als Träger von Aufklärung definiert, der Intelligenz kommt dabei Initiierungsfunktion zu, dem Volk die Kraft der Durchsetzung.

Die Kritik- und Aufklärungsfunktion des Literaten faßt Bonneville im Bild des Volkstribunen. Während in der politischen Theorie der Aufklärung, insbesondere bei Rousseau, als Zentralfigur der Gesetzgeber erscheint,[82] legt er das Hauptgewicht nicht auf die Formulierung der Gesetze, sondern auf ihre Verteidigung und Legitimation. In ihrer ideologischen Funktion sollen die Volkstribunen allein die Kraft der Vernunft wirken lassen; in der Berufung auf die geistige Autorität der großen Gestalten der Gelehrtenrepublik sollen sie überzeugen, nicht wie Rousseaus Gesetzgeber durch die Berufung auf göttliche Autorität überreden:

> "Les Tribuns du Peuple Franc, toujours invisibles, sans faisceaux et sans dignités, ne doivent employer pour défendre, impartialiser et perfectionner ses lois, que la seule force de ces Génies bienfaisans qui ne pourront mourir jamais, quoiqu'ils ayent déjà rendu à la poussière un corps périssable; c'est leur voix immortelle qui, parlant sans cesse au coeur de l'homme de bien, forme l'opinion générale qui est toujours droite et Toute-puissante."
> (Prospectus de la Bouche de Fer, ohne Pagination)

Die Gestalt des Volkstribunen enthält also auch bei Bonneville den Bezug auf allgemeine Theorie, auf "raison", vermittelt über die Berufung auf die intellektuellen Genies; während jedoch der allgemeine Wahrheitsanspruch, der der aufklärerischen Figur des Gesetzgebers zugeschrieben wird, einen Ausschluß vom Bereich des aktuellen politischen Geschehens bedeutet - Rousseau erklärt die Arbeit des Gesetzgebers mit der Institutionalisierung der Republik für beendet -, sieht Bonneville den Aufgabenbereich des Volkstribunen gerade im kritischen Bezug auf die konkrete Politik. Der Intellektuelle als Volkstribun gibt damit zwar die dem Gesetzgeber zugeschriebene Position einer über der Gesellschaft stehenden Instanz, nicht jedoch den Anspruch moralischer Gerichtsbarkeit auf:

> "Un Tribun, par le Peuple ENVOYÉ dans ces lieux,
> N'est point tel qu'un Visir le figure à vos yeux;
> La nature est la loi qui parle en son ouvrage:
> Il entend les soupirs de l'humble qu'on outrage,
> Et protège à la fois, par des contrats sacrés,
> Les peuples ou leurs chefs un instant égarés."
> ("L'année 1789", p. 61, in CS II)

Die Gestalt des Volkstribunen erhält damit ihre Legitimation nicht aus einem als übergesellschaftlich begriffenen Prinzip, aus der "raison" oder wie bei Rousseau aus der umfassenden Kenntnis der Menschen, sondern aus der Parteinahme für die sozial Benachteiligten. Bei Bonneville ist die Forderung, daß die Intelligenz in ihrer gesellschaftlichen Funktion allgemeine Prinzipien vertreten müsse (im Zitat als Gesetz der Natur), nicht in einem konstruktiv-theoretischen Anspruch aufgehoben, sondern im politisch-moralischen Engagement für die Sache des Volkes. Von daher dürfte es nicht zufällig sein, daß er den Volkstribunen nicht durch den Besitz von "raison" kennzeichnet, sondern durch seine "éloquente voix":

"Cette éloquente voix, Dieu vous l'a-t-il donnée
Pour être un vain spectacle à l'envie étonnée,
Ou comme les Visirs prêcher des lieux communs?
Pour un plus noble usage il garde ses Tribuns,
S'immoler pour le peuple et pour son héritage,
Voilà d'un vrai Tribun la gloire et le partage (...)"
("L'année 1789", p. 21, in CS II)

Moral und Volksinteresse werden damit in direkten Zusammenhang gebracht: die Forderungen der Moral werden nur auf dem Weg über die Vertretung der Interessen des Volkes, d.h. der Armen und der Schwachen, erfüllt. Die Inhalte des Volksinteresses werden entweder unmittelbar aufgenommen - Forderungen nach Verbesserung der sozialen Lage -, oder als reales, wenn auch nicht immer aktualisiertes Bedürfnis gesetzt, z.B. der Wunsch des Volkes nach politischer Freiheit und Selbstbestimmung. Der Intellektuelle als Volkstribun definiert sich in Beziehung auf eine bestimmte gesellschaftliche Kraft, er wird parteilich und sieht in seiner Parteilichkeit die Erfüllung allgemein-menschlicher Ideale. Die Idee des politischen Engagements des Intellektuellen ist der moderne Kern von Bonnevilles Gestalt des Volkstribunen.

Einschränkend ist dabei allerdings festzuhalten, daß seine Darstellung des Tribunats als einer formellen politischen Institution - wie bereits aufgezeigt - nicht zu vereinbaren ist mit dem Begriff kritischer Öffentlichkeit, die den Bezugsrahmen für das moderne Bild politisch fungierender Intelligenz darstellt. Ebenfalls im Widerspruch zu einer modernen Definition der politischen Funktion der Intelligenz steht Bonneville, wenn er dem Volkstribunen eine sakrale Würde zuspricht:

"L'Officier du Peuple (= le tribun du peuple, SK) ne doit avoir ni auspice ni jurisdiction; pour peu qu'il ait de force exécutive, il cesse de ressembler au Tout-puissant, dont la force est irresistible, parce qu'elle est celle de la nature entière, qui se charge d'exécuter ses loix, imprimées au coeur de l'homme. Le Tribun du Peuple doit demeurer invisible comme l'Eternel." (CS I, p. 186)

Auch im Stück "L'Année 1789", dessen Hauptfiguren die Volkstribunen und der Dichter sind, tritt der Volkstribun mit dem Gestus des Propheten auf, der die Könige im Namen Gottes richtet. Diese Linie, die wiederum das irrationalistische Moment bei Bonneville zur Geltung bringt, wird ausschlaggebend in seiner

Darstellung der Intelligenz als Priester des "culte de la loi".

1.2.3.2 Der Literat als Priester des "culte de la loi"

Bonnevilles zweite Definition der Funktion der Intellektuellen korrespondiert mit seiner Idee des "culte de la loi": die moderne "république des lettres" sei ein unvollkommenes Abbild des antiken Priestertums des Gesetzeskultes:

> "Tout le mystère du sacerdoce n'est autre chose que le culte de la loi.
> Les ministres des autels n'étoient pas autrefois ce qu'ils sont aujourd'hui, les plus vils et les plus ignorans de tous les êtres. La république des lettres nous offre de nos jours une image du sacedorce (sic) de l'ancien monde. Mais que cette image est encore imparfaite!" (EdR I, p. 66)

Dieser Vergleich von Gelehrtenrepublik und antikem Priestertum stellt angesichts der für die Aufklärungsphilosophie typischen Ablehnung jedes Priestertums eine so ungewöhnliche Idee dar, daß ich ihre Entwicklung bei Bonneville detailliert verfolgen will. Bonneville gibt nun zunächst ein Bild der gesellschaftlichen Rolle der Literaten, das in seiner negativen Tendenz den Abstand der realhistorischen Gelehrtenrepublik zu ihrem Ideal, das er eben im antiken Priestertum sieht, verdeutlichen soll:

> "Ceux-ci, presque toujours les enfans perdus d'une société, (quelle société!) d'esclaves et de tyrans, sans patrie, sans loi, sans espérances, écartés de tous les offices où il faut de la franchise et de la générosité, n'ont à cultiver que les vices des esclaves qu'ils amusent, et des tyrans qui les nourrissent, pour les dévorer tôt ou tard. Dans l'ardeur de la jeunesse, quand la voix de la nature les appelle à son aide, ils parviennent à peine à connoître quelques traits de la vérité, que toujours garottés par mille chaînes, qui nées avec eux, font, en quelque sorte, partie de leur monstrueuse constitution, ils éprouvent des déchiremens cruels; (...) comme ceux qu'ils interrogent, n'y voient pas fort clair non plus, et sont contrefaits comme eux, ils abandonnent les clartés intellectuelles, et la vérité n'est pour eux qu'un fantôme, un beau idéal. Ainsi passent et se succèdent parmi nous mille générations d'êtres ébauchés et monstrueux; et si par la force de la nature, qui ne permet pas que la race des hommes se perde, un de ses favoris paroît au milieu de ces bossus à vues bornées, ils ne l'apperçoivent pas, ne se doutent pas de son existence, à moins que sa forme, toute belle qu'elle soit, en ce qu'elle n'a rien de semblable à leurs bosses, ne soit pour eux un objet de dérision ou de dédain."
> (EdR I, p. 66f)

Die emphatisch-kritische Qualifizierung der zeitgenössischen Literaten als "enfants perdus" der Gesellschaft manifestiert bereits das Bedürfnis nach einer Neugestaltung ihrer Rolle. Aus der negativen Charakterisierung lassen sich folgende Postulate entnehmen: die Literaten sollen unabhängig sein sowohl von der Gunst des Publikums wie vom traditionellen Mäzenatentum und ein gesellschaftlich anerkanntes Amt ausüben. Dieses Amt kann allerdings nur dergestalt sein, daß es die als wesentliche Aufgabe postulierte Suche nach der Wahrheit öffentlich verankert.

Weiter ist in Bonnevilles Beschreibung der Zwangsläufigkeit, mit der die zeitgenössische Intelligenz in ihrem intellektuellen Anspruch verkommt, die Vorstellung impliziert, daß eine Neudefinition ihrer Rolle nur möglich ist unter der Voraussetzung gesellschaftlicher Veränderung; ausgenommen aus der Kausalrelation von gesellschaftlicher Unfreiheit und Unfähigkeit zur Erkenntnis sind jene Genies, denen unter allen Zeitumständen die Erkenntnis der Wahrheit möglich ist, die jedoch keine Öffentlichkeit finden und daher immer verkannte Genies sind.

In seiner weiteren Argumentation führt Bonneville die Unterscheidung von "homme de lettres" und "ministre de la parole" ein:

> "Chez un peuple esclave où tout s'insinue, les Amis de la Vérité ne peuvent être que des hommes de lettres, et c'est beaucoup encore de pouvoir peindre imparfaitement les droits des hommes, pendant le sommeil des tyrans, ou plutôt pendant leurs rêves, car les tyrans ne dorment point. Dans l'ancien monde, les Amis de la Vérité étoient les ministres de la parole." (EdR I, p. 68)

Bonneville fährt fort mit einer näheren Charakterisierung der Stellung der antiken Priester:

> "Elevés par les chefs suprêmes des nations, dépositaires d'une foule de secrets arrachés à la nature, et transmis dans leurs temples d'âge en âge, ils recevoient dès leurs naissance une éducation si parfaite et si privilégiée, qu'ils passoient aux yeux de la nation pour des êtres bien supérieurs au commun des hommes, et, en effet, ils étoient autres, par leur éducation, par leurs jouissances, par des sens plus exercés, et par des espérances, qui une fois conçues, ne peuvent laisser de sang-froid un coeur d'homme." (EdR I, p. 68)

Bonneville stellt seinen antiken Priester in die geschichtliche Tradition; auf seiner Teilhabe an ihr, an den überlieferten Mysterien (bei Bonneville: Naturerkenntnissen) gründet seine überlegene Position. Der antike Priester ist ein Initiierter im traditionell-religiösen Sinn. Gleichzeitig zeichnet sich in Bonnevilles Argumentation die Idee einer informellen Initiation ab, die in die Richtung der romantischen Idee des Literaten als Propheten weist: die hier zunächst unspezifische Vorstellung der "sens plus exercés" wird in der folgenden Kennzeichnung des künftigen Priester-Literaten zur "force créatrice":

> "Ayez une loi commune à tous, nations modernes, et celui à qui la nature a donné une force expansive, attractive et d'analyse, une force créatrice, le véritable homme de lettres, que vous appellez encore aujourd'hui le grand hommes (sic), ou le Dieu de l'éloquence, redeviendra ce que ses pareils étoient jadis, le sauveur de tel ou tel peuple opprimé, l'ange tutélaire du foible, le premier entre ses égaux, et le Dieu de la terre." (EdR I, p. 69)

Die dem idealen Typus des "homme de lettres" zukommenden Fähigkeiten, aus denen sich seine überragende Stellung ableitet, bestehen für Bonneville in seiner geistigen Schöpferkraft. In deren näherer Charakterisierung als "force expansive, attractive" zeigt sich ein wichtiger Unterschied zur aufklärerischen Idee des Gesetzgebers: war der Gesetzgeber konzipiert als Repräsentant der "raison" im gesellschaftlichen Bereich, einer Vernunft, deren von Natur aus jeder Mensch fähig ist, die aber unter der Bedingung fehlender allgemeiner Aufklärung nur dem "philosophe" real offensteht,[83] so kommt dem Priester-Literaten Bonnevilles nicht ein aus Reflexion erworbenes Wissen, sondern eine natürliche Begabung zu,[84] die er als Privileg des Literaten gegenüber der breiten Masse begreift.

Mit der Formulierung "le Dieu de la terre" spricht er dem neuen Literaten eine sakrale Würde zu, die sich aus dessen Bezug zur "parole" begründet; Bonneville kommt im folgenden auf seine Definition des "ministre de la parole" zurück:

> "Ces hommes de lettres, dévoués à la loi, consacrés au culte de la loi, seront encore les ministres de la parole, de la parole qui sauve, qui guérit. qui réveille, qui enchante, et dont les charmes créateurs organisent un monde dans le cahos (sic)." (EdR I, p. 69)

Im Vorgriff auf Punkt 5.3 und 5.5 der vorliegenden Arbeit sei darauf hingewiesen, daß Bonnevilles Begriff der "parole" die religiöse Vorstellung der offenbarenden Sprache Gottes überschreitet und die Sprache schlechthin, besonders aber die dichterische Sprache, zum göttlichen, schöpferischen Prinzip erhebt. In der Ausübung der eigenen schöpferischen Kraft hat der neue Literat Anteil an der göttlichen "parole", wird zum Retter und Schutzengel der Unterdrückten und kann mit größerem Recht als der katholische Klerus priesterliche Würden beanspruchen. Nach dieser erstaunlichen Neudefinition der Rolle der Intelligenz kehrt Bonneville wieder zurück zu seiner Idee des antiken Priestertums:

> "Les premiers sages, les premiers sauveurs ou législateurs, c'étoit des noms synonymes, par une inspiration de l'esprit créateur, dictèrent la loi sainte ou salutaire, au nom de la Vérité, qui est Dieu, et qui fait le bonheur des hommes. Pour conserver intègre et pure cette loi révélée par la conscience, il falloit un culte." (EdR I, p. 69)

Bonneville gebraucht hier selbst den Begriff des Gesetzgebers, identifiziert jedoch ganz im Gegensatz zur Aufklärung Priester und Gesetzgeber. Während der aufklärerische Gesetzgeber die Gesellschaft nach rationalen und rein weltlichen Zielen zu ordnen sucht und sich - bei Rousseau - eine übernatürliche Aura um dieser Ziele willen nur erborgt, resultiert diese in Bonnevilles Idee des Gesetzgeber-Priesters aus einer authentischen göttlichen Mission: das Gesetz ist Produkt göttlicher Inspiration.

In welchem Zusammenhang steht nun das Bild des antiken Priestertums mit der geforderten neuen Rolle der Intelligenz als "ministres de la parole"? Aus den bisher aufgeführten Zitaten läßt sich erschließen, daß Bonneville für die Intelligenz die Übernahme der spirituellen Gewalt in der Gesellschaft fordert, und zwar nicht nur eine indirekte Gewaltnahme unter Berufung auf das Vernunftprinzip und Abgrenzung gegenüber der als "superstition" und "préjugé" abqualifizierten Religion, die die geistliche Gewalt in ihrer wichtigsten Domäne im Grunde genommen unangetastet lassen würde - dies wäre das Konzept der "république des lettres" der Aufklärungsphilosophie.[85] Er beansprucht vielmehr für die Intelligenz göttliche Legitimation: das durch "inspiration de l'esprit créateur" geleitete antike Priestertum ist das bessere Modell der "république des lettres", an das von allen zeitgenössischen Körperschaften eben diese am ehesten heranreicht. Der katholische Klerus jedenfalls hat mit dem vorbildlichen Priestertum nichts gemein, es fehlt ihm an der spirituellen Kraft, die zu einer geistig-geistlichen Führung berechtigen würde, jener mysteriösen transrationalen "force expansive, attractive et d'analyse", die immer nur eine persönliche Fähigkeit sein kann. Bonnevilles Bild des idealen Priestertums schließt damit eine nicht minder starke Ablehnung des kirchlichen Autoritätsgedankens ein als die aufklärerische Konzeption der "république des lettres".

In welcher Form sollte nun Bonneville zufolge die Übernahme der spirituellen Gewalt durch die Intelligenz stattfinden? Zwei Möglichkeiten sind systematisch in der bis jetzt skizzierten Konzeption enthalten: die direkte Gewaltnahme, d.h. daß die Literaten als offizielle Priester des neuen Gesetzes zu Amt und Würden kommen, ihre wesentliche Aufgabe würde damit in der Interpretation des Gesetzes, der Verherrlichung der emanzipatorischen Ideale der Revolution und der Formulierung eines patriotischen "Glaubens" liegen, ihr Medium wäre das gesprochene Wort, die Rhetorik; die zweite Möglichkeit liegt in der informellen Gewaltnahme: die Literaten sprechen dem Klerus, ohne diesen in seiner institutionalisierten Form ersetzen zu wollen, die geistige Legitimation ab, indem sie sich selbst qua künstlerischer Intuition als Organ der Stimme Gottes und als Gewissen der Gesellschaft darstellen - dies wäre die romantische Definition des Priestertums der Literaten.

Soweit es sich aus der inhaltlichen Darstellung des "culte de la loi" erschließen läßt, der eine Mischung aus christlicher Messe und politischer Veranstaltung sein sollte (siehe Pkt 2.2.1), sieht Bonneville die neue Rolle der Intelligenz eher in der ersten Möglichkeit aufgehoben. Dabei ist folgendes zu beachten: Bonneville sieht in der Übernahme dieses Amtes keineswegs eine Beschränkung der künstlerischen Produktion auf bestimmte Themen enthalten, er erwartet sich vielmehr von der freiwilligen Verpflichtung des Literaten auf das neue Gesetz, d.h. auf die Ideen der Französischen Revolution eine erweiterte künstlerische Kreativität - die Diskussion um die gesellschaftliche Autonomie der Kunst ist späteren Datums und kann nicht als Kritikmaßstab eingesetzt werden ohne eine Betrachtung des historischen Selbstverständnisses. Weiter sieht Bonneville das Priestertum des "homme de lettres" nicht als eine rein künstlerisch-politische Funktion, sondern spricht ihm authentisch religiöse Momente zu in dem Sinn, daß sowohl die Konzipierung der großen Ideen politischer und sozialer Emanzipation als auch literarische Genialität Ausdruck göttlicher Mission seien und eine Fortsetzung einer ursprünglichen, realen religiösen Tradition darstellen.[86]

Welchen praktischen Ausdruck diese vorgestellte Einheit von Kunst, Religion und Politik in einem institutionalisierten Priestertum der Intelligenz hätte finden können, ist heute nicht nachvollziehbar und war es auch für die Zeitgenossen kaum - man vergleiche die auf S. 37 der vorliegenden Arbeit zitierte Kritik von La Harpe -, wahrscheinlich aus dem Grund, weil sie historisch nicht realisierbar war.

Bonnevilles Idee eines institutionalisierten Priestertums der Literaten ist abzugrenzen von der romantischen Idee des Priestertums des Dichters. Wie Bénichou in den abschließenden Überlegungen seines Werkes <u>Le sacre de l'écrivain</u> bemerkt, bedeutet die Rolle der literarischen Intelligenz als führender spiritueller Gewalt in ihrer gesellschaftlichen Situierung gerade den Verzicht auf institutionelle Positionen. Weder war die Gesellschaft bereit, diesen geistigen Führungsanspruch unbesehen zu sanktionieren und die Intelligenz mit verbindlicher Autorität auszustatten, noch wäre eine derartige Funktion mit der Tätigkeit vereinbar gewesen, aus welcher der Literat eine göttliche Mission ableitet, nämlich aus seiner literarischen Produktion. Bénichou konstatiert zusammenfassend:

> "L'âme du nouveau pouvoir spirituel est la liberté des pensées et des croyances; l'exercice effectif de cette liberté est la condition de son existence et de son influence sur la société. Le dogme, sous quelque forme que ce soit, est sa ruine."[87]

Dieser Vorbehalt, daß das "Priestertum" des Literaten trotz Berufung auf eine göttliche Mission eine eigentliche priesterliche Autorität nicht enthalten kann, fehlt bei Bonneville. Die Intention, die Stellung der Kirche als spiritueller Gewalt für die Literaten zu beanspruchen, führt bei ihm zu der systematisch und historisch naheliegenden Vorstellung, daß das priesterliche Amt selbst beizubehalten sei und nur die Inhalte dieser Funktion zu verändern seien. Möglicherweise ist das Scheitern der Revolutionskulte, die den praktischen Versuch einer unmittelbaren Ersetzung des traditionellen Priestertums darstellen, eine Voraussetzung dafür, daß die romantische Idee des Priestertums des Literaten in der charakteristischen Mischung von Verbindlichkeit und Unverbindlichkeit, d.h. in der gleichzeitigen Behauptung spiritueller Führungsgewalt und dem Verzicht auf formelle, institutionelle Positionen, erst gedacht werden kann.

Ein Moment in der Argumentation Bonnevilles fällt aus dem oben gezeichneten Bild des amtlichen politischen Priesters mit literarischen Ambitionen heraus: die Definition des neuen "homme de lettres" als "ministre de la parole". Bezogen auf eine mögliche praktische Realisierung dieser Rolle mag Bonneville an den Typus des charismatischen patriotischen Redners gedacht haben, dies nimmt jedoch der Formulierung "ministre de la parole" nicht die ideengeschichtliche Relevanz, daß damit ein zentrales Moment der romantischen Idee des Priestertums des Dichters ausgesprochen wird: daß der Dichter gerade durch Gestaltung und Einfühlung in die Sprache, die ein göttliches Medium ist, seine Weihe erhält.[88] Unübersehbar ist dabei bei Bonneville die Anspielung auf die Genesis: "la parole (...) dont les charmes créateurs organisent un monde dans le chaos". Hier läßt sich eine unmittelbare Parallele zu romantischen Formulierungen der Stellung des Dichters ziehen: so schreibt beispielsweise Ballanche dem Dichter die spirituelle Funktion zu, "la parole de Dieu" in göttlicher Inspiration in menschliche Sprache umzusetzen. Der Dichter erscheint daher nicht als Erfinder sprachlicher Formulierungen, sondern als "interprète de la parole",[89] als Organ des metaphysischen Prinzips Sprache. Bereits in der Formulierung ist die Nähe dieser Definition zu Bonnevilles "ministre de la parole" unverkennbar. Die Definition des Literaten als "ministre de la parole" ist als eine Antizipation romantischen Denkens zu werten.

2. Das Verhältnis von Religion und Politik

Die Diskussion des Verhältnisses von Religion und Staat nimmt bei Bonneville breiten Raum ein, die Vereinigung von weltlicher und geistlicher Macht ist eines seiner zentralen Anliegen. So ablehnend er der katholischen Amtskirche auch gegenübersteht, als wichtigstes Fundament der Republik begreift er die Religion.

Die Idee der Trennung von Kirche und Staat hatte insgesamt in den ersten Jahren der Revolution kaum Parteigänger, vorherrschend war der Gedanke, eine Einheit von Kirche und Staat herbeizuführen. Die Revolution war in ihren Anfängen keineswegs antichristlich und nicht einmal dezidiert antikirchlich. Die kritische Haltung der Revolution zur Kirche begründete sich ja zunächst nur von deren ökonomischer Funktion im Ancien Régime her: die Abschaffung der kirchlichen Privilegien stand im Rahmen einer Politik mit dem Ziel, feudale Reststrukturen aufzulösen und eine unparteiische Besteuerung einzuführen, die sich nicht allein gegen die Kirche richtete. Zugleich stellte die Zivilverfassung des Klerus den Versuch dar, die Stellung der Kirche im neuen Staat positiv zu bestimmen und sie in das Programm der nationalen Erneuerung einzubinden. Erst mit dem Scheitern der Zivilverfassung und der Wendung breiter Teile des Klerus zur Gegenrevolution wird der Versuch einer Integration des Katholizismus abgebrochen und die Dechristianisierung eingeleitet. Die in den "Fédérations" bereits initiierten Ansätze eines neuen Kultes werden offiziell sanktioniert, die Religionspolitik hat nun das Ziel, Kirche und christlichen Glauben durch die revolutionären Kulte zu ersetzen. Erst nach der Entmachtung Robespierres wird die Idee einer Trennung von Religion und Staat in breiterem Rahmen diskutiert, sie wird allerdings auf längere Sicht noch nicht politisch relevant, wie Theophilanthropie und später das Konkordat zwischen Empire und Papsttum zeigen.[90]
Bonneville ist historisch gesehen am ehesten in die Bewegung der revolutionären Kulte einzuordnen, als Hinweis auf die Zivilverfassung des Klerus ist höchstens folgende Stelle zu interpretieren:

> "En organisant un Sacerdoce constitutionnel, les élus du peuple auront organisé la souveraineté nationale, s'ils parviennent à détruire l'infâme célibat des prêtres."
> (EdR I, p. 91)

Bei der weiten Bedeutung, die der Begriff "constitution" bei Bonneville hat, und seiner Annäherung von Priestertum und literarischer Intelligenz ist nicht eindeutig angebbar, ob er sich hier tatsächlich auf die Zivilverfassung des Klerus bezieht. Seine Haltung der Amtskirche gegenüber ist so dezidiert negativ, daß er als konkreten Vorschlag zu ihrer Integration im allgemeinen nur den Rat gibt, man müsse alle Priester und Mönche verheiraten und zur Arbeit zwingen.[91]

2.1 Die allgemeine Bestimmung des Verhältnisses von Religion und Staat

Die Reflexionen Bonnevilles zum Verhältnis von Staat und Religion liegen auf einer allgemeinen, hypothetischen Ebene. Seine Fragestellung ist nicht die nach dem Verhältnis von katholischer Kirche und revolutionärem Staat, er fragt vielmehr danach, wie eine Religion beschaffen sein müsse, die mit der Republik vereinbar sei, und welche Bedeutung Religion im sozialen Zusammenhang ursprünglich getragen habe. Seine Überlegungen liegen damit auf derselben konstruktiv-hypothetischen Ebene wie etwa Mablys Reflexionen zum Verhältnis von Republik und Religion[92] oder das Religionskapitel des Contrat Social, auf das sich Bonneville wiederholt bezieht und gegenüber Voltaires Kritik an Rousseau als "chapitre admirable" qualifiziert. Er folgt Rousseaus Forderung "... de réunir les deux têtes de l'aigle":[93]

> "Que chaque nation souveraine unisse à l'instar du roi de Rome le pontificat à la royauté. Tout sera dans l'ordre. L'unité politique, sans laquelle il n'y aura jamais d'état bien constitué, sera remplie." (EdR II, p. 123)[94]

Rousseaus Diktum "... que jamais Etat ne fut fondé que la religion ne lui servit de base"[95] mag das Vorbild gewesen sein für Bonnevilles These, daß alle Revolutionen religiös motiviert gewesen seien:

> "Comme il n'y a jamais eu de grandes révolutions dans les empires, sans avoir pour ressort des principes religieux,

> je me suis efforcé de remonter à la source des mouvemens."
> (EdR I, p. 4)

Im übrigen ist diese These realhistorisch gesehen zutreffend, alle früheren Aufstandsbewegungen verstanden sich ja auch als Versuche, das Urchristentum wiederherzustellen (Thomas Münzer) oder formulierten erst von der Motivation religiöser Erneuerung her sozialrevolutionäre Ziele, z.B. die Hussiten.[96]

2.1.1 Das Modell des druidischen Priestertums

Die Herstellung der Einheit von weltlicher und geistlicher Gewalt hält Bonneville für das vorrangige politische Problem, ohne sie erscheint ihm die republikanische Freiheit nicht garantiert:

> "Qu'est-ce que le clergé, tel que le nôtre, dans un état libre? (...)
> Cette question me paroît nécessairement préliminaire à la formation des premières loix d'un contrat social entre des hommes libres, car on y devroit examiner rigoureusement s'il est possible que la liberté s'affermisse dans un Etat où l'unité politique n'existe pas." (EdR II, p. 30)

Dem katholischen Klerus räumt Bonneville keinerlei positive Rolle im neuen Staat ein, seine Antwort ist vielmehr aus dem Bild, das er vom druidischen Priester zeichnet, zu entnehmen.
Interessant ist im Vergleich zu Rousseaus Religionskapitel, daß Bonneville hier nach der Rolle des Klerus und nicht der Religion fragt; aus Rousseaus Darstellung der "religion civile" geht nur hervor, daß er einen Katalog von Glaubensgrundsätzen für notwendig hält, nicht aber einen äußeren Kult und ein Priestertum. Obwohl er ihn nicht explizit anführt, könnte Bonneville sich in dieser Hinsicht an Boissy d'Anglas' Le Magistrat-prêtre, einer Schrift aus den ersten Revolutionsjahren, orientiert haben; Boissy d'Anglas plädiert für die Vereinigung der beiden Gewalten in der Figur eines Beamten-Priesters, der weltliche und geistliche Funktionen vereine und von der Gemeinde gewählt werden solle.
Bonneville zufolge war die Form des druidischen Priestertums, da es Lehrer-, Priester- und Richterfunktionen verband, der Aufrechterhaltung der Freiheit nützlich:

> "Comme ils étoient, chez les peuples de la Germanie, les gardiens de leur liberté et de leurs connoissances, ils n'avoient aucun intérêt à les avilir. Leurs initiations augustes prouvent qu'ils cherchoient moins à cacher au peuple la vérité, qu'à le préparer à la recevoir sans danger." (EdR II, p. 51)

Bonneville lehnt damit religiöse Zeremonien nicht von vornherein ab. Seine Kritik am Priestertum richtet sich danach, ob dieses integrierter und maßgeblicher Teil des staatlichen und gesellschaftlichen Zusammenhangs ist oder eine separate Körperschaft mit eigenen Gesetzen bildet. Damit bleibt jedoch die Frage nach Bonnevilles Einschätzung spezifisch religiöser Phänomene weiter offen: sieht er den Priester noch als Vermittler göttlicher Wahrheit oder geraten ihm Priester und Magistrat identisch? Die folgende Stelle, in der er das Einflößen religiöser Furcht legitimiert, legt letztere Annahme nahe:

> "Mais on ne doit pas perdre de vue que les Druides étoient les chefs, les prêtres et les juges avoués de la Nation; que n'adorant d'autre dieu que la nature, leur religion n'avoit à punir d'autres crimes que ceux qui regardoient directement la société. Or, s'ils punissoient par l'exécration publique et par la mort, quiconque avoit troublé la tranquillité des citoyens et leur sûreté, la peine ne descendoit pas de leur caprice, mais des loix civiles, qui, protégeant le corps social, forcent tous les individus à se conformer à la volonté générale: alors ce n'étoit pas l'homme qui faisoit violence à l'homme; c'étoit donc, d'après Montesquieu lui-même, le triomphe de la liberté."
> (EdR II, p. 34)

Wichtig ist dabei die Unterscheidung von Göttlichkeit und Gesellschaft: das Einflößen religiöser Furcht ist gerechtfertigt, da es als Sanktion nicht in Fragen des Glaubens, sondern des sozialen Verhaltens auftritt. Bonneville, der sich mit dem Ausspruch "Il faut honorer la Divinité, et ne la venger jamais" (EdR II, p. 37) gegen jede Form von religiösem Fanatismus stellt, läßt Formen von Aberglauben und strenger priesterlicher Sanktion dort gelten, wo sie auf gesellschaftliche Notwendigkeiten und Pflichten rückführbar sind. Anders als Voltaire, der nur eine persönliche Autorität ohne Sanktionsgewalt des Priesters akzeptiert und zwar nur in der beispielhaften Ausübung moralischer Grundsätze und in der Vermittlung praxisbezogenen Wissens,[97] läßt Bonneville durchaus eine privilegierte, sanktions-

fähige Stellung des Priestertums und die Behauptung eines tieferen, exklusiven Wissens gegenüber dem Volk gelten. Er verlangt nicht, daß die religiösen Inhalte dem einzelnen in ihrer Gesellschaftsrelevanz durchsichtig sein müssen, sofern sie nur sozial positive Konsequenzen haben.
Die eigentlich theologische Ebene möchte Bonneville dagegen aus der Religion als sozialem Phänomen eliminiert sehen. Der priesterliche Wahrheitsanspruch in Dogmen, die Aussagen über das Wesen Gottes machen, und die daraus abgeleitete Sanktionsgewalt erscheinen ihm als "caprice". Er teilt Voltaires Abscheu vor den Gerichtsurteilen der Inquisition, da diese aus der Verfolgung Andersgläubiger resultierten, also bloße Unterschiede der religiösen Überzeugung bestraften. Voltaire zieht daraus die Konsequenz, daß das Priestertum keinerlei weltliche Gewalt haben dürfe und dem aufgeklärten Monarchen direkt unterworfen sein müsse:

> "Il n'y a que vôtre Illustre Souveraine qui ait raison; elle paie les prêtres; elle ouvre leur bouche et la ferme; ils sont à ses ordres, et tout est tranquile."[98]

So antiklerikal Bonneville auch eingestellt ist, was die katholische Amtskirche betrifft, so wenig folgt er in seiner Bestimmung dessen, was das Priestertum in einem freien Staat sein könne, Voltaire. Das Priestertum in seiner ursprünglichen und wieder zu gewinnenden Rolle erscheint ihm als zentraler Bestandteil der Staatsorganisation; unter der Überschrift "Mystère du sacerdoce" schreibt er:

> "C'est l'exercice complet de la souveraineté nationale; c'est le pouvoir salutaire, sanctifiant, sanctionnant et faisant respecter la majesté d'un peuple libre, dont la voix est celle de l'esprit créateur." (EdR I, p. 50)

2.1.2 Die Unterordnung der Religion unter den Staat

Die geforderte Einheit von weltlicher und geistlicher Macht kann systematisch zwei völlig verschiedene Bedeutungen haben. Daß Bonneville das druidische Priestertum als positives Modell angibt, kann bedeuten, daß ihm eine theokratische Herrschaft vorschwebte; immerhin spricht er diesem Priestertum sakrale

Würde zu ("augustes initiations") und macht an anderer Stelle geltend, daß sogar Voltaire die Theokratie als gute Staatsform bezeichnet habe: "Voltaire dit qu'on peut nier les noeuds légitimes: cependant il a visiblement senti la nécessité d'un gouvernement théocratique." (EdR II, p. 124)
Theokratie bedeutet jedoch die Ausrichtung aller Regeln des gesellschaftlichen Verkehrs auf eine transzendente Instanz, auf göttliches Recht. Daß Bonneville diese Position nicht vertritt, zeigt folgendes Zitat, in dem er der Religion der alten Franken ein ausschließlich säkulares Anliegen zuschreibt:

> "La religion, chez les francs, n'étoit autre chose que l'art et la science de maintenir les hommes en société, et de les y rendre heureux: c'est la véritable définition que les philosophes nous donnent aujourd'hui du mot gouvernement.
>
> Ce fut par l'abus de ses usages et par le conflict de nos mangeurs d'hommes, que s'établirent, dans un même état, deux ou plusieurs sortes de religions et de gouvernemens; ce qui les pervertit tous également en rompant l'unité sociale. Delà, des loix écrites; delà, deux espèces de règne ou de royaume, royaume céleste ou invisible, royaume terrestre ou visible." (BdF II, p. 294)

Bonneville begreift Theokratie im Sinne einer aus göttlichem Recht begründeten Herrschaft als historisch spätere Regierungsform, resultierend aus dem Machtanspruch eines Priestertums, das durch die Trennung der beiden Gewalten schon pervertiert sei:

> "Avec les traités, les interprêtes nâquirent; et avec eux, tous les vices et les discordes. La tribu garda le code des loix que devoit faire exécuter le représentant par la grâce de Dieu; il y substitua son caprice: la tribu élut à l'instant un représentant de Dieu, pour commander la loi de Dieu, au monarque élu par les enfans des hommes, pour les gouverner suivant la loi de Dieu." (BdF II, p. 294)

Das positive Modell einer Religion, die mit einem freiheitlichen und rechtmäßigen Staatswesen vereinbar ist, formuliert Bonneville jedoch ausgerechnet nach einer Stelle aus Rousseaus Religionskapitel, die die politischen Vorzüge der Theokratie darstellt. Ich zitiere zunächst Rousseau:

> "La seconde (religion, SK) est bonne en ce qu'elle réunit le culte divin et l'amour des loix, et que faisant de la patrie l'objet de l'adoration des Citoyens, elle leur apprend que servir l'Etat c'est en servir le Dieu tutélaire.

> C'est une espece de Théocratie, dans laquelle on ne doit point avoir d'autre pontife que le Prince, ni d'autres prêtres que les magistrats. Alors mourir pour son pays c'est aller au martire, violer les loix c'est être impie, et soumettre un coupable à l'exécration publique c'est le dévouer au courroux des Dieux; sacer estod."[99]

Rousseau fährt fort mit der Schilderung der Nachteile: eine derartige Religion beruhe auf Irrtum, Aberglauben und Lüge und ersticke wahre Religiosität in leeren Zeremonien.
Bonneville wandelt diese Stelle folgendermaßen ab:

> "Une religion qui feroit de la patrie et des loix l'objet de l'adoration de tous les citoyens, seroit aux yeux du sage une religion excellente. Le suprême pontife y seroit le roi, le régisseur suprême. Mourir pour son pays, seroit aller à (la) gloire éternelle, au bonheur éternel. Celui qui auroit violé les loix de son pays, seroit un impie; et le premier magistrat de la nation, pontife et roi, auroit le droit de le dévouer à l'exécration publique, au nom de la société qu'il auroit offensée, et au nom du Dieu suprême qui nous a tous également soumis à des loix impartiales."
> (EdR II, p. 39)

Bezeichnenderweise eliminiert Bonneville die Formulierungen "martyre" und "courroux des Dieux", die darauf hinweisen, daß nach Rousseau die Theokratie ein metaphysisch-irrationales Element enthält und die entsprechende Religion nicht in der Verehrung der Gesetze und Patriotismus aufgeht. In der Vermischung von religiösen und rein sozialen Funktionen in der Theokratie liegt für Rousseau die politische Effektivität dieser Religion, aber auch ihre Unwahrheit. Bonneville läßt nun zum einen die historische Dimension in Rousseaus Definition der Theokratie außer acht, die sich vor allem auf die römische Staatsreligion bezieht, und eliminiert zum zweiten die metaphysische Dimension: Gegenstand der Religion sollen nur noch Gesetze und Staat sein. Damit entfällt Rousseaus Vorbehalt, daß in der Theokratie die Menschen einer irrationalen Macht unterworfen sind, die ein aufgeklärtes Bewußtsein verhindere. Die Frage ist dann aber, was in einer so gefaßten Definition von der Religion als eigenständigem Phänomen überhaupt übrigbleibt - daran ändert auch Bonnevilles These nichts, daß die Herstellung von Rechtsstaatlichkeit dem Willen Gottes konform sei.
Die Tendenz, Religion auf die Sanktion gesellschaftlicher Organisation zu reduzieren, zeigt sich auch in Bonnevilles Re-

zeption von Helvétius. Er zitiert ganze Passagen aus dem Kapitel "De la religion universelle" von Helvétius De l'homme. Nach Helvétius muß die universelle Religion auf ewigen und unstrittigen Prinzipien basieren, die aus der Natur des Menschen und der Dinge abzuleiten seien. Deren erstes Prinzip müsse sein das Recht auf Eigentum, Leben und Freiheit. Helvétius identifiziert Religion mit der "connoissance de la meilleure législation possible":

> "Voilà le seul culte auquel je veux que l'homme s'élève, le seul qui puisse devenir universel, le seul digne d'un Dieu."[100]

Helvétius plädiert für die Einheit der beiden Gewalten und zwar unter dem Blickpunkt, daß die Religion das öffentliche Wohl selbst zum Gegenstand haben müsse:

> "Si l'on a jadis divinisé la fievre, pourquoi n'a-t-on pas encore divinisé le bien public? pourquoi ce dieu n'a-t-il pas encore son culte, son temple, et ses prêtres?"[101]

Bonneville übernimmt diese Argumentation und behauptet, daß er selbst unabhängig von Helvétius zu den gleichen Resultaten gekommen sei, allerdings zieht er keineswegs die Schlußfolgerung von Helvétius, daß erst mit der Zerstörung der meisten Religionen die Herstellung einer "morale saine" möglich werde. In diesem Punkt macht er ihm den Vorwurf der Oberflächlichkeit und läßt bezeichnenderweise alle Stellen bei Helvétius aus, die direkt antichristlich sind: aus dem Kapitel "Des conditions sous lesquelles une religion est destructive du bonheur national" zitiert Bonneville nur kurze Passagen - unter anderem die oben zitierte -, der ganze vehement antichristliche Kontext bei Helvétius geht damit verloren. Bonneville folgt Helvétius ebenfalls nicht in dessen These, daß eine wahre Religion nur aus Moralprinzipien bestehen dürfe und daß jedes Glaubensdogma notwendig zu Intoleranz führe.

Insgesamt gesteht Bonneville der Religion in keinem Fall den Bezug auf einen außerweltlichen Bereich zu. Die Idee eines höheren Glücks im Jenseits erscheint ihm stets als priesterlicher Betrug, dazu bestimmt, das Volk der Herrschaft einer partikularen Körperschaft zu unterwerfen. Religion soll der Herstellung irdischen Glücks dienen. Die bisher angeführten Zitate lassen zudem darauf schließen, daß er eine Unterordnung der Religion unter den Staat fordert, allerdings nicht im Sinne Voltaires, der eine rein institutionelle Unterordnung des Priestertums unter den Monarchen befürwortet; Bonneville sieht die Einheit von Religion und Staat nur gewährleistet, wenn weltliche und geistliche Macht identisch sind. Die Unterordnung der Religion besteht vielmehr darin, daß ihr die Aufgabe zugeschrieben wird, die Nation und die Gesetze als den Ausdruck des allgemeinen Willens zu verherrlichen. Religion hätte demnach eine rein ideologische Funktion. Bonneville meint damit allerdings nicht, daß Religion die Verehrung der jeweiligen Regierung zum Gegenstand haben solle, sie soll vielmehr den überzeitlichen Idealen von Freiheit, Gleichheit und Recht verpflichtet sein. Situieren wir Bonneville hier historisch, so sind seine Ideen zum Verhältnis von Religion und Staat in die Bestrebungen einzuordnen, Energien, die durch die Religion gebunden waren - gesamtgesellschaftlich gesehen war der Katholizismus immer noch *die* spirituelle Macht -, auf den revolutionären Staat zu lenken und nicht eigentlich Religion und Staat zu verbinden, sondern dem Staat eine eigene spirituelle Gewalt zu verleihen. Gerade Bonnevilles Satz "Mourir pour son pays, seroit aller à la gloire éternelle, au bonheur éternel" nimmt sich aus wie eine frühe Formulierung des nationalistischen Irrationalismus.

2.1.3 Die Religion als primäres soziales Band und Voraussetzung des Staates

Bonnevilles Argumentation erschöpft sich allerdings nicht in der skizzierten Reduktion der Religion auf Ideologie. Der Versuch, eine eigenständige spirituelle Gewalt des Staates zu konstituieren, führt theoretisch bei Rousseau zur Idee der "religion civile" und praktisch zu den revolutionären Kulten, die die Konstruktion einer Staatsreligion intendieren. Auf diesem Hintergrund und von Bonnevilles eigener Idee der Staatsreligion her mutet es merkwürdig an, daß er sich explizit gegen den Gedanken Rousseaus wendet, das Christentum sei unvereinbar mit den patriotischen Tugenden (EdR II, p. 31). Bonneville ist nicht der Ansicht, daß eine staatsbürgerliche Religion erst konstruiert werden müsse:

> "Mais où est-elle, cette religion qui s'accorde avec une bonne constitution? C'est la nôtre, ce sont toutes les religions qui ne sont mauvaises et contradictoires, que par l'altération qu'elles ont éprouvées (sic), par la désunion des deux pouvoirs, autrefois confiés à un même chef librement élu par ses égaux." (EdR II, p. 40)

Bonneville zufolge ist also die Trennung der beiden Gewalten nicht ursprünglich im Christentum und in keiner anderen Religion angelegt. Rousseau dagegen macht dafür einerseits den Katholizismus, "la religion du prêtre" verantwortlich, andererseits betrachtet er auch das Urchristentum, die Botschaft des Evangeliums, als eine Religion, die der Republik nicht förderlich sei, da ihre humanitäre Einstellung einen überzeugten Patriotismus nicht zulasse.[102] Bonneville bezieht sich darauf:

> "J.J. Rousseau trouve que la liberté et l'humanité sont incompatibles; je ne le pense pas, après y avoir longtems réfléchi." (EdR II, p. 36)

Er führt diesen Gedanken allerdings nicht weiter aus.
Für Bonneville hat jede Religion in ihrer historischen Gewachsenheit Existenzberechtigung:

> "Ne détruisez donc aucune religion; elles sont bonnes, car elles ont toutes pour objet d'unir la puissance temporelle à la puissance spirituelle, et de les faire servir ensemble au culte de la loi." (EdR I, p. 90)

Mit der These, daß ursprünglich jede Religion zur Herstellung sozialer Einheit tendiere, entfernt sich Bonneville von der utilitaristischen Fragestellung, welche Religion von größtem politischen Nutzen für den Staat sei. Zwar fehlt jegliche Reflexion auf den metaphysischen Gehalt von Religion - zumindest soweit er sie in Zusammenhang mit gesellschaftlicher Organisation betrachtet -, die Legitimation der Religion aus ihrer politischen Funktionalität durchbricht Bonneville jedoch, wenn er Religion und Regierung als ursprünglich identisches Phänomen setzt. Religion wird damit als eine primäre Kraft der Herstellung menschlichen Glücks begriffen; ohne Religion gerät staatliche Gewalt zu Tyrannei ebenso wie Religion unter der Voraussetzung der Trennung der beiden Gewalten zu Fanatismus und Aberglauben denaturiert.

In der folgenden Stelle spricht Bonneville sogar die Religion von dem Vorwurf frei, Schuld an der gesellschaftlichen Unterdrückung zu tragen:

> "Ce n'est pas le vice des religions qui vous a rendus esclaves, ce sont les ténèbres de la tyrannie qui les ont voilées, dénaturées, qui vous ont abbrutis." (EdR I, p. 90)

Für diese zweite Tendenz, der Religion selbst - zumindest ihrer ursprünglichen Intention nach - eine hervorragende Rolle in der Konstitution sozialer Einheit zuzuschreiben und nicht erst der Vereinigung der beiden Gewalten, bildet die folgende Stelle den markantesten Beleg:

> "Séparer la religion du gouvernement, c'est détacher la tête et la racine de l'arbre de la liberté politique et civile. C'est vouloir gouverner un corps dont tous les membres sont épars; c'est un instrument brisé, dont toutes les cordes arrachées, peuvent offrir séparément quelques sons vagues, mais plus d'ensemble, plus d'harmonie, plus d'ame.
> Religion, harmonie, justice, vérité, fraternité, lien social, toujours le même, antérieur et postérieur à toutes les crises de la nature et du corps politique, principe initial, élémentaire et indestructible, tous ces mots, qui sont des choses, sont synonymes; et sans tout cela point de gouvernement, point de volonté générale, point de liberté stable et de bonheur à espérer ici bas!
> La religion, qui est la sanction du gouvernement, n'est donc réellement que la théorie, vision, évidence ou découverte des lois de la nature, mises en pratique."
> (Vieux Tribun du Peuple, 1796, p. 236f)

Religion ist also für Bonneville bereits realisierte Brüderlichkeit, Einheit, Harmonie, Religion ist Soziabilität, Gesellschaftlichkeit.

Sein Religionsbegriff unterscheidet sich hier wesentlich von der Konzeption des Verhältnisses von Staat und Religion in der revolutionären Theorie. Robespierre, der in seiner Rede vom 18. Floreal Jahr II eine entscheidende Aufwertung der Religion in ihrer politischen Bedeutung für die Republik vornimmt, begründet die Notwendigkeit der Religion im wesentlichen aus ihrer moralischen Funktion. Ein zentraler Punkt in der revolutionären Theorie ist die Frage, wie eine Anerkennung der Gesetze gewährleistet werden kann und über welche Mittel die zur Aufrechterhaltung der Republik notwendige staatsbürgerliche Identität herstellbar sei. Nach Robespierre ist dies nur erreichbar, wenn das Privatinteresse des einzelnen in eine höhere Form der Eigenliebe überführt wird, die die Rücksichtnahme auf die Gesellschaft insgesamt einschließt. Die Republik erfordert zuallererst Moral:

> "Que conclure de tout ce que je viens de dire? Que l'immoralité est la base du despotisme, comme la vertu est l'essence de la République."[103]

Erst der Glaube an bestimmte grundlegende religiöse Inhalte ermögliche moralisches Handeln. Kriterium ihrer Wertung ist für Robespierre ihre psychologische Wirkung:

> "Toute institution, toute doctrine qui console et qui élève les âmes, doit être accueillie; rejetez toutes celles qui tendent à les dégrader et à les corrompre."[104]

Die Gefühle, die die Religion hervorrufen soll, sind dabei als im weitesten Sinne politischer Natur bestimmt: Respekt vor den Mitmenschen und der eigenen Person, Patriotismus, Mut gegenüber der Tyrannei, Todesverachtung und Askese.[105] Robespierre räumt also zwar der Religion große Bedeutung innerhalb des gesellschaftlichen Lebens ein, von seiner Argumentationsstruktur her wird sie jedoch eindeutig auf eine politisch bestimmte Sittlichkeit reduziert. Sie hat bei Robespierre systematisch gesehen einen nachgelagerten Stellenwert: sie ist notwendig zur Absicherung und Aufrechterhaltung eines politischen Gebildes, dessen Konstitution durch sie nicht unmittelbar bestimmt wird. Demgegenüber ist für Bonneville Religion die Kraft, die eine echte Gesellschaftlichkeit überhaupt erst konstituiert; er begründet seine Forderung, daß die Freimaurer vorrangig zur Diskussion der Prinzipien revolutionärer Gesellschaftsgestaltung einzuladen seien, damit, daß sie das Prinzip der Brüderlichkeit wie alle religiösen Zusammenschlüsse schon ansatzweise realisiert hätten:

> "Ils sont tous frères, ce qui prouve un dessein d'amour et d'égalité, ils ont tous un Temple à batir à la Vérité, ce qui prouve encore le dessein d'une religion universelle."
> (BdF I, p. 42)

Die im Kontext der revolutionären Theorie eigenwillige Definition von Religion als Brüderlichkeit und Soziabilität und die Identifikation von "religion" und "gouvernement" erklärt sich auf der einen Seite dadurch, daß Bonneville Gesellschaftlich-

keit nicht als einen Zusammenhang begreift, den die Individuen naturwüchsig durch die Verfolgung der Einzelinteressen herstellen (Helvétius), oder als Resultat moralischer Identifikation mit dem Staat (Robespierre), sondern als konkrete Vereinigung der Individuen, unmittelbare Teilnahme an einem größeren Organismus.
Wie bereits dargestellt, ist die Frage der Staatsorganisation im engeren Sinn bei Bonneville zweitrangig,[106] die Träger der politisch-sozialen Erneuerung sieht er eher in den "Sections" und im "Cercle Social", der zum Ziel die Herstellung einer internationalen "Confédération universelle" hat. Das Kriterium positiver Gesellschaftlichkeit erfüllen diese Zusammenschlüsse, aber auch die Religionen: sie heben die isolierte Einzelexistenz konkret auf, fassen die Individuen zu einem größeren Ganzen zusammen und schaffen eine einheitliche Identität.
Daß Bonneville Religion nicht nur als Mittel sozialer Integration faßt, beweist seine These, daß sie Theorie der Naturgesetze, d.h. ihr spiritueller Ausdruck sei. Mit den Gesetzen der Natur meint er nicht deren mechanisch-physikalische Gesetzmäßigkeiten, sondern eine in Natur wie Menschheit gleichermaßen vorhandene höhere Ordnung. Daß er diese Ordnung in der Religion manifestiert sieht, bedeutet im Rahmen seiner Ideen, daß er ihr eine über die Sozialfunktion hinausgehende innere und unveränderliche Wahrheit zuspricht.

Naturbegriff

2.1.4 Der Einfluß Fauchets und das Verhältnis zum "mysticisme chrétien révolutionnaire"

Bonneville ist in seiner Definition von Religion als Brüderlichkeit beeinflußt von Fauchet. Die Unterschiede zu Fauchet liegen dabei auf der Hand: Bonneville tritt explizit für keine der existierenden Religionen ein und bringt am meisten Sympathien den Freimaurern entgegen, während Fauchet den Katholizismus als einzig mögliche Staatsreligion propagiert. Fauchet steht in der Tradition des Gallikanismus und befürwortet eine Loslösung der nationalen Kirche von Rom, gleichzeitig war er überzeugter Anhänger der Revolution, nahm am Bastille-Sturm teil und erhielt als einer der ersten die Bürgerkrone. Bereits in seinem Werk

De la religion nationale (1789) ist eine Vermischung von aufklärerisch-revolutionärem Gedankengut und kirchlicher Doktrin zu beobachten, die zu einer recht eigenwilligen Definition von Katholizismus führt. Fauchets wichtigste These besteht darin, daß kein Staat ohne Religion und die Revolution nicht ohne den Katholizismus Bestand haben könne; alle Regierungen müßten notwendig theokratisch sein, da nur die Religion durch ihre Wirkung auf das Gewissen die Erfüllung der Gesetze garantieren könne: "La meilleure religion seroit donc celle qui fortifieroit, d'un lien indissoluble, toutes les parties de la Législation."[107]

Dies ist nicht als Postulat einer Instrumentalisierung der Religion durch den Staat zu verstehen, der Katholizismus ist vielmehr nach Fauchet das traditionell erste und heiligste Gesetz der Gesellschaft.[108] Er sieht in der urchristlichen Organisation das Prinzip der "volonté générale" vertreten, da die Priester von der Gemeinde gewählt wurden.[109]
Bonneville begreift Religion überhaupt als Brüderlichkeit, Fauchet das Urchristentum als "la religion la plus charitable, la plus fraternelle, la plus divinement conçue."[110] Das Gebot von Nächstenliebe und Brüderlichkeit wird von Fauchet im Sinne revolutionären Engagements interpretiert:

> "Nous avons donc suivi les vrais principes du Christianisme, en offrant notre vie pour sauver nos Frères, en resaisissant les droits de la Nature, si long-temps violés; en repoussant les tyrans prêts à s'assouvir de carnage; en détruisant l'antre effroyable (= la Bastille, SK) où le despotisme dévoroit en-dedans ses victimes."[111]

Daß Fauchet Bonneville auch in der Vorstellung von Religion als schon realisierter sozialer Einheit beeinflußt hat, legt folgende Stelle aus seinem Second Discours sur la liberté nahe:

> "Dieu est l'ordre, Dieu est la Patrie, Dieu est l'Humanité, Dieu est la perfection de l'Homme, Dieu est tout bien. C'est dans son sein paternel que nous sommes véritablement égaux, véritablement Concitoyens, véritablement Frères, véritablement Amis. L'évangile n'est que concorde & union. JÉSUS-CHRIST N'EST QUE LA DIVINITÉ CONCITOYENNE DU GENRE-HUMAIN. La Catholicité n'est que l'Assemblée, la Communauté, l'Unité des Frères, fidèles à la Patrie de la Terre, pour s'élever ensemble à la Patrie des cieux."[112]

Fauchet behält in dieser Definition des Katholizismus das Bild der Gemeinde bei, die traditionelle Bedeutung von "Gemeinde" als Glaubensgemeinschaft wird jedoch aufgelöst dadurch, daß der Glaube nicht mehr als fixiertes Dogmensystem begriffen wird: Fauchets Idee der Gemeinde schließt die Dimension revolutionären Handelns ein. Bereits in De la Religion Nationale verläßt er die traditionell-kirchliche Unterscheidung von weltlichem Bereich und Jenseits:

> "Elle (= la terre, SK) peut devenir l'esquisse des Cieux, par les sages Gouvernements des Empires, & le bon usage de la liberté des Peuples. Dans le cercle des destinées de ce monde, se dessinent tous les plans de l'Eternité."[113]

Damit steht Fauchet in der Tradition christlicher Strömungen, deren revolutionärer Impetus sich ableitet aus der Berufung auf die biblische Idee des Reiches Gottes auf Erden.[114]
Die Interpretation der Französischen Revolution im Sinne eschatologisch-christlicher Vorstellungen kennzeichnet eine Strömung, die Mathiez in seinem Werk Contributions à l'histoire religieuse de la Révolution française unter dem Titel "Mysticisme chrétien révolutionnaire" behandelt. Er zählt zu dieser Richtung die damals sehr populären Prophetinnen der Revolution, Suzette Labrousse und Catherine Théot, die mit der Revolution das Reich Gottes nahen sieht: "Ses voies se préparent par la destruction de toute puissance et principalement sur la terre...",[115] und auch Fauchet, der ebenfalls die Revolution in der Perspektive religiöser Heilserwartung wertet:

> "L'esprit humain a bu, jusqu'à la lie, dans la coupe de l'Incrédulité (...) Le mal est épuisé par la nature humaine. C'est le moment marqué pour la grande Grâce et la grande Miséricorde. Du sein des ombres universelles, une vive lumière s'élève et montre tous les hommes les uns aux autres comme des égaux et des fréres. Les malheureux! ils avoient oublié que la Religion le leur disoit encore plus énergiquement que la Nature..."[116]

vgl. Maistre

Bonneville ist dieser Strömung weder eindeutig zuzuordnen noch klar von ihr abgrenzbar. Der Tenor mystischer Heilserwartung läßt sich auch in seinen Werken feststellen:

X

> "Elle (= la lumière, SK) est encore à l'ORIENT, à son AURORE, mais déjà chancelle de toutes parts un vieil échafaudage qui cache un édifice antique.
> Le soleil de la raison paroîtra dans sa Gloire, et l'univers,

> insensiblement éclairé de sa lumière créatrice, verra un nouveau monde sortir du chaos, égal au néant." (BdF I, p. 4)

Die Vorstellung, daß der gegenwärtige Zustand der Welt das Chaos sei, aus dem die neue Welt aufsteigen werde - als gänzlich neue und reine, nicht behaftet mit den Spuren der alten Welt, als eine Welt, die Leben überhaupt erst ermögliche -, drückt Bonneville auch in folgender Passage aus:

> "La voix d'un peuple libre est la voix de Dieu même.
> Et la liberté sainte est tellement liée à la présence réelle de la divinité, que là où il n'y a point de liberté, ce sont les enfers, il n'y a point de Dieu!
> Où le peuple ne s'assemble point en liberté pour exprimer son voeu, et servir ainsi d'organe aux desseins de la nature, il n'y a point de fédération, point d'église! sans la liberté point de parole, - elle a crée le monde - point de pensée, point de vie, point de lumière, ni fraternité, ni vérité, point d'immortalité. Le (sic) terre de l'esclavage est une terre de malédiction. On y arrive comme une pierre brute, on y est froissé, foulé aux pieds, mis en poussière, et l'on rentre dans le néant sans avoir vécu." (EdR II, p. 254)

Bonneville beendet den zweiten Teil des Esprit des Religions mit dem Satz: "Vous verrez que chez eux le ciel est sur la terre!" (EdR II, p. 254)
Übernimmt Bonneville hier nur christliche Ausdrucksformen, um eine rein säkulare Idee zu propagieren? In jedem Fall unterscheidet er sich von der mystisch-christlichen Strömung dadurch, daß er in der Revolution nicht ein Wirken Gottes sieht. Meint er ernsthaft, d.h. in nicht-metaphorischer Form, daß mit dem Reich der Freiheit der Himmel auf Erden sein werde? Immanent betrachtet wäre dies von seiner Konzeption her, daß der Mensch als Gattungswesen göttlich sei, schlüssig. Ob Bonneville mit der Idee der Freiheit ein authentisch religiöses Anliegen verbindet, ob seine Darstellung der Religion als der Kraft, die Einheit und Brüderlichkeit unter den Menschen herstellt, auf eine utopische Motivation reduzierbar ist oder umgekehrt die utopische Idee der Befreiung des Menschen aus einem religiösen Impetus, der Erwartung des Reiches Gottes auf Erden, resultiert, ist nicht eindeutig entscheidbar, wie überhaupt die Trennungslinie zwischen einem mystischen Revolutionär und einem revolutionären Mystiker schwierig zu ziehen sein dürfte. Festzuhalten ist jedenfalls,

daß Bonneville die Idee der Befreiung des Menschen in deutlich religiösen Formen faßt.
Bonnevilles Sicht des Verhältnisses von Staat und Religion ist zusammenfassend betrachtet recht uneindeutig. Sein Anliegen, weltliche und spirituelle Gewalt zu vereinen, führt auf der einen Seite zur Forderung nach Unterordnung der Religion unter den Staat und zur Idee einer Religion, die den Staat selbst zu ihrem Gegenstand haben müsse, auf der anderen Seite zur Behauptung, daß die Religion, und zwar jede historische Religion, die Basis des Staates bilde und seiner Konstitution vorausgesetzt sei.

Eine mögliche Erklärung dieser Uneindeutigkeit mag in dem Phänomen liegen, daß, wie Maier in Revolution und Kirche darstellt, zu Beginn der Revolution "weder der revolutionäre Staat noch die Kirche eine klare Vorstellung über ihr eigenes Wesen, ihre gegenseitige Abhängigkeit und ihre gemeinsamen Grenzen hatten."[117]
Die Religionspolitik der Revolution war zunächst von dem Anliegen getragen, die Einheit von Religion und Staat zu bewahren, bzw. herzustellen; erst im Prozeß der Revolution stellte sich heraus, daß der sich entwickelnde Totalitätsanspruch des revolutionären Staates unvereinbar war mit dem Autonomiestreben der Amtskirche und auch in die Tradition des Gallikanismus nicht integrierbar war.
Bei Bonneville zeichnen sich beide in der Idee der Einheit von Religion und Staat theoretisch enthaltenen Linien ab: die Selbstbehauptung des revolutionären Staates als einer Totalität, die sich eine eigene, ausschließlich auf den Staat bezogene Religion selbst zu schaffen sucht, und die Idee, daß die Gesellschaft sich auf Prinzipien überlieferter Religion aufbauen müsse, d.h. im weitesten Sinne die Idee einer Theokratie. Diese zweite Linie ist bei Bonneville aufgrund des fehlenden Bezugs zum Katholizismus wesentlich weniger ausgeprägt als bei Fauchet, der eine vom Geist des Evangeliums geleitete "démocratie fraternelle" propagierte und nicht zu über die Zivilverfassung des Klerus hinausgehenden Zugeständnissen der Kirche an den revolutionären Staat bereit war. Wie Bonneville sich die Verbindung eines erneuerten Christentums mit dem revolutionären Staat konkret vorstellte, geht aus seiner Konzeption des "culte de la loi" hervor.

2.2 Die Konzeption des "culte de la loi"

Während Fauchet der Kirche verpflichtet bleibt, auch wenn sein Begriff der Katholizität eine beträchtliche Ausweitung - im Sinne einer nicht dogmengebundenen Gemeinde - erfährt, enthält Bonnevilles Konzeption des "culte de la loi" eine durchgehend laizistische Ausrichtung. Wie in Punkt 1.2.3 bereits dargestellt, bestimmt er als Träger des "culte de la loi" nicht den katholischen Klerus, sondern die literarische Intelligenz. Bonneville ist daher weniger dem demokratischen Katholizismus, dessen Vertreter Fauchet, Lamourette und Grégoire waren, zuzuordnen, sondern der Bewegung der revolutionären Kulte. Während die Zivilverfassung des Klerus die Bindung der Kirche an den revolutionären Staat über ihre Nationalisierung und Ablösung von Rom und durch die Verpflichtung auf die Gemeinde durch den Wahlmodus herstellen wollte, also über den Weg der Auflösung der innerkirchlichen Organisationsstrukturen, bedeuten die revolutionären Kulte einen direkten und umfassenden Angriff gegen den Katholizismus: die Revolution schafft sich ihre eigene Religion. Dabei wird Religion nicht als Dogmensystem verstanden - obwohl durchaus die Existenz Gottes im Sinne des Deismus behauptet wurde -, die Revolutionskulte stellen vielmehr den Versuch dar, die Adressaten über das Mittel sakraler Zeremonien auf einheitliche Ideen zu verpflichten. Wichtig ist dabei vor allem die Tendenz, allen wesentlichen Momenten im Leben des einzelnen in diesem Zusammenhang eine neu bestimmte Würde zu verschaffen: Geburt, Ehe, Tod. Dies stellt den Einbruch in eine Domäne dar, die traditionell ausschließlich der Kirche vorbehalten war. Die Säkularisierung dieser Lebensbereiche geht dabei einher mit dem Ziel, die mit den kirchlichen Zeremonien verbundenen religiösen Gefühle zu bewahren durch die Schaffung neuer Symbole, die oft genug nach dem Muster der alten Zeremonien gebildet wurden. Die Religionspolitik der Revolution hatte also ihrem Selbstverständnis nach nicht zum Ziel, Religiosität zu zerstören, sondern die in ihr enthaltenen Energien auf die neue Gesellschaft zu richten. Damit tritt die Revolution in Konkurrenz zur Kirche.

In der historischen Situation ist selbst ein ziviler Anspruch antikirchlich, wie dies deutlich folgende theologische Position zu der Frage zeigt, ob die "fêtes décadaires" einen rein zivilen Charakter hätten:

> "On raisonne sur ces institutions, comme si nous étions dans un pays infidèle où J.-C. n'auroit pas été annoncé. (...) Mais peut-on dire qu'en France, les nouvelles fêtes soient sans aucun rapport avec la Religion, lorsqu'il est notoire qu'elles sont instituées pour effacer de l'esprit et du coeur du Peuple François le souvenir et le désir des solennités chrétiennes pour lui en tenir lieu?"[118]

2.2.1 Der "culte de la loi" als revolutionäre Messe

Der "culte de la loi" realisiert Bonneville zufolge die Idee der Einheit von weltlicher und spiritueller Gewalt. Dabei bezieht er sich im Unterschied zu anderen Vertretern der Bewegung der Revolutionskulte positiv auf den christlichen Kult, indem er ihm ein ursprünglich freiheitliches Anliegen zuschreibt, das mit der Revolution eine neue Ausdrucksmöglichkeit finde:

> "Formes cadavereuses des plus belles institutions, qui n'exhaliez que pourriture, la liberté qui vient vous rendre l'esprit qui vous animoit, va vous donner une organisation plus parfaite et plus sacrée.
> Ce que nos pères appelloient églises, ou assemblées de fidèles à la loi, et qui n'étoient plus que des tombeaux et des sépulcres blanchis, vont redevenir ce qu'elles étoient dans l'origine, des assemblées délibérantes." (EdR I, p. 71f)

Religionsreformerischer Elan verbindet sich hier mit dem impliziten Impetus, Religion auf eine rein politische Ebene zu reduzieren. Daß das Anliegen, die christliche Messe im Sinne des Urchristentums zu erneuern, sich nicht mit der Definition der Messe als ursprünglich beratender Versammlung verträgt, entgeht Bonneville völlig. Er sieht keinen Bruch zwischen traditionell christlicher Messe und dem Projekt des Gesetzeskultes und begreift einerseits den Gesetzeskult als Fortsetzung der Messe und eigentliche Realisierung ihrer ursprünglichen Prinzipien und andererseits die Messe als einzige Institution des Ancien Régime, die latent Momente von Freiheit enthalten habe:

> "Avant l'année 1789, vous n'aviez que des ombres de culte et point de réunion fraternelle.
> Semblables (sic) à ces machines qui roulent encore d'elles-mêmes, lorsque les poids qui les faisoient marcher sont

> arrêtés, le peuple esclave et sans chaleur, donnoit encore quelques signes d'existence, par la force prolongée du culte sacré de la loi." (EdR I, p. 71)

Im Kontext der revolutionären Theorie und auf dem Hintergrund der Aufklärungsphilosophie ist diese positive Wertung der christlichen Messe immerhin erstaunlich, Bonneville begreift sie an keiner Stelle als Produkt der "superstition". Immanent erklärt sich dieses Phänomen aus seiner Idee der Religion als Brüderlichkeit und einheitsstiftender Kraft, aus seiner Vorstellung von Gesellschaftlichkeit als konkreter Vereinigung und Versammlung und aus dem Gesetzesbegriff. Da Bonneville den Begriff Gesetz auch in der Bedeutung eines religiös fundierten Gesetzes kennt, das einen kollektiven Lebenszusammenhang bildet, ist seine Definition des Juden- und Christentums als Gesetzeskult immanent gesehen durchaus stimmig.

In der folgenden Projektion des Ablaufs der neuen religiös-politischen Zeremonie überwiegt allerdings das Element des Politischen: "On lira l'ordre du jour, la bonne nouvelle, ce qu'ils appelloient l'évangile." (EdR I, p. 72) Kann dies zur Not noch als echter Bezug auf das Evangelium interpretiert werden - Bonneville sieht ja im Evangelium eine sozialrevolutionäre Botschaft enthalten -, so ist in seinen weiteren Ausführungen das religiöse Moment nur noch terminologisch enthalten. Bonneville zufolge sollen darauf die auf der Kanzel, der Rednertribüne versammelten, gewählten Vertreter des Volkes die "prières ou pétitions" der Armen sammeln, die an eine zentrale Stelle geleitet werden, die Bonneville in Analogie zur früheren Basilika setzt. Der Hauptteil dieser "Messe" besteht im wesentlichen aus der Vorstellung und Annahme verschiedener Vorschläge; dabei bezieht sich Bonneville wieder in merkwürdiger Weise auf die christliche Messe:

> "Nous ne dirons plus amen à des propositions que nous n'entendions pas plus que ceux qui nous les faisoient; mais après avoir connu l'objet proposé, s'il nous est agréable, nous dirons, avec recueillement, que cela soit ainsi."
> (EdR I, p. 72)

Die Sonntage sollen der Erklärung der vorläufigen Gesetze vorbehalten bleiben, über die dann in jährlichen "fêtes nationales"

abgestimmt werde: "que vos temples vous servent à une éducation commune" (EdR I, p. 80).
Das Frappierende ist, daß Bonneville tatsächlich glaubt, in einer derartigen Veranstaltung, die ja im wesentlichen einen politischen Charakter trägt, die Aura des Sakralen nicht nur beibehalten, sondern überhaupt erst vollendet entwickeln zu können.
Neben diesem Teil der "Messe", der das Ziel politischer Willensbildung verfolgt, übernimmt Bonneville aus der christlichen Messe Formen, die weiterhin Symbolcharakter tragen. Der Inhalt dieser Symbole, die angelehnt sind an Monstranz und Hostie, wird im Sinne der Gleichheitsideale der Revolution interpretiert:

> "Nous placerons dans nos assemblées une image du Soleil, pour qu'elle apprenne sans cesse à tous nos frères, que la lumière est également pour tous les hommes; et sur l'autel nous placerons le pain fraternel que nous mangerons ensemble aux jours de fêtes, et pour que l'assemblée en puisse offrir à celui qui a faim." (EdR I, p. 72f)

Die Identifikation der Beteiligten mit den im Gesetzeskult propagierten revolutionären Inhalten soll also ebenso wie in der christlichen Messe auch über den Bezug auf Symbole erreicht werden. Ähnlich wie in der christlichen Messe soll das Symbol nicht nur über sich hinausweisen, sondern in seiner konkreten Materialität einen gemeinsamen Inhalt herstellen. Bei Bonneville ist natürlich der transzendentale Gehalt des Abendmahls, die Transsubstantiation, eliminiert; die neue Zeremonie, die ihm zufolge die wahre christliche Messe sein wird, bleibt auf das Diesseits bezogen. Ihm entgeht in dieser naiven Übernahme, daß sakrale Aura erstens durch Tradition und zweitens eben durch den Bezug auf Transzendenz sich bildet.[119]
Die von Bonneville entworfene Zeremonie mutet heute sehr fremdartig an, wie überhaupt die revolutionären Kulte im historischen Abstand das merkwürdigste Element der Französischen Revolution darstellen.
Er tritt auf mit dem Anliegen, das Christentum zu erneuern, dessen grundlegendes Prinzip zu realisieren; der Inhalt des Gesetzeskultes besteht jedoch in einem Programm staatsbürgerlicher Erziehung, das überlagert wird von der Aufnahme religiöser Kultformen. Der "culte de la loi" läßt sich immanent nur erklären

aus Bonnevilles Vorstellung, daß Religion und revolutionäre Politik das gleiche Ziel haben, das Himmelreich auf Erden, das absolute Glück der Menschheit herzustellen. Die beiden Linien der politischen Ausrichtung und des religiösen Anliegens treffen sich in diesem utopischen Ziel: die Sakralisierung des Politischen und die Verpflichtung der Religion auf das Diesseits finden hier ihre Entsprechung und ihren Sinn. Das säkularisierte Gesetz hat allein nicht die Kraft, Einheit und Brüderlichkeit unter den Menschen herzustellen, es muß daher mit einem Kult umgeben werden. Der "culte de la loi" Bonnevilles stellt den Versuch dar, ein Gesetz zu institutionalisieren, das Merkmale des göttlichen Rechts trägt und über dessen bindende Kraft verfügen soll, dem Gehalt nach jedoch säkularisiert ist und zwar in zweierlei Bedeutungen: als realpolitische Regelung des gesellschaftlichen Lebens und Instrument der kollektiven menschlichen Emanzipation. So schreibt Bonneville über die brüderlichen Vereinigungen, d.h. Religionen der alten Gesetzgeber: "C'étoit la fête du coeur, et de pareilles fêtes ne se profanent point." (EdR I, p. 71)
Die Fremdartigkeit seiner Konzeption liegt dann nur noch darin begründet, daß er diese Einheit auf einer formellen Ebene, als zeremoniellen Kult, herstellen zu können meint. Das Religionsbild der Revolution von 1848, in dem dieselbe Grundstruktur vorhanden ist, das Christentum als realhistorisch nie eingelöstes sozialrevolutionäres Versprechen und die Revolution als messianisches Ereignis zu interpretieren, erscheint wahrscheinlich deshalb um so vieles gegenwartsnäher, weil seine Vertreter die Einheit von Religion und revolutionärer Politik nur auf einer informellen, ideellen Ebene begreifen und das politisch-religiöse Anliegen nicht in Form einer neuen Zeremonie zu materialisieren versuchen.[120]

2.2.2 Der "culte de la loi" und die Bewegung der Revolutionskulte

Ausgehend von einer immanenten Analyse der Konzeption des "culte de la loi" und der allgemeinen politisch-religiösen Intentionen

Bonnevilles läßt sich der "culte de la loi" weder auf ein rein politisches noch religiöses Anliegen reduzieren.
Eindeutiger ist der politische Standort, den Bonneville mit dieser Konzeption einnimmt. Von dem konzipierten Ablauf des "culte de la loi" her unterscheidet er sich kaum von anderen Vertretern der Revolutionskulte. Zwar haben die Zeremonien der Nationalfeste weitgehend antikisierenden Charakter, der Bezug zur christlichen Messe ist jedoch in den eigentlichen revolutionären Kulten deutlich vorhanden, z.B. im "culte des martyrs de la liberté" und auch in der Theophilanthropie.[121] Die Differenz des "culte de la loi" zu den revolutionären Kulten liegt auf einer anderen Ebene, nämlich in der Begründung, Zielsetzung und im Bezugsrahmen, in den Bonneville selbst den "culte de la loi" stellt. Wie bereits dargestellt, begreift er den Gesetzeskult als Realisierung der ursprünglichen Intention des Christentums. Dieses Selbstverständnis hatten die Revolutionskulte nicht: die Übernahme liturgischer Elemente des Katholizismus beruhte entweder auf der Einsicht, daß sich neue Inhalte in tradierten Formen besser vermitteln lassen oder war ganz einfach der Tatsache geschuldet, daß sich religiöse Symbole nicht erfinden lassen und ihre sakrale Wirkung auf Tradition beruht. Bonneville dagegen vermutet in den Symbolen der christlichen Messe einen Wahrheitsgehalt, den es aufzudecken gelte:

> "Qu'un magistrat, chéri du peuple, se présente avec dignité devant le dais du saint Sacrement; qu'il y dise au peuple adorant: - Amis, voilà l'image du Soleil qui mûrit les moissons. Voilà l'image DU PAIN que le riche doit au pauvre! les tems sont arrivés de changer les symboles de la vérité contre la vérité elle-même!" (EdR App., p. 129f)

Bonneville beruft sich in seiner Konzeption des "culte de la loi" auf eine historische Reihe von Gesetzgeber-Priestern, deren Anliegen immer die Herstellung größtmöglicher sozialer Gleichheit gewesen sei: Druiden, ägyptisches Priestertum und daraus hervorgehend Moses, Lykurg und Jesus. Davon habe die Botschaft Jesu den umfassendsten Plan dargestellt:

> "On s'occupa d'une confédération universelle, on voulut établir le culte de la loi salutaire qui devoit racheter l'espèce humaine d'un péché d'origine ou originel, et le fils de l'homme, chargé de la plus grande mission qui fut jamais, opéra une grande commotion." (EdR I, p. 57)

Die Berufung auf eine Tradition großer Gesetzgeber als Vorläufer der Revolution tritt in der Französischen Revolution wiederholt auf, jedoch fehlt meistens der Bezug auf Religion; als Gesetzgeber figurieren überwiegend Gestalten der griechischen und römischen Geschichte, nicht jedoch Jesus. Hier fällt Bonneville also aus dem historischen Bezugsrahmen heraus, zumal er den Ursprung einer wahren, auf das Glück des Volkes gerichteten Gesetzgebung explizit in einer religiösen Tradition, den Mysterien der druidischen und ägyptischen Priester sieht.[122]
Das Gesetz erscheint Bonneville als Resultat göttlicher Inspiration der Gesetzgeber-Priester; Religion habe das Ziel gehabt, dieses Gesetz zu verbreiten:

> "On forma des assemblées pour enseigner et cultiver la loi, cette loi qui devoit donner aux hommes un pain de vie, et pour toujours, étoit <u>peinte</u> par-tout, même sur les vêtemens.
> C'étoit par dégrés insensibles qu'on la pouvoit comprendre et répandre par tout l'univers, terme éloigné, mais le seul qu'ils voyoient possible d'en recueillir les fruits sans amertume.
> Pour arriver à ce but, ils sentirent le besoin de se lier <u>fraternellement</u>." (EdR I, p. 70)

In dieser Interpretation von Entstehung und ursprünglichem Gehalt der Religionen verschwindet die in der Beschreibung des Gesetzeskultes als revolutionärer Zeremonie so deutlich ausgeprägte rein politische Ebene. Das Gesetz erscheint hier in der utopischen Bedeutung, der Menschheit "des jouissances infinies" in Aussicht zu stellen:

> "On appella dans ces assemblées, ceux qui ne connoissoient point encore la force des pensées réunies; l'activité des esprits en fermentation et les espérances d'une autre vie ou súbsistance, toujours meilleure.
> <u>Le culte de la loi</u> promettant toujours des jouissances infinies, et nourrissant le plus grand espoir par un avant-goût du bonheur, faisoit les délices des premiers sages. On y consacroit ses jours. C'étoit la fête du coeur, et de pareilles fêtes ne se profanent point." (EdR I, p. 70f)

Ist in der Definition des ursprünglichen Christentums als Gesetzeskult ein direkter Bezug auf religiöse Tradition gegeben, so wird in folgendem Zitat jede politische Vereinigung als religiöse Gruppe dargestellt:

> "Dès que nous avons eu l'espérance d'un gouvernement national, le culte de la loi a commencé de naître; les sociétés particulières se sont formées, nouvelles églises, nouvelles professions de foi, loix nouvelles, volontés plus pures, nouvelles fédérations: premières espérances de la sanction universelle de la loi." (EdR I, p. 73)

Als Träger des "culte de la loi" wird eine Gruppe bestimmt, die weder staatliche Herrschaftsfunktionen besitzt noch ein formelles Priestertum innehat: die innerhalb des "Cercle Social" angestrebte "Confédération universelle des Amis de la Vérité":

> "La confédération universelle des Amis de la Vérité n'est rien autre chose que cette religion fraternelle et universelle, qui nécessairement anéantira toutes les sectes." (EdR I, p. 82)

Religion wird damit definiert als eine informelle politisch-religiöse Bewegung. Wie dies mit der Vorstellung des "culte de la loi" als fixierter Zeremonie nach Muster der christlichen Messe vereinbar sein soll, ist rational nicht auflösbar. Trotz der insgesamt verwirrenden Argumentation halte ich beide Momente für bedeutsam; Bonneville geht in zwei ganz verschiedenen Richtungen über die revolutionären Kulte hinaus: einmal, indem er in der Berufung auf eine religiöse Tradition ein zumindest vom Selbstverständnis her authentisch religiöses Moment bewahrt, vor allem in seiner Wertung des Christentums. Zweitens, indem er eine informelle Bewegung als "religion" bezeichnet und damit unbewußt die Konsequenz andeutet, die aus dem zwangsläufigen Scheitern der revolutionären Kulte gezogen wurde: daß eine Politik, die die Kirche in ihrer Funktion als spiritueller Gewalt zu ersetzen trachtet, sich nicht in deren zeremoniellen Formen bewegen kann, sondern allein auf einer losen Form gemeinsamer Identitätsbildung basiert.

Bowman weist in seiner fundierten Analyse der religiösen Tendenzen in der Revolution auf die Sonderstellung Bonnevilles hin: neben Fauchet und Lamourette antizipiere er Momente eines sozialrevolutionär verstandenen Christentums, wie es in der Revolution von 1848 zum Tragen komme; eine ähnliche Synthese von revolutionärem Anspruch und religiösem Anliegen sei in der Revolution von 1789 nicht aufzufinden - Bonneville wird von Bowman deutlich als Ausnahme verstanden.[123] Ein Einordnungsversuch von Bonnevilles Konzeption des Gesetzeskultes impliziert die

Frage nach dem Charakter der Revolutionskulte überhaupt, genauer die Frage, ob die Revolutionskulte in ihrer antikatholischen Intention antireligiös sind und ein rein politisches Anliegen haben oder ob sie aus einer religiösen Motivation entspringen, die der Katholizismus nicht abdecken konnte.
Eine Schwierigkeit in der Analyse der Revolutionskulte besteht in der Uneindeutigkeit in der wissenschaftlichen Diskussion, welche Phänomene überhaupt unter diesem Begriff zusammenzufassen seien und im Problem der Abgrenzung von politischer und religiöser Bewegung. Während Aulard von den offiziell sanktionierten Formen ausgeht, dem "Culte de la raison" und "Culte de l'Etre suprême" und diese allein aus der Notwendigkeit nationaler Verteidigung und der daraus abgeleiteten Notwendigkeit kollektiver Identität erklärt, faßt Mathiez unter dem Begriff der revolutionären Kulte alle Momente zusammen, in denen sich das revolutionäre Bewußtsein vergegenständlicht und denen eine bestimmte Feierlichkeit entgegengebracht wird: "arbres de la liberté", die Erklärung der Menschenrechte, Hymnen und die einzelnen Arten der Bürgerfeste; Mathiez sieht in allen diesen Formen revolutionärer Selbstdarstellung ein religiöses Anliegen manifestiert.[124] Soboul, der die Revolutionskulte nach dem in ihnen manifestierten religiösen Gefühl bewertet, beschränkt sich dagegen auf die Untersuchung der im engeren Sinn populären Kulte: "culte des saintes patriotes", der ganz im Rahmen christlicher Heiligenverehrung angesiedelt ist, und "culte des martyrs de la liberté", also die mit der Verehrung von Marat, Chalier und Le Peletier verbundenen Kultformen, wobei wiederum unterschieden wird zwischen der "echten" Religiosität der Sansculotten, die beispielsweise dem Herzen Marats übernatürliche Fähigkeiten zuschreiben und es wie eine Reliquie verehren, und dem rationalistischen Hintergrund der bürgerlichen Anhänger des Kultes.[125]
Bei dieser Uneindeutigkeit in der wissenschaftlichen Diskussion, was unter Revolutionskulten zu verstehen und wie diese zu bewerten seien, erscheint mir eine Reflexion auf deren Selbstverständnis notwendig. Von ihrem theoretischen Selbstverständnis her betrachtet sollten die Kulte eine neue Religion herstellen. Besonders markant ist in diesem Zusammenhang folgende Stelle:

> "La Loi est la religion de l'Etat, qui doit avoir aussi ses ministres, ses apôtres, ses autels et ses écoles."[126]

Die neue Religion hat zum Gegenstand den revolutionären Staat selbst, ihr Kult soll bestimmte patriotische Tugenden verherrlichen oder den markanten Einschnittspunkten im Leben des einzelnen die republikanische Weihe verleihen. Es fehlt also jeder metaphysische Hintergrund, auch Robespierres Rede auf dem Fest des Höchsten Wesens dient weniger der Verherrlichung Gottes als der feierlichen Darstellung der republikanischen Tugenden.[127] Auch Mathiez sieht diesen Grundzug:

> "C'est une religion sans surnaturel, sans mystères, sans révélation. Dieu même n'y figure qu'à l'état d'accessoire. C'est une religion dans laquelle l'acte d'adoration, la foi, s'applique non à un objet surnaturel, mais à l'institution politique elle-même, à la Patrie conçue comme source et instrument de bonheur, de bonheur moral comme de bonheur matériel."[128]

Das zweite charakteristische Moment der Revolutionskulte ist die Nachahmung christlicher oder antiker Kultformen und deren Transponierung auf einen säkularen Bereich.
Sicher haben die Revolutionskulte - wie Mathiez als Beleg seiner These betont, daß es sich um eine religiöse Bewegung handle - einen spontanen und kollektiven Ursprung, ihrer offiziellen Institutionalisierung liegen jedoch ideologische Momente zugrunde. Dies ist zum einen der Glaube an die Konstruierbarkeit von Religion, d.h. daß sich in der Übernahme und Umwandlung liturgischer Momente die Kraft der Religion zur Bildung kollektiver Identität auf das politische Programm der Revolution umlenken läßt und dadurch die Institutionen des neuen Staates mit einer sakralen Aura umgeben werden können. Zum zweiten scheint mir der Konzeption der Revolutionskulte ideengeschichtlich gesehen eine Sicht von Religion überhaupt zugrundezuliegen, die spezifische Momente der Religiosität nicht erfaßt, sondern die Funktion von Religion ausschließlich in der Vermittlung von Ideologie und der Sanktionierung fester Moralregeln sieht. Gerade Robespierres Aussagen zur Religion weisen durchgängig diese Reduktion der Religion auf ihre moralbildende Funktion auf. Das Selbstverständnis der Revolutionskulte als neuer Religion muß daher nicht bedeuten, daß es sich um eine authentische re-

ligiöse Bewegung handelt.
Mathiez hält den fehlenden metaphysischen Bezug nicht für ein entscheidendes Kriterium, dagegen sieht er in der konstatierbaren allgemeinen Heilserwartung ein positives Anzeichen für Religiosität. Hier ist jedoch zu differenzieren: mit welcher Instanz wird die Erwartung einer allgemeinen Regeneration verbunden? Es lassen sich keine Nachweise erbringen, daß diese Hoffnungen in die zu konstituierende neue Religion gesetzt werden, sei diese auch auf Diesseitigkeit bezogen; mit den Revolutionskulten wird allgemein keine utopische Dimension verbunden. Hier verfehlt Mathiez' Vergleich von Französischer Revolution und Reformation das Wesen der Revolutionskulte: die Französische Revolution weist keine Bewegung auf, in der ähnlich der Bewegung Thomas Münzers sozialrevolutionäre und religiöse Momente eine unmittelbare Synthese bilden würden.
Gerade hier liegt nun die Besonderheit der Vorstellungen Bonnevilles: von dem allgemeinen Bild der Religion als moralbildender Instanz hebt sich seine Wertung der Religion als Brüderlichkeit deutlich ab und in seiner Idee, daß die Herstellung sozialer Gleichheit ein ursprünglich religiöses Ziel sei, räumt er ihr weit größeren Stellenwert ein als die Revolutionskulte. Seine Erwartung der kommenden Regeneration setzt er weniger in den republikanischen Staat als in die Freimaurerzirkel oder informelle Gruppen wie die "Confédération universelle des Amis de la Vérité", die gleichzeitig als Organ der neuen, wahren Religion bestimmt ist.
Bonnevilles Konzeption weist daneben die gleichen Merkmale auf, die für die Revolutionskulte allgemein gelten: fehlender metaphysischer Bezug und Transponierung christlicher Liturgie auf ein Programm staatsbürgerlicher Erziehung. Es wäre daher falsch, Bonneville eine durchgehend religiöse Motivation zuzuschreiben; dennoch sind die in der Konzeption des "culte de la loi" angedeuteten religiösen Momente, besonders die Behauptung einer religiösen Tradition des Gesetzeskultes, nicht auf das Anliegen bloßer Ideologievermittlung reduzierbar.

3. Religionsbegriff und religiöse Vorstellungen Bonnevilles

3.1 Die Auseinandersetzung mit dem Christentum

In Bonnevilles Reflexionen zum Christentum läßt sich deutlich seine Zwischenposition zwischen Aufklärung und Romantik aufzeigen. In seiner Dogmenkritik und Kritik der Kirche übernimmt er ohne Modifikationen die aufklärerische Argumentationslinie, die der Offenbarung das Vernunftprinzip und dem kirchlichen Stellvertreteranspruch und den Dogmen eine strenge Unterscheidung von göttlicher und menschlicher Sphäre und die These entgegenstellt, daß jede menschliche Aussage über das Wesen Gottes gleichzeitig eine Degradation Gottes darstelle und die Entwicklung menschlicher Erkenntnisfähigkeit behindere. Er entfernt sich dagegen von der aufklärerischen Religionskritik in der Annahme einer ursprünglichen Wahrheit des Christentums jenseits der kirchlichen Überlieferung. Während die Aufklärungstheorie eine positive gesellschaftliche Rolle des Christentums bestreitet, es entweder als der Entwicklung menschlicher Moral hinderlich betrachtet (Diderot) oder ihm bestenfalls eine unterstützende Funktion für das moralische Handeln des Individuums zugesteht, die es mit allen anderen Religionen gemein habe (Voltaire), schreibt Bonneville dem Christentum eine direkte gesellschaftliche Relevanz zu, indem er eine in der Bibel versteckte sozialrevolutionäre Botschaft vermutet und Christus eine politische Mission zuschreibt, deren Vollendung Aufgabe der Zeitgenossen sei. Er durchbricht dabei das der Aufklärungstheorie und seiner eigenen Dogmenkritik zugrunde liegende Verfahren, dem kirchlichen Absolutheitsanspruch das ebenfalls absolute Wahrheitsprinzip logischer Eindeutigkeit entgegenzustellen, und gewinnt im Ansatz die für den romantischen Religionsbegriff charakteristische Sicht, daß das Christentum und die christlichen Glaubensinhalte eine relative, d.h. vom Menschen her bestimmte, positive Wahrheit - in politisch-sozialer, psychologischer oder ästhetischer Hinsicht - enthalte.[129]

3.1.1 Aufklärerische Kritik der Kirche und der Dogmen

Bonneville sieht sich in seiner Religionskritik in der Linie der Aufklärung, er verweist auf Voltaire, Boulangers Antiquité dévoilée, d'Holbachs Christianisme dévoilé und Helvétius. Sein Verhältnis zur Kirche als Institution steht ungebrochen in der Tradition von Voltaires Diktum "Ecrasons l'infâme", Anklänge an ein positives Bild des christlichen Priesters wie in Rousseaus "Profession de foi du Vicaire Savoyard" oder in Chateaubriands Essai sur les Révolutions fehlen völlig.
Bonneville beschreibt die Erfahrungen seines "homme intègre" mit dem Katholizismus:

> "Qu'a-t-il trouvé dans l'antre impur qu'ils appellent, ces brigands, le temple de la lumière, de la joie, de la fraternité? - Des cris funèbres, des aveugles, des victimes, des bandeaux, un horison plein de ténèbres, de sang, de bûchers, d'anathêmes ... Il s'écrie en reculant d'horreur: "L'enfer est vuide, ils sont tous là." (EdR II, p. 218)

Markantester Ausdruck der Deformation des Christentums ist in Bonnevilles Augen der Zölibat, der keineswegs mit dem Geist des Christentums übereinstimme, sondern historisches Produkt des Machtstrebens einiger Päpste sei:

> "C'étoit le fruit de la politique infernale de quelques pontifes ambitieux qui, pour se donner une jurisdiction ecclésiastique, avoient osé concevoir et exécuter le projet de détacher pour toujours un grand nombre de citoyens des loix et des devoirs de la vie civile." (EdR II, p. 89)

In einer heftigen Kritik an Montesquieu, der Junggesellentum als Zeichen eines mangelnden Staatsbürgerbewußtseins verurteilt, aus dieser Kritik aber den katholischen Zölibat ausnimmt, erklärt Bonneville den Zölibat zum gesellschaftlichen Hauptübel:

> "Et vous aussi, Montesquieu, vous vous trompez! Vous, dont l'opinion a souvent force de loi dans notre Europe, vous déifiez aux yeux du peuple le célibat des prêtres, le premier principe de tous nos malheurs (...) Le célibat qui nous rend fourbes, cruels et lâches, ce sont les prêtres qui l'ont produit." (EdR II, p. 91)

Die radikale Ablehnung des katholischen Priesterstatus resultiert aus der Vorstellung der fundamentalen Relevanz, die Bonneville der Ehe für die Einheit eines Gemeinwesens zuschreibt: das Individuum wird durch die natürlichen Bande der Familie auf ein größeres Ganzes bezogen und steht durch sein so bestimmtes, positives persönliches Interesse in Harmonie zur bürgerlichen Ordnung der Freien und Gleichen.[130] Der Priester dagegen kann durch seine Isolation von der Gesellschaft nur ein negatives Partikularinteresse entwickeln, er hat keine Verpflichtung gegenüber dem allgemeinen Wohl und wird daher ständischen Interessen nachgehen:

> "Le prêtre célibataire, ne donnant point d'otages à la fortune, n'ayant point à craindre pour sa femme, pour ses enfans, pour sa patrie, ne peut avoir qu'un intérêt personnel; ce qui l'exclut nécessairement de voter pour des loix égales qui feront son malheur passager, comme privilégié et immunitaire, pour assurer à jamais, à la chose commune, une constitution humaine." (EdR II, p. 109)

Die wichtigste politische Maßnahme zur Eindämmung der Macht des Klerus sieht Bonneville daher in der Verheiratung der Priester. Aufgrund des aus dem Zölibat resultierenden Privatinteresses kann auch ein Bestreben des Priestertums nach Vereinigung der beiden Gewalten - obwohl dies ein wesentliches Anliegen Bonnevilles darstellt -, ihm nur negativ erscheinen als Besiegelung der Vorherrschaft der Kirche, was nur zu Tyrannei und Fanatismus führen könne:

> "Par quelle incompréhensible gradation a-t-il pu arriver que ceux qui solemnellement avoient fait voeu de renoncer au monde, versèrent des flots de sang, pour être seuls chargés du poids des couronnes de toute la terre?"
> (EdR II, p. 125)

Wie Voltaire bezieht sich Bonneville stark auf die Übergriffe der Kirche im Mittelalter, besonders die päpstliche Praxis der Exkommunikation, auf Inquisition und Glaubenskriege. Typisch aufklärerisch ist dabei die Argumentationsstruktur: der Machtpolitik der Kirche, die an deren historischen Verbrechen gegen die Menschlichkeit demonstriert wird und in den Kategorien "fanatisme" und "hypocrisie" abwertend zusammengefaßt wird, wird das christliche Prinzip der Abkehr von der Welt entgegengehalten,[131] und dieses selbst wieder denunziert als gesellschaftsfeindlich und scheinheilig, als Verschleierung kirchlicher Machtansprüche:

> "Une nation ne pourroit être libre et souveraine si elle conservoit dans son sein un corps monstrueux, dont la tête,

> couverte d'une triple couronne, seroit dans un autre empire, et sous un autre ciel, au-dessus de ses loix. Elle ne sera jamais libre quand ses loix contrediront les moeurs; quand il sera honorable et respectueux de violer ses loix. Pourroit-on respecter, dans un état libre, la loi d'un étranger qui flétrit et damne éternellement un citoyen que la nation honore et applaudit?" (EdR II, p. 55)

Bonneville lehnt wie Voltaire jeden Anspruch der Kirche auf göttliche Legitimation ab. Die weltliche Macht des Klerus erscheint ihm als Folge seiner geistigen Autorität:

> "Tous les peuples de l'Europe seront toujours les vassaux du clergé, tant qu'ils n'auront aucune autorité spirituelle sur ce clergé qui fait un corps, et qui a la plus grande influence sur le temporel." (EdR II, p. 118)

Mit seiner Anerkennung des Papstes als oberster Autorität in geistigen Belangen habe Joseph II die Abhängigkeit des Königtums von der Kirche besiegelt, da jeder spirituelle Führungsanspruch automatisch Einfluß auf weltliche Belange nehme.

Die Ablehnung von Klerus und Kirche leitet sich jedoch nicht nur aus deren gesellschaftlicher Rolle her. Die Kirche verfälsche zugleich Grundprinzipien wahrer Religiosität: sie maßt sich an, Vermittlerin zu Gott zu sein. In ihrem Stellvertreteranspruch erhebt sie sich über die Menschen, glaubt gleich Gott über sie richten zu dürfen; hierin liegt der tiefere Grund ihres Herrschaftscharakters:

> "Les impies sont ceux qui profanent indignement la cause de Dieu, en la faisant servir aux passions de l'homme. Les impies sont ceux qui, s'osant porter pour interprètes de la Divinité, pour arbitres entre elle et les hommes, exigent pour eux-mêmes les honneurs qui lui sont dus. Les impies sont ceux qui s'arrogent le droit d'exercer le pouvoir de Dieu sur la terre, et veulent ouvrir et fermer le ciel à leur gré." (BdF III, p. 183)

Die Behauptung, Stellvertreter Gottes zu sein, bedeutet für Bonneville, daß die Priester ein positives Wissen über Gott sich anmaßen. Mit dem Autoritätsanspruch gegenüber den Mitmenschen gehe ihnen auch der Respekt vor der Allmacht Gottes verloren, sie können ihre eigene menschliche Beschränktheit nicht mehr einschätzen und werden blind dafür, daß es ein definitives Wissen um den Charakter der Göttlichkeit für den Menschen nicht gibt:

> "Des êtres qui ne sont que matière, peuvent-ils saisir quelque image de CELUI qui n'a rien de la matière, toujours infirme, inconstante, et bornée à un cercle, peut-être éternel, d'impuretés et d'imperfections?" (Hist. I, p. 22)

Hier ist eine Ähnlichkeit zu Rousseaus Ablehnung jeder Offenbarungsreligion in der "Profession de foi du Vicaire Savoyard" vorhanden; das Thema der Demut, der beschränkten menschlichen Fähigkeit zur Wahrnehmung Gottes hat allerdings bei Bonneville nur geringen Stellenwert, die zitierte Stelle fällt wegen der behaupteten Distanz zwischen Gott und Mensch deutlich aus dem Rahmen seiner religiösen Vorstellungen heraus.
Bei Rousseau stehen die christlichen Dogmen außerhalb der Analyse, da er jedes Dogma in seinem Wahrheitsanspruch entschieden relativiert, dabei jedoch jedem Dogma Existenzberechtigung zuspricht, sofern es nicht zu Intoleranz gegenüber Andersgläubigen führt.[132] Bonneville dagegen verfolgt seinen Gedanken zum Autoritätsanspruch der Kirche auch in der Betrachtung der dogmatischen Inhalte: um ihren Status einer Instanz zwischen Gott und den Menschen zu untermauern, sei die Kirche gezwungen, Gott zu vermenschlichen und gewissermaßen dem priesterlichen Befehl zu unterstellen; er beschreibt diesen Mechanismus beispielhaft anhand der Bekehrung der Germanen:

> "Vous leur avez ensuite parlé d'un <u>Dieu</u> fait <u>homme</u>, et cet Homme-Dieu, qui se donnoit, par <u>votre bouche</u>, en des lieux de <u>votre choix</u>, des <u>représentans</u>, pour qu'ils le trouvassent <u>en vous</u>, à toutes les heures, ils coururent l'implorer dans vos murailles bâties par l'imposture, et ils devinrent esclaves, et pis encore, vos esclaves." (EdR II, p. 63)

Nach Bonneville muß der Klerus, um die eigene Autorität und die der Dogmen aufrechterhalten zu können, den Menschen von Kindheit an den Gebrauch der Vernunft abgewöhnen:

> "Il est vrai qu'ils nous <u>enseignent</u>, en <u>notre enfance</u>, à regarder ces choses <u>très-spirituelles</u> avec de <u>singuliers yeux</u>, appellés <u>des yeux de croyance</u>, qu'ils nous ont fait <u>acheter</u> à la place des yeux vulgaires que nous a donnés l'<u>Eternel</u>!" (EdR II, p. 119)

Bonneville folgt der aufklärerischen Argumentation, daß der Klerus wider die Vernunft handelt, die Vernunft aber ein Geschenk Gottes darstelle, womit impliziert ist, daß der Klerus sich gegen den Willen Gottes vergehe. Er ermahnt seine Leser: "distinguez pour toujours la divinité et les prêtres, car ce sont deux choses très-différentes". (EdR II, p. 113)

Die christlichen Dogmen stellt Bonneville als Erfindungen des Klerus dar; da sie der natürlichen Vernunft widersprechen, können sie nicht göttlichen Ursprungs sein:

> "Un Dieu crucifié leur paroissoit un blasphême: Vous insultez à la Divinité, disoient-ils aux prêtres qui les persécutoient; vous qu'on paye, et qui êtes honorés pour avilir la nature humaine, vous osez nous assurer que vous, qui ne pourriez pas créer un ciron, vous allez créer un Dieu tout entier, et qu'il descendra du séjour de sa gloire, au coup de sonnette, comme vos esclaves. Vous profanez la raison qu'il vous a donné (sic). (...) Jamais ce qu'on nous a raconté des aventures des grands enchanteurs ne pouvoit les étonner autant que la création corporelle et invisible d'un Dieu sans commencement et sans fin, qui se laissoit créer vingt fois par heure." (EdR II, p. 116f)

Bonneville verfährt in der Dogmenrezeption eindeutig nach dem Muster der aufklärerischen Religionskritik, das wesentlich in der Feststellung von logischen Widersprüchlichkeiten besteht, und steht auch in der inhaltlichen Bestimmung der Widersprüche ganz in dieser Tradition: die Allmacht Gottes wird menschlicher Beschränktheit gegenübergesetzt, die Ewigkeit Gottes seinem angeblichen Eintreten in die Zeit in der Transsubstantiation.[133] Eine derartige Anhäufung von Widersprüchen kann nach dem Postulat der Wahrheit als logischer Eindeutigkeit für Bonneville nur ein "mystère sacerdotal" enthalten. Die Dogmen der Jungfräulichkeit Mariae und des Gottmenschentums Christi verfallen demselben rationalistischen Verdikt:

> "Ils ne pouvoient comprendre qu'on fût à la fois vierge et mère, fils de l'homme et fils de Dieu, et un fils qui avoit existé de toute éternité comme son père." (EdR II, p. 116)

Der christlichen Offenbarung wird das Prinzip einer inneren Offenbarung Gottes im Gewissen entgegengestellt:

> "Ce sont des prêtres qui assurent que Dieu leur a parlé; (...) cette erreur de croire que Dieu parloit à tel ou tel homme séparément, a été causée en Europe par de misérables théologiens qui ne savoient pas que, dans les mystères d'ISIS, chez les Egyptiens, les initiés aux sacrifices appeloient Dieu leur grand prêtre, (...) Mais l'Eternel, le Tout-puissant, le Créateur (...) n'a donc jamais

> parlé? Ce n'est pas là ma pensée. Le Dieu de la nature a parlé au coeur de l'homme, et il a dit, qu'aimer son frère, c'étoit avoir accompli sa loi." (EdR II, p. 104)

Bonneville folgt der Aufklärungsphilosophie in ihrer positiven Wendung der Kritik am Christentum zur Konzeption der "religion naturelle", deren wesentlicher Inhalt im Gebot der Nächstenliebe besteht.

In der Religion der Germanen findet Bonneville ein positives Gegenbild zum Christentum; die Attraktivität dieser Religion besteht für ihn in ihrer bindenden sozialen Kraft und vor allem in ihrem Verhältnis zur Natur. Bonneville zufolge kann nur in der Natur Gott angemessen verehrt werden: die Germanen hätten es als Degradierung der Majestät Gottes angesehen, ihn in von Menschenhand errichteten Tempeln einzuschließen:

> "Ils ne pouvoient comprendre Dieu. Mais ils l'adoroient dans le plus bel ouvrage de sa bienfaisance, dans le soleil, où il semble avoir déposé quelques rayons de sa gloire." (EdR II, p. 63)

Die Naivität, Gott sich gegenständlich vorzustellen, ist entschuldbar, wenn es sich in dem Bild Gottes um ein Stück Natur handelt, in dem nach Bonnevilles Kosmologie der Schöpfergeist sich manifestiert und unmittelbar enthalten ist. Die Werke der Menschen dagegen sind kalt, künstlich, sie verströmen nichts von jener Lebendigkeit, zu der der Gläubige eine Beziehung eingehen kann:

> "Quand on cessa d'adorer l'Eternel en présence de la nature, on ne vit plus que des Dieux de pierre et de bois." (EdR II, p. 63f)

Bonneville kehrt hier den Vorwurf der Idolatrie, der Fetischanbetung, gegen das Christentum selbst, anders als Voltaire, der den Vorwurf der Idolatrie für keine einzige Religion gelten läßt.[134] Wenn Rousseau in der "Profession de foi du Vicaire Savoyard" bemerkt, Gott spreche die Sprache der Natur,[135] so ist damit die Natur des Menschen gemeint, die sich im Gewissen äussert. Bonneville dagegen nimmt den Begriff Natur buchstäblich: nur die konkrete Natur vermittle eine innere Gotteserkenntnis. Während Rousseau die Ursache dafür, daß die Menschen so wenig mehr die Stimme der Natur vernehmen, im politisch-sozialen Bereich, in der Entfaltung des Privateigentums und der Ausweitung des "amour-propre" angesiedelt sieht, begründet sich bei Bonneville die Dekadenz des Menschen hier aus dem Verlust eines religiösen Gefühls; politische Unterdrückung setzt, soll sie dauerhaft funktionieren, die Zerstörung des mystischen Verhältnisses zur Natur voraus. Mit dem Verzicht auf Anbetung Gottes in der Natur verlieren die Germanen ihre Freiheit und Sittlichkeit:

> "Ainsi, dégradés, et ne cherchant plus la voix de Dieu qui parle aux coeurs, ils prirent insensiblement pour elle cette voix sacerdotale qui flattoit toutes leurs passions, et bientôt l'espérance de partager les honneurs de l'ambition, qui dévoroit tout, acheva de les aveugler et de les corrompre. Au lieu d'aller saisir, à son réveil, un premier rayon du Soleil, on se contenta de s'agenouiller froidement devant je ne sais quelle figure, qu'on appelloit à la fois un Soleil et un Sacrement. On ne versa plus de larmes à la vue de ce rayon céleste qu'on sentoit descendre au coeur et l'électriser; le Soleil, à son lever et à son coucher, ne trouva plus d'adorateurs: ce fut alors qu'on cessa d'être sensible; une extrême sensibilité devint un ridicule, un jeu de théâtre, et les grandes vertus se perdirent." (EdR II, p. 64)

Mit der Aufwertung der "sensibilité" im Zusammenhang religiöser Vorstellungen schreibt Bonneville der an das Kultobjekt gebundenen "imagination" positive Funktion zu und begreift religiöses Gefühl als positive Kraft, eine systematische Formulierung der Qualität religiösen Gefühls - wie bei Benjamin Constant - fehlt jedoch.[136] In der Beschränkung religiöser "sensibilité" auf eine reine Naturreligion zeigt sich außerdem, daß Bonneville der Ansatz Chateaubriands fernliegt, Religion unter dem Gesichtspunkt ihrer Produktivität für künstlerische Gestaltung zu betrachten. Ein ideengeschichtlich weiterführender Ansatz ist seiner Darstellung religiösen Gefühls daher nicht zuzusprechen.

3.1.2 Positive Bestimmung der Botschaft des Evangeliums

Wenn Bonneville das Christentum für den Verlust der Freiheit der Germanen verantwortlich macht, so zielt er dabei auf das Priester-Christentum ab. Die Depravierung des Christentums und allgemein jeder Religion aber ist ursprünglich nicht in ihnen angelegt:

> "Ce n'est pas le vice des religions qui vous a rendus esclaves, ce sont les ténèbres de la tyrannie qui les ont voilées, dénaturées, qui vous ont abbrutis." (EdR I, p. 90)

Bonneville begreift Religion als Brüderlichkeit und sieht in ihr die historisch fortschreitende Wahrheit materialisiert. Damit gibt er den seiner Dogmenkritik zugrundeliegenden Wahrheitsbegriff auf, der die Qualifizierung der Dogmen als widersprüchlich, unlogisch und der Vernunft konträr ermöglicht, und schreibt den Religionen eine zu dechiffrierende Wahrheit zu, die die Bewahrung religiöser Traditionen rechtfertige:

> "Religion est fraternité! tous leurs milliers de cultes, d'emblêmes et d'allégories, ne sont que des copies plus ou moins imparfaites de quelque belle page de l'ancien code fédératif du genre-humain; conservez ces emblêmes et ces traditions, non pour les adorer aveuglement, mais bien plutôt comme des marques augustes que la main de la vérité place sur la route du tems, pour indiquer à ses futurs amis les traces de son passage, ses persécutions, ses angoisses, et quelquefois aussi ses triomphes." (EdR II, p. 157f)

In dieser doppelten Betrachtungsweise, einerseits der Religion ein in ihren Symbolen und Traditionen aufzuzeigendes positives Anliegen zuzusprechen, andererseits ihre realhistorische Ausprägung in Kirche und Dogmen als freiheitsfeindlich und vernunftwidrig zu verurteilen, kommt Bonneville Benjamin Constant recht nahe, der seinem Werk De la religion folgende doppelte Sicht der Religionen zugrundelegt:

> "Prenez à la lettre les préceptes fondamentaux de toutes les religions, vous les trouverez toujours d'accord avec les principes de liberté les plus étendus, on pourrait dire avec des principes de liberté tellement étendus, que, jusqu'à ce jour, l'application en a paru impossible dans nos associations politiques. Mais parcourez l'histoire des religions, vous trouverez souvent l'autorité qu'elles ont créée, travaillant de concert avec les autorités de la terre à l'anéantissement de la liberté."[137]

Den Wendepunkt, der die Deformation des Christentums eingeleitet habe, sieht Bonneville in der Einführung des Zölibats und der Mönchsorden,

> "(...) qui fanatiques (...) faisoient du christianisme une religion aussi terrible et déplaisante, qu'il est agréable et doux en suivant l'esprit de l'évangile." (Hist. II, p. 10)

In der No. IX, Okt. 1790 der Bouche de Fer entwickelt Bonneville in einem längeren Artikel eine Interpretation des Evangeliums, die sich von seiner rationalistischen Dogmenkritik deutlich unterscheidet. Ausgehend von der Forderung nach Einheit der beiden Gewalten fragt er nach der ursprünglichen Bedeutung von Religion:

> "Religion! Monarchie! Evangile! Eglise! Que veulent dire toutes ces paroles étrangères à notre idiome? je vois là DES TÉNÈBRES.
> Toujours des mots obscurs chez les Peuples esclaves.
> Quand il y avoit des Nobles de deux cents quatre-vingt-trois degrés, fiers comme des Ecossois de quarante-cinq degrés, etc. etc. ce mot Religion devoit peut-être rester inintelligible; aujourd'hui que notre Sénat décrète que les hommes sont égaux en droits, on peut appeler les choses par leur nom, et rétablir la véritable Fraternité." (BdF I, p. 115 bis)[138]

Bonneville sieht diesen Gehalt von Religion im Evangelium ausgedrückt; allein die Tatsache, daß es eine Frohe Botschaft verkünde, lasse darauf schließen. Daß der emanzipatorische Gehalt des Evangeliums nicht unmittelbar erkennbar sei, erklärt er aus den Verfolgungen, die das Christentum erlitten habe:

> "La Bonne-Nouvelle!
> Cela vous fait-il peur encore? ce n'est cependant rien autre chose en notre langue, que le mot Evangile dans la langue grecque. Dès que les tyrans de l'ancien Monde connurent son existence, ils voulurent l'anéantir, et ils avoient raison de le faire, eux qui ne vouloient régner que par la terreur, et non par l'amour et l'égalité.
> Ceux qui leur succédèrent, ayant perdu l'espoir d'y rien comprendre, imaginèrent ingénuement que cet Evangile n'étoit qu'un objet fantastique d'adoration, et ils ont cessé de persécuter ceux qui cherchoient l'Evangile, c'est-à-dire, la Bonne-Nouvelle.
> Cet Evangile s'est trouvé caché dans les sociétés religieuses de toutes les nations; on retrouve les principes et les allégories de la Bonne-Nouvelle chez toutes les nations antiques ou modernes, plus ou moins altérés, selon les moeurs et les climats, le plus ou moins de liberté, mais toujours un même dessein et les mêmes espérances; c'est toujours la Bonne-Nouvelle." (BdF I, p. 116 bis f)

Im folgenden greift Bonneville auf seine Definition von Religion als "lien social" zurück; der Kult des Evangeliums sei allein schon dadurch gerechtfertigt, daß er einen sozialen Zusammenhang zwischen den Menschen schaffe:

> "Nous devrions encore ne pas traiter avec dédain ceux qu'un lien quelconque a pu réunir; car c'est une bonne-nouvelle

que la découverte d'une Société de Frères qui SE CONNOISSENT à des signes certains, et qui s'entr'aident les uns les autres;" (BdF I, p. 118 bis)

Wie aber bestimmt er den Inhalt des Evangeliums, die versteckte Frohe Botschaft? Bonneville wendet sich zunächst gegen die Alchimie, die ja auch im 18. Jahrhundert in bestimmten theosophischen Zirkeln Anhänger hatte:[139] der versteckte Gehalt des Evangeliums könne sich nicht auf vergängliche Materie beziehen, sondern müsse auf einer höheren Ebene liegen:

"Ne seroit-ce point plutôt la certitude physique et morale d'une Vie éternelle, et la connoissance des moyens de s'en assurer. Tout en parle, tout l'indique, rien n'est plus consolant, et je vois là une bonne nouvelle. L'Ami de la Vérité s'y tient, elle éleve son coeur, aggrandit son ame, et tous ses esprits s'enflamment à cette idée."
(BdF I, p. 120 bis)

Nun verfolgt allerdings Bonneville diesen gleichfalls esoterischen Gedankengang nicht weiter, im folgenden wird jeder transzendentale Gehalt der Bibel bestritten:

"N'en seroit-il point ainsi de ce livre consacré, où, sous l'espoir de nous y faire trouver une bonne nouvelle, on nous enseigne à nous connoître, à observer, à aimer, à craindre la tyrannie des gouvernemens, et où l'on nous fournit des maximes sages de conduite dans notre famille particulière, et dans la grande société du genre humain?"
(BdF I, p. 120/121 bis)

Er bezeichnet hier sogar die Verkündigung der Frohen Botschaft als "fraude pieuse" - was Bonneville hier konkret als Gehalt des Evangeliums betrachtet, bleibt reichlich dunkel. Wichtig ist jedoch, daß er es als eine praktische Wahrheit begreift und zwar nicht wie Voltaire als Regelsystem individueller Moral, die als solche zu allen Zeiten realisierbar sei, sondern als eine Wahrheit von politischer Sprengkraft: daher die Verfolgungen des Christentums durch die Tyrannen.
Den politisch-sozialen Gehalt des Evangeliums zu enthüllen und dessen ursprünglich revolutionäre Handlungsrelevanz wieder einzuholen, setzt sich Bonneville zum Ziel. Anders als in der oben zitierten längeren Textstelle der Bouche de Fer, in der er den Inhalt der Botschaft des Evangeliums offenläßt, schreibt er in seinem Esprit des Religions dem Christentum in überraschender Deutlichkeit ein revolutionäres Programm zu.

Bonneville geht aus von einem einheitlichen Gehalt aller Religionen, den er für die germanische, ägyptische, jüdische Religion und das Christentum nachzuweisen versucht. Jede Religion habe ursprünglich das Ziel der größtmöglichen sozialen Perfektion gehabt, sei eine geheime Wissenschaft gewesen, deren Träger, die Gesetzgeber-Priester, über das Problem der Herstellung vollkommener Gleichheit und gesellschaftlicher Einheit reflektierten und die Resultate in Zeichen und Symbolen festhielten. Das wichtigste dieser Symbole ist das Kreuz, das schon den Germanen heilig war; Bonneville interpretiert - beeinflußt vom Freimaurertum - seine Bedeutung folgendermaßen:

> "Le mystère de la croix contient toute la déclaration des droits des hommes. L'équerre et le compas qui forment le symbole social, annoncent le partage le plus égal de tous les biens et de toutes les espérances de la terre."
> (EdR I, p. 49)

Jesus sieht er als einen in die ägyptischen Mysterien initiierten Sozialrevolutionär:

> "Elevé au sein du sacerdoce Égyptien, dont l'Hiérophante s'appelloit le Tout-Puissant, le soleil, le sauveur et le père des hommes, il est venu demander la communauté des femmes et le partage le plus égal des biens de la terre."
> (EdR I, p. 56)

Die Geschichte von Juden- und Christentum begreift Bonneville als Geschichte dieser Idee: als Ansatzpunkt und ersten Realisierungsversuch im Judentum, vollendete Formulierung bei Jesus und im Urchristentum, deformierende Interpretation im Christentum der Kirche:

> "La loi sacrée des juifs ordonnoit, tous les cinquante ans, le partage égal des domaines de la nation. Un nouveau législateur sorti du sanctuaire de la liberté, venoit perfectionner cette loi, et convaincre les nations que la terre, ainsi que l'air, n'appartient à personne en propre, et que les fruits sont à tout le monde.
> Les interprètes sont accourus; les prêtres de bonne foi ont prêché la communauté des biens; mais peu à peu des hypocrites ont voulu se rendre usufruitiers et dispensateurs: ils ont tout gardé pour eux et vous ont donné une paire de soufflets à la place." (EdR I, p. 65) [140]

Zum Beleg seiner These, daß das Christentum einen sozialrevolutionären Gehalt habe, beruft er sich in folgender Weise auf die Bibel:

"Pourquoi est-il écrit que les riches n'entreront point dans le royaume des cieux? N'y veut-on parler que du mauvais riche.
Pourquoi est-il écrit dans l'évangile que le royaume des cieux est sur la terre?
Pourquoi est-il écrit que le fils de l'homme entra dans le monde, sicut latro, en habits déchirés?" (Vieux Tribun du Peuple, 1796, p. 239)

In der Idee, daß das Christentum eine revolutionäre Botschaft enthalte, zeigt Bonneville ein seiner Zeit gegenüber originales, dabei allerdings recht verwirrendes Denken. Obwohl dieses Thema bei Fauchet breiteren Raum einnimmt, ist ihm Bonneville voraus in der weit schärferen Formulierung der revolutionären Inhalte, die er dem Christentum zuschreibt: während Fauchet nur sehr allgemein von dem kommenden Reich der Freiheit spricht, das Christus angekündigt habe, sieht Bonneville im Christentum eine konkrete soziale Forderung, die Forderung nach Gemeineigentum des Bodens.
In der positiven Darstellung der gesellschaftlichen Relevanz des Christentums zeigt Bonneville Momente einer Religionsrezeption, die in der Romantik einen entwickelten theoretischen Ausdruck finden. Bowman wertet ihn als einen Vorläufer des mystischen Sozialismus: "Son oeuvre annonce moins les thèmes que la démarche d'un certain socialisme mystique."[141]
In der nachrevolutionären Theorie zeichnet sich allgemein die Tendenz ab, die aufklärerische Trennung von bürgerlicher Gesellschaft und Christentum, von Vernunft und Religion zu kritisieren. Das Christentum wird aufgewertet, wobei es entweder mit dem Katholizismus, mit der Kirche als Institution identifiziert wird (Chateaubriand, de Maistre, de Bonald) oder auf das "wahre", ursprüngliche Christentum des Evangeliums beschränkt wird, das von der Kirche deformiert und erst noch zu realisieren sei (Ballanche, die Saint-Simonisten, Leroux, Esquiros - diese zweite Gruppe ist in sich heterogen).
Selbst bei den Vertretern der Restauration, die die gesellschaftliche Funktion des Christentums in der Aufrechterhaltung der traditionellen, hierarchischen Ordnung sehen und in der Unterwerfung der individuellen Vernunft unter die in den historisch gewachsenen Institutionen inkorporierte, gottgewollte "raison universelle et nationale", tritt die Vorstellung auf, daß das Christentum

den Menschen die Freiheit gebracht habe. De Maistre greift den in Chateaubriands Génie du christianisme erstmals formulierten Gedanken auf, daß das Christentum die Sklaverei beendet habe. Dieses Thema gewinnt in den Jahren 1830 - 1850 eine so inflationäre Verbreitung, daß es als Kernsatz des Religionsbildes der Romantik gewertet werden kann.[142] Es wird je nach politischem Standort interpretiert: bei de Maistre als dem Menschen höchstmögliche Form der Freiheit, wobei nur ein starker Katholizismus den Rückfall in die Sklaverei verhindern könne, bei Ballanche als Vermächtnis und Aufruf an die Zeitgenossen, eine weitergehende soziale Gleichheit und politische Freiheit durchzusetzen.[143]

Bei Saint-Simon lassen sich einige nähere Übereinstimmungen mit Bonneville in der Interpretation des Christentums erkennen.[144] Beide schreiben einem erneuerten Christentum die Rolle der Fundierung der Gesellschaft zu,[145] beide unterstellen als wesentlichen Gehalt des Christentums das Prinzip kollektiver Brüderlichkeit, das aus der traditionellen Eingrenzung auf die Privatsphäre auf die Ebene sozialpolitischen Handelns gehoben wird, beide postulieren als Vollendung eines wirklichen Christentums die Durchsetzung eines sozialpolitischen Programms, wenn auch mit verschiedenem Inhalt, beide sehen Religion in einer utopischen Dimension; Saint-Simon schreibt der mit industriellem System und "nouveau christianisme" eingeleiteten Epoche endzeitlichen Charakter zu:

> "(...) il (= le peuple de Dieu, SK) a toujours proclamé qu'il arriverait une grande époque, à laquelle il a donné le nom de messiaque, époque où la doctrine religieuse serait présentée avec toute la généralité dont elle est susceptible; qu'elle réglerait également l'action du pouvoir temporel et celle du pouvoir spirituel, et qu'alors toute l'espèce humaine n'aurait plus qu'une seule religion, qu'une même organisation."[146]

Bonnevilles Projekt des "Cercle Social" und der "Confédération des Amis de la Vérité" als einer Vereinigung von politischen Zirkeln mit revolutionärem Katholizismus und Freimaurertum hat schließlich einige Ähnlichkeit mit der saint-simonistischen Organisation, die sich gleichzeitig als religiöse Sekte und politische Gruppierung verstand.

3.1.3 Christus als Sozialrevolutionär

Die Rolle, die Bonneville Jesus zuschreibt, verdient besondere Beachtung: die Gestalt Jesu gewinnt in der Französischen Revolution - im Gegensatz zur Revolution von 1848 - kaum einen positiven Ausdruck. Das Bild Jesu als Sozialrevolutionär findet sich - nach Bowman - nur bei Fauchet und Bonneville.[147]

Wird Christus während der Revolution positiv erwähnt, so allgemein nur zum Zweck antiklerikaler Propaganda: er wird als unschuldiges Opfer des Klerus dargestellt. In seiner Darstellung der Christianisierung der Germanen schreibt Bonneville in ähnlicher Weise:

> "Quand on leur crachoit au visage, ils répondoient: C'est ainsi que les prêtres ont traité votre Dieu fait homme. C'étoit seulement un homme de bien qui vous connoissoit tous, et il vous a pardonnés (sic), et nous aussi nous vous pardonnons." (EdR II, p. 117f)

Er zeichnet jedoch ein eigenständiges positives Christusbild, indem er ihn als Verkünder einer neuen Wahrheit darstellt. Zwar schreibt er Jesus nicht eine besondere göttliche Inspiration zu, sein Wissen um die Prinzipien sozialer Harmonie sei ihm vielmehr durch das ägyptische Priestertum zugekommen, das seine Ausbildung getragen habe - nach Bowman eine unter den Freimaurern verbreitete Erklärung der unbekannten Jahre der Kindheit Jesu -, wenn Bonneville jedoch die Göttlichkeit Jesu bestreitet, so nur deshalb, weil er die Göttlichkeit aller Menschen im übertragenen Sinn behauptet:

> "Il a dit qu'il étoit <u>le fils de Dieu</u>!
> - Eh, mon ami, n'est-tu pas aussi le fils de Dieu?
> Ne sommes-nous pas tous enfans d'un même Dieu?"
> (EdR I, p. 55)

Christus steht nach Bonneville dennoch weit über seinen Zeitgenossen, da er über ein höheres, überzeitliches Wissen verfüge:

> "Comme il arrive dans la Judée, ce beau jeune homme! comme il enferme en sa poitrine des desseins profonds! Quelle sagesse, quelle prévoyance!
> Son regard a franchi tant de siècles ingrats qui sont pour lui comme des espaces ou des <u>blancs</u> dans le cercle de l'éternité.
> Ceux qui l'entouroient ne pouvoient pas l'entendre! Il étoit trop au-dessus d'eux.

> Alors il se recueille; enferme les desseins qui lui sont confiés, dans des voiles impénétrables aux tyrans."
> (EdR I, p. 58)

Mit seiner Vorstellung, daß Christus eine Wahrheit verkündete, die von seinen Zeitgenossen nicht verstanden wurde und deren Erfüllung historisch noch ausstehe, entwickelt Bonneville einen Gedanken, der bei den mystischen Sozialisten und in der Revolution von 1848 zu einem zentralen Thema wird. So verschieden auch der soziale Gehalt der Lehre Christi im einzelnen interpretiert wird - ob als Propagierung der Demokratie, Abschaffung der Sklaverei oder Befreiung der Arbeiterklasse -, das Argumentationsprinzip wiederholt sich: daß Christus Ideen von Freiheit und Gleichheit verkündet habe, deren Erfüllung die Revolution bzw. einzelne sozialistische Gruppen übernehmen werde. Exemplarisch sei hier nur folgende Stelle aus Cabets Voyage en Icarie angeführt:

> "Prêchez la Communauté des biens! car Jésus-Christ ne l'a-t-il pas établie parmi ses disciples et recommandée à tous les hommes? Les Apôtres n'étaient-ils pas en Communauté? (...) Depuis, les plus ardents adorateurs de Jésus-Christ, des milliers de pieux ouvriers, n'ont-ils pas vécu dans des Communautés religieuses, prêchant la Communauté par leurs actions et leurs paroles?" [148]

Bonneville ist der Unterschied seines Christusbildes zu dem Rousseaus bewußt, in seinem Kommentar zu einer Predigt Fauchets schreibt er:

> "Le tableau qu'il a fait du fils de l'homme, est bien supérieur encore à celui que nous en a donné Rousseau: Jean-Jacques l'a peint comme un sage, doué des moeurs les plus douces, aimable, enjoué, comme un homme de bonne société. Claude Fauchet l'a montré par-tout comme le Dieu de la liberté, de la tolérance, de la fraternité;" (BdF II, p. 259f) [149]

Bemerkenswert ist auf dem Hintergrund der Französischen Revolution auch Bonnevilles Wertung des Kreuzestodes Christi, da, soweit die Gestalt Jesu überhaupt von den Revolutionären aufgenommen wird, sein Tod bestenfalls als Beispiel für den Fanatismus des Klerus oder den Despotismus der Herrschenden fungiert, nie jedoch als sinnvolles freiwilliges Opfer gesehen wird.

Bonneville sieht den Kreuzestod nicht als Sühne für die Sünden der Menschen, da er nicht an den Sündenfall glaubt, bzw. die

Ursünde als Einführung des Eigentums verstanden wissen will,[150] begreift jedoch den Tod Jesu als freiwilliges Opfer:

> "Ces signes mystérieux ou d'abstraction qu'il confie à des hommes courageux, contiennent les principes du pacte social; pour les engager à les transmettre d'âge en âge, il va prouver sa mission et ses espérances, par un sacrifice qui aura des imitateurs.
> C'est maintenant le signe universel, et l'heure de la liberté étant venue, et les arts de communication s'étant perfectionnés, amis des hommes, ne désespérez pas de réussir!" (EdR I, p. 58)

Die Bedeutung des merkwürdigen Verweises auf die Kommunikationsmittel wird in folgender Stelle aus dem Kommentar Bonnevilles zu Fauchets Christusbild deutlicher:

> "Il a montré le fils de l'homme, de l'homme libre, le fils du sage par excellence, comme le sincère ami de la vérité, le généreux Tribun du peuple, qui s'est dévoué, comme Licurgue, sans craindre de passer pour un insensé; qui a caché la lumière sous le boisseau pendant l'orage; et qui manquant de tous nos moyens si faciles d'éclairer à la fois tous les esclaves, a tracé, avec son sang, pour que leur coeur, devenu sensible, les y rendît tôt ou tard attentifs, le mystère très-naturel de la regénération sociale."
> (BdF II, p. 260f)

Obwohl bei Bonneville das Leiden oder der romantische Begriff des Opfers allgemein nicht als Thema erscheint, spricht er dem Opfer Jesu einen immanenten Sinn zu: es ist Vermächtnis und Aufruf an die Nachgeborenen und notwendige Bestätigung der verkündeten Botschaft. Damit antizipiert er wesentliche Momente der Interpretation, die der Kreuzestod Jesu in der Revolution von 1848 erhält. Wie Bowman zeigt, wird das Opfer Christi häufig als Legitimationssymbol der Revolution von 1848 beansprucht; die bei Bonneville im historischen Kontext ungewöhnliche Vorstellung, daß Christus die Ideale der Revolution verkündet und durch seinen Tod besiegelt habe, gehört zum Inventar dieser Bewegung:

> "C'est sur le Calvaire que ces dénominations (Liberté, Egalité, Fraternité) ont apparu pour la première fois aux yeux du monde; c'est dans le sang de cette innocente victime, s'immolant pour le genre humain, qu'elles ont puisé leur véritable signification; elles ont été le fruit de ce bois qui devint le lit de mort de notre divin Rédempteur, et qu'on peut appeler à juste titre l'arbre de la vraie Liberté!" 151

3.2 Die religiösen Motive in Weltbild und Geschichtsidee

Bonneville entwickelt über die skizzierte widersprüchliche Rezeption des Christentums hinaus eigene und durchaus originale Gedanken zu zentralen religiösen Themen. Auch in diesem Punkt hat Bonneville kein ausgearbeitetes System wie etwa Saint-Martin. Den Hintergrund seiner religiösen Ideen bildet nicht das Christentum, sondern der Illuminismus und die Naturphilosophie Charles Bonnets. Die Grenze von Philosophie und Religion ist bei Bonneville verwischt, weit mehr als bei Bonnet, in dessen Naturphilosophie in weiten Strecken christliche Dogmatik eingeht. Die religiösen Ideen Bonnevilles sind daher zum Teil auf dem Hintergrund aufklärerischer Philosophie zu reflektieren, dabei wird im einzelnen die Bewertung dieser Gedanken als religiöser Ideen zu begründen sein.

3.2.1 Kosmogonie und Gottesidee

Im Unterschied zu den Vertretern des Deismus, die die Weltentstehung als Schöpfungsakt Gottes begreifen, über den der Mensch keine Kenntnisse gewinnen könne, beansprucht Bonneville, Aussagen über die Genesis treffen zu können. Seine Kosmogonie ist recht undurchsichtig, es lassen sich allenfalls verschiedene Argumentationslinien aufzeigen, die mystische Verschwommenheit seiner Gedanken läßt sich jedoch nicht völlig auflösen.
Bonneville stellt sein Bild der Weltentstehung dar anhand einer Kritik an Boulangers Interpretation der alten Religionen und Mythen. Er lehnt dessen These, daß jede religiöse Zeremonie die Erinnerung an Naturkatastrophen enthalte, als einseitig ab und vertritt demgegenüber die Position, daß alle religiösen Traditionen sich auf ein gemeinsames, universales Moment zurückführen ließen: die Verherrlichung der Welterschaffung. Seine Konzeption der Weltentstehung kreist zunächst um das Bild einer ursprünglichen Leere; dabei lehnt er jedoch die Vorstellung ab, die Welt sei aus dem Nichts erschaffen. Die Leere ist nach Bonneville Existenz, aber unzusammengesetzte, ungestaltete, unsichtbare Existenz. Diese Vorstellung bleibt sehr vage, es ist nicht zu entscheiden, ob er damit die Existenz einer Urmaterie

annahm. Noch uneindeutiger ist sein Bild der Genesis. Er scheint einmal die Weltentstehung als Emanation aus dem Urgrund zu begreifen: "Ne reconnoissons dans ce Tohu-Bohu (...) que le vuide créateur, l'eau primitive, ignée ..." (EdR App., p. 33) Dabei sieht er diese ursprüngliche Einheit von Wasser und Feuer bereits als Leben, als Schöpfung:

> "Quand tu rencontres dans ce vase Oriental (= Tohu-Bohu, SK) une eau ardente, une flamme humide, ton coeur n'y reconnoît-il pas tous les trésors de l'amour; un grand accident de la nature, dont les effets vont s'étendre sur toute la terre, la création!" (EdR App., p. 36)

Diese Stelle, sowie der emphatische Ausspruch "O amour, ô création, incendie! ô torrens de volupté" (EdR App., p. 39) und eine Anspielung auf die altägyptische Phallusverehrung legen zunächst nahe, daß Bonneville durch Restifs animistische, sexualvitalistische Kosmogonie beeinflußt ist, zumal er mit ihm befreundet war,[152] vom Gesamtzusammenhang her scheint mir Bonneville allerdings eher eine mystische Vorstellung von der welterschaffenden Liebe zu haben:

> "C'est le flambeau de l'amour qui porte la vie dans les ténèbres, dans l'abîme, et qui réunit pour la création les parties d'un même tout, long-tems séparées." (EdR App., p. 90)

Dies widerspricht nun allerdings dem Bild einer Ureinheit der Elemente, die die Welt aus sich erschaffen habe. Auch in folgender Stelle geht Bonneville von einer ursprünglichen Trennung aus: "L'eau et le feu s'unirent et une première créature naquît de leur union" (EdR App., p. 52). Er versucht, das Bild der Einheit der Elemente - ob nun als ursprüngliche oder erst hergestellte - in allen Kulten aufzudecken: bei Adam und Eva, Deukalion und Pyrrha, im Bild von Nektar und Ambrosia usw.
Vermutlich war Bonneville Anhänger einer esoterischen Elementenlehre, was in Anbetracht seiner Sympathien für Freimaurertum und Illuminismus nicht verwunderlich wäre. Im historischen Kontext gesehen sind seine Ideen nicht so absonderlich wie sie unmittelbar erscheinen: gerade in der zweiten Hälfte des aufgeklärten 18. Jahrhunderts hatte das Sektenwesen einen ungeheuren Aufschwung und bildete eine Subkultur, die auch in Frankreich in Verbindung mit der anerkannten Kultur stand (für die deutsche

Klassik ist diese Verbindung noch leichter nachweisbar).[153]

Bonneville nimmt seine entpersonalisierende Mythenerklärung selbst zurück, wahrscheinlich war ihm das Bild einer Einheit von Feuer und Wasser zu wenig poetisch gestaltbar: er entwirft im folgenden die Genesis allegorisch als Schöpfungsakt der personalisiert dargestellten Liebe:

> "Je vous l'amour secouer son flambeau: la nature a reçu la vie; le tems s'éveille dans les flancs de l'abîme où il dormoit oisif! il craint de se voir détroné. Il dévore tous les premiers nés de la nature; mais elle veut encore être mère et nourrit d'autres enfans en secret; enfin après des milliers de siècles et de tâtonnemens, elle a formé de diamant, le chêne, et l'homme, plante immortelle, la faulx du tems se brise et l'éternité commence."
> (EdR App., p. 90f)

Bonneville nimmt damit das Bild eines Kampfes zwischen gutem und bösem Prinzip, Gott und Teufel, Licht und Finsternis auf, das in der Schöpfungsgeschichte fast aller Religionen enthalten ist. Die Gleichsetzung von Zeit und Tod ist nichts Originelles; daß mit der Erschaffung des Menschen die Macht von Zeit und Tod gebrochen sei, kann als optimistisch-ketzerische Interpretation des Christusmythos betrachtet werden.
Das Bild der Schöpfung aus der Einheit der Elemente bringt Bonneville auch noch in Einklang mit der Bibel. Er zitiert mehrmals die Genesis:

> "L'esprit céleste, <u>le feu</u> divin erroit <u>sur les eaux</u>, coûvoit les eaux pour féconder <u>le tohu-bohu</u>, l'abîme, <u>le cahos</u> (sic)." (EdR App., p. 40f)

Wenn Bonneville auch selbst von Schöpfung spricht und die Bibel zitiert, sicher ist, daß ihm die christliche Vorstellung der "creatio ex nihilo" fremd ist. Dagegen ist nicht zu entscheiden, ob er Weltentstehung als Emanation aus dem selbst schöpferischen Chaos begreift oder als Hinzutreten eines aktiven Prinzips zur selbst nur passiven Leere, wie etwa in folgendem Zitat ausgedrückt:

> "Qu'est-ce donc que ce <u>vuide</u>, qui pour créer la <u>lumière</u>, la <u>vie</u>, la <u>parole</u>, n'attend que la présence de l'unité! d'un Dieu <u>en trois personnes</u>!" (EdR App., p. 88)

Reserviert Bonneville also dem christlichen Schöpfergott doch

noch einen Platz in seiner Kosmogonie? Eine Gottesidee im geläufigen Sinn, d.h. eines transzendentalen Wesen, ist in Bonnevilles Werken kaum zu finden. Er spricht zwar häufig von "Dieu", meint damit aber meistens das Volk, das Genie, den Dichter, die Sprache oder den Menschen als Ideal. In der Fortsetzung der oben zitierten Stelle erklärt Bonneville Gott als "Dieu, en trois personnes; ou trois parties, composant un même tout, animé par un esprit céleste" (EdR App., p. 88) Es existiert aber noch eine ganz andere Definition des dreifaltigen Gottes: "Il n'y a donc pour moi qu'une cité (...) et un même Dieu en trois personnes: moi, toi et lui." (EdR I, p. 2) Diese Definition ist, wenn auch dunkel, sicher unchristlich.
Das Wort "dieu" ist für Bonneville eines der "mots inintelligibles", deren Ersetzung durch in sich aussagekräftigere Worte er für das erste Mittel hält, die Uneinigkeit der Menschen untereinander zu beenden:

> "(...) parlons de l'Eternel; si je l'ai bien nommé, j'anéantis toutes vos querelles sacerdotales, je rafraîchirai votre ame, j'y ferai jaillir une source de lumière, et je vous aurai donné une idée pure de la création, et de l'éternité du monde." (EdR I, p. 22)

Er gibt darauf folgende Erklärung: "Je ne sais pas ce que tu ES, ô esprit du grand tout, mais je sens que tu es esprit créateur" (EdR I, p. 23) Bonneville begreift jedoch auch den Menschen als "esprit créateur", auf der unterschiedslosen Anwendung dieses Begriffs auf Gott und Mensch basieren seine religiösen Ideen:

> "Alors je sens que nous sommes des esprits plus ou moins purs, ou d'un feu plus céleste, qui tient le plus de celui d'en haut." (EdR I, p. 23)

3.2.2 Die pantheistische Weltvorstellung

In seiner Erwiderung auf La Harpe im Mercure de France stellt Bonneville seine Sicht des Verhältnisses von Gott, Natur und Mensch ausführlich dar.[154] La Harpe hatte einen Artikel Bonnevilles, in dem dieser die Ziele des "Cercle Social" und der Bouche de Fer im üblichen mystisch-emphatischen Stil erläutert, arg verrissen. Bonneville nimmt zu den einzelnen Vorwürfen La Harpes Stellung. Die folgende Passage leitet er ein mit der Bemerkung, er wolle La Harpe das Geheimnis der alten Initiationen darstellen, "dépouillé de tout emblême":

> "Le Monde est un grand animal qui vit & se meut au moyen d'une ame universelle qui le remplit dans toutes ses parties: cette ame est Dieu, la Nature, tout ce que vous voudrez. Tous les êtres isolés dont les corps font une partie de ce grand Tout (παν, le Dieu des Anciens), sont aussi également remplis d'une portion de cette ame universelle. Notre ame est donc une émanation de la grande ame. Celle des animaux qui n'ont point la parole, étant moins considérable, est aussi moins parfaite; car plus la portion est grande, & plus grande est l'intelligence. Cette portion diminue par une chaîne non interrompue, depuis les Anges ou Esprits aériens, dont l'émanation est la plus volumineuse, jusqu'au polype qui passe pour l'intermédiaire entre l'animal & la plante, & depuis le polype jusqu'au caillou qui végète encore, tout insensible qu'il paroît." [155]

La Harpe wirft in einer Gegenerwiderung Bonneville vor, das sei Spinozismus und daher keine neue Weisheit, Bonneville ist dagegen von der Einzigartigkeit seiner Enthüllung überzeugt. La Harpe hat mit seinem Urteil recht, da er sich nur auf die angegebene Stelle bezieht. Situiert man sie jedoch im Kontext ähnlicher Äußerungen Bonnevilles, wird deutlich, daß Bonneville den Hintergrund der Aufklärungsphilosophie verläßt.
Neben der Idee der Weltseele, die spinozistischen Ursprungs ist, enthält die zitierte Passage zwei Schlüsselbegriffe der aufklärerischen Naturphilosophie:

1. die Idee der Welt als "animal", die zentrale Kategorie einer vitalistischen Naturidee, die den mechanistischen Naturbegriff des 17. Jahrhunderts - Welt als "horloge" - ablöst,
2. die Idee der "chaîne des êtres", Basis der Naturbetrachtung in der Form der "histoire naturelle"; Bonneville übernimmt diesen Gedanken von Bonnet (siehe nächsten Abschnitt).[156]

Die Vorstellung der Welt als "animal" hat ihren Ausgangspunkt - wie im 17. Jahrhundert - in der Idee der Einheit, die in der Natur herrsche. Die Perspektive verschiebt sich von der Betrachtung ihrer mechanischen Gesetze hin zum Thema der Organisation der Lebewesen. Die Natur selbst wird als ein großes Lebewesen begriffen:[157]

> "Que voulez-vous donc dire avec vos individus?
> Il n'y en a point, non, il n'y en a point...
> Il n'y a qu'un seul grand individu, c'est le tout."[158]

Auch Bonneville geht aus von der Idee der Einheit in der Natur:

> "Une seule des loix de la nature, bien comprise, doit conduire l'Ami de la vérité à la découverte palpable de son dessein universel. Tout est dans tout, et le grand tout ne peut être composé que d'unités." (EdR I, p. 1)

Anders als Bonnet, der das einheitsstiftende Prinzip außerhalb der Natur, im christlichen Schöpfergeist sieht, nimmt Bonneville - wie Diderot - ein der Natur immanentes Prinzip an, das in allen Wesen enthalten sei:

> "Il y a des esprits, et de l'esprit dans tout, esprit dans la pierre, dans la fleur (...) La rose a un esprit comme les autres fleurs.
> L'homme a un esprit comme les autres plantes. Le grand tout, composé de toutes parties spirituelles, peut-il manquer d'avoir un esprit?" (EdR I, p. 22f)

Diderot sieht in der Natur eine "substance unique", er schreibt der Materie eine "sensibilité" zu, die in allen Teilen enthalten sei.[159] Er greift die Vorstellung der "âme du monde" auf; im Nachvollzug seiner Rezeption des Pantheismus erhellt sich der wesentliche Unterschied von Bonnevilles Naturauffassung zur Naturphilosophie der Aufklärung.[160]
Nach Diderot müßte der Pantheismus Spinozas zur Annahme einer übersinnlichen Wirklichkeit und aller möglichen Geistwesen führen; diese Konsequenz zieht Bonneville explizit, Diderot jedoch dient sie als Argument gegen pantheistische Vorstellungen insgesamt.
Wenn Diderot zunächst die Idee der "âme du monde" aufnimmt, so nur in der Weise, daß er dieser die Attribute der Göttlichkeit abspricht, vor allem Einheit und Ewigkeit:

> "... mais puisqu'il (= dieu, SK) serait matière dans l'univers, portion de l'univers, sujet à vicissitudes, il vieillirait, il mourrait." [161]

Die Vorstellung einer Göttlichkeit, die der Materie immanent ist und dennoch nicht deren Bestimmungen unterliegt, weist Diderot als widersprüchlich zurück. Die antinomische Denkstruktur der Aufklärungsphilosophie, die sich in der Setzung von Identi-

täten und Unterschieden bewegt, erlaubt im Grunde nur zwei Positionen, Deismus und Materialismus: wenn es einen ewigen Geist gibt, muß er außerhalb der Materie existieren, da die Materie vergänglich und teilbar ist; wird das aktive Prinzip von Bewegung und Leben in die Materie selbst verlegt, kann es nicht ewig, nicht Gott sein, da es selbst Materie wäre.
Bonneville bezieht sich in seiner Erwiderung auf La Harpe direkt auf diese Argumentationsstruktur:

> "Demanderez-vous comment l'ame universelle, étant un être spirituel, peut ainsi être divisible? Je vous demanderai à mon tour, comment la lumière, qui n'est pas matérielle non plus, se divise pourtant en une infinité de rayons? Ne dites pas que la lumière soit matérielle; qu'elle soit perceptible au moins à un de nos sens, puisqu'on la voit; car on ne voit pas la lumière: seulement elle se répand sur les corps, & c'est par elle que l'on voit. Si vous demandez, avec les Matérialistes, comment un être spirituel peut remplir un être matériel & agir sur lui; je vous répondrai, que le feu, qui n'est pas plus matériel que la lumière, remplit les corps & agit sur eux quand il est mis en action. Si vous me dites que le feu est matériel, puisqu'il brûle; je vous dirai qu'il ne brûle point; seulement par son action il modifie les corps de manière à les rendre brûlans. - Mais cela est contraire aux plus simples notions de la Physique. - Oui, de la vôtre. Mais qu'est-ce que votre Physique? c'est comme votre Théologie." [162]

Bonneville führt seine Ablehnung der Naturwissenschaft nicht näher aus, nimmt aber in dieser Konsequenz die Position Senancours vorweg, der die Unvereinbarkeit von Pantheismus und Naturwissenschaft aus dem Charakter der Wissenschaft begründet:

> "Toute science n'est que l'estimation des différences entre diverses sensations ou divers objets sentis ... Il n'y a donc point de science de l'essence de l'être; il n'y en a donc point de la nature considérée comme le résultat unique, comme l'ensemble de toutes choses..." [163]

Was Bonnevilles eigenartige Vorstellung von Licht und Feuer als immaterieller Kräfte betrifft, so sei hier nur auf seine Kosmogonie verwiesen, in der er ebenfalls deutlich esoterische Tendenzen zeigt. Bonneville gibt vor allem dem Wort "lumière" häufig einen mystischen Gehalt:

> "Cette lumière est encore cachée dans les ténèbres; <u>et les ténèbres ne l'ont pas comprise</u>. Ses rayons épars étoient comme au pillage; chacun vouloit avoir le sien, au lieu de les réunir, et d'en former un autre flambeau du monde."
> (BdF I, p. 4 bis)

La Harpe begreift sich zu Recht als Vertreter der Aufklärungsphilosophie, wenn er mit Bezug auf diese und andere Stellen Bonneville Unverständlichkeit und einen Verstoß gegen den "bon sens" vorwirft. Eine Verständigung zwischen La Harpe und Bonneville konnte nicht erfolgen, weil beide in ihren Prämissen sich grundlegend unterscheiden. Bonneville vertritt den Pantheismus nicht nur als die philosophische Kategorie der "âme du monde", sondern als eine Welterfahrung von religiösem Charakter und genau darin kann ihm La Harpe nicht folgen.
Hassan El Nouty weist in seinem Artikel über den Pantheismus im 18. Jahrhundert nach, daß sich im Zeitalter der Aufklärung nicht nur kein Beispiel pantheistischer Weltauffassung finden läßt, sondern daß auch der Begriff selbst unklar war.[164] Er erklärt dieses Phänomen aus den Denkformen der Aufklärung, die ein adäquates Verständnis des Pantheismus nicht erlaubt hätten; ich zitiere ausführlicher, da die angeführten Merkmale pantheistischer Weltauffassung Bonnevilles Naturbild treffen:

> "Buddeus avait eu une vague conscience de cela, puisqu'il associait le panthéisme à ce qu'il appeloit, faute de mieux, l'"Enthousiasme". C'étoit avouer confusément que le panthéisme n'est accessible qu'à ceux que soulève une espèce d'élan vers l'appréhension totale du monde, que tenaille un besoin d'unité et qui, parce qu'ils pressentent l'Un sous le Multiple, possèdent le sens du mystère. Autant de traits dont le Siècle de la Raison était dépourvu." [165]

Nach El Nouty zeigt sich der Pantheismus nicht nur in der ideellen Verlagerung der Transzendenz in die Welt, sondern konstituiert sich gleichzeitig in einer bestimmten Erfahrung der Welt durch das Ich. Beide Ebenen sind ineinander verschränkt, da der Pantheismus als religiöses Phänomen das Erkennen der Göttlichkeit in der Natur beinhaltet und damit notwendig die naturwissenschaftlich-philosophische Dimension verläßt, da diese "Erkenntnis" sich nicht auf intersubjektiv überprüfbare Faktoren stützen kann und somit als ein Erleben der Welt durch ein Ich sich darstellen muß. Die pantheistisch motivierte Erfahrung der Welt besteht im Gefühl einer unmittelbaren Aufhebung der Trennung von Welt und Ich, im Gefühl des Eingehens des Bewußtseins in die Natur. Sie findet sich schon bei Rousseau:

"Je sens des extases, des ravissements inexprimables à me fondre pour ainsi dire dans le système des êtres, à m'identifier avec la nature entière." [166]

Auf die Göttlichkeit in der Natur weist Rousseau jedoch nicht direkt hin, da er in seinen metaphysischen Ideen dem Pantheismus fernsteht.
Bei Bonneville wird dagegen die Vorstellung der Weltseele ergänzt durch ein explizit pantheistisches Welterleben:

"Quitte-toi - tout entier, - va te confondre - tout entier - dans ces torrens d'esprits créateurs qui ont fécondé l'univers. - Ose alors, ose tout; tu verras la pensée de l'homme libre, aux aîles étendues, secouer la terreur sur le front des Rois!
Et comme une paille légère, entraîner, avec soi, vers l'immortel bonheur des générations innombrables et des mondes obéissans!" (EdR App., p. 5)

Bonneville nimmt also eine übersinnliche Wahrnehmungsfähigkeit an. Dabei zeichnet sich bereits ein Übergang ab von einer authentisch religiösen Welterfahrung, dem Sich-Versenken in die göttlichen Kräfte, die die Welt durchdringen, zur Selbsterfahrung des menschlichen Geistes als Unendlichkeit, der Genialität als selbst göttlicher Kraft. Vergleichen wir diese Form der Erfahrung mit der Beschreibung menschlicher Wahrnehmungsfähigkeit bei Diderot, wird deutlich, wie weit Bonneville in seiner pantheistischen Weltvorstellung von der Aufklärungsphilosophie entfernt ist: Diderot lehnt die Idee der Weltseele mit dem Argument ab, daß in der Natur keine Kontinuität und damit keine Möglichkeit umfassender Wahrnehmung gegeben sei.[167] Wahrnehmung bleibt hier ganz auf den Rahmen sinnlicher Wahrnehmung beschränkt, die Materie behält bei Diderot trotz der Annahme einer allgemeinen "sensibilité" in der Natur gegenüber dem menschlichen Bewußtsein ihre empirische Festigkeit.
Ideengeschichtlich gesehen ist Bonnevilles pantheistische Weltvorstellung nicht unmittelbar weiterführend, da in der französischen Romantik das Christentum vorrangiger religiöser Bezugspunkt ist; dennoch kann sie im Rahmen einer Naturauffassung diskutiert werden, wie sie beispielsweise Mme de Staël formuliert, die sich explizit von der Naturphilosophie der französischen Aufklärung absetzt. Mme de Staëls Naturbegriff, der sich der Rezeption der deutschen Aufklärungsphilosophie (Kant) und wahrscheinlich auch

illuministischen Einflüssen verdankt, geht aus von der Ablehnung der Reduktion des Menschen auf seine Natürlichkeit im französischen Materialismus; Ausgangspunkt jeder Naturbetrachtung müsse vielmehr der mit autonomer Geistigkeit begabte Mensch sein:

> "Les vraies causes finales de la nature ce sont ses rapports avec notre âme et avec notre sort immortel; (...) Les phénomènes de la nature ne doivent pas être compris seulement d'après les lois de la matière, quelque bien combinées qu' elles soient; ils ont un sens philosophique et un but religieux, dont la contemplation la plus attentive ne pourra jamais connaître toute l'étendue."[168]

Bei Bonneville wird ebenfalls der Mensch, tritt er auch in den Rahmen einer Naturbetrachtung, immer von seinem Bewußtsein her aufgenommen, das Verhältnis von Mensch und Natur sieht er in der Einwirkung des Bewußtseins auf die äußere Natur, wobei er zu deutlich esoterischen Gedankengängen kommt: "... la matière toujours active et passive s'assouplit sur toutes les formes de l'esprit..." (EdR App., p. 280), oder der Bereicherung des Ich durch die Natur, wobei diese allerdings nie als bloße Materie, sondern als selbst durchgeistigt dargestellt wird. Die religiöse Motivation einer derartigen Naturauffassung resultiert nun weder bei Mme de Staël noch bei Bonneville in einer Bestärkung der christlichen Schöpfungsidee, sondern in der Vorstellung einer Sinngebung der Natur durch den Menschen, die bei Mme de Staël deutlich formuliert wird, bei Bonneville nur angedeutet ist in seinem Bild des Menschen als "dieu de la nature".[169]

3.2.3 Die Idee der Kette der Wesen

Bonneville bezieht sich wiederholt auf Bonnets Idee der Kette der Lebewesen.[170] Bonnet, bekannt vor allem durch seine biologischen Untersuchungen in der Form der "histoire naturelle", war einer der meistgelesenen naturwissenschaftlichen Autoren des 18. Jahrhunderts.[171] Seine wesentliche These besteht in der Annahme einer teleologischen Ausrichtung der Natur: die Natur sei ein System universeller Harmonie, dessen Bestandteile sich zu einer aufsteigenden Kette der Wesen ordnen. Er begründet diese These naturwissenschaftlich mit Beobachtungen über die äußere

Organisation einzelner Lebewesen, z.B. über den Polyp als Bindeglied zwischen Tier- und Pflanzenreich, und metaphysisch-spekulativ in der Annahme, daß sich die Kette der Wesen über den Menschen hinaus über die Engel bis zu Gott verlängere. In der bereits zitierten Passage aus dem Mercure de France übernimmt Bonneville das Bild einer Kette von unbelebter Materie bis zu Gott ohne Abänderung, greift aber den naturwissenschaftlichen Ansatz Bonnets, die irdischen Wesen nach dem Merkmal äußerer Konstitution zu ordnen, nicht auf. Die Idee der Kette der Wesen steht bei Bonneville durchgehend in einer spekulativen Dimension - wie auch bei Ballanche und Nodier -: die Hierarchie der Wesen gliedert sich nach einem hypothetischen Grad von Geistigkeit. Bonneville sieht Bonnets Gedanken nicht als naturwissenschaftliche Untersuchungen, sondern als Wiederentdeckung verlorengegangener Erkenntnisse des druidischen Priestertums:

> "Ce n'étoit donc pas un systême absurde que celui des anciens Druïdes; c'est encore aujourd'hui l'opinion de nos plus grands philosophes. Dans l'échelle des êtres que vient de nous offrir, comme le résultat sublime de ses profondes contemplations, le sage Bonnet, qui a pénétré si profondément dans les mystères de la nature, l'homme, le chef-d'oeuvre de la création, vient immédiatement après l'ourang-outang, animal si parfait dans sa forme, et en tout si semblable à l'homme, que les physiciens l'ont appellé l'homme sauvage; mais comme il l'a remarqué lui-même, que d'échellons encore, et quelle différence énorme entre les hommes véritables, et tant d'êtres imparfaits qu'on appelle des hommes!"
> (EdR I, p. 24)

Bonneville greift die Idee der Kette der Wesen nur in dem Teil auf, der sich auf die Stellung des Menschen bezieht. Bonnet sieht auch innerhalb der Menschheit selbst eine hierarchische Differenzierung nach verschiedenen Kriterien: nach Rasse, sozialer Stellung, Kultur, nach dem Grad der Religiosität, aber auch nach der "raison", wobei er die Differenzierung physiologisch begründet: der Grad der "raison" sei abhängig von der Reaktionsschnelle der wahrnehmungsleitenden Fibern.
Bonneville nimmt das Merkmal der Religiosität auf:

> "Dans la classe de l'homme, c'est-à-dire, à la première icibas, je ne mettrai point ceux qui n'ont pas une idée claire de l'ouvrage d'un Dieu bienfaisant. Je classerois l'athée un peu au-dessus de l'ourang-outang, puisqu'il parle, mais non parmi les hommes, puisque le germe d'une éternité de

> bonheur, qui doit aggrandir son existence, purifier sa pensée, et le faire homme, ne s'est point encore développé chez lui." (EdR I, p. 24f)

Er begreift Religiosität als Gefühl der Unendlichkeit und Bewußtsein einer höheren Bestimmung des Menschen, Bonnet dagegen als Ehrfurcht vor dem Schöpfergott und Bewußtsein der Inferiorität des Menschen angesichts der unendlichen Schöpfung. Bonneville verläßt die Einteilung nach äußerlichen, formellen oder physiologischen Kriterien zugunsten einer Hierarchisierung nach dem Grad der Subjektivität:

> "Si vous n'avez des yeux que pour voir aux pieds de l'échelle, là, c'est toujours un sol ingrat et fangeux: un peu plus haut s'anime la plante balsamique, sous les regards de l'être sensible qui va monter à l'état d'homme. Et dans cette classe, qui, sans doute, n'est pas la dernière réservée à l'être qui pense, quelques favoris de la nature semblent avoir déjà quelque chose de la divinité, créant des hommes à leur image, bienfaisans, éclairés et éternels comme eux." (EdR II, p. 10f)

Mit den "favoris de la nature" meint Bonneville die Genies, deren schöpferische Kraft den auf der Ebene der Menschheit größten Anteil an der Weltseele bedeutet und den Genies daher den ersten Platz innerhalb der Stufenleiter der Menschen sichert. Damit hat bei Bonneville die Kette der Wesen nicht mehr die Bedeutung einer natürlichen und gottgewollten hierarchischen Ordnung: die Formulierung "créant des hommes à leur image" impliziert die Vorstellung, daß die Stufenleiter durch menschliches Einwirken selbst modifizierbar sei. Deutlich wird dies in einem Vergleich der unterschiedlichen Entwicklungsdimension der Idee der "échelle des êtres" bei Bonnet und Bonneville.

Nach Bonnet liegt Anfang und Ende der Kette der Lebewesen in Gott. Er hat zwar nicht die mystische Vorstellung, daß sich die Kette am Ende der Zeit in Gott auflösen werde, nimmt aber eine mögliche Entwicklung der Wesen über ihre aktuelle Konstitution hinaus an. Nach Bonnet verweist jedes einzelne Glied der Kette auf einen jeweils höheren Zustand: das Tier habe eine Seele und trage den Keim der Vernunft in sich, der Mensch als Vernunftwesen den Keim eines die Materie transzendierenden Wesens. Ich skizziere im folgenden nur grob Bonnets Vorstellung der künftigen Entwicklung des Menschen, sie ist auf Grund der Vermischung biologischer und theologischer Gedankengänge recht verwirrend.

Der Mensch ist nach Bonnet ein gemischtes Wesen aus Geist und Materie: Vernunft und Seele können nicht auf bloße sinnliche Wahrnehmung reduziert werden, ebensowenig kann aber der menschliche Geist ohne die Sinne existieren; der Mensch wird immer ein zweipoliges Wesen bleiben, er kann jedoch eine höhere Ebene von sinnlicher Wahrnehmung und Vernunft erreichen, da er in sich einen ätherischen Körper, den Sitz der Seele trage, den Bonnet im Gehirn lokalisiert, der sich mit dem Tod von der schweren körperlichen Materie löse. Diese Vorstellung versucht Bonnet mit christlichen Dogmen zu vereinbaren, er verlängert die irdische Hierarchie ins Jenseits: das Gericht Gottes weist jedem Geistkörper je nach seiner moralischen Haltung auf Erden einen Platz auf der neuen überirdischen Leiter zu, die allerdings nicht mehr die irdische Festigkeit hat - die Geistkörper können von ihrem zugewiesenen Ausgangspunkt aus sich weiter entwickeln, der Abstand zu Gott bleibt aber stets unendlich.[172]

Die für die Einschätzung Bonnevilles wichtigen Punkte sind:

1. Bonnet sieht die Perfektion des Menschen in einer überirdischen Dimension, er nimmt auch nicht die Möglichkeit der Wiedergeburt an.
2. Er hat nicht die Idee einer allgemeinen historischen Entwicklung der Menschheit.

Bonnets Vorstellung, daß der Übergang des Menschen in einen höheren Zustand im Tod stattfindet, impliziert nämlich eine Parallelität der beiden Zustände: solange die Menschheit überhaupt existiert, haben die Menschen als einzelne den Übergang vollzogen. In der Dimension historischer Zeit steht bei Bonnet nur der einzelne Mensch, nicht die Gattung allgemein. Von seiner Vorstellung der künftigen Bestimmung des Menschen her kann Bonnet daher nicht als Vorläufer evolutionistischen Denkens interpretiert werden.[173] Bonneville zieht aus der Idee der "échelle des êtres" andere Konsequenzen. Wie bereits angedeutet, rezipiert er die naturgeschichtlichen Reflexionen Bonnets kaum. In der Verengung der Idee einer Kette der Wesen auf den menschlichen Bereich geht deren Charakter verloren, eine natürliche, d.h. vom Menschen nicht beeinflußbare Ordnung aufzustellen. Bonneville hält eine Aufhebung der Hierarchie innerhalb der Menschheit und die Herstellung einer allgemeinen Perfektion durch das Handeln der Menschen selbst für möglich:

> "Il y a dans la marche de la nature une échelle sensible pour les espèces, et dans chaque espèce divers degrés de perfection.
> Tant qu'on n'aura pas résolu le problême social qui doit rapprocher et confondre en un seul numéro les divers degrés de notre espèce, le sage, à un premier degré, aura à craindre le peuple-mouton (...)" (EdR App., p. 117)

Träger dieses Prozesses ist für Bonneville die wahre Religion aller alten Initiationen, deren Inhalt immer schon in der Vereinheitlichung der Grade bestanden habe:

> "C'étoit-là l'ancien systême des premiers bienfaiteurs du genre humain. Ils cachoient à certains hommes ce qu'ils croyoient la vérité, non par une cruauté gratuite, mais pour universaliser peu-à-peu les innombrables degrés de notre échelle et préparer les hommes nouveaux et tenant trop encore du caractère des bêtes stupides ou féroces, à recevoir la vérité sans danger pour elle ou pour eux-mêmes.
>
> Examinez leurs systêmes. C'est par-tout un essai de généralisation, d'union, d'association, de communion universelle." (EdR App., p. 118)

Wie Bonnet scheint Bonneville die Vorstellung allgemeinen Gattungsfortschritts in der individuellen Perspektive der Auferstehung nach dem Tode aufzulösen:

> "Où ira-t-on? Je n'en sais rien. Mais on sera quelque part. Et le monde du lendemain n'étant jamais celui d'aujourd'hui, on sera très-certainement dans un autre monde.
> Les anciens observateurs de la nature et ses modernes interprêtes ont démontré une échelle créatrice; on conçoit aisément le perfectionnement insensible de l'espèce humaine." (EdR I, p. 60)

Anders als bei Bonnet enthält jedoch Bonnevilles Vorstellung der künftigen Existenz des einzelnen Menschen die Dimension des allgemeinen historischen Gattungsfortschritts. Dies wird durch seine Annahme möglich, daß der Tod nicht den Eintritt in ein Jenseits bedeutet, sondern Rückkehr auf Erden, Wiedergeburt:

> "Ce qu'on appelle à tort dans les systêmes anciens, transmigrations, faute de s'écouter, et de s'entendre, ne sont que les démonstrations sensibles des développemens ou gradations des êtres organisés vers une vie meilleure. Si l'espèce humaine se perfectionne sur la terre je dois marcher avec elle; et je reviendrai après chaque travail et quelques heures de sommeil recommencer avec elle un nouveau travail, et marcher vers la perfection.
> Quel que soit ton systême, tu reviendras, tu seras encore.

> Ton esprit se recouvrira d'une peau nouvelle."
> (EdR I, p. 61f)

Bonneville verbindet also zwei verschiedene Zeitdimensionen: die historische Zeit - Entwicklung der Menschheit als Gattung - und eine heilsgeschichtliche Zeit. Die heilsgeschichtliche Dimension erscheint weniger ausgeprägt, da er der Wiedergeburt nicht direkt den Sinn individueller Erlösung gibt und die mit der Vorstellung eines Lebens nach dem Tod gemeinhin verbundene Idee des Gerichtes Gottes völlig fehlt. Daß er jedoch der erhofften Regeneration ein letzten Endes heilsgeschichtliches Ziel zuschreibt, wird in einem anderen Kontext offensichtlich:

> "Si tous les hommes avoient la lumière & vouloient, il n'y a pas de raison pour que leur pouvoir ne s'étendit pas par-delà la sphère terrestre, & que bientot toutes les créatures animées dans tous les Mondes, ne se confondissent pas en un seul & meme Dieu." [174]

Bonneville steht mit seiner Interpretation von Bonnets Idee der "échelle des êtres", deren naturgeschichtliche Dimension er ausser acht läßt, in einer Linie mit Ballanche und Nodier. Ballanche begreift sein Werk Essais de Palingénésie sociale als Übertragung der Methode von Bonnets Palingénésie philosophique auf den Bereich der Menschheitsgeschichte. Dabei geht er wie Bonneville nicht auf die naturgeschichtliche Fundierung der Vorstellung einer aufsteigenden Kette der Wesen ein. Die Übertragung dieser Idee auf den Bereich der Menschheitsgeschichte führt Ballanche ebenfalls zur Annahme einer allgemeinen diachronischen Entwicklung der Menschheit auf einen Idealzustand hin. Jacques Roos zeigt in seinem Werk Aspects littéraires du mysticisme philosophique, daß Ballanche ebenso wie Blake und Novalis die kommende Regeneration der Menschheit als Erreichen eines göttlichen Zustandes begreift,[175] wobei er jedoch nicht wie Bonneville diese Entwicklung als ausschließlich menschliches Produkt begreift, sondern in der Menschheitsgeschichte allgemein das Wirken Gottes, der Vorsehung sieht. Ballanches Modell der Menschheitsentwicklung ist dabei weit präziser ausgearbeitet als die entsprechende Idee bei Bonneville, etwa in der Annahme verschiedener "époques palingénésiques", in denen die allgemein fortschreitende Entwicklung durch historische Umbruchsituationen auf eine jeweils

qualitativ neue Stufe gehoben wird, z.B. durch die im Christentum enthaltenen Gleichheitstendenzen zunächst auf religiösem Gebiet als "l'initiation devenue générale" und durch ihre Übertragung auf den sozialpolitischen Bereich mit der Französischen Revolution.[176]
Eine Gemeinsamkeit mit Bonneville hat Ballanche in der Vorstellung, daß die Menschheitsentwicklung in einem fortschreitenden Prozeß der Herstellung von Einheit, Brüderlichkeit und Gleichheit verläuft. Beide bestimmen dies als Anliegen der Religion, bei beiden liegt der Idee der Vereinheitlichung der Stufenleiter innerhalb der Menschheit die Vorstellung zugrunde, daß die Menschheit im Ursprung und ihrem Wesen nach eins sei. So spricht Ballanche vom allgemeinen Menschen, dem "homme cosmogonique",[177] und schreibt:

> "L'homme (...) n'est homme que par sa co-existence sympathique avec les autres hommes, avec le genre humain tout entier."[178]

Daher erscheint für Ballanche - in der Argumentationsstruktur ähnlich Bonneville, aber in ausgeprägterer religiöser Bedeutung - die Erlösung des Individuums nur möglich über den Weg der Erlösung der ganzen Menschheit. Er bestimmt auch das Verhältnis von individueller Wiedergeburt und Gattungsfortschritt in ähnlicher Relation wie Bonneville als Rückkehr des einzelnen ins Diesseits, um an der großen Aufgabe der Menschheitsentwicklung mitzuwirken.[179]

Nodier steht hier in der Linie von Bonneville und Ballanche, wandelt aber das Thema von individueller und kollektiver Wiedergeburt in romantischer Welt- und Gesellschaftsnegation ab. In "Lydie ou la Résurrection" nimmt er das Thema der Stufenleiter auf, läßt diese wie Bonnet im Jenseits enden, folgt ihm aber nicht in der spekulativ-physiologischen Begründung; zwar bildet auch für Nodier der Tod die Grenze zu einem höheren menschlichen Zustand, er kann jedoch auch durch eine grenzüberschreitende persönliche Kraft gewonnen werden, durch die Liebe. Die Idee von Palingenesie und Stufenleiter der Wesen wird bei Nodier zum poetischen Motiv.
In "De la Palingénésie humaine" lehnt er die Idee der kollektiven Menschheitsentwicklung ab, eine qualitativ höhere Stufe könne der Mensch nur im Tod erreichen, dessen Vor-Bild Traum

und Wahnsinn seien. Thematisch schließt sich der Kreis von Bonnet ausgehend bei Nodier wieder, gravierend sind jedoch die Differenzen, die vielleicht gerade aufgrund der thematischen Nähe sichtbar werden. Bonnets Ideen über den künftigen Zustand des Menschen liegt die Motivation zugrunde, zeitgenössische naturwissenschaftliche Forschung mit christlicher Dogmatik zu vereinbaren. Bei Nodier liegt die Motivation im resignativen Rückzug von der Gesellschaft. Das Thema der Grenzüberschreitung, das von Bonnet ausgehend seine charakteristische Ausprägung bei den vom Illuminismus stark beeinflußten Autoren wie Ballanche, und auch Bonneville, erhält und mit der Idee des geschichtlichen Fortschritts sich vermischt, wird bei Nodier in eine private Dimension zurückgenommen, als individuelle Erfahrung des Scheiterns an der Gesellschaft gestaltet und auf den Bereich einer Traum-Insel perspektivisch verengt.[180]

3.2.4 Die Vorstellung individueller Wiedergeburt

Bonneville begründet seine Idee der Wiedergeburt des Menschen mit dem Hinweis auf die gesellschaftliche Relevanz eines derartigen Glaubens:

> "Comme tous les hommes marcheroient de concert vers la perfection, si toutes les nations étoient bien convaincues que nous renaissons tous sur la terre, ou presque tous, car dans un systême qui n'est point inconcevable, mon esprit, germe éternel, peut acquérir une telle activité qu'il s'élance dans une autre sphère où il trouvera à se mieux organiser." (EdR I, p. 62f)

Die These der Wiedergeburt begründet Bonneville allein aus subjektivem Gefühl, aus der Erfahrung der Immaterialität und Ewigkeit des Geistes:

> "Mon corps, ce n'est pas moi, ma pensée, où va-t-elle?
> C'est un rayon qui part de mon ame immortelle!
> Elle fuit, et je sens que je n'ai rien perdu.
> Ce corps, dont je me sers, il te sera rendu,
> Poussière! Et si de rien jamais rien ne peut naître,
> J'étois, puisque je suis, et je dois toujours être.
> Je m'enfonce à plaisir dans l'ombre du passé;
> J'y cherche à débrouiller le fil embarrassé
> D'une longue action qui toujours se prolonge;
> Et ce qu'on fait souvent pour démêler un songe,

J'assemble les débris d'un sommeil agité;
Il semble quelquefois qu'on ait toujours été."
(EdR II, p. 56)

Wichtigstes Moment der Selbsterfahrung ist ihm dabei die Erinnerung: er hält eine Erinnerung an frühere Existenzen für möglich. Auf der anderen Seite erscheint ihm allgemein die Fähigkeit, neue Ideen zu formulieren, als Entwicklung eines neuen Sinnes, d.h. bei Bonneville als Versprechen zukünftiger Existenz:

"Je m'enquiers seulement si tout est fini pour moi en rendant l'esprit, où est le moi, à la nature. Je sens que non. Cet art de la mémoire, ou de se ressouvenir, si perfectionné par quelques sages, donne des résultats naturels, mais bien loin des idées communes.
Là je me ressouviens et je le sens; ici mon esprit se purifie, et un autre sens tout nouveau semble se développer en moi, je le sens aussi. Cela me suffit. J'ai quelque idée des opérations de mes esprits, par les effets d'un rayon de lumière." (EdR I, p. 61)

Bonneville glaubt an eine individuelle Wiedergeburt, d.h. an die Fähigkeit des Ich, das als Geistigkeit bestimmt wird, eine Verbindung mit einem neuen Körper einzugehen. Wie dies vorstellbar sei, erklärt er nicht: weder versucht er eine physiologische Begründung wie Bonnet in seiner Idee individueller Auferstehung noch rekurriert er auf theologische Argumentationsformen.

Wichtig ist für Bonneville einzig der Glaube an die Unsterblichkeit des menschlichen Geistes. Dies erklärt auch, daß er die Idee der Wiedergeburt selbst verläßt: Unsterblichkeit scheint ihm nicht immer verbunden mit physischer Weiterexistenz. Die Konsequenz wäre dann, die Existenz von Geistwesen anzunehmen. Er formuliert allerdings eine derartige Idee der Unsterblichkeit nur im Zusammenhang seiner Verehrung der Genies, so schreibt er beispielsweise über das Genie Rousseaus:

"Le feu sacré, qui jadis échauffa son coeur, ne peut s'éteindre, son génie préside à cette assemblée fédérative; et parce qu'il a changé d'organes, se fait-il moins sentir dans tous les coeurs faits pour aimer la vérité?
Point d'effets sans cause, on ne peut voir ce qui n'est pas; on n'a point le sentiment de ce qui n'a pas une existence.

Je ne vois pas son corps, il est à l'abri de la tyrannie; mais son esprit, quand tu l'appelles, quand tu l'interroges, il EST là, il est présent à ton esprit; son existence impérissable tombe sous nos sens imparfaits; il existe, comme Dieu même dans la parole de vérité;" (EdR II, p. 188)

Bonnevilles Auffassung der Wahrheit wird hier deutlich als einer vom Subjekt her bestimmten Wahrheit, die auf das Kriterium intersubjektiver Überprüfbarkeit verzichten kann. Dieser Wahrheitsbegriff ist nicht mehr in den Rahmen der Aufklärungsphilosophie einzuordnen, auf der anderen Seite führt Bonneville die Aufwertung des Gefühls aber nicht zur Vorstellung einer durch Subjektivität konstituierten, relativen Wahrheit. Die Wahrheit des Gefühls wird unbekümmert um den Ursprung im Subjekt als objektive Wahrheit gesetzt. Hieraus resultiert eine Schwierigkeit der Interpretation, nämlich das Problem, ob Bonnevilles Aussagen à la lettre zu nehmen sind oder ihnen eine poetische Motivation zugesprochen werden muß, ob sie als Aussagen in metaphorischer Form zu betrachten sind. In der Mehrzahl der Fälle kann davon ausgegangen werden, daß Bonneville seine Aussagen wortwörtlich verstanden wissen wollte, aber inhaltlich Themen gestaltet, die wohl schon in der Romantik als Wahrheit subjektiver Empfindung verstanden werden. Die oben zitierte Stelle ist ein schönes Beispiel für dieses Phänomen. Bonneville formuliert hier das Thema der Unsterblichkeit des Genies, versteht dies aber nicht in dem übertragenen Sinn, daß das Genie durch die überzeitliche Aussagekraft seines Werkes unsterblich ist, sondern meint damit, daß Rousseau persönlich weiterlebt. Auf der anderen Seite kann dieser Gedanke aber nicht mehr als eine Variante der illuministischen Vorstellung einer Geisterwelt interpretiert werden, und zwar gerade aufgrund der inhaltlichen Einschränkung auf die Unsterblichkeit des Genies. Ein ideengeschichtlich weiterführender Ansatz ist in der Formulierung "il existe, comme Dieu même dans la parole de vérité" enthalten: hier nähert sich Bonneville der romantischen Idee, daß das Genie durch Teilhabe und Gestaltung des göttlichen Mediums Sprache Unsterblichkeit erreicht.

3.3 Einflüsse des Illuminismus

Viatte sieht in Bonneville einen Vertreter des Illuminismus und verweist auf seine Bekanntschaft mit Saint-Martin, Mercier und Restif de la Bretonne.[181] Le Vieux Tribun du Peuple von 1796 enthält eine Notiz, daß Saint-Martins Ecce homo in Bonnevilles

Druckerei verlegt wurde, frühere Hinweise auf Saint-Martin sind nicht vorhanden. Bonneville setzt sich mehr mit dem Freimaurertum auseinander. Er gehörte keiner Loge an, dürfte jedoch zur Zeit seines Englandaufenthaltes in engem Kontakt mit Freimaurern gestanden sein. In seinem in London verfaßten Buch Les Jésuites chassés de la Maçonnerie versucht er anhand der freimaurerischen Symbole nachzuweisen, daß die Freimaurerlogen von Jesuiten unterwandert seien, und verwendet dazu allerlei seltsame Zahlenspiele und Buchstabensymbolik. Seine Auseinandersetzung mit dem Freimaurertum ist für die Zwecke dieser Arbeit wenig ergiebig. Zitiert sei nur folgende Zusammenfassung seiner widersprüchlichen Haltung gegenüber den Freimaurern:

> "Voilà quelles sont, à-peu-près, les différentes impressions qu'on éprouve aujourd'hui dans la Franc-Maçonnerie; un saint respect pour d'anciennes allégories; & de l'indignation pour des énigmes, qu'on soupçonne avec raison très-modernes."
> (Jésuites I, p. 9)[182]

Bonnevilles Anleihen bei den Freimaurern bestehen im allgemeinen nur in der Übernahme freimaurerischer Redewendungen. Bonneville direkt zu den Illuminaten zu rechnen, wie dies Viatte tut, scheint mir insofern fragwürdig, als zentrale Momente des Illuminismus in seinen Werken fehlen, besonders das Thema von Sündenfall und Erlösung des Menschen durch ein übergeordnetes Prinzip und der Sühnegedanke, der vor allem in der illuministischen Interpretation der Französischen Revolution zum Tragen kommt; Bonneville kennt auch keine Theodizee, das Problem von Gut und Böse wird nicht gestellt.

3.3.1 Die Theorie der Korrespondenzen

Die Affinität Bonnevilles zum Illuminismus liegt mehr in der Übernahme gedanklicher Voraussetzungen und in der Denkstruktur. Saint-Martin begreift die Welt als ein System verschiedener hierarchisch gegliederter Prinzipien, die in Abhängigkeit voneinander stehen, sich ineinander spiegeln und miteinander korrespondieren. Das menschliche Prinzip ist ein unvollkommenes Abbild des göttlichen Prinzips, das natürliche ein Abbild des menschlichen Prinzips, damit vermittelt auch des göttlichen

Prinzips. Zwischen diese Prinzipien legt Saint-Martin eine Reihe von vermittelnden Kräften, deren System nicht unmittelbar durchschaubar ist. Die Erscheinungen verhalten sich wieder in derselben Korrespondenzrelation zu ihrem jeweiligen Prinzip, so kann etwa die Gesamtheit der Naturphänomene nur unvollkommen das natürliche Prinzip ausdrücken. Die Konsequenz dieser Theorie der Korrespondenzen besteht darin, daß nach Saint-Martin das Wesen der Dinge nicht aus der Betrachtung der Erscheinungen gewonnen werden kann und das Prinzip einer Sphäre nur aus dem Prinzip der nächsthöheren Sphäre erklärt werden kann. Damit ist das gedankliche System des Illuminismus schon in den methodischen Prämissen der Aufklärungsphilosophie entgegengesetzt. Seine Kritik der "philosophes" faßt Saint-Martin in dem Motto zusammen "expliquer les choses par l'homme, et non l'homme par les choses".[183]

Im Zusammenhang einer Rechtfertigung der Traumdeutung formuliert Bonneville diese illuministische Auffassung der Korrespondenzen:

> "Et si tout est centre et refléxion dans le cercle de l'éternité; si tout est lié dans l'univers par des causes naturelles, par une communication intime, dont l'électricité peut nous donner une foible idée, pourquoi ne découvriroit-on pas les dispositions d'un corps sain ou malade par les agitations de l'esprit?" (EdR App., p. 128)

Der Verweis auf die Elektrizität bedeutet nicht, daß Bonneville seinen Naturbegriff wissenschaftlich fundiert,[184] die Auffassung des Zusammenhangs in der Natur als "centre et refléxion" unterscheidet sich von einem Verständnis der Naturstruktur als Relation von Ursache und Wirkung prinzipiell dadurch, daß sie sich nicht auf beobachtbare Tatsachen stützen kann. Den Zusammenhang der Naturphänomene begreift Bonneville als allgemeines spiegelbildliches Verhältnis der verschiedenen Formen:

> "Pauvre petit Globe, faut-il donc tant de sublimes & d'antiques révélations pour te connoître, Toi qui, humainement parlant, ne contiens que de la matiere, toujours la même; & des sons, & des formes, qui toujours l'empreinte, la réunion, le miroir & la réflexion d'un plus grand nombre de formes, se perfectionnent nécessairement sous le mouvement perpétuel de la Nature, par l'influence de l'Esprit & de la Matiere!" (Jésuites I, p. 87)

Welche Bedeutung Bonneville diesen Formen gibt, ist unklar, jedenfalls hält er - unter Berufung auf Bacon - eine "science universelle des formes" (Jésuites II, p. 136) für fähig, der Natur das Geheimnis ihrer Produktivität zu entreißen, ihr elementares und ewiges Prinzip zu erkennen.[185] Der esoterische Charakter dieser Naturauffassung wird offensichtlich in seinem Verweis auf die Zahlen des Pythagoras, "dont la connoissance parfaite (...) étoit une science profonde des mystères de la nature" (Jésuites, 1ère partie, p. 6). Auch Saint-Martin war Anhänger der pythagoreischen Zahlenmystik. Rational erklärbar ist dieses Phänomen nur aus der Korrespondenz- und Abbildtheorie: wenn alle Naturphänomene als Abbilder untereinander und das Naturprinzip als Abbild eines höheren Prinzips erscheint, liegt die Vorstellung nahe, die Welt sei in Symbolen erfaßbar, bzw. daß traditionelle Symbole einen immanenten, nicht aus Vereinbarung resultierenden Sinn hätten.

Die Geheimnisse der Natur beziehen sich für Bonneville primär auf den Menschen und seine Stellung in der Welt; in seinem Gedicht "Les nombres de Pythagore" schreibt er diesen den Sinn zu, die Bestimmung des Menschen zu erfassen:

> "Dans les nombres de Pythagore,
> Je cherche en vain le nombre où j'ai pu parvenir.
> Un feu profond qui me dévore,
> M'annonce un germe, un <u>être</u> et des tems à venir!
> Le monde est-il à son aurore?
> Sa raison vient-elle d'éclorre (sic)?
> Mon siècle me paroit encore
> Siècle-serpent qu'un beau vernis décore
> Siècle-serpent, à ramper condamné.
> Je trouve dans mon coeur une image secrète,
> D'un corps plus diaphane à l'Homme destiné,
> Et dans cette ébauche imparfaite
> J'entrevois l'Homme ... Il n'est pas encor né!"
> (Poésies, p. 201)

Der Mensch hat für Bonneville eine Sonderstellung in der Natur: während die einzelnen Naturformen nur Bilder anderer einzelner Formen sind, ist der Mensch der Spiegel der ganzen Natur:

> "L'homme est tout. Je l'ai démontré: l'homme est donc <u>nécessairement</u> le miroir <u>animé</u> du Grand Tout, de la nature entière." (EdR App., p. 104)[186]

Bonneville übernimmt damit das anthropozentrische Weltbild des Illuminismus:

"Tous ces vieux amis de la nature regardoient la connoissance de soi-même le γνῶθι σεαυτόν le connois-toi du temple de Delphe, comme la science la plus belle et la seule qui embrassât tous les âges et tous les ressorts de la création."
(EdR App., p. 122)

Der Mensch birgt für Bonneville alle Geheimnisse der Schöpfung, gleichzeitig erscheint ihm der Mensch selbst als Geheimnis. In den Appendices des Esprit des Religions gibt er einen Weg an, wie das Geheimnis des Menschen zu erfassen sei: als umfassende Erkenntnis eines einzelnen Menschen: "Saisissons tout l'homme dans cet homme-là qui passe en souriant et qui se croit un mystère." (EdR App., p. 353) Dabei dürfte er von Lavaters Physiognomietheorie beeinflußt sein:

"Crois-tu que les plis et replis de ton front caverneux, n'indiquent pas à qui sait y lire les replis de ton coeur, les plis et les replis où tu caches tes desseins?"
(EdR App., p. 352)

Im folgenden stellt Bonneville eine Art von Leitfaden auf, wie der Mensch zu erfassen sei: über 40 (!) Seiten formuliert er nur Fragen nach Aussehen, Verhalten, Umgang, Beruf usw. des einzelnen Menschen. Ohne daß er sich dessen bewußt wäre, findet damit bei Bonneville gegenüber dem geschlossenen metaphysischen System Saint-Martins eine perspektivische Öffnung statt: die Fragen, die er formuliert, verweisen auf literarische Gestaltung, sind nur als Literatur beantwortbar. Daß ihm seine Fragestellung nicht als eine von literaturtheoretischer Relevanz bewußt war, ändert - angesichts der Abwertung der Erscheinungsebene bei Saint-Martin - nichts an der Erstaunlichkeit seines Gedankens, daß die sprachliche Zeichnung eines einzelnen Menschen das Geheimnis des Menschen schlechthin enthüllen könne:

"Réponds à toutes mes questions, que je puisse le crayonner trait pour trait; quand j'aurai achevé son image, la main fraternelle en cachera l'inscription, - mais s'il arrivoit que je l'eûsse, à ton insçu, déposée dans ton coeur, dans le coeur de tous les hommes, et que tous les hommes en fissent l'aveu, l'homme ne seroit plus un mystère;"
(EdR App., p. 353)

3.3.2 Das Verhältnis von Materie und Geist

Dem Einfluß des Illuminismus ist eine dualistische Sicht des Verhältnisses von Materie und Geist zuzuschreiben, wie sie Bonneville in folgender Stelle formuliert:

> "La terre impure, mauvais principe, dont enfin a triomphé l'Ancien des jours, suivant les poëtes, serpent abominable qu'il a terrassé, que je foule aux pieds, va toujours du simple au composé, et du composé au simple; aussi l'affreux serpent qui mord sa queue, est-il vraîment l'emblême d'un cercle effroyable d'imperfections et de cruauté; mais il n'en est point ainsi du cercle bienfaisant de l'éternelle lumière; dans la pensée, rayon sublime détaché de son coeur, il me laisse entrevoir sa marche consolante; il va toujours du composé au simple pour arriver à l'indivisible, qui est la perfection! Mais on vieillit, on se brise, on s'éteint, dites plutôt qu'on reprend une forme nouvelle, et toujours moins imparfaite, pour être à l'ame un vase plus pur, laissant toujours sur la terre froide un ferment qui l'échauffe, et qui doit un jour la purifier toute entière." (EdR I, p. 23f)

Gerade die Bezeichnung der Erde, d.h. Materie als "mauvais principe" erinnert an Saint-Martin, der in seiner Kritik am aufklärerischen Materialismus die Materie als Sphäre der Abhängigkeit definiert. Der Widerspruch, in dem diese Stelle zu Bonnevilles Pantheismus steht, ist zum Teil auflösbar: der menschliche Geist nimmt im Bild seiner die Materie durchdringenden Kraft die Stelle der Weltseele ein. Hier klingt das Thema der Erlösung der Natur durch den Menschen an, wie es beispielsweise Ballanche gestaltet.[187]

Allgemein sieht Bonneville das Verhältnis von Materie und Geist in einer der Aufklärungsphilosophie entgegengesetzten Relation. Deren wichtigster erkenntnistheoretischer Prämisse, daß Denken nur über die Vermittlung der sinnlichen Wahrnehmung möglich ist, steht er schon im Ansatz fern. Er behauptet nicht nur eine verschiedene Qualität von Materie und Geist, sondern auch die Autonomie des Geistes gegenüber der Materie. Begründungskriterium ist ihm hier wieder die Selbsterfahrung:

> "Appelez <u>matière</u> si vous le desirez ce fluide électrique, je sens qu'il est beaucoup plus pur que la pierre du rocher. Je sens son incorruptibilité, cela me suffit encore. Car je conçois que l'<u>esprit</u> qui <u>m'organise</u> est encore plus pur que le plus pur rayon du soleil. Un trait de lumière qui dans

un clin d'oeil d'oiseau, remplit tout l'espace, me donne une foible idée comparative du moi, qui parcourt et pénètre toute la nature." (EdR I, p. 61)[188]

Die Bezeichnung "fluide électrique" für den Gedanken könnte Bonneville durchaus von Bonnet übernommen haben, der in seiner Palingénésie philosophique eine Ähnlichkeit der Nervenfibern mit der Elektrizität und dem Licht behauptet; er verweist diese Fibern, die nach seiner Theorie die Verbindung von Körper und Seele herstellen, eindeutig in den Bereich der Materie. Bonneville nimmt nun diese Bezeichnung auf, allerdings um die Differenz des Gedankens zur Materie zu markieren, die Bezeichnung "fluide électrique" gewinnt dabei einen metaphorischen Charakter, während sie bei Bonnet einen naturwissenschaftlichen Terminus darstellt. Mit der Kategorie der Reinheit setzt Bonneville Materie und Gedanken in ein Vergleichsverhältnis, womit er jedoch nicht die Materialität des Gedankens beweisen will, sondern unterstellt, daß der Geist in einer quasi-sinnlichen Weise direkt erfahrbar ist.
Bonneville nimmt sogar die Möglichkeit an, daß der Gedanke auf die Materie einwirken könne:

"Un grain de musc dans une chambre y laisse des souvenirs d'un siècle. Ma pensée lorsqu'elle s'arrête sur tel ou tel objet, n'y laisseroit-elle pas aussi une espèce d'épanchement de mes esprits? J'y retrouverois un jour ma pensée, et la pensée est un esprit pur qui a une organisation spirituelle." (EdR I, p. 63)

Die Formulierung "épanchement de mes esprits" dürfte sich illuministischen Einflüssen verdanken: Saint-Martin begreift den Menschen als Emanation Gottes und den Gedanken als Emanation des Menschen.[189]
In diesem Zusammenhang ist wieder gegenüber Saint-Martin eine perspektivische Öffnung feststellbar - Bonneville belegt die in der oben zitierten Stelle ausgedrückte Vorstellung des Gedankens mit der Erfahrung poetisch motivierter Erinnerung; die Begründung religiöser Vorstellungen aus subjektiver Erfahrung führt hier eindeutig zur Formulierung eines säkularisierten Gehaltes:

"Il m'est souvent arrivé, à moi qui me complais dans mes idées solitaires, à organiser ma pensée en poëte, de retrou-

> ver ce que j'avois perdu de ses formes et de ses couleurs, en retournant à la même place où j'avois commencé mes travaux." (EdR I, p. 63)

In seiner Darstellung des Verhältnisses von Materie und Geist erweist sich Bonneville als Anhänger des Magnetismus. Er begründet seine Idee der Wiedergeburt mit dem Hinweis auf die magnetischen Kräfte des Geistes: "Mon esprit, véritable aiman de la nature, prendra-t-il lui-même une autre organisation par sa force agrégative?" (EdR I, p. 61)
Der Magnetismus, der von Mesmer ursprünglich als rein medizinische Theorie konzipiert war, wurde in den illuministischen Zirkeln begeistert als materielle Bestätigung der eigenen Lehre aufgenommen. Viatte weist auf die Ähnlichkeit der Vorstellungen der Magnetiseure von "fluide universellement répandu", von "flux et reflux" mit der Theorie der Korrespondenzen bei Saint-Martin und Swedenborg hin.[190]
Bonneville sieht im Magnetismus eine Bestätigung seiner Idee der Wiedergeburt und der Möglichkeit, eine Einheit des Geistes mit der ganzen Natur herzustellen und darin zu einer neuen Qualität des Menschseins zu gelangen:

> "Véritable esprit des religions, un jour viendra où, tour-à-tour, tu feras craindre ou espérer à certains hommes de revenir sur la terre. (...) Tu leur diras: Jette au loin ce faisceau d'aiguilles, qu'ils se perdent de toutes parts; viens ensuite avec ton aiman, et tu les rassembleras toutes. L'esprit de l'homme, qu'ils pourront appeller l'homme intérieur, n'auroit-il pas, se diront-ils, quelque vertu semblable à cet aiman électrique pour s'affubler, d'un seul coup, par un grand-oeuvre de la nature, deux ou trois fois par siècles (sic), comme il le fait chaque jour en détail, d'une partie nouvelle de matière, afin d'en connoître peu à peu toutes les propriétés, et se faire homme entier à force de s'aimanter avec tout ce qui est dans la nature."
> (EdR App., p. 431f)

3.3.3 Die Idee der Göttlichkeit des Menschen

Ein zentraler Punkt der religiösen Ideen Bonnevilles - und wohl der originalste - ist der Gedanke der Göttlichkeit des Menschen, der in der eindeutigen Formulierung einmalig für die Zeit um 1800 sein dürfte; Anregungen dazu kann Bonneville allerdings am

ehesten von der Seite des Illuminismus erfahren haben.
Das Menschenbild des Illuminismus zeigt bei aller Kritik an der Aufklärungsphilosophie gleichzeitig wesentliche Differenzen zur christlichen Orthodoxie. Zwar entwickelt der Illuminismus auch das Thema von Sündenfall, Sühne und Erlösung, doch wird mit der Ablehnung des kirchlichen Autoritätsanspruchs auch der christliche Pessimismus verworfen. Saint-Martin begründet den Sündenfall nicht aus dem menschlichen Hochmut, sondern umgekehrt aus dem fehlenden Bewußtsein der menschlichen Würde. Dem Illuminismus zufolge ist der Urmensch als göttlicher Mensch zu sehen, dem ursprünglich die Aufgabe zukam, die Schöpfung zur Einheit zu führen und das Prinzip des Bösen, den gefallenen Engel, zur Rückkehr zu Gott zu bewegen; der Sündenfall war das freiwillige Verlassen dieser überlegenen Stellung durch den Menschen, ein Herabsteigen auf die Ebene der Materie. Der historische Mensch ist ein unvollkommenes Abbild des Urmenschen, das in ihm inkorporierte göttliche Prinzip ist erhalten, allerdings verdunkelt, weshalb der Mensch zu seiner künftigen Reintegration in Gott die Hilfe von Vermittlungsgliedern zwischen Mensch und Gott benötige.[191] Diese werden entweder als nicht näher bestimmte höhere Geistwesen angegeben oder als Errungenschaften der Menschheit, denen Saint-Martin jedoch göttlichen Ursprung zuschreibt: vor allem die Dichtung begreift er als Mittel der Regeneration und Reintegration in Gott.[192] Für die Interpretation Bonnevilles bleibt festzuhalten, daß auch Saint-Martin ein dem Menschen inkorporiertes göttliches Prinzip annimmt:

> "Eteindre l'ame humaine, c'est couvrir comme d'un voile lugubre la Divinité que cette ame seule a le pouvoir de signaler dans tous les mondes; c'est éteindre cet éternel soleil d'où tout provient, et le plonger, avec l'universalité des choses, dans le deuil et l'obscurité du néant."[193]

Während Saint-Martin das menschliche Geistprinzip als Symbol, Analogon Gottes bestimmt, wird bei Bonneville Menschlichkeit und Göttlichkeit identisch:

> "C'est au fond de votre coeur que vous trouverez la résolution de tous les mystères de la nature, l'homme intègre est Dieu, c'est lui qui voit, qui sait créer, régénérer, éterniser!" (EdR II, p. 248f)

Bonneville unterscheidet deutlich zwischen einzelnem Menschen und dem Menschen als Gattungswesen, dabei verwendet er wieder illuministische Kategorien:

> "Qu'est-ce qu'un homme? un homme?
> L'image d'un autre homme, la réflexion d'un autre homme, la pensée d'un autre homme! un n° dans les images, dans les formes de la création! un nombre plus ou moins chargé d'autres nombres, d'autres formes et d'autres images.
> Qu'est-ce l'homme? l'Homme?
> C'est l'image universelle, la première et la dernière, unique! c'est le grand ensemble, c'est la réunion de toutes les pensées, de tous les esprits, de toutes les images, de toutes les formes, de tous les âges. C'est tout, c'est tout, c'est tout.
> Oui, j'arracherai à la nature un aveu dont elle est épouvantée: L'homme est Dieu." (EdR App., p. 94f)

Auch Saint-Martin behauptet einen Abstand zwischen Realität und Ideal des Menschen, der tiefgreifende Unterschied zu Saint-Martin liegt bei Bonneville jedoch in dem säkularisierten Gehalt der Idealvorstellung. So erscheint ihm das Erreichen des Ideals nicht durch göttliche Vermittlung erst möglich, sondern allein schon durch die autonome Kraft des menschlichen Geistes:

> "Descends donc en toi-même; dis à l'esprit céleste qui t'anime: je veux créer; commence par enflammer ton insensible coeur: fais-toi homme; conçois dans ta pensée, comme la nature t'a conçu dans ses entrailles, ton éternelle existence; et tu présideras aux destins de l'univers comme une autre divinité, toujours invisible à la reconnoissance, toujours sensible par tes bienfaits." (EdR II, p. 188)

Der Abstand von Individuum und göttlichem Menschen erscheint Bonneville durch menschliche Kraft überbrückbar: durch Genialität.[194]

Damit stellt sich das Problem, ob die Wertung des Menschen als Gott überhaupt als religiöse Vorstellung interpretiert werden kann. Stellt sie nur die letzte Konsequenz des anthropozentrischen Weltbildes dar, bedeutet sie eine noch weitergehende Säkularisierung als der aufklärerische Deismus, der Transzendenz radikal aus der Welt weist und auf einer strikten Trennung von menschlicher und göttlicher Sphäre besteht? Geht mit der Verlagerung der Transzendenz in die Welt bei Bonneville ihre ideelle Auflösung einher? Wichtig erscheint mir hier festzuhalten, daß die Identifikation von Menschheit und Absolutheit, d.h. Gott bei Bonneville nicht mit einer philosophischen Fragestellung fundiert wird. Daß sie bei aller inhaltlichen Säkularisierung selbst religiös motiviert ist, wird in folgendem Zitat deutlich:

> "L'HOMME, terre et soleil, abrégé de l'univers, est la planete centrale, l'étoile flamboyante, qui absorbe tous les rayons des astres qui l'environnent et qui entraîne dans son tourbillon tous les êtres.
> C'est l'oeuvre par excellence! Il a toutes les propriétés des esprits et de la matière, toutes les formes, tous les trésors et toutes les créations de la nature et de l'art, qui est encore la nature.
> Son esprit, qui est l'assemblage de tous les esprits, de toutes les vues ou idées a une forme palpable et insaisisable ... C'est le feu liquide, électrique, éternel, qui se partage sans perdre sa force, qui pénètre tous les corps, tous les êtres, qui se mêle, comme les ombres, sans éprouver d'obstacles dans sa course, qui colore, qui image tout. Toute la nature lui obéit! pour lui point de passé, point d'avenir. 'C'est toujours le présent dans son éternité.'"
> (EdR App., p. 101)

Man beachte die ganz ähnliche Definition des Menschen bei Ballanche, dessen religiöse Ausrichtung ja außer Zweifel steht:

> "J'appris que l'homme était un abrégé de l'univers, qu'à lui aboutissaient les influences des astres, aussi bien que celles des minéraux, des plantes, des espèces variées des êtres."[195]

Die Identifikation von Mensch und Gott findet bei Bonneville in einem deutlich mystischen In-Eins-Setzen statt, was sich im emphatischen Gebrauch des Wortes "tout" und in der unmittelbaren Nebeneinanderstellung gegensätzlicher Begriffspaare zeigt, z.B. "palpable et insaisissable", "feu liquide". Daß es sich hier um die Gestaltung eines mystischen Gefühls handelt, scheint mir auch inhaltlich nachweisbar: Bonneville überträgt einfach Elemente eines mystischen Gottesbildes - Gott ist ewige Gegenwart, Dunkel und Licht, Gut und Böse, "coincidentia oppositorum"[196] - auf den Menschen:

> "Le coeur de l'homme est une pierre aimantée, stérile, froide. C'est un cahos (sic)! un abîme de ténèbres. C'est le foyer de la création où nâquit le tems et la lumière.
>
> Son haleine est du feu, il soufle (sic) la terreur, il vomit la peste et les incendies. - C'est un parfum qui enyvre!" (EdR App., p. 101)

Das Böse wie das Gute, das Schreckliche wie das Schöne wird übersteigert und gerät im unmittelbaren Nebeneinander identisch; als gemeinsamer Nenner bleibt das Moment des Ekstatischen. Auch im Bezug auf den historischen Prozeß vollzieht Bonneville eine Umwertung: die Bewegung, selbst das Chaotische ist bereits positiv; wie auch der Mensch handelt, er ist Subjekt der Geschichte und nur sich selbst verantwortlich:

> "L'homme est la pierre des sages!
> Son regard, qui est plus rapide que la lumière, qui a toute sa puissance électrique, appaise et soulève, à son gré, les noirs orages, toutes les tempêtes d'un siècle malade qui se retourne dans tous les sens pour calmer les blessures du fanatisme,
> Il a la Parole! - qui est tout!
> Et tout parle dans l'Homme!" (EdR App., p. 104)

Ideengeschichtlich gesehen scheint mir nun gerade darin, daß Bonneville mystischem Denken verhaftet ist, die Differenz zu einem romantischen Menschenbild zu liegen. Gerade die Übersteigerung und Identifizierung der Gegensätze schließt die Möglichkeit literarischer Gestaltung aus: Bonnevilles Behauptung der Göttlichkeit des Menschen ist in ihrer mystischen Formulierung als glaubwürdige individuelle Erfahrung nicht einholbar und mit menschlicher Realität kaum vermittelbar. Der für das romantische Menschenbild konstitutive Gedanke, daß die behauptete Göttlichkeit des Menschen real nur als relative existiert und daß sein auf das Ideal gerichteter Elan an der Realität sich bricht oder nie erfüllbar ist, fehlt bezeichnenderweise bei Bonneville.

Die ideengeschichtliche Relevanz von Bonnevilles Vorstellung der Göttlichkeit des Menschen liegt weniger in der konkreten Form der Darstellung, sondern einmal darin, daß sie überhaupt in so expliziter Form ausgesprochen wird, zweitens in dem Stellenwert, den sie im Zusammenhang seiner religiösen Ideen hat: sie bildet den logischen Kulminationspunkt einer Ablösung von aufklärerischen Denkformen. Rekapitulieren wir kurz: die Rezeption christlicher Dogmatik steht ganz im Zeichen der aufklärerischen Unterscheidung von menschlicher und göttlicher Sphäre und bewegt sich auch begrifflich in deren antithetischen Setzungen, in der Interpretation der Botschaft des Evangeliums wird die Unterscheidung von politischer Sphäre und Religion aufgehoben, in der pantheistischen Weltvorstellung die Unterscheidung von Gott und Natur und in der Idee des Menschen als Gott fallen schließlich göttliche und menschliche Sphäre in eins. Gleichzeitig hebt sich Bonneville in der Aufnahme der Selbsterfahrung als wichtigstem Wahrheitskriterium ab sowohl von dem auf den Kriterien von "raison" und "bon sens" basierenden universalen Wahrheitsanspruch der Aufklärungsphilosophie wie von der geschlossenen Systematik von Saint-Martins Metaphysik. Eine Konfrontation von Bonnevilles Idee der Göttlichkeit des Menschen mit seiner Ablehnung der Idee des Gottmenschentums Jesu zeigt das interessante Phänomen, daß sich hier in einem Werk zwei schon in den gedanklichen Voraussetzungen völlig verschiedene Positionen material gegenüberstehen, die sich zwei verschiedenen Epochen zuordnen lassen.

4. Die Erklärung christlicher Symbolik und antiker Mythologie

In Bonnevilles Interpretation religiöser symbolischer Traditionen lassen sich drei Themenkreise unterscheiden:

a) die Erklärung christlicher Symbole;
b) die Behandlung der Schöpfungsmythen und die Kritik an Boulangers Interpretation antiker Mythologie;
c) die Reflexionen über den bildhaften Stil der Antike und über die Möglichkeit der Wiederaufnahme symbolischer Ausdrucksform.

Bonneville konnte sich in seiner Beschäftigung mit religiösen Symbolen und antiken Mythen auf verschiedene Untersuchungen stützen. Während des ganzen 18. Jahrhunderts findet die Mythologie ein kontinuierliches Interesse, das sich niederschlägt in Werken wie Fontenelles *De l'origine des fables*, Boulangers *Antiquité dévoilée*, in den Arbeiten des Abbé Banier bis hin zu Volneys *Ruines* und Dupuis' *Origine de tous les cultes*. Sie ist nicht eigenständiger Forschungsgegenstand, sondern wird im allgemeinen zur Erläuterung und Fundierung vorgängig gewonnener Thesen herangezogen. So erlaubte etwa ein Vergleich der Mythologien unter Einbezug des Christentums eine Relativierung christlicher Dogmatik und ihres Wahrheitsanspruches. Ein weiteres wichtiges Motiv war das allgemeine Interesse an den Ursprüngen von Gesellschaft, Sprache und Erkenntnis: die Mythologieforschung war hier ein Zweig der "Anthropologie" des 18. Jahrhunderts und ihre Ergebnisse variierten je nach der vorausgesetzten Natur der primitiven Menschen. Trotz unterschiedlicher Methoden der Mythenerklärung haben diese Untersuchungen einen gemeinsamen Nenner: das Bedürfnis nach rationalistischer Auflösung des Mythischen.[197] Eine erste Gegenströmung stellt Saint-Martins Theorie des universalen Symbolismus dar, die, auch wenn sie nicht direkt zu einer Neuinterpretation der Mythologie führt, für die Herausbildung der romantischen Bewegung und ihrer Aufwertung des Symbols (und damit auch der religiösen Symbole und der Mythologie) von Bedeutung ist. In Bonnevilles Untersuchung der Mythologie ist allerdings der Einfluß Saint-Martins wenig spürbar.

4.1 Die Deutung des versteckten Gehalts christlicher Symbole

Bonnevilles Religionsbild ist synkretistisch, er sieht keine wesentliche Differenz von Christentum und antiken Religionen:

> "Je trouvois dans les ténèbres de tous les cultes de l'ancien monde, dans les annales symboliques, consacrées par les fanatiques et les tyrans, tout ce qui etoit nécessaire, à une main prudente, pour préparer la naissance de la lumière, accomplir les prophéties des sages, et consommer ainsi, en présence de tout le monde, et à l'insçu du fanatisme et des tyrans, la ruine de la tyrannie!" (EdR App., p. 8)

Diese Darstellung der "annales symboliques" als Zeugnisse einer prophetischen Wahrheit ist im historischen Kontext ungewöhnlich: die Mythen- und Religionserklärungen des 18. Jahrhunderts begreifen allgemein ihren Gegenstand als Abbild historischer und gesellschaftlicher Faktizität. Bonneville nimmt nicht einmal einen erkenntnismäßigen Abstand zwischen Antike und Moderne an: er sieht in der Bibel die eigenen revolutionären Positionen in versteckter Form enthalten und in dieser behaupteten Konformität wiederum eine Bestätigung der Wahrheit der eigenen Aussagen:[198]

> "Mais avec quelle ivresse délicieuse je sentois chaque jour se dérouler insensiblement le sens caché des anciennes écritures: mon coeur attendri s'ouvroit à l'espérance, de voir s'accomplir un jour sur la terre les promesses de l'éternelle sagesse! Le jubilé des nations, quelle bonne-nouvelle, le culte de la loi, le pacte fédératif des Amis de la Vérité. Je rencontrois par-tout les traces d'une sagesse profonde, inouie, insoupçonnée; les principes évidens de la création sociale, les miracles de la parole, les espérances de l'homme intègre, la théorie des insurrections, LES MYSTÈRES DE LA LIBERTE! La révolution arrive. -"
> (EdR App., p. 9)

Bonneville spricht also den religiösen Traditionen einen immanenten, versteckten Sinn zu. Ob er in der Bibel eine Manifestation des göttlichen Willens sieht, ist nicht eindeutig entscheidbar; der Verweis auf die "éternelle sagesse" hat wahrscheinlich eher eine säkularisierte Bedeutung in dem Sinn, daß Bonneville damit eine hohe Stufe von kollektiver menschlicher Weisheit meint. Entscheidender ist, daß er in der Bibel einen utopischen Gehalt vermutet und ihr damit für die Gegenwart unmittelbare Aussagekraft zuschreibt, was unterstrichen wird durch den emphatischen Hinweis auf die Gefühle, die diese Erkenntnis in ihm bewirkte. Die Idee, daß religiöse Traditionen eine verbindliche, für künftige gesellschaftliche Praxis relevante Wahrheit enthalten, unterscheidet sich wesentlich von der rationalistischen Mytheninterpretation der Aufklärung, die die Religionen und Mythen aus äußeren Faktoren erklärt und ihre "Wahrheit" durchgehend historisch relativiert. Auch wo sie als ein verschlüsseltes System von Erkenntnissen - meist naturwissenschaftlicher Art - begriffen werden,[199] wird ihnen Gültigkeit für die Moderne abgesprochen. Die Fremdartigkeit der Mythen war eine Herausforderung, der man mit dem Bestreben begegnete, sie aufzulösen, auf den Rahmen der eigenen Kenntnisse zurückzuführen. Das Ziel der Deutung der Mythen war erreicht, wenn man in ihnen eine Vorform der eigenen Rationalität identifiziert hatte und sie somit ad acta legen konnte. Deutlichster Ausdruck dieses reduktionistischen Verfahrens ist die Idee des Priestertrugs, mit der man den Priestern aller Religionen ein abstraktes Wissen unterstellte, das im Prinzip demselben Mechanismus gehorchte wie die "raison" des 18. Jahrhunderts. Wenn nun Bonneville in den Religionen und Mythen eine "sagesse profonde, inouie, insoupçonnée" erkennt, spricht er ihnen einen weiteren Horizont als den der eigenen Zeit zu: sie sind für ihn Versprechen, die das 18. Jahrhundert noch lange nicht eingelöst habe. Er fordert seine Zeitgenossen zur respektvollen Bewahrung dieser Zeugnisse auf:

> "(...) conservez ces emblêmes et ces traditions, non pour les adorer aveuglement, mais bien plutôt comme des marques augustes que la main de la vérité place sur la route du tems, pour indiquer à ses futurs amis les traces de son passage, ses persécutions, ses angoisses et quelquefois aussi ses triomphes." (EdR II, p. 157f)

Bonneville stellt seine positive Wertung religiöser Traditionen als Produkt einer eigenen Entwicklung dar:

> "Ces antiques allégories, que j'ai trouvées long-tems comme toi fort ridicules, ne sont plus des mystères pour moi: ces <u>testamens</u> salutaires où je les ai recueillies, me sont devenus chers et respectables; regarde-les avec l'Ami de la Vérité, et laisse parler ton coeur, il te dira le reste."
> (EdR I, p. 48)

Wie verfährt nun Bonneville in der Erklärung religiöser Symbole? Seine Wertung, daß sie eine immanente, überzeitliche Wahrheit enthalten, schließt die Reduktion auf äußere Faktoren aus, da dies eine Relativierung ihrer Aussagefähigkeit bedeuten würde;

der säkuläre Gehalt, den er ihnen zuschreibt, verbietet den Rekurs auf theologische Argumentationsmuster.
Bonneville behauptet zunächst einen identischen Ursprung aller Religionen, genauer: der ägyptischen, jüdischen, christlichen und germanischen Religion. Die Suche nach dem Ursprung der Religionen und Mythen, und zwar als Frage nach ihrem geographischen Entstehungsort, ist für die Mythendeutung des 18. Jahrhunderts insgesamt charakteristisch. Vorrangig wird die Wiege der Mythen in Ägypten gesehen - Dupuis wertet sogar die Christusgestalt als ägyptischen Mythos -, bei Voltaire figuriert Indien als Heimat der jüdischen und griechischen Religion.[200] Bonneville deutet an, daß die germanische Religion die älteste sei, insistiert aber nicht auf diesem Gedanken. Der Versuch einer historischen Ableitung findet sich nicht bei Bonneville, er begründet seine These des gemeinsamen Ursprungs allein in der Form, daß er Ähnlichkeiten in den Symbolen feststellt. So sei etwa das Kreuz auch bei den Germanen verehrt worden und eine Zusammensetzung der Attribute der vier Evangelisten ergebe ein Bild der Sphinx.

Weiter behauptet er eine sprachliche Ähnlichkeit von "Isis", "Jesus", "es-es" als Bezeichnung für Feuer bei den Germanen und verfolgt diese Linie bis ins Phönizische, Griechische und Lateinische.[201] Bonneville stellt hier ein ganzes Netz von Ähnlichkeiten auf, die zum Teil kaum nachvollziehbar sind. Dabei unterscheidet er nicht zwischen gegenständlichem Symbol und sprachlicher Bezeichnung, dem Bild wie dem Namen wird die gleiche Struktur zugeschrieben. Die Suche nach Ähnlichkeiten der Symbole hat bei Bonneville den Sinn, die ursprünglichen, universalen Elemente aller Religionen zu eruieren, da er vermutet, daß ihre versteckte Wahrheit am Ursprung am leichtesten zu erkennen sei. Oft begnügt er sich damit, auf Ähnlichkeiten in den Symbolen hinzuweisen, und überläßt dem Leser weitere Schlußfolgerungen. Sein Versprechen, in den alten Schriften die Geheimnisse der Freiheit aufzudecken, löst er am ehesten in der Deutung christlicher Symbole ein.
Im ersten Teil des Esprit des Religions gibt er folgende vom Freimaurertum beeinflußte Erklärung der Bedeutung des Kreuzes:

> "Le mystère de la croix contient toute la déclaration des droits des hommes. L'équerre et le compas qui forment le

> symbôle social, annoncent le partage le plus égal de tous les biens et de toutes les espérances de la terre."
> (EdR I, p. 49)

Bonneville vermutet sogar, daß den Germanen diese Zusammensetzung des Kreuzessymbols bewußt gewesen sei:

> "S'ils avoient, comme on l'assure, une très grande vénération pour le symbole de la croix, ce n'étoit pas, comme chez nous, un symbole de pure habitude; c'étoit pour eux le vrai symbole de l'ordre et de l'éternité, le symbole de la toute-puissante nature qui travaille à la règle et au compas."
> (EdR II, p. 61)

Seine Deutung der Eucharistie wirkt weniger fremdartig: die Hostie symbolisiere Gleichheit und Brüderlichkeit:

> "Dans la cêne ou le repas des JUSTES l'esprit créateur aime à se représenter; et c'est sous la forme du pain, le pain que le riche doit au pauvre, et que le frère partage avec tant de plaisir avec son frère." (EdR I, p. 49)

Das eigentliche Kernstück des Christentums aber sei das Jehova-Mysterium. Bonneville geht davon aus, daß der Name Jehova selbst symbolische Qualität besitze:

> "Les nouveaux initiés, frappés des espérances promises à l'univers, quand ce nom terrible seroit prononcé par l'organe d'une cité libre, ont soupçonné qu'il enfermoit en soi le principe universel de la perfection sociale." (EdR I, p. 50)

Er gibt anschließend folgende sonderbare Erklärung des Namens Jehova:

> "Accepte donc, dans ta conscience, l'explication simple et naturelle du nom de Jehova, qui proclamé dans l'univers par un peuple libre, organe de la vérité, doit enfin consoler l'espèce humaine et ôter aux hommes tous leurs vices.
> Jehova, Jehova! Les hommes intègres te rendent un culte éternel. Ta loi est la terreur des superbes.
> Ton nom est le mot d'ORDRE et LA LOI des Francs ......
> AGRAIRE." (EdR I, p. 51f)

Zum Beweis seiner Vorstellung, daß der Sinn des Jehova-Mysteriums die Idee gleicher Landverteilung sei, führt Bonneville eine Stelle an, wo "Jehova" in der Bedeutung von "Land", "Erde" gebraucht wird, sowie einen phönizischen Gott Agros oder Agrôtin (= ager) und die von den alten Germanen verehrte Göttin Earthe (Earthe = earth, terre). Seine wichtigsten "Belegstellen" entnimmt er jedoch dem Neuen Testament:

> "Rappelle-toi qu'il a dit que le vin et l'eau étoient le sang du Dieu qui lui avoit donné la vie.
> Image de Jehova son père, il a dit à tous les hommes: Je suis pour tous. Prenez et mangez; ceci est mon corps."
> (EdR I, p. 55f)

Bonneville begreift diese Sätze keineswegs als bildhaft, sie sind keine "allégories"; er schließt aus ihnen vielmehr in quasi logischer Deduktion, daß, wenn Wasser und Wein das Blut Gottes sei, er selbst die Erde sein müsse; wenn Jesus das Brot als seinen Leib bezeichnete, der für alle Menschen da sei, so wollte er damit ausdrücken, daß die Erde und ihre Früchte allen Menschen gehören - dies ist immerhin eine frappierende Bibelexegese. Um überhaupt aus den zitierten Stellen diesen Schluß ziehen zu können, muß Bonneville die Wörter in einer eigenartigen Weise erfahren haben, nämlich ohne das Bewußtsein der Differenz von Zeichen und bezeichnetem Objekt, die Wörter scheinen sich für ihn vom Kontext losgerissen zu haben und die Bedeutungen wie materielle Gegenstände gewirkt zu haben.[202]
In der Skizzierung von Bonnevilles Interpretationsverfahren wird fraglich, was er unter den alten "allégories" und "annales symboliques" versteht, d.h. worin für ihn der Symbolcharakter der religiösen Traditionen besteht. Eine direkte Erläuterung gibt Bonneville dazu nicht, doch läßt sich diese Frage ansatzweise beantworten aus einer Interpretation folgender Stelle, in der er die Unwissenheit des Klerus in Bezug auf die Bedeutung der Liturgie kritisiert:

> "Ils mettent à s'instruire de leurs devoirs tant de négligence, qu'il est fort rare de trouver parmi eux, quelque homme instruit qui puisse vous donner une explication, tant soit peu sensée, de leurs cérémonies religieuses. Leur indécence à les remplir prouve assez combien ils sont loin de penser qu'elles offrent à l'homme juste le symbole d'une récompense qu'on ne peut lui ravir." (EdR II, p. 79)

Bonneville setzt als wahren Gehalt der christlichen Messe die Proklamation von Brüderlichkeit und sozialer Gleichheit an. Ihr Symbolcharakter würde dann darin bestehen, unvollkommenes Bild, chiffrierter Entwurf einer noch nicht hergestellten gesellschaftlichen Praxis zu sein. Daß Bonneville in diesem Kontext nicht die positive Kraft des Bildes zur ideellen Antizipation betont, sondern seine Unvollkommenheit, geht aus folgender

Stelle hervor, die sich wiederum auf die Messe bezieht: "(...) les tems sont arrivés de changer les symboles de la vérité contre la vérité elle-même!" (EdR App., p. 130) Die Messe ist also durch wirkliche Brüderlichkeit und die Herstellung sozialer Gleichheit zu ersetzen. Bei Bonneville ist damit ein ähnliches Bedürfnis nach Auflösung des Symbols festzustellen wie in anderen Religions- und Mythenerklärungen des 18. Jahrhunderts; allerdings verläuft bei ihm die Abwertung des Symbols in der Gegenübersetzung von Idee und Praxis, nicht von "fable" und "raisonnement". Das Symbol erscheint ihm nicht reduzierbar auf die Darstellung einer vergangenen äußeren Realität, hat aber den Mangel, nur imaginär zu sein.
Wenn wir die eingangs zitierten Äußerungen Bonnevilles, er habe in den Symbolen der religiösen Traditionen eine tiefe, versteckte Weisheit gefunden, mit seiner Symbolerklärung vergleichen, müssen wir eine - im übrigen bei Bonneville öfter anzutreffende - Diskrepanz zwischen einem durchaus weiterführenden Ansatz und den Resultaten der Argumentation feststellen. Die Ergebnisse der Symboldeutung sind spärlich, das Verfahren wirkt gezwungen. Es gelingt ihm kaum, den aufklärerischen Reduktionismus zu überwinden. Er zeigt weder eine positive Wertung der Mehrdeutigkeit des Symbols noch kommt er dahin, es von seiner Wirkung auf die Psyche her zu begreifen, wie dies Chateaubriand im Génie du Christianisme unternimmt.
Zu berücksichtigen ist hier jedoch der historische Kontext: nach der Darstellung von Alleau in La science des symboles, der sich auf verschiedene Artikel der Encyclopédie stützt, wird im 18. Jahrhundert kaum unterschieden zwischen Zeichen, "figure", Symbol, Allegorie, Parabel und christlichem "mystère";[203] Bonnevilles Behandlung christlicher Symbolik kann also nicht unmittelbar von einem Symbolbegriff her bewertet werden, der späteren Datums ist. Wir können feststellen, daß er keine Interpretation - in der heutigen Bedeutung - gibt, müssen aber betonen, daß dies immanent, d.h. von seiner Vorstellung des Symbols aus kein Fehler oder Mangel ist: erstens definiert er es nicht als mehrdeutig, zweitens setzt er es hier in direkte Relation zu außersprachlicher Wirklichkeit.[204]

4.2 Die Kritik an Boulanger und die Interpretation der Schöpfungsmythen

In den "Appendices" des Esprit des Religions setzt sich Bonneville ausführlicher mit Boulangers Erklärung antiker Mythen und religiöser Zeremonien auseinander.
Boulangers Antiquité dévoilée par ses usages... stellt den Versuch dar, in breiter Form Sitten und Gebräuche der Antike darzustellen und zu erläutern, er analysiert Zeremonien, Mythen, Embleme. Seine grundlegenden Thesen sind:
1. die Geschichte der Menschheit wurde in ihren Anfängen durch die Erfahrung geologischer Umwälzungen bestimmt, sie ist als Reflex der Naturgeschichte zu betrachten;
2. der den Naturkatastrophen konfrontierte Mensch war ein verängstigtes Wesen und hielt daher seine Erfahrungen nicht in Form von Geschichtsschreibung, sondern in religiösen Zeremonien und Mythen fest;
3. die Kulte waren in späterer Zeit zunächst noch als Erinnerungen an Naturkatastrophen durchsichtig, später ging durch den Einfluß der Zeit dieser Ursprung und Sinn im Bewußtsein der Menschen verloren. Boulangers Erklärung der Kulte und Mythen besteht hauptsächlich darin, Belege für die Verehrung des Wassers zu sammeln und daraus auf die Erinnerung an die Sintflut zu schließen.[205] Er stellt sich in die Linie aufklärerischer Erkenntnistheorie, indem er als seine grundlegende Prämisse angibt, daß jede Idee auf eine Sinneswahrnehmung und jede Meinung auf eine reale Begebenheit rückführbar sei.
Bonneville macht Boulanger und den Gelehrten, die ähnliche Thesen vertreten, zunächst den bekannten Vorwurf, sie hätten sich vom "esprit de système" leiten lassen:

> "Rejettons l'autorité des érudits, le charlatanisme des enseigneurs, et même les conjectures ingénieuses, lorsqu'elles contredisent des faits ou les dénaturent. Les systématiques nous écartent de la vérité, comme un mauvais guide qui nous égare.
> Soyons attentifs seulement à saisir les probabilités qui résultent de l'examen rigoureux et naturel d'un très-grand nombre de mêmes faits, car ce ne sont point des conjectures qui résultent des faits, c'est toujours une image moins obscure de l'antique vérité." (EdR App., p. 39f)

Bonneville bringt einige Beispiele, wie die Gelehrten je nach Hypothese aus ein und derselben Zeremonie oder einem "mot primitif" die Sintflut oder den Weltenbrand ableiten. Die Wurzel dieser Fehldeutungen besteht für ihn darin, daß sie aus dem Wort "Tohu-Bohu", das "inculture, ténèbres, vide, cavité, matrice, abyme, chaos" bedeute, auf eine universelle Katastrophe schließen, was er dahingehend erklärt, daß die Gelehrten aus Misanthropie im Ursprung der Geschichte ein großes Unglück sehen wollen:

> "On diroit que ces écrivains, nés mélancoliques, peut-être même atrabilaires, (...) ont pris un douloureux plaisir à nous attrister des allarmes et de la désolation du genre humain désespéré, qui périt sous les flots ou dans les flammes." (EdR App., p. 27)

Bonnevilles Kritik ist aus der Ablehnung von Boulangers Bild der ursprünglichen Menschen motiviert: während dieser den mit den geologischen Umwälzungen konfrontierten Menschen als verängstigtes, vor-rationales Wesen begreift, spricht Bonneville den ersten Menschen dieselben geistigen Fähigkeiten zu wie den Zeitgenossen. Von dieser These aus rechtfertigt er seine Beschäftigung mit den Mythen und Zeremonien in einem Paradox: gerade deren offensichtliche Absurdität und Vernunftwidrigkeit lasse angesichts der natürlichen Vernunft der Menschen darauf schliessen, daß sie begründet existierten:

> "Persuadé qu'il y a des cultes tellement absurdes qu'ils n'ont jamais pu entrer sans cause dans la tête des sages d'un siecle, ni même en sortir, quelque fût dans tous les tems le délire de l'esprit humain, il cherche à toutes les allégories monstrueuses un sens naturel qui le satisfasse; loin de jetter quelques ridicules sur les cérémonies les plus bisarres, il y soumet sa raison avec respect, pour conserver l'allégorie intègre et pure;" (Jésuites I, p. 3bis)

Die Annahme der natürlichen Vernunft führt Bonneville zu dem Schluß, daß die Mythen nicht wortwörtlich aufzunehmen oder als Erzählungen historischer Ereignisse zu betrachten seien, sondern als bildhafte Darstellungen einer versteckten Wahrheit. Diese Hypothese ist allgemein der Ausgangspunkt der allegorischen Mytheninterpretation im 18. Jahrhundert. Court de Gébelin begründet seine Annahme, daß die Mythen Allegorien seien, deren Interpretation ein Begreifen dieser Ausdrucksformen voraussetze, in ähnlicher Form: die Gesetzgeber der Antike seien entweder Betrüger oder Verrückte gewesen oder "doués d'un génie supérieur", da sie ihre Lehren in bildhafter Form verbreiteten; jede Beschäftigung mit der Antike müsse von der Frage ausgehen,

> "... si les objets qui nous choquent dans leurs institutions, ne le font que parce que nous les voyons dans un faux-jour, (...) si, ne paroissant qu'amuser, ils présentent par-tout les leçons les plus utiles" 206

Court de Gébelin lehnt die historisierende Mythenerklärung, die in den Gestalten des Mythos historische Personen sieht, mit dem Argument ab, daß sie eine Bereinigung des Mythos von allen offensichtlich allegorischen Zügen erfordere und nicht angebbar sei, ob der "Rest" überhaupt die Kernaussagen noch enthalte, und daß zweitens diese Form der Erklärung keine brauchbare Geschichtsschreibung zum Resultat habe und ihre Anhänger nur zur Wiederholung der Fabel in eigenen, schlechten Worten fähig seien; sie würden also weder dem Mythos noch dem eigenen Erkenntnisinteresse gerecht.
Allerdings unterscheidet sich die allegorische Interpretation strukturell wenig von anderen Deutungsformen, auch sie erscheint im historischen Abstand fremdartig oder einseitig.
Das 18. Jahrhundert begreift erstens die antiken Mythen als direkt historische Zeugnisse: nach dem Muster der traditionellen christlichen Interpretation werden die antiken Götter als Darstellung historischer Personen, als Heerführer, Religionsgründer, Gesetzgeber begriffen - dieses Verfahren wird zum Teil auch in der Interpretation der Bibel angewendet -, oder die Mythen und Zeremonien werden wie bei Boulanger als Reflex auf oder Erinnerung an Naturkatastrophen erklärt. Court de Gébelin, Fréret und Dupuis betonen demgegenüber die besondere Ausdrucksform der Mythen, allerdings in der Intention, diese jeweils aufzulösen. Diese zweite Position nimmt den symbolischen Charakter nur auf, um eine vorgängig angenommene Wahrheit hineinzuinterpretieren: die Mythen werden als in Bilder verpackte astronomische, agronomische, naturwissenschaftliche oder alchimistische Erkenntnisse erklärt.
Voltaire scheint zunächst auf einer anderen Ebene zu argumentieren: er wendet sich mit dem Gedanken, die antiken Götter seien

nur Romanhelden, gegen die Mythenerklärungen.[207] Auf dem Hintergrund der ästhetischen Theorie des 18. Jahrhunderts bedeutet dies allerdings eine Disqualifizierung der Mythologie als Erkenntnisobjekt: die Mythologie, bzw. ihre Gestaltung in der antiken Tragödie liefert einen Fundus literarischer Stoffe; die weitgehend unangetastete Gültigkeit der "doctrine classique", die die Forderung nach Naturnachahmung am Modell natürlicher Schönheit der antiken Kunst ausrichtet, läßt in ihrem wesensmäßig normativen Charakter eine spekulativ-philosophische Fragestellung, die Mythos und Kunst als verschiedene Erscheinungsformen der Idee begreift, nicht zu (wie bei Schiller und Schelling).[208]

Die Mythenrezeption im Frankreich des 18. Jahrhunderts verkennt von beiden Seiten her den Symbolcharakter der Mythologie: wird ihr eine vorgängige Wahrheit zugestanden, erscheint diese außerhalb und unabhängig von der bildhaften Ausdrucksform, die daher als zu eliminierendes Hindernis begriffen wird; wird sie im Rahmen literarischer Gestaltung angesiedelt, erscheint sie nicht als Form von Wahrheit. Die Möglichkeit, die Mythologie in Beziehung zur eigenen Geschichte oder kollektiven und individuellen Psyche zu setzen, ist daher ausgeschlossen.[209]

Kommen wir auf Bonneville zurück. Wie bereits dargestellt, sieht er in den religiösen und mythischen Traditionen, besonders in den christlichen Mysterien eine Wahrheit enthalten, die für die eigene Zeit auch noch Gültigkeit habe, scheint sich also vom Hintergrund der Mythenrezeption des 18. Jahrhunderts abzuheben. Daß er diese Traditionen nicht als Abbild einer historischen Wirklichkeit oder Inventar der damals erreichten Kenntnisse der Naturbeobachtung begreift, zeigt folgende Stelle:

> "Dites-leur que les sages, parmi nos ancêtres, ont formé une association de principes et de recherches, dans l'espérance, QUI SE REALISERA, de voir un jour présider à la conduite de l'univers l'esprit universel des nations.
> Ne connoissant pas vos arts de propager la pensée, de la multiplier à l'infini, ils se servirent d'emblêmes plus ou moins grossiers: c'étoit le seul langage possible aux premières sociétés fédératives." (EdR II, p. 156)

Bonneville nimmt hier als grundlegendes Anliegen der Religionen den Zusammenschluß der Nationen an und versucht zu begründen, warum dieses Ziel nicht unmittelbar ablesbar sei. Nach Frank E. Manuel, The Eighteenth Century confronts the Gods, bestand die Crux der allegorischen Deutung in der Erklärung, warum überhaupt sich die Religionsstifter der Bilder und Mythen bedienten, statt die angenommenen rationalen Erkenntnisse in der Sprache der "raison" zu formulieren.[210]

Die "emblêmes" sind für Bonneville nur ein Kommunikationsmittel, das erforderlich war, da man den Buchdruck noch nicht kannte und daher die Verbreitung der eigenen Ideen in der Form des Diskurses nicht möglich war, sie werden also hier als Produkt eines rein äußerlichen Mangels gewertet; die Darstellungsform selbst hat keine "Wahrheit", sondern ist eine Fehlerquelle, da in ihr die Verdunkelung des ursprünglich eindeutigen diskursiven Gehalts angelegt ist:

> "Le style-peinture ou image des siecles précédens, fut abandonné aux recherches des sages, d'un petit nombre de sages: une tradition orale les aida long-tems à l'interpréter; elle se perdit à son tour, s'altéra du moins; la confusion se glissa dans l'interprétation des images: le nouveau style, fût-il même encore un style allégorique et figuratif, offrit nécessairement des interprétations diverses: bientôt arbitraires." (EdR App., p. 34)

Das allegorische Erklärungsverfahren ist meist begleitet von einer Reflexion auf die ursprüngliche Sprache und Schrift. Bonneville leitet die Mehrdeutigkeit des "style allégorique" aus der Entwicklung der Bilderschrift ab, deren ursprüngliche Eindeutigkeit nach Einführung des Alphabets verlorengegangen sei. Foucault weist darauf hin, daß in der Theorie des 18. Jahrhunderts dem Unterschied von Bilder- und alphabetischer Schrift entscheidende Bedeutung für die geschichtliche Entwicklung zugesprochen wird: so sei die Bilderschrift verantwortlich für den metaphorischen Charakter der antiken Sprachen, für den Polytheismus, für die Stagnation des Wissens und allgemein die Traditionalität der antiken Gesellschaften.[211] Court de Gébelin versucht die Allegorie als in der Antike selbst notwendige Ausdrucksform darzustellen, indem er sie als Produkt des Charakters der ersten Sprachen behauptet, nämlich ihres auf die Bezeichnungen materieller Objekte beschränkten Wortschatzes; diese seien auf ideelle Abstrakta übertragen worden. Auch Court de Gébelin hält die Allegorien

für ursprünglich eindeutig und transparent.
Nach Frank E. Manuel, The Eighteenth Century confronts the Gods, stellt die allegorische Mythendeutung den für das 18. Jahrhundert am weitesten reichenden Versuch der Erfassung des symbolischen Charakters der Mythen dar.[212] So ist Bonnevilles Qualifikation der früheren Interpretationen als "l'absurde entreprise de vouloir expliquer sans figures un style tout imagé" (siehe unten) durchaus berechtigt und scheint zu einem angemessenen Verständnis der Mythen zu führen, doch gelingt es ihm in der konkreten Analyse nicht, seine richtigen Ansätze einzulösen.

In seiner Kritik an Boulanger entwickelt Bonneville die alternative Erklärung, daß die Mythen eine Kosmogonie, ein Wissen um die Schöpfung der Welt und gleichzeitig um die Prinzipien sozialer Schöpfung enthalten:

> "Ne reconnoissons dans ce Tohu-Bohu où ils ne cherchent que des incendies, des inondations et des ténèbres, que le vuide créateur, l'eau primitive, ignée, et vous aurez pour vous la lettre même des annales et toutes les traditions des peuples; et il n'y auroit eu alors évidemment qu'un seul déluge; il ne pourroit même plus y en avoir d'autres sur la terre, comme l'affirment expressément les annales des anciens initiés: nous ne tomberions pas dans l'absurde entreprise de vouloir expliquer sans figures un style tout-image; et nos ancêtres consacrant dans leurs fêtes universelles, les mystères de la création, ne paroîtroient pas avoir été si loin du but qui mène à l'amour, à l'amitié, à la reconnoissance, au bonheur!"
> (EdR App., p. 33)

Darin liegt sicher ein Unterschied zu Boulanger: Bonneville lokalisiert den Mythos nicht zeitlich als Erinnerung an menschheits- und naturgeschichtliche Ereignisse, sondern als potentiell wieder aufgreifbares Wissen um die ursprüngliche Einheit der Welt, die im Menschen wiedergewonnen werden könne, und um die schöpferischen Kräfte von Natur und Mensch.[213] Die Reduktion der Mythen auf eine rationale Wahrheit und Erkenntnis gibt er zudem auf, wenn er seinen Gedanken, daß die Mythologie die ursprüngliche Einheit der Elemente zur Darstellung bringe, selbst wieder allegorisiert im Bild der Liebe, die im Kampf mit der Zeit das Leben aus der Finsternis entstehen läßt. Dennoch begreift er dieses Thema nicht etwa in dem Sinn, daß der Mythos die reale Disparatheit in der "großen Dimension" zur Einheit bringen will[214] oder in seinen menschlichen Götter- und göttlichen Menschengestalten

Autonomie und Heteronomie vermittelt - wie etwa Schelling.[215]
So unterschiedlich seine Deutung der Mythologie in thematischer Hinsicht zu Boulanger ist, muß festgehalten werden, daß er selbst die vorgestellte Einheit der Elemente als natürliche Realität begreift und nicht als Vorstellung der unmittelbaren Einheit aller Gegensätze, ausgedrückt im Bild der Identität von Feuer und Wasser. Gerade weil er diese irrationale Vorstellung als Wissen um eine ursprüngliche äußere Realität verstanden wissen will, liegt ihm ein Verständnis der Mythen als kollektiven Traumes, ideeller Überschreitung der Wirklichkeit fern; daher setzt er auch die Mehrdeutigkeit der Mythen nur auf der Ebene der Ausdrucks<u>form</u>, der Wörter an und nicht im Gehalt selbst, und bleibt in weit stärkerem Maß, als es zunächst scheint, der aufklärerischen Vorstellung verhaftet, daß die Mythen nur Abbilder einer wie auch immer inhaltlich gefaßten Realität seien. Zu seiner inhaltlichen Deutung der Mythen liegt daher auch kein Widerspruch vor, wenn für Bonneville immer noch die "raison" den Bezugspunkt bildet:

> "(...) mais quand le sens littéral des allégories ne me présentoit que des absurdités palpables, j'ai rejetté ces explications monstrueuses sur les abus de l'allégorie, et remontant avec constance à d'autres recherches primitives, je ne me suis attaché qu'aux emblêmes qui ne contre-disoient pas les principes de la <u>saine physique</u> (Hervorhebung von mir, SK); ou du moins à ce que des hommes qui avoient, comme nous, un coeur et des yeux, pouvoient croire ou imaginer de la marche secrète de la nature.
> Je n'ai jamais pensé que nous fûssions en notre siècle les seuls sages, et moins encore qu'il n'y eût que des bêtes féroces dans l'ancien monde; c'est dans cet esprit que j'ai poursuivi mes travaux, n'accusant que mon ignorance et celle de nos docteurs, de mon impuissance à découvrir <u>un sens droit et un dessein social</u> dans ce qui nous paroît aujourd'hui, avec raison, des institutions bizarres, défigurées par l'inconséquence des hommes qui semblent encore, par leurs cris de guerre, hâter les pas du tems qui efface tout."
> (EdR App., p. 30f)

Die Auswahl des Materials beruht also auf vorgängigen rationalistischen Kriterien, Maßstab der Mythen sind die "principes de la saine physique": Bonneville fällt hier wieder in aufklärerische Argumentationsmuster zurück.
Das Verfahren der Mytheninterpretation besteht bei Bonneville fast nur in der Erklärung von Namen und Wörtern. Von seiner These her, daß die ältesten Bilder in ihrem Entstehungszusammen-

hang eindeutig waren und am ehesten die ursprüngliche Wahrheit enthalten, versucht er eine Genealogie der Mythen zu rekonstruieren. Die Frage nach der Genealogie der Mythen ist aber hier keine nach ihrem geographischen Entstehungsort, sondern gewissermaßen nach ihrer logischen Reihenfolge: Bonneville wählt sein Material aus nach der impliziten These, daß die ersten Mythen Schöpfungsmythen gewesen sein mußten, und ordnet es zu einer Genealogie der darin wichtigsten Wörter und Bilder. Seine Mytheninterpretation beginnt mit der Erklärung des Wortes "Tohu-Bohu" und endet mit der Deutung von Elementen der christlichen Messe und besteht im wesentlichen darin, in den Mythen verschiedene Variationen der Themen Dunkelheit, Licht, Leben und Implikate der gleichzeitigen Verehrung von Wasser und Feuer aufzuzeigen. Er geht stets von einem Wort oder Namen aus und bleibt meistens auf der Ebene der im 18. Jahrhundert üblichen Etymologie stehen. Der Zusammenhang dieser Erklärungen mit seiner vorgängigen Deutung des allgemeinen Gehalts der Mythologie ist nur an wenigen Stellen nachvollziehbar und auch dort nur ansatzweise ausgedrückt, etwa in folgender Interpretation von Pindars Ausspruch, daß das Wasser das kostbarste Element sei:

> "Les synonimes du mot grec Udor, traduit par eau dans notre idiôme, me firent soupçonner que Pindare, initié à des mystères, et qui ne chantoit que pour ses amis, entendoit parler d'une eau primitive, élémentaire, d'une liqueur mystérieuse, de l'ambroisie que verse la beauté céleste et qui donne la vie immortelle." (EdR App., p. 29)

Vorherrschend sind Worterklärungen von folgendem Typus: der Name Deucalion ergibt für Bonneville, zerlegt in seine Bestandteile, "deuo" = "mouille", "cal" = "chaleur" und "ion" = "qui provient" und damit insgesamt die Bedeutung "celui qui est provenu de l'union de l'eau et du feu élémentaire". In ähnlicher Weise erklärt er auch die Namen Adam und Eva, David usw. Diesen Erklärungen liegt implizit der Gedankengang zugrunde, daß die Namen der den Mythen zufolge ersten Menschen in sich eine präzise Bedeutung trugen, daß sie gewissermaßen durchsichtig waren.

Die extensive Beschäftigung mit dem Wortmaterial der Mythen erscheint im historischen Abstand unmotiviert und durchaus fremdartiger als etwa die frühen materialistischen Mythenerklärungen von Volney und Dupuis. Warum geht Bonneville, wenn er selbst die Mythen als Allegorien begreift, deren Entzifferung den Rekurs auf "figures" erfordere, nicht über das Sammeln und Analysieren der Wörter hinaus? Eine Erklärung dieses Phänomens scheint mir darin zu liegen, daß Bonneville mit "figures" die rhetorischen Figuren meint, die er als innersprachliches Bildungsmotiv begreift, und daß "allégorie" bei ihm die Bedeutung hat, Verweis auf andere Wörter zu sein. Die Mehrdeutigkeit der sprachlichen Zeichen in den Mythen erscheint ihm auf der Ebene der Wörter und Namen selbst noch deduzierbar:

> "L'image qui représentoit un vaisseau vouloit toujours dire vaisseau; l'image d'un vaisseau, comme vaisseau, est toujours déterminée. Grand ou petit, c'est toujours un vaisseau.
> Dans le style scriptural le mot vaisseau peut signifier vase, cavité, vuide, matrice, ténèbres, un temple.
> Abyme, synonyme naturel de cavité, vuide, nuit, s'étend par allégorie à symboliser ténèbres, cahos (sic), matrice. Le coeur humain devient synonyme d'abyme." (EdR App., p. 34)

Bonneville nimmt an, daß das erste Kommunikationsmittel der Menschen das nicht-sprachliche Bild, die direkte Abbildung eines Gegenstandes war und durch dieses Mittel die Kommunikation selbst eindeutig gewesen sei. Mit dem "style scriptural" meint er die ersten Formen schriftlicher Kommunikation, deren Zeichen Abstraktionen der ursprünglichen gemalten Bilder darstellen; an anderer Stelle erklärt er den dunklen Charakter der Mythen daraus, daß der Moderne der Schlüssel der Hieroglyphen verlorengegangen sei.[216] Bonneville nimmt hier teil an der aufklärerischen Konzeption der Sprachentwicklung, deren Denkstruktur Foucault in Les mots et les choses darstellt: die Sprachentwicklung, d.h. genauer: die Entwicklung der Bedeutungen wird in Abhängigkeit von dem Raum der schriftlichen Fixierung begriffen, die Sprachen unterscheiden sich gemäß den beiden fundamentalen Typen von Schrift, nämlich erstens den Hieroglyphen, die Elemente des bezeichneten Gegenstandes im schriftlichen Zeichen nachbilden, und zweitens der alphabetischen Schrift, die die Laute, also die Sprache selbst markiert und zum Gegenstand in einer rein konventionsbedingten, nicht-notwendigen Beziehung steht.[217] Die Sprachen der Antike sind nach denselben Bildungsmustern aufgebaut wie die Bildersprache, die Bedeutungen organisieren sich nach den rhetorischen Figuren Synekdoche, Katachrese, Metapher und Metonymie.

Folgen wir Bonnevilles Verfahren, eine Genealogie der Bedeutungen nachzuzeichnen. Ursprünglich, d.h. als gemaltes Bild, war "vaisseau" eindeutig; mit der Entwicklung der Bilderschrift erhält es eine Bedeutungserweiterung durch einen Abstraktions- und Analysierungsvorgang, der dem Abstraktionsvorgang der Bilderschrift entspricht und seinen inhaltlichen Grund in der Ähnlichkeit der Gegenstände, bzw. ihrer Repräsentationen hat: "vase" als übertragene Bedeutung wäre Vergegenständlichung einer Eigenschaft des Schiffes, nämlich Menschen und Lasten zu tragen, ebenso "cavité" (Metonymie); "vuide" entsteht durch Metonymie aus "cavité" (Leere als Inneres des Hohlraumes) usw.; "abyme" wäre in einem zweiten Schritt von "cavité" usw. "abgeleitet" und dient in einem dritten Schritt selbst als Ausgangspunkt einer neuen Bedeutungskette. Die Wörter wären demnach über ihre Bedeutungen in einem einheitlichen Feld linear verknüpft; dieses Bedeutungsgeflecht wäre der Schlüssel zur Erklärung der Mythen. Hier läßt sich Bonnevilles Verständnis der Allegorie einordnen: das "Material" der Mythen und ihre Erklärung liegen im selben Feld der Repräsentationen. Daher ist auch das Postulat einer eindeutigen Erklärung der Mythen für Bonneville durchaus vereinbar mit der behaupteten Mehrdeutigkeit ihrer Zeichen: in der Rekonstruktion des vollständigen Geflechts der Repräsentationen wäre durch Kombination der rhetorischen Figuren aus der Vielzahl der Bedeutungen die eine richtige jeweils auswählbar.

Der Sinn des Mythos, seine jeweilige Wahrheit liegt also für Bonneville in den Wörtern und Namen. Er ist für ihn nicht Erzählung, in deren Idee oder Struktur sein Sinn zu suchen wäre; der Zusammenhang des Mythos kristallisiert sich im Namen und nur der Name hat für ihn den Wert eines Zeichens.[218]

Welche Konsequenzen zieht nun Bonneville aus diesem Erklärungsverfahren? Mit der Unterscheidung zweier Prinzipien der Sprachorganisation nach Bilder- und alphabetischer Schrift ist, wie Foucault zeigt, die Annahme eines grundlegenden Unterschiedes in der Denkstruktur verknüpft, nämlich der Gedanke, daß mit der Einführung des Alphabets eine Überwindung des analogischen Denkens möglich wird, da das Alphabet in seiner Eigenschaft, direkte Analyse der Sprache zu sein, das abstrakte Denken unterstützt und einen Fortschritt von Erkenntnis und Wissen überhaupt erst ermöglicht.[219] Bonneville allerdings lehnt ja den Gedanken eines wesentlichen Abstandes zwischen Antike und Moderne ab und spricht auch in der Kritik an Boulanger ansatzweise der Mythologie eine für die Gegenwart relevante Wahrheit und Erkenntnis zu.

Eine zweite Konsequenz des Verfahrens der Mytheninterpretation betrifft das Verständnis der erkenntnismäßigen Voraussetzungen ihrer Entzifferung: bedeutet die Interpretation nichts weiter als die Rekonstruktion eines Geflechtes von Repräsentationen, wäre der Sinn aller Mythologie in einem vollständigen Wörterbuch der Bedeutungen und ihrer Genealogien ablesbar - diese methodische Forderung stellt Bonneville der Mythenerklärung auch explizit voran[220] - und gleichzeitig wäre jede Mytheninterpretation auf diese gedankliche Vorarbeit angewiesen, wäre nur als "Wissenschaft" möglich.

Nun führt jedoch Bonneville gegen Ende seiner Mytheninterpretation in den "Appendices" des Esprit des Religions eine Kategorie ein, die zu den erkenntnistheoretischen Voraussetzungen seines Erklärungsverfahrens wenig paßt: die der Wahrnehmung. Er nimmt hier an, daß der Sinn der Mythologie der unmittelbaren Wahrnehmung zugänglich sei und zwar einer spezifischen Form von Wahrnehmung, der synthetisierenden "invention", die ein Merkmal von Genialität sei:

> "Croyez que la moindre invention est un germe qui se fécondera. On compile trop, on assemble trop, quelquefois sans goût, l'on n'invente pas assez, l'on ne décompose point assez. Seroit-ce donc qu'il n'y a point d'analyse sans invention? Sans doute. Pour analyser un objet, ne faut-il pas en saisir tous les rapports d'une vue claire? Et c'est le génie seul qui sait marquer les différences; c'est lui seul qui se recueille, qui regarde, qui observe. Demandez à un stupide ce qu'il a vu de beau dans ses courses pompeuses, bruyantes? il n'a rien vu. En conclurez-vous qu'il n'y avoit rien à voir?
> La plupart des hommes, abrutis par la misère, enchaînés par les coutumes, n'ayant point acquis l'habitude d'exercer leur entendement, prennent toute allégorie à la lettre. Pauvre peuple! Il ne voit rien! (EdR App., p. 67f)

Demnach müßte es also möglich sein, den Sinn der "allégories" ohne das Hilfsmittel der Etymologie, der rhetorischen Figuren und der Abstraktionsmuster der Bilderschrift zu entschlüsseln. Die Beispiele, die Bonneville in diesem Zusammenhang bringt, sind allerdings wenig überzeugend; ich zitiere exemplarisch folgende Kritik an der Wahrnehmung des Mannes aus dem Volke:

> "Dans ce rayon de feu qui couve les eaux symboliques du tabernacle, il ne voit qu'une lampe. Quand un homme, couvert de vêtemens allégoriques, ouvre le saint des saints, d'où fait sortir une image du Soleil, qui contient encore en soi l'image du pain, créé par le Soleil, il s'écrie: Prosternez-vous, le Soleil est exposé; vous allez recevoir la bénédiction du Soleil.' Et il ne pense ni au Soleil, qui embellit son séjour, ni au pain que lui dérobe l'avarice et dont il a besoin pour ne pas mourir!" (EdR App., p. 69f)

Bonnevilles eigene Deutung von Monstranz und Hostie zeichnet sich jedenfalls nicht durch "invention" und Genialität aus. Wo er dagegen sich seinen Eindrücken überläßt, ohne die Richtigkeit einer These beweisen zu wollen, läßt Bonneville noch am ehesten einen neuen Zugang zu den christlichen Symbolen erahnen:

> "Aussi-tôt que je vois un ministre de l'Evangile couvrir sa robe noire, symbole des ténèbres du tombeau, d'un surplis blanc, je me rappelle ce beau passage du livre de Job, où il dit: Je sais que je dois me réveiller dans la tombe, et me recouvrir d'une peau nouvelle. Alors toute mon ame est émue;" (EdR II, p. 79)

Bonneville drückt hier implizit aus, daß die Erkenntnis der Bedeutung des Symbols aus der "imagination" resultiert, aus der Assoziation, die nicht als eine der Sprache eigentümliche, deduzierbare, objektive Form der Organisation der Repräsentationen zu begreifen ist, sondern als Leistung der Wahrnehmungsfähigkeit des Subjekts erscheint. Allerdings ist der immanente Stellenwert dieser Beobachtung so gering, daß man kaum von einem Neuansatz sprechen kann, sondern Bonneville bestenfalls ein paar weiterführende Ahnungen zugestehen muß.

Sein Verfahren der Mythenerklärung ist noch ganz von der aufklärerischen Prämisse getragen, daß ursprünglich jedem Wort eine bestimmte Idee korrespondiert und daß mit dem Hilfsmittel der rhetorischen Figuren die scheinbare Vieldeutigkeit der "allégories" sich in eine rational greifbare Genealogie der Repräsentationen auflösen läßt. Innerhalb dieses Erklärungsverfahrens hat die Frage nach der Wirkung der Mythen und Symbole auf das Subjekt - die Chateaubriands Ausgangspunkt im Génie du Christianisme ist - keinen logischen Ort.

4.3 Der bildhafte Stil der Antike und die Möglichkeit seiner Wiederaufnahme

Bonneville vermißt in der zeitgenössischen Theorie eine ausführliche Untersuchung der spezifischen Ausdrucksform der Mythen und der Bibel, die er als "style historique de l'ancien monde" bezeichnet und deren Darstellung mehrere Paragraphen im ersten Teil des Esprit des Religions gewidmet sind. Im § 16 "De ceux qui ont écrit sur le style historique de l'ancien monde" bezieht er sich auf Court de Gébelin, allerdings mit dem Hinweis, er kenne dessen Werk nicht aus erster Hand, und auf Le Brigant und Horn Tooke.[221]

Eine Reflexion auf die besondere Ausdrucksform betrachtet Bonneville als unabdingbar zur Erklärung der Mythen: "... que le style de l'ancien monde ne peut s'expliquer sans une étude particulière" (EdR I, p. 41). Er geht zunächst aus von der Annahme einer fortschreitenden Entwicklung des Stils, die dem Fortschritt der Künste und Wissenschaften korrespondiert. Zwar spricht er jedem Zeitalter einen besonderen Charakter zu,[222] bleibt jedoch dem Ideal der "clarté" als normativem Maßstab des Stils verhaftet:

> "Plus les hommes s'unissent, plus leur style devient clair, en ce que l'écrivain trouve dans la langue même qu'il emploie des habits tous faits, pour vêtir richement ses pensées."
> (EdR I, p. 30)

Soweit steht Bonneville also in der Tradition aufklärerischer Sprachauffassung und ihres Ideals sprachlicher Eindeutigkeit.

Innerhalb dieser behaupteten allgemein fortschreitenden Tendenz nimmt Bonneville, hier in traditioneller Manier, einen wesentlichen Unterschied von Antike und Moderne an, dem unterschiedliche Formen der Erkenntnis - unmittelbare Wahrnehmung und abstraktes Denken - und des sozialen Verhaltens korrespondieren:

> "Si l'ancien monde a très-peu d'idées abstraites, en revanche on y trouve beaucoup de sensations, des choses vues, senties. Ils regardoient, mais n'observoient pas, ne réfléchissoient pas.
> Les sciences de l'esprit et de l'art social, ruse, confiance, réticence, faux-fuyans, signes d'abstraction et autres, leur étoient inconnus; ils sentoient seulement qu'il existoit avec eux d'autres espèces et d'autres corps d'animaux, ayant d'autres formes: un méchant homme étoit pour eux, selon son caractère et ses traits, un loup, un renard, un tigre, un hibou, un lion." (EdR I, p. 31)

Der Gedanke, daß Antike und Moderne unterschiedliche Denkformen entwickelt hätten und daher nicht unmittelbar vergleichbar seien, wurde schon im Zusammenhang der "Querelle des Anciens et des Modernes" formuliert.[223] Bonneville behauptet darüber hinaus eine Verbindung von Sozialverhalten und Ausdrucksform: die Menschen der Antike hätten in ihrem naiven und unkomplizierten Sozialverhalten die Individuen, die die sozialen Regeln durchbrechen, als fremde Wesen betrachtet und so mit Tieren identifiziert. Er drückt hier einen Gedanken aus, der in den zeitgenössischen Reflexionen über die Antike häufig auftritt, nämlich daß sich das Denken der Antike nicht in abstrakten und allgemeinen Ideen bewegte, sondern in der Setzung von Ähnlichkeiten; die Antike hätte z.B. den allgemeinen Begriff "Mensch" im Gegensatz zu "Tier", der von konkreten Unterschieden der Menschen untereinander abstrahiert, nicht formuliert, sondern die Menschen nach imaginierten Charakterähnlichkeiten mit Tiergattungen eingeteilt. Rousseau argumentiert in ähnlicher Form wie Bonneville, wenn er annimmt, daß erst von Riesen gesprochen wurde zur Bezeichnung anderer Menschen, bevor die "richtige" Bezeichnung "Mensch" gefunden wurde.[224]

Bonneville unterscheidet innerhalb der Antike verschiedene "styles":

> "Le premier n'est ni prose ni poésie; mais une espèce de style figuratif, palpable, visuel. Viennent ensuite les chants et les peintures dramatiques ou pantomimes. Le style de la fable est déjà loin de l'origine des sociétés. Le mot μῦθος fable veut dire littéralement discours."
> (EdR I, p. 29)

Diese Stelle wirkt wie eine Variation zu Condillacs Idee des "langage d'action", der zufolge die Abtrennung der Sprache von Gesang und Gestik Ergebnis eines längeren Prozesses ist. Bonneville setzt hier das Zeitalter der "reinen" Sprache, des "discours", mit dem Beginn der Mythologie an. Vorstufen dazu bilden eine Mischform von Gesang und Tanz und der erste Stil, den er hier recht vage skizziert. Im folgenden definiert er den ersten Stil als "peinture":

> "Le premier style historique étoit une peinture; on peignoit donc un lion, un cheval, un arbre, un mouton. Ces peintures informes et sujettes à mille interprétations diverses, étoient

> le nec plus ultra des historiens de ces tems-là: on a trouvé ce langage pittoresque chez les Américains, les Mexicains et les Péruviens. Un bel OEIL ouvert signifie encore chez nous, comme autrefois, prévoyance, intelligence, surveillance, souveraineté, divinité." (EdR I, p. 31f)

Er scheint hier das oben skizzierte Modell eines "langage d'action" aufzugeben zugunsten der Einteilung der Epochen nach Bilder- und alphabetischer Schrift. Vergleichen wir die beiden Zitate: wenn Bonneville annimmt, daß die Sprache als "discours" sich erst in einem späteren geschichtlichen Stadium entwickelt, wäre die einzige Kommunikationsform der Frühgeschichte die vorsprachliche "peinture". Alle Beispiele, die er in diesem weiteren Zusammenhang bringt, sind jedoch aus der Bibel entnommene Metaphern. Beide Möglichkeiten sind im Text zu finden: der erste Stil erscheint als Malerei und als metaphorisches Sprechen, ohne daß Bonneville diese Widersprüchlichkeit bewußt wäre. So schreibt er weiter:

> "Le style figuratif devint plus riche; mais quelque riche qu'on le suppose, comment y communiquer le principe des idées abstraites? La parole seule pouvoit les enfanter, et alors on gesticuloit, on peignoit; on n'avoit pas trouvé l'art d'organiser les esprits et de leur donner un corps aussi lèger et pénétrant que la lumière et les parfums." (EdR I, p. 32)

Der erste Satz drückt die geläufige Vorstellung aus, daß die Bilderschrift der Entwicklung abstrakter Ideen im Weg stand, da man zur Darstellung immer auf die Zeichnung konkreter Gegenstände zurückgreifen mußte und die Ideen somit in einem engen Kreis gefangen blieben. Der zweite Satz bleibt demgegenüber recht dunkel: mit "un corps aussi léger et pénétrant que la lumière et les parfums" dürfte das Wort schlechthin gemeint sein; dann aber wäre die Sprache selbst - und nicht nur das Alphabet oder die abstrakten Ideen - dem "style figuratif" nachgelagert. Bonneville unterscheidet nicht systematisch zwischen der Entwicklung der Sprache und der Entwicklung der abstrakten Ideen - wie im übrigen die meisten Sprachtheoretiker der Aufklärung. Seine theoretische Naivität ist in dieser Hinsicht von Vorteil: sie verrät die schwachen Punkte und Brüche der Argumentation sofort, während etwa bei Condillac verschiedene argumentative Zwischenschritte die Reduktion der Sprache auf abstraktes Denken verwischen.

Sobald Bonneville Beispiele bringt, verschwinden die Zäsuren zwischen den angenommenen Epochen: zur Erläuterung zieht er stets Beispiele metaphorischen Sprechens heran. Der "style figuratif" erscheint dabei nicht als Merkmal der Frühgeschichte, sondern als allgemeine Ausdrucksform der Bibel. Wenn Bonneville an anderer Stelle die Mythologie als "l'art de parler par emblêmes" (EdR I, p. 40)[225] bezeichnet, meint er nicht die Bilderschrift, obwohl er "emblême" sonst immer im Sinne eines gegenständlichen, nicht-sprachlichen Symbols verwendet. Wir können einstweilen festhalten, daß er offensichtlich zwischen der Sprache als Sprechakt, dem Modus ihrer schriftlichen Fixierung und den besonderen sprachlichen Ausdrucksformen nicht deutlich differenzieren kann.

In der Darstellung des zweiten, dramatischen Stils wiederholt sich die skizzierte begriffliche Ungenauigkeit. Zunächst definiert Bonneville diesen Stil als Gesang und Pantomime, im folgenden aber sieht er sein wesentliches Merkmal in der Personifizierung von Naturkräften:

> "Tout s'anime sous les regards d'un être sensible; ainsi donc le langage des premiers hommes dut se ressentir de cette sensibilité, lorsqu'ils s'imaginèrent que non-seulement leurs semblables et les animaux avoient une ame, mais que le soleil, la lune, les fleuves et les plantes avoient une existence et un esprit sensitif. Alors leur style devint dramatique, et l'on y fit figurer les astres et les fleurs, comme les hommes, ayant chacun leur langage à part."
> (EdR I, p. 35f)

Dennoch sieht er in der Entwicklung des dramatischen Stils "des monstruosités"; er führt hier ganz unmotiviert die Kategorie des Ideals ein:

> "Ce besoin de tout personnifier, produisit des actions idéales, et des scènes dramatiques d'un nouveau genre.
>
> Apologues, paraboles, prosopopées, des récits, où l'idéal étoit mêlé au sensuel, nouveau langage qui forma des monstruosités, dont tous les ouvrages de ces tems-là sont remplis." (EdR I, p. 37)

Warum er hier von "monstruosités" spricht, ist nicht einsichtig, da er gleichzeitig als Beispiele Moses, Pindar und Vergil angibt, die er in anderem Zusammenhang als große Dichter verehrt. Wichtiger ist der psychologische Ansatz der Deutung: die "sensibilité" wird zu dem Moment, das die Mythen nachvollziehbar macht.[226] Allerdings hat dieser Gedanke in der Argumentation keinen großen Stellenwert: in der Darstellung der weiteren Entwicklung des Stils in Hymnen und Epos begrüßt er eine "plus grande clarté", die die "choses obscures" des dramatischen Stils ablöse.

Im folgenden wird die Argumentation äußerst inkohärent: er stellt nun die Mythologie als eine Vorform der Geschichtsschreibung dar, die von den "fictions poétiques" abgelöst werde: "Vinrent encore les fictions poétiques; ce fut la naissance des idées abstraites." (EdR I, p. 41). Was er im einzelnen unter "fictions poétiques" versteht - in Abgrenzung zu den vorher behandelten literarischen Formen wie "paraboles", "prosopopées" und Epos -, bleibt unklar. Ideengeschichtlich gesehen ist der Gedanke, daß sich abstraktes Denken aus der Dichtung entwickelt, interessant angesichts der Tatsache, daß die Aufklärungsphilosophie abstraktes Denken meist als Produkt einer Ablösung von mythischer, bildhafter Vorstellungswelt und die Mathematik als reinste Form abstrakten Denkens faßt; Bonneville führt allerdings diesen Gedanken nicht aus.

Der immanente Stellenwert von Bonnevilles Darstellung des bildhaften Stils der Antike liegt einmal darin, daß sie die Behauptung stützt, die Wahrheit der Bibel sei nicht über den Glauben an die unmittelbaren Textaussagen aufdeckbar, und zum zweiten eine Abgrenzung gegenüber oberflächlichen Wertungen der Mythen und der Bibel erlaubt:

> "Croyez-vous, ami lecteur, qu'il soit aussi facile d'expliquer, au dix-huitième siècle, ces allégories de l'ancien monde, que de les tourner en ridicule avec tous les écrivains de plusieurs générations?" (EdR I, p. 47)

Mit der Erklärung der Mythen und der Reflexion auf deren bildhafte Ausdrucksform ist im 18. Jahrhundert nicht das Postulat verbunden, daß eine für die Gegenwart aussagekräftige Aufnahme mythischen Denkens zu finden sei. Die Mythenrezeption wird meistens nur in der Perspektive gesehen, die gleichsam ersten Schritte des menschlichen Geistes nachzuvollziehen; dabei wird entweder die symbolische Ausdrucksform der Mythen als unterlegen gegenüber dem vernünftigen Diskurs betrachtet oder als Zeichen der poetischen Naivität der Antike positiv bewertet, die jedoch definitiv verlorengegangen sei. Die symbolische Ausdrucksform der Mythen wird allgemein als für die Gegenwart inadäquat empfunden.[227]

Bonnevilles Untersuchung des "style historique" unterscheidet sich in dieser Hinsicht kaum von anderen Abhandlungen über den Unterschied von Antike und Moderne, dennoch scheint ihm an anderer Stelle eine Wiederaufnahme der bildhaften Ausdrucksform möglich:

> "Les allégories et les fables servent de bandeau ou de flambeau à la vérité; qui nous empêche de découvrir la nature à la lueur de ce flambeau? Les paraboles furent comme les premiers jeux de la raison, qui s'essayoit avec la vérité; on voulut plaire aux hommes, avant de les instruire, et amuser l'enfance de l'esprit par des images agréables. Elles précédèrent les discours raisonnés, comme les hiéroglyphes ont précédé l'usage des lettres. Nous jugeons de tout par comparaison; il faut donc nous dire à quoi une chose ressemble pour nous dire ce qu'elle est. Ainsi, la sagesse des premiers siècles (supposé que la fable ne soit pas le débris de l'histoire ancienne) étoit ou bien ingénieuse d'avoir eu recours à cet artifice innocent, pour enseigner la vérité, ou extrêmement heureuse d'être arrivée à ce but, sans y prétendre.
> Pourquoi n'aurions-nous pas le même sort avec de meilleures vues?" (EdR App., p. 14)

Im Vergleich zu der Annahme eines zeitlichen Aufeinanderfolgens von "paraboles" und "discours raisonnés", die eine Stufenfolge von poetischem und vernunftgemäßem Zeitalter impliziert, ist die These erstaunlich, daß der Vergleich, die Setzung von Ähnlichkeiten das grundlegende Funktionsmuster des Denkens bilde. Die darin enthaltene Konsequenz, die bildhafte Sprache als die der Struktur des Denkens adäquate Ausdrucksform zu behaupten und damit die Antike als überlegenes Zeitalter, zieht Bonneville allerdings nicht. Zur Charakterisierung der bildhaften Ausdrucksform greift er auf traditionelle literaturtheoretische Kategorien zurück, auf das "delectare et prodesse". Da ihr Vorteil an der Wirkung auf den Rezipienten bemessen wird, erscheint die bildhafte Ausdrucksform nur als Instrument der Wahrheitsvermittlung und wird in ihrer Bedeutung relativiert zum "artifice innocent".

Die zitierte Stelle steht nicht, wie die Aufnahme der Kategorien des Gefallens und Belehrens erwarten läßt, im Kontext der Frage nach der Vorbildlichkeit antiker Mythologie für die zeitgenössische Literatur, sie dient vielmehr der Rechtfertigung der Kritik an Boulangers Mythenerklärung und steht im Rahmen einer Wertung der Mythologie als Religion: "C'étoit la religion des anciens philosophes et chaque peuple y trouve des traces de la sienne." (EdR App., p. 13)

Dennoch würde das Postulat der Möglichkeit einer neuen bildhaften Ausdrucksform erwarten lassen, daß Bonneville seine Reflexion in einen literaturtheoretischen oder -programmatischen Rahmen stellt. Nun fragt Bonneville allerdings nicht nach den Bedingungen neuer literarischer Formen, er geht nicht von der Literatur als Gegenstand aus, sondern von der Frage, wie die Wahrheit in einer schönen Form vermittelt werden könne.[228]

Die Möglichkeit bildhafter Ausdrucksform sieht er weniger in der Erfindung neuer Bilder als in der Aufnahme der "langue primitive":

> "Chef-d'oeuvre des siècles et du génie, langue primitive du genre humain, uniquement composée de gestes, de cérémonies emblêmatiques, d'allégories, de paraboles, de fables et de calculs ingénieux, toi qui sers encore de voile ou de fanal aux Amis de la Vérité persécutés, que les sages attentifs, reconnoissent ton noble usage par tes services!" (BdF II, p. 150f)

Daß Bonneville hier trotz des Verweises auf das Genie nicht die dichterische Sprache meint, legt schon die Darstellung nahe: die Formulierung "cérémonies emblêmatiques" läßt darauf schliessen, daß er eine religiöse Symbolik meint. Im Kontext der zitierten Stelle gibt Bonneville zu erkennen, daß er die freimaurerische Symbolik als Restform der "langue primitive" begreift.

Nehmen wir hier zunächst eine weitere Darstellung auf, in der er die Freimaurersymbolik auf ältere Quellen zurückführt:[229]

> "Les symboles des premiers grades des associations secretes les plus nombreuses, sont en général les mêmes symboles que ceux des Gnosticiens, des Templiers et des Rose-croix. Car ce fut originairement un objet triple que l'on vouloit emblêmatiser.
> Ces premiers symboles embrassent le genre-humain tout entier dans un plan de bienfaisance.
> Tout y annonce que la nature se révolte contre les fers de l'usurpateur; tout y annonce les prodiges de la création et du perfectionnement des individus. Tout vous y invite au bonheur et à la liberté. Ici tout devient communion sociale, amitié sainte, religion salutaire et digne des applaudissemens du sage." (EdR App., p. 125)

Dabei grenzt sich Bonneville jedoch von Freimaurern und Illuminaten ab und versucht seinen Ideen den Anschein von Rationalität zu geben:

> "Les Francs-cosmopolites ne sont ni francs-maçons, ni illuminés, ni visionnaires, ni songeurs de profession; mais ils ont étudié les systêmes religieux de toutes les confréries ou fraternités universelles dont la tyrannie a toujours fait des partis et des sectes en les divisant; et ce qui doit rassurer ceux qui craignent de désespérer du triomphe de la fraternité universelle, c'est que les mêmes principes et le même respect pour les symboles primitifs se reproduisent sous un nom plus générique, et toujours plus près de l'universalisation dans tous les siècles où l'on retrouve la parole perdue." (EdR App., p. 327)

Aus dem Kontext geht nicht hervor, was er mit "parole perdue" meint.

Die Forderung nach einer bildhaften Sprache läßt das Bemühen um poetische Ausdrucksformen erwarten; Bonneville jedoch sieht seine Aufgabe in der Vervollkommnung traditioneller Symbole:

> "On s'occupera de perfectionner la langue universelle de l'ancien monde, celle des hyérogliphes, qui peignent non des paroles, mais des choses." (BdF I, p. 8 ter)

Mit "hyérogliphes" sind hier nicht die ägyptischen Hieroglyphen gemeint, sondern freimaurerische Symbole. Der Versuch, die Freimaurersymbolik weiterzuentwickeln, führt allerdings in ein Dilemma, das ich im folgenden skizzieren möchte.

Bonneville sieht in der Mythologie, den christlichen Mysterien und der Freimaurersymbolik eine für seine Zeit relevante Wahrheit, die Geheimnisse der Freiheit, enthalten. Ginge es ihm nun allein um die Verkündung dieser Wahrheit, wäre es ausreichend, sie zu erklären und darauf hinzuweisen, daß sie in allen religiösen Traditionen enthalten sei. Wenn er in der Symbolik nur ein Erkennungszeichen und Mittel der Geheimhaltung sehen würde, würde er sie als obsolet begreifen, da er keine Anhänger für die arkane Praxis der Freimaurer gewinnen will, sondern die Öffnung ihrer Zirkel fordert. Offensichtlich sieht er also in der Freimaurersymbolik mehr als ein Geheimhaltungsinstrument gegenüber Uneingeweihten, zudem erklärt er sie weniger, er benützt sie selbst. Damit steht er jedoch vor dem Problem, daß er nicht zu einem Publikum von Freimaurern spricht und folglich

nicht verstanden wird; wie jede religiöse Symbolik ist die der Freimaurer ja normativ festgelegt, die Beziehung von Zeichen und Bedeutung entsteht erst durch den mit der Religion geschaffenen sozialen Zusammenhang, das Zeichen ist im Normalfall nur innerhalb der Glaubensgemeinschaft transparent.
Entweder war nun Bonneville ein so großer Phantast, daß er der Freimaurersymbolik eine magische Wirkung zusprach, d.h. daß deren bloße Nennung unmittelbar die "Wahrheit" erkennen lasse, oder er betrachtete sie als ein Mittel zu höherer Expressivität; dann mußte er solche Elemente auswählen, die auch ohne Initiierung als Symbole deutlich sind oder durch den Kontext es werden. Bonneville scheint sich um diese relative Verständlichkeit zu bemühen, viele Stellen sind zwar sehr merkwürdig, aber auch ohne Lexikon der Freimaurersymbole nicht unverständlich. Unklar bleibt allerdings, ob er vorrangig das Freimaurertum propagieren wollte oder nur auf der Suche nach neuen Ausdrucksformen in deren Symbolik stecken blieb; für die zweite Möglichkeit spricht die Tatsache, daß er stark Momente dieser Symbolik in seinen Gedichten aufnimmt.

Bonnevilles Behandlung religiöser symbolischer Traditionen zeigt gegenüber den Interpretationsmustern der Aufklärungsphilosophie insgesamt zwar einige Abweichungen, diese lassen sich jedoch kaum als Schritte zu einer romantischen Rezeption religiöser Symbolik oder zu einem neuen Begriff des Symbols deuten. Die Wertung christlicher Symbole als Träger eines utopisch-politischen Gehalts weist zwar in diese Richtung, bleibt aber aufklärerischer Symbolinterpretation insofern verhaftet, als Bonneville in seinen Belegen auf der Ebene der Materialität der gegenständlichen Symbole weitgehend stehen bleibt und nicht, wie Chateaubriand, eine immanente Interpretation verbindet mit der Darstellung des kulturellen Bedeutungs- und ästhetischen Wirkungskontextes. In der Deutung der Schöpfungsmythen dominiert das Verfahren der Worterklärung nach dem Muster aufklärerischer Theorien der Sprachentwicklung, die bildhafte Ausdrucksform erscheint als verfälschendes oder didaktisch motiviertes Beiwerk einer potentiell eindeutig identifizierbaren Wahrheit. In der Forderung nach einer Wiederaufnahme bildhafter Ausdrucksform schließlich, die an sich einen deutlichen Bruch mit der Aufklärungsphilosophie impliziert, geht Bonneville in eine Sackgasse, indem er die Entwicklung einer neuen bildhaften Sprache nicht als vorrangige Aufgabe der Literatur begreift, sondern auf die Freimaurersymbolik zurückgreift.[230]

5. Sprachauffassung

Bonnevilles Reflexionen über Ursprung und Wesen der Sprache bilden keine stringente Sprachtheorie. Im Vieux Tribun du Peuple von 1796 stellt er die Beschäftigung mit der Sprache als sein ursprüngliches schriftstellerisches Anliegen dar, von dem ihn nur die politischen Ereignisse abgelenkt hätten;[231] der fragmentarische Charakter seiner Reflexionen über die Sprache scheint mir allerdings nicht nur aus Bonnevilles vorwiegend politischem Engagement zu resultieren, sondern kongruent mit den Inhalten seiner Sprachauffassung zu sein. Diese lassen sich nämlich kaum in den Kontext der aufklärerischen Sprachtheorie einordnen - trotz einiger thematischer Übereinstimmungen - und noch weniger in der Perspektive der historischen Sprachwissenschaft (Bopp, Grimm) begreifen. Bonnevilles Sprachauffassung hat keine Ähnlichkeiten mit der Theorie der historischen Sprachwissenschaft des 19. Jahrhunderts, sie kann in ihrem fragmentarischen und eigenwilligen Charakter am ehesten als Ausdruck des - nach Foucault - tiefgreifenden Bruchs im Sprachdenken zwischen 18. und 19. Jahrhundert gewertet werden. Die grundlegende Idee der Sprachtheorie der Aufklärung, daß die Sprache analysiere, ist bei Bonneville weitgehend verlassen, das Thema der Übereinstimmung von Denk- und Sprachstruktur wird nicht behandelt, es gibt keinerlei Ansatz einer Grammatiktheorie. Seiner Beschäftigung mit der Sprache liegt im wesentlichen das Anliegen sprachlicher Erneuerung und die Idee der Regeneration der Menschheit durch die Sprache zugrunde; dabei sucht er nach "sprechenden" Wörtern und schreibt diesen a priori die Kraft zu, die Wahrheit der Dinge auszudrücken. Das Thema ist bekannt seit der alten Streitfrage von Hermogenes und Kratylos, ob die sprachlichen Zeichen arbiträr sind oder ob sie als Namen die Dinge richtig benennen. Die Annahme der Notwendigkeit der sprachlichen Zeichen in ihrer Beziehung zu den bezeichneten Objekten wird innerhalb der aufklärerischen Sprachtheorie von de Brosses und Court de Gébelin vertreten; noch Nodier ist von dieser Richtung stark beeinflußt. Während im 18. Jahrhundert die Position des Kratylos als Sprachtheorie formuliert wurde und in den wissenschaftlichen Diskurs integriert war, zeichnet sich im 19. Jahrhundert

mit der Entwicklung der historischen Sprachwissenschaft eine entscheidende Wende ab: die kratylische Sicht der Sprache wird in den Bereich der Literatur verlagert und erfährt dadurch eine wesentlich neue Definition.[232]
Die folgende Darstellung von Bonnevilles Sprachauffassung soll daher neben der Frage nach thematischen Übereinstimmungen mit der aufklärerischen Sprachtheorie und insbesondere mit ihrer mimologischen[233] Richtung auch die Frage beantworten, wieweit sich bei Bonneville Momente einer Öffnung des sprachtheoretischen Ansatzes in Richtung auf eine Reflexion über die ästhetische Dimension der Sprache erkennen lassen.

5.1 Die Problematik von Sprachursprung und mimetischer Sprache

Eine erste wesentliche Differenz Bonnevilles zur Sprachtheorie der Aufklärung besteht darin, daß er die Frage nach der Entstehung der Sprache nicht stellt, da er sie als voraussetzungsloses und ursprünglich außermenschliches Prinzip begreift. Die fundamentale Frage, wie sich die Existenz der Sprache erklären lasse, wenn sie rein menschlichen Ursprungs sei, ist damit abgeschnitten. Den für die aufklärerische Sprachtheorie charakteristischen Versuchen, das Phänomen Sprache logisch abzuleiten, liegt ja das Problem zugrunde, das Rousseau folgendermaßen formuliert: daß die Menschen, um vereinbaren zu können, daß ein Ding allgemeingültig einen bestimmten Namen tragen solle, bereits sprechen mußten. Diese theoretische Aporie wiederholt sich in der Frage nach dem Verhältnis von Sprache und Gesellschaft: solange Gesellschaft und Sprache als Produkt von Vereinbarung begriffen werden, stellt sich das Problem, daß die Menschen, um einen gesellschaftlichen Zusammenhang eingehen zu können, sich verständigen mußten, Sprache also Voraussetzung von Gesellschaft ist und in gleicher Weise die Gesellschaft Voraussetzung der Sprache ist, da die Menschen zusammentreten mußten, um die Sprache bilden zu können. Die Theorien über die Entwicklung der Ausdrucksformen können als Versuch betrachtet werden, diesem Dilemma eine argumentative Bewegungsform zu geben. Condillac z.B. sieht den Ursprung der Sprache in den Kommunikationsversuchen von Paaren von Kindern in der Wüste, setzt also modellhaft an den Anfangspunkt der Sprachentwicklung noch nicht Gesellschaft, aber auch nicht den isolierten Menschen. Entsprechend begreift er die Sprache dieses rudimentären Zusammenschlusses als Vorform des aktuellen Sprachzustandes: als eine Einheit von Gestik, Mimik, naturnachahmenden Lauten, Tanz und Musik, die jedoch noch nicht den Erfordernissen der "raison" genügte und - gerade wegen ihrer Nähe zur künstlerischen "imagination" - noch keine "analytische Methode" war.[234]

Auch de Brosses und Court de Gébelin teilen in ihrem mimologischen Ansatz die Frage nach der logischen Entwicklung der Sprache. Court de Gébelin hält zwar an der Idee des göttlichen Ursprungs der Sprache fest, jedoch nur in dem eingeschränkten Sinn, daß er die Sprachorgane als göttliches Geschenk darstellt. Die mimologische Intention wird von ihm eingelöst durch die Ableitung der Sprache aus den Qualitäten der Sprachorgane, d.h. die Erklärung der Sprache als Allgemeinheit aus der natürlichen Konstitution des Menschen. Dabei nimmt er die Idee einer fortschreitenden Sprachentwicklung auf, die bei Condillac zur Idee des "langage d'action" führt: Court de Gébelin sieht die Entwicklung der Sprache als Resultat der wachsenden Fähigkeit der ersten Menschen, die Qualitäten und das Ausdruckspotential ihrer Sprachorgane zu entdecken und anzuwenden. Insgesamt steht Court de Gébelin der aufklärerischen Sprachtheorie recht nahe, so ist etwa seine Grammatiktheorie noch ganz von der Identifikation von Logik und Sprachstruktur getragen.[235]

Anklänge an diesen Entwicklungsgedanken lassen sich bei Bonneville nur in den Reflexionen über den bildhaften Stil der Antike feststellen; wie bereits im letzten Kapitel dargestellt, ist die Idee einer Stufenfolge von Gebärden-, Bilder- und gesprochener Sprache auch dort nur verschwommen vorhanden und überdeckt von der Darstellung verschiedener literarischer Stilformen.

Das Thema des Zusammenhangs von Sprache und Gesellschaft und von Sprache und Denken, das mit der aufklärerischen Theorie des Sprachursprungs verbunden ist, wird bei Bonneville nicht behandelt. Er definiert Sprache weder funktional als gesellschaftliches Kommunikationsmittel noch betrachtet er die Sprache unter dem Blickpunkt ihrer logischen Struktur, d.h. ihrer Funktion, die Repräsentationen zu ordnen; seine Reflexionen über die Sprache weisen nirgendwo Ansätze zu einer Grammatik- und Syntaxtheorie auf, sie zielen vielmehr, soweit er konkret am Sprachmaterial arbeitet, stets auf den semantischen Bereich ab.

Ein Hinweis, wie sich Bonneville den ursprünglichen Charakter der menschlichen Sprache vorgestellt haben könnte, findet sich höchstens im Kontext seiner Idee der Ursprache. Er greift hier auf die biblische Vorstellung zurück, daß Adam die Dinge bei ihrem Namen benannt habe, deutet sie aber dahingehend um, daß er die Figur eines ursprünglichen Namengebers, die auch bei Platon in der Gestalt des Gesetzgebers erscheint, eliminiert zugunsten der Idee, daß die Natur selbst spreche: "Moi, j'ai dû dire à mon siècle: la nature se nomme. C'est la même observation, le même principe." (EdR I, p. 42). Die Idee einer Sprache der Natur formuliert er an anderer Stelle noch kategorischer: "LA NATURE SE NOMME, en tout, et par-tout et pour tous. Voilà le principe." (EdR II, p. 161)
Bonneville äußert sich nicht genauer darüber, was man sich unter dieser Sprache der Natur vorstellen müsse. Zunächst fällt auf, daß er nicht sagt "La nature parle", sondern "La nature se nomme", daß die Natur sich selbst Namen gebe. Dahinter dürfte die alte Vorstellung stecken, daß Sprechen ursprünglich Benennen sei, wie sie schon den Ausgangspunkt der Position des Kratylos bildete. Platon bzw. Sokrates weist die Notwendigkeit der Wörter zunächst an Namen auf: ein Name sei dann "richtig", wenn er seine Träger definiere, etwa im Beispiel Dionysos = didous oinon (der den Wein gibt).[236] In der Bibel erscheint Sprechen ebenfalls als Namengebung. Die mimologische Richtung in der Sprachtheorie des 18. Jahrhunderts basiert auf der Idee der allseitigen benennenden Kraft der Sprache: Court de Gébelin zerlegt die Wörter in die Laute, um in ihnen die alten Namen freizusetzen: A bedeute Besitz, E die Existenz, I Stärke, O Erstaunen, U die Feuchtigkeit.[237] Nodier gibt dem Satz "La nature se nomme", den er von Bonneville übernommen haben könnte, die Bedeutung, daß die Natur selbst Laute produziere, die die Basis des grundlegendsten Typus von Sprache bilden, der Onomatopoesie.[238] Mit der Idee des Namens wird in der mimologischen Tradition die Vorstellung ver-

bunden, daß der Name richtige Aussagen über das zu benennende Objekt enthalte. Die sokratische Figur des Namengebers = Gesetzgebers hat zunächst ihre Funktion darin, den Dingen und Menschen Namen zu geben, die ihre Qualitäten definieren. Die biblische Vorstellung der Namensgebung meint, daß Adam die Dinge durch göttliche Inspiration in ihrem Wesen erkannt habe und diese Erkenntnis im Namen niedergelegt habe. Wenn nun Bonneville im expliziten Bezug auf die Bibel die namengebende Kraft in die Natur selbst verlagert, stellt sich die Frage, ob er die traditionelle Idee des Namens beibehält - dies würde zu der mystischen Vorstellung führen, daß die Dinge sprechen und über ihr Wesen Aussagen machen - oder ob der Satz "La nature se nomme" nurmehr die Tatsache der natürlichen Geräusche meint. In der Vorstellung einer Sprache der Natur steckt das Problem, daß, unterstellt man diese Sprache als sinntragende, sie nicht nachweisbar ist, als okkulte Kraft erscheinen muß und mit der menschlichen Sprache nicht vermittelbar ist, während im anderen Fall - des Bezugs auf die natürlichen Geräusche - diese, da sie nicht sinntragend sind, keinen Erklärungswert für die menschliche Sprache haben.

Im Horizont der Sprachtheorie des 18. Jahrhunderts lassen sich beide Positionen nachweisen: die erste, für die Aufklärungsphilosophie untypische Position ist am ehesten in Saint-Martins Idee der Ursprache enthalten, die von christlichem Gedankengut geprägt ist: er sieht die Sprache des Menschen vor dem Sündenfall als eine nicht-materiale Sprache, die eine Einheit von Erkenntnis des Wesens der Dinge und Einwirkung auf sie gebildet habe; ihr unvollkommenes Abbild auf der Ebene der aktuellen Konstitution des Menschen sei eine religiös motivierte, symbolisch-poetische Sprache, die die größtmögliche Erfassung der versteckten Namen der Dinge leisten könne - sie wird also nicht als Gegenstand allgemeiner Sprachtheorie behauptet.[239] Die zweite Position wären die verschiedenen Varianten der Konzeption einer natürlichen Sprache des Menschen, etwa Condillacs "langage d'action", die als Nachahmung natürlicher Laute und als Gestensprache definiert wird, wobei die Relevanz einer derartigen Sprache nur darin gesehen wird, daß sie eine nicht-vereinbarte, in einem rudimentären sozialen Kontext (bei Condillac des Kinderpaares in der Wüste) allgemeine Verständigung ermöglicht habe; eine namengebende, d.h. richtige Aussagen treffende Wahrheit wird ihr nicht zugestanden.

Bonneville belegt den Satz "La nature se nomme" mit folgendem Beispiel, in dem er an der Konzeption des richtigen Namens festhält:

> "Les anciens étoient persuadés que la Nature donnoit à toutes choses un organe et des noms qui leur étoient propres, et ils appellèrent la Nature (mot vague chez les modernes, qui ne dit rien à leur esprit et à leur coeur) Is-is.
> Ces deux mots expriment figurativement le sifflement, le souffle, le bruit du feu, - et ils rendoient un culte au feu, à la lumière, à l'éternelle lumière." (EdR I, p. 20)

Die Formulierung "figurativement" deutet zunächst nicht auf die Idee hin, die ursprüngliche Sprache sei direkt naturnachahmend gewesen; genau dies ist jedoch im folgenden Zitat ausgedrückt, in dem Bonneville den mimetischen Charakter des Namens Isis auf abenteuerliche Weise zu belegen versucht:

> "J'observerai seulement que le premier nom qui vient toujours à la bouche, est le nom d'un ennemi.
> Plongez un fer ardent dans l'eau, l'eau crie, et c'est le nom, iz-iz, ou is-is, ou es-es, qu'elle fait entendre.
> Le serpent, symbole du froid poison que le feu de la nature dévore, crie aussi à l'espect du feu son adversaire; dans les forêts où le feu s'allume soudain, vous entendez de toutes parts siffler is-is. Le serpent s'enfuit et se retire dans les ténèbres, dans les lieux bas, inferi!
> C'est donc pour exprimer figurativement le nom d'Isis, que les Peintres, seuls historiens de l'ancien monde, mirent un serpent aux pieds de Jésus crucifié." (EdR I, p. 21f)

Diese beiden Stellen unterscheiden sich schon im Ansatz von den Sprachursprungsideen der Aufklärung:

1. Die Nachahmung natürlicher Laute wird nicht als Ursprung der Sprache oder vorsprachliche Ausdrucksform behauptet, die Formulierung "Les anciens étoient persuadés" suggeriert einen bereits bestehenden sprachlichen, da gesellschaftlichen Zusammenhang.
2. Mimetische Wortbildungen und Namen werden nicht als Norm zu einem angenommenen Zeitpunkt der Sprachentwicklung behauptet.
3. Bonneville gibt nicht einfach Naturlaute an, nach denen der entsprechende Gegenstand bezeichnet wird (der Kuckuck heißt Kuckuck, weil er "Kuckuck" schreit), sondern verlegt tat-

sächlich das Benennen in die Natur: das Wasser und die Schlange rufen den Namen des Feuers.[240]

Bonneville hat nicht die Intention, die Nachahmung natürlicher Laute als einen Punkt in der Stufenfolge vorsprachlicher und sprachlicher Ausdrucksformen anzusetzen, sondern es geht ihm ausschließlich um die Richtigkeit des Namens.

Die mimologische Sprachkonzeption umfaßt traditionell - nach Genette - zwei verschiedene Erklärungsmuster:

1. Die Eponymie des Namens und der Wörter, die als verborgene Namen aufzudecken seien;[241] die Namen werden durch mehrere in ihnen verborgene Wörter erklärt, die einen auf die bezeichnete Sache passenden Sinn ergeben, diese Wörter wiederum durch andere in ihnen enthaltene Wörter,[242] wobei dieses Verfahren eine Zirkularität der Argumentation impliziert: die Erklärung der Wörter durch immer neue Wörter kehrt aufgrund der Begrenztheit des Lexikons irgendwann zu ihrem Ausgangspunkt zurück.
2. Die Zerlegung der Namen und Wörter in ihre elementaren Bestandteile, die Silben und Laute, und damit verbunden die Idee der phonischen Mimesis: diese setzt im Kratylos ein, als die Zirkularität des eponymischen Verfahrens von Hermogenes angesprochen wird. Mit der Verlagerung auf die phonische Ebene erhält die Frage nach der Richtigkeit des sprachlichen Zeichens eine andere Antwort: während das eponymische Verfahren sich auf einer rein innersprachlichen Ebene bewegt, erfordert die Analyse der Laute und ihrer semantischen Qualitäten die Annahme einer "direkteren" Beziehung von sprachlichem Zeichen und Gegenstand, entweder in der Form der Onomatopoesie, d.h. unmittelbarer Mimesis, oder einer analogischen Beziehung zwischen Gegenstand, Bildungsort und -weise der Laute und den Lauten selbst.

Im Kratylos wird z.B. "r" als Laut, der Bewegung bezeichnet, behandelt, da hier die Stimme am wenigsten verweile und am meisten vibriere.[243] Court de Gébelins Sprachtheorie führt die Idee einer analogischen Beziehung von Gegenstand und Lauten in extenso aus: die Labiale z.B. seien, da sie die geringste artikulatorische Anstrengung verlangten, das natürliche Zeichen der "douceur" (maman, papa, baiser, beau usw.), die Dentale (d, t) dagegen -

aus ähnlichem Grund - "la peinture de tout ce qui est sonore et bruyant",[244] von den Bezeichnungen der Musikinstrumente angefangen (tambours, trompettes) bis zu den Bezeichnungen der Stimme (tonner, retentir, ton), weiter der Quantität, Totalität und Perfektion. Die Einsilber, die durch die so bestimmten Vokale und Konsonanten gebildet seien, sind nach Court de Gébelin der Kern der Ursprache. Zusätzliche Quellen der Ursprache seien rein onomatopoetische Bildungen und konsonantische Gruppen, in einem entwickelteren Stadium auch Silbenzusammensetzungen und Metaphern zur Bezeichnung immaterieller Objekte.
Bonnevilles Reflexionen über die Sprache weisen keinerlei Ansatz zu der oben skizzierten Analyse der semantischen Lautqualitäten auf, ein Kernpunkt der traditionellen mimologischen Konzeption fehlt also. Kommen wir auf das Isis-Beispiel zurück: auch wenn Bonneville die Namengebung in die Natur selbst verlagert, bleibt der Name Isis zunächst rein durch seine onomatopoetische Natur definiert, d.h. "Isis" ist nur die Nachahmung des Zischens und Knisterns des Feuers und hat nicht die Qualität des Namens, eine zutreffende Aussage über seinen Träger zu machen. Da Bonneville jedoch - wie später noch ausführlich zu zeigen sein wird - der Ursprache die Qualität zuspricht, daß ihre Elemente, die Wörter, wahre Aussagen über das Wesen der Dinge enthalten, ist die Erklärung, "Isis" sei durch Onomatopoesie zustande gekommen, ungenügend. Nun behandelt zwar Bonneville das ursprüngliche Wort "Isis" nicht weiter als Name, stellt es jedoch in eine Reihe von Wörtern, die phonetische Varianten von "Isis" seien, deren semantischer Bedeutungskontext unter der Hand auf das ursprüngliche "Isis" zurückwirkt. So zieht er etwa als Beleg das altgriechische ἦς-ἦς heran, das die Bedeutung "du warst, du wirst sein, du bist" habe - die eponymische Intention wird hier deutlich als Suche nach einem lautlich ähnlichen Beispiel, das den definierten Gegenstand - die Natur - semantisch richtig benenne. Das altgriechische ἦς-ἦς strahlt auf das ursprüngliche "Is-is" zurück, indem es dessen Bedeutungsinhalt richtig konkretisiert (die Natur ist ewig). Ähnlich steht es mit dem nächsten Beleg: nach Moses sei ἦς-ἦς der Name, den Gott sich selbst gegeben habe, womit Bonneville suggerieren will, daß die Natur Gott sei und umgekehrt, daß die alttestamentarische Religion ein Natur-

kult gewesen sei; auch im Namen Jesus sei das alte "Is-is" enthalten.

Bonnevilles Argumentation ist also mehrfach zirkulär: zunächst bedeutet "Is-is" als naturnachahmendes Wort nur Feuer, die Bedeutung von "Natur" wird, so sehr er dies auch zu konstruieren bemüht ist, nicht von der lautmalenden Seite abgedeckt. Bonneville bleibt selbst jedoch nicht bei der Bestimmung von "Is-is" als lautmalender Wendung stehen, sondern betrachtet sie zugleich als Namen, dessen Richtigkeit sich von anderen "Is-is"-Varianten her bestimmt, die ja erst als Ableitung aus der Wurzel "Is-is" zu erklären wären. Daß "Is-is" anders als "nature" kein "mot vague" sei, wird also gleichzeitig aus seiner lautmalenden Seite wie von den verschiedenen semantischen Kontexten her erklärt, die Bonneville dafür behauptet, wobei sich beide Bestimmungen wechselseitig beweisen: daß für die Alten "Is-is" als richtiger *Name* der Natur transparent war, begründet sich wesentlich von den Bedeutungen der "Is-is"-Varianten her (Gott, Ewigkeit), daß diese - ῆς-ῆς , Es-Es, Jesus - versteckt "Natur" bedeuten, begründet sich von ihrer Ähnlichkeit mit dem onomatopoetischen "Is-is" her. Weiter schließt Bonneville aus diesem Beispiel auf eine universale Ursprache und einen ursprünglich allen Völkern gemeinsamen Kult der Natur. Die zirkuläre Argumentation wiederholt sich hier, wie auch in folgendem Beispiel: Bonneville kritisiert das Wort "dieu" als unverständlich und verfolgt es zurück über "deus", "theos", Jehova bis zu IEOUA, einem Namen, der alle Vokale vereine und in diesem umfassenden Charakter der richtige Name Gottes sei; gleichzeitig belegt er aber damit seine These, daß die Sprache göttlich sei und von den Alten verehrt wurde. Die eponymische Fragestellung, ob der Name einer Sache, die bekannt ist, dieser entspreche und sie richtig benenne, ist hier umgedreht: der Name wird bereits als richtig vorausgesetzt und dient als Argument dafür, daß er ursprünglich eine andere Sache als die ihm gemeinhin unterstellte (hier Gott) benannt habe und in dieser Form mehr "Wahrheit" enthalten habe.

Bonneville springt also nicht nur zwischen den Ebenen von "signifiant" und "signifié" hin und her und beweist jeweils das eine durch das andere, sondern auch zwischen den Ebenen von sprachlichem Zeichen und von außersprachlicher Realität: einmal wird nach der Richtigkeit des sprachlichen Zeichens in Bezug auf eine definierte außersprachliche Realität gefragt, ein anderes Mal erhellt es eine unbekannte Realität, wobei dies am Jehova-Beispiel vermutlich folgendermaßen vorzustellen ist: "Jehova" ist "IEOUA", dies ist der richtige Name der Sprache (Gesamtheit der Vokale), der Name, den sich die Sprache selbst gibt (in Analogie zu "La nature se nomme") - wenn dies bei den Alten der Name Gottes ist, so verehrten sie also die Sprache als Gott. Wenn Bonneville darüber hinaus schließt, daß die Sprache göttlich ist, so läßt sich dies nur als eigenartige Identifikation von Sprache und Realität oder Setzung der Sprache als Realität erklären, aber rational nicht auflösen.[245]

Bezogen auf die Frage nach dem Ursprung und dem ursprünglichen Charakter der Sprache läßt sich Bonnevilles Sprachauffassung in die Tradition der Sprachtheorie nur negativ einordnen. Von der Mehrzahl der aufklärerischen Sprachursprungstheorien trennt ihn die Tatsache, daß er einen menschlichen Ursprung der Sprache und eine stufenförmige Entwicklung der Ausdrucksformen nicht in Erwägung zieht, sich sogar nicht einmal mit dieser Theorie auseinandersetzt und auch dort, wo er über die sogenannten "mots primitifs" reflektiert, die Kategorie der Naturnachahmung nicht als allgemeines Bildungsmuster heranzieht. Von der mimologischen Richtung unterscheidet ihn das fehlende begriffliche Problembewußtsein und daraus resultierend die Tatsache, daß er die Notwendigkeit, zu einer Analyse der Lautqualitäten zu kommen, überhaupt nicht sieht, und ferner der fehlende Anspruch auf Konstruktion einer allgemeinen Sprachtheorie. Läßt sich nun Bonnevilles Dilettantismus und seine Unbekümmertheit um die eigenen Zirkelschlüsse darauf zurückführen, daß er eben kein Theoretiker, kein logischer Denker war? Oder drückt diese Unbekümmertheit und Naivität im Umgang mit der Sprache ein richtiges Moment aus, ein Gefühl dafür, daß die mimologische Sprachauffassung nie ganz den Zirkelschlüssen entgehen kann[246] und ihre "Wahrheit" nicht in einem sprachwissenschaftlichen Anspruch liegt, sondern im assoziativen Umgang mit der Sprache? Leider hat Bonneville so wenig über sein Verfahren reflektiert, daß wir diese Frage nicht schlüssig beantworten können.

5.2 Ursprache und Etymologie

Bonneville teilt die Idee der Ursprache, die im 18. Jahrhundert weit verbreitet war; allerdings konnten mit diesem Thema durchaus verschiedene Ansätze verbunden werden, wir müssen daher hier differenzieren. Von den Theorien des menschlichen Sprachursprungs und der Idee einer Parallelität bzw. Analogie von Entwicklung des Denkens und der Sprache her wird die Ursprache nicht als ein System sprachlicher Zeichen gefaßt, das in seinen lexikalischen und grammatikalischen Strukturen den historischen Einzelsprachen vergleichbar sei, etwa in dem Sinn, daß das Lateinische die Ursprache aller romanischen Sprachen sei, sondern die Frage galt ausschließlich der hypothetischen Beschaffenheit dieser Sprache. Für Condillac ist sie einfach und roh und enthält nur Bezeichnungen für greifbare Gegenstände, Turgot begreift dagegen sprachliche Einfachheit als Merkmal eines höher entwickelten Bewußtseinsstadiums, in dem das Wort bereits reines Symbol sei, nach Rousseau kann die Ursprache nur individuelle Namen, keine Gattungsnamen umfassen; allgemein wird die Ursprache eher als "langage de sensations" denn als "langage d'idées" betrachtet.[247]
Diese Theoretiker messen zudem der Frage, ob es eine universale oder mehrere Ursprachen gegeben habe, wenig Bedeutung zu; Condillac und Rousseau nehmen an, daß es so viele Ursprachen wie verschiedene erste gesellschaftliche Zusammenschlüsse gegeben habe. Im übrigen lehnt nur Voltaire die Idee der "langue primitive" dezidiert ab.[248]
Davon zu unterscheiden[249] ist die Konzeption der Ursprache als einer universalen Sprache, deren Lexikon rekonstruierbar sei. Dazu gehören sowohl die phantasievollen Theorien, daß das Keltische die Ursprache aller Sprache sei (Le Brigant, Poisinet de Sivry),[250] wie die Idee der Ursprache, der die Vertreter der mimologischen Richtung anhängen, vor allem Court de Gébelin.[251]
Court de Gébelin lehnt es ab, eine der historischen Sprachen als universale Ursprache zu setzen, nimmt aber soweit eine Verbindung von historischen Einzelsprachen und Ursprache an, als er sie aus dem lexikalischen Bestand der Einzelsprachen für rekonstruierbar hält. Mit historischer Sprachwissenschaft hat dies im übrigen noch nichts zu tun: die Etymologieforschung muß

nach Court de Gébelin ausgehen von den aktuellen Bezeichnungen der Dinge, die bereits den Bedürfnishorizont der ersten Menschen bildeten, da in diesen Bezeichnungen die alten Namen versteckt seien, und zweitens dieses Material anhand der Analyse der semantischen Qualitäten der Laute zerlegen, um in jedem dieser Wörter den ursprünglichen Einsilber zu erkennen.[252] Nun ist allgemein die Idee der universalen Ursprache in der traditionellen mimologischen Sprachauffassung impliziert: wenn die Wörter die Dinge richtig benennen, so müssen sie das zu jeder Zeit und an jedem Ort in derselben Weise tun, da ja auch die Dinge überall dieselben sind. Im Kratylos war die Identifikation von griechischer und universaler Ursprache aufgrund des hellenozentristischen Weltbildes noch problemlos möglich. Court de Gébelin löst den Konflikt zwischen der Idee sprachlicher Mimesis und der Tatsache der Sprachenvielfalt auf die Weise, daß er die Sprachenvielfalt daraus erklärt, daß die verschiedenen Völker verschiedene Aspekte des Gegenstands als Basis seiner Benennung heranzogen. Innerhalb der mimologischen Sprachauffassung gibt erst Nodier die Idee der universalen Ursprache auf zugunsten der Vorstellung einer Vielfalt von Ursprachen, nämlich der autochthonen Sprachen.[253]

Für das Problem der Einordnung Bonnevilles ist weiterhin Saint-Martins Idee der Ursprache heranzuziehen. Sie verschließt sich zwar jedem Bezug auf das Sprachmaterial, ist aber insofern von Bedeutung, als Saint-Martin für den paradiesischen Urzustand eine Sprache annimmt, die identisch mit völliger Erkenntnis der Welt, ein Abbild der Sprache Gottes gewesen sei. Zu untersuchen ist, wie weit Bonnevilles Idee, daß die Analyse der Sprache in den "mots primitifs" eine Erkenntnis der Dinge ermögliche, von der illuministischen Konzeption der Ursprache beeinflußt ist.

Bonneville schenkt dem Problem der Sprachenvielfalt keine große Beachtung. Für die Sprachenvielfalt macht er einerseits die Entwicklung verschiedener Nationalitäten aus einem einzigen Volk heraus, also die Verstreuung der Menschheit verantwortlich, auf der anderen Seite Veränderungen in der Aussprache. Daß ihm die reale Sprachenvielfalt nicht im Widerspruch zur Idee der universalen Ursprache zu stehen scheint, zeigt folgender lapidarer Satz:

> "Il n'est dans la nature qu'une même langue, mais il se forme autant d'Idiomes divers que les nations diffèrent entr'elles." (EdR II, p. 80)

Ob diese einheitliche Sprache der Natur dann überhaupt als eine menschliche Sprache vorzustellen sei, läßt Bonneville offen. Im Vieux Tribun du Peuple von 1796/97 kommentiert er die Sprachforschungen von John Horne-Tooke: dessen Vorhaben, den "sens primitif" von Präpositionen, Konjunktionen und Adverbien zu ergründen, scheint ihm ein Teil des großen Projekts einer Rekonstruktion der Ursprache:

> "Vos travaux et les recherches que j'ai faites pour m'assurer de la vérité de vos découvertes, m'ont fait espérer qu'il seroit bientôt possible de retrouver dans les racines de toutes les langues, quelques moyens de reconnoître une langue unique et entière; langue primitive, dont les divers dialectes ou idiomes, n'ont rien de plus étrange que les sons divers qui nous font distinguer la présence de tel ou tel individu." (Vieux Tribun du Peuple, 1796, p. 56)

Bonneville umgeht hier das Problem des Verhältnisses von Einzelsprachen und Ursprache, indem er bereits im Ursprung eine Vielfalt annimmt, und zwar nicht als Disparität der Sprachen, sondern als eine Verwandtschaft untereinander. Schwierig ist allerdings zu entscheiden, ob er die Verwandtschaft der Sprachen als materiale Ähnlichkeit begreift, die in einem Vergleich von Grammatik und Lexikon nachweisbar sei; der Sinn der Stelle "... que les sons divers qui nous font distinguer..." bleibt reichlich dunkel.

In der Erklärung der Sprachenvielfalt aus Veränderungen der Aussprache nimmt Bonneville die Ursprache als System materialer sprachlicher Zeichen an; das folgende Zitat ist Teil einer längeren Stelle, in der Bonneville Voltaires Forderung nach Anpassung der Schreibung an veränderte Aussprachegewohnheiten heftig ablehnt:

> "Sans la fausse espérance de pouvoir écrire comme on prononce, on n'eût jamais fait du mot Isis, sacré chez nos ayeux, le mot Jesus, qui veut dire et qui est la même chose. On n'eût pas versé tant de sang, on n'eût pas fait tant de mauvais livres et donné tant de palmes de martyres!"
> (EdR II, p. 207)

Eine Veränderung der Orthographie könnte insbesondere die Arbeit der Etymologieforscher erschweren oder unmöglich machen;

Bonneville beruft sich in diesem Zusammenhang auf Bacon, der ebenfalls Veränderungen der Schreibung abgelehnt habe:

> "... mais comme il (= Bacon, SK) n'ignoroit pas que les anciens sages avoient cru trouver le sytême (sic) du monde physique et social dans l'analyse de la parole, il devoit naturellement éviter d'entasser obstacles sur obstacles pour ceux qui, voulant embrasser tous les siècles dans leurs desseins, ont besoin de remonter, de génération en génération, à la généalogie du langage, aux sons primitifs, au principe de la parole: 'au commencement étoit la parole, et la parole, étoit Dieu.'" (EdR II, p. 202)[254]

Die Ursprache erscheint hier aus dem lexikalischen Bestand der aktuellen Sprachen erschließbar, aus den Wörtern in ihrer schriftlichen Fixierung, da diese eher als die mündliche Ausdrucksform Tradition bewahre. Dabei geht es Bonneville nicht um eine Bestandsaufnahme einer frühen Sprache, sondern um die Analyse der Bedeutungen; am Beispiel des Wortes "françois" meint Bonneville aufzeigen zu können, wie in der alten Schreibung sich semantische Einheiten entziffern lassen, die durch veränderte Orthographie endgültig verschüttet würden: als die alten Franken unterworfen wurden, habe sich ihr Name um den Zusatz "oiseuse" zum Zeichen ihrer Schande (EdR II, p. 205) verändert, da ein Sklave sich nicht als "franc" bezeichnen könne.

Bonneville richtet sich gegen Voltaires Forderung auch mit dem Argument, daß eine Schreibung, die genau die Aussprache wiedergebe und für alle Sprachen Gültigkeit habe, nicht möglich sei.[255] Er behauptet dies sogar für eine jeweilige Einzelsprache; ganz im Gegensatz zu Court de Gébelin sieht Bonneville die physiologische Basis der Sprache als Dimension von Willkürlichkeit: wenn man schreiben wolle wie man spreche, werde es - aufgrund der physiologischen Unterschiede von Mensch zu Mensch - so viele Orthographien wie Schriftsteller geben. Die für die mimologische Richtung der Sprachtheorie des 18. Jahrhunderts bis zu Nodier typische Argumentation, die Richtigkeit der Wörter aus der Beschaffenheit der Sprachorgane abzuleiten, findet bei Bonneville keinerlei Niederschlag. Die Variabilität der Aussprache macht er zusätzlich dafür verantwortlich, daß es keine einheitliche Religion mehr gebe:

> "Si la marche rapide de cet ouvrage me permettoit de montrer ici les altérations prodigieuses que la prononciation, in-

> constante comme les hommes qui parlent des mots, a fait éprouver aux religions Européennes, on seroit singulièrement surpris de ressaisir par des ramifications insensibles l'origine toute naturelle d'une foule de préjugés désastreux qui ont bouleversé les Empires. On sentiroit combien il est dangereux d'entasser des nuages volontaires sur tous ces mots primitifs dont la connoissance généalogique est nécessaire pour éclairer le genre humain qui sera toujours trompé tant que ses fers ne seront pas brisés par tous les peuples réunis; (...)" (Hist. I, p. 279f)

Bonneville schreibt der Analyse der Wörter, die eine Rekonstruktion der Ursprache ermöglichen soll, zwei Erkenntnisziele zu:

1. die Wurzel der Vorurteile zu erkennen:

   "Travaillons toujours à découvrir la racine des mots; c'est la manière la plus sûre de trouver la racine des préjugés." (EdR II, p. 72)

2. die ursprüngliche, umfassende und esoterische Naturerkenntnis der alten Weisen, der Gesetzgeber und Religionsstifter wiederzufinden, bzw. in der Sprachanalyse direkt Naturgeheimnisse zu ergründen:

   "Analysez les langues; décomposez les mots. L'étude des langues jette un grand jour sur les mystères de la nature." (EdR II, p. 72)

Bonneville selbst unterscheidet nicht zwischen diesen Erkenntniszielen.
Betrachten wir nun die erste Position. Seine Beschäftigung mit der Sprache vergleicht Bonneville mit der Tätigkeit des Naturforschers:

> "Comme le naturaliste qui s'efforce de remonter par l'échelle des êtres, au principe de toute existence, je composois une échelle de mots primitifs, pour arriver au principe des opinions." (EdR App., p. 7)

Vom Standpunkt der historischen Sprachwissenschaft aus gesehen fällt auf, daß Bonneville als Ziel der Etymologieforschung nicht angibt, eine historisch existente Vorform der modernen Sprachen in ihrer Materialität zu rekonstruieren, sondern den Ursprung der Meinungen. Dieses Erkenntnisinteresse formuliert er deutlicher an folgender Stelle:

> "Nos Ecrivains François négligent trop l'analyse philosophique des Langues anciennes & modernes, dont la connoissance est nécessaire pour écrire l'Histoire des erreurs de l'esprit humain. Parmi nous un Boulanger est un phénomene.

> Cette étude est cependant la seule qui puisse conduire à saisir la racine des préjugés. Rousseau lui-même l'avoit si bien senti, qu'il indique son foible Essai de quelques feuilles sur ce sujet, comme le plus utile de ses Ouvrages." (Jésuites I, p. 35)

Diese direkte Verknüpfung von Sprachanalyse und Geschichte der Vorurteile ist selbst für die Sprachauffassung der Aufklärung erstaunlich, da Zwischenschritte fehlen, insbesondere ein Verweis auf die "grammaire générale": die wechselseitige Strukturierung von Sprache und Denken darzustellen, erscheint in der aufklärerischen Sprachauffassung am ehesten als Aufgabe der Erkenntnistheorie, nicht aber als Problem von empirischer Sprachbetrachtung und Sprachvergleich,[256] die von Bonneville geforderte Kenntnis der Einzelsprachen wurde nicht als Voraussetzung philosophischer Sprachanalyse betrachtet. Daß die Etymologieforschung diesem Ziel diene, behauptet Turgot in seinem Artikel "Etymologie" der <u>Encyclopédie</u> nur in indirekter Weise, indem er ihr die Aufgabe zuweist, historische Veranschaulichungen der Ideen der Logik über die Entwicklung des Denkens zu liefern; über diese Vermittlung allerdings sei die Etymologieforschung Beitrag zur "histoire philosophique de l'esprit humain en général et des idées des hommes".[257]
Formuliert also Bonneville nur deutlicher als Turgot die Idee, daß die Etymologieforschung über die Rekonstruktion der Bedeutungen der Wörter die Geschichte des Denkens darstellen solle? Betrachten wir hier Bonnevilles Verfahren, eine "échelle des mots primitifs" herzustellen. Als materiale Einlösung dieses Anspruchs ist am ehesten seine Interpretation der Schöpfungsmythen zu betrachten. Der Sinn der Formulierung "mots primitifs" enthüllt sich hier dahingehend, daß Bonneville darunter logisch und historisch frühe Wörter versteht: "historisch" in dem Sinn, daß er sie den Mythen entnimmt und dabei nicht beliebige Wörter, sondern solche, deren Alter ihm verbürgt erscheint, nämlich vor allem Namen; "logisch" in dem Sinn, daß er innerhalb des Wortmaterials der Mythen eine Folge vom Gehalt her behauptet ("Tohu-Bohu" als das erste Wort, da es den Zustand der Welt vor der Schöpfung bezeichnet). Von der methodischen Forderung Turgots, daß die Etymologie vom aktuellen Wortbestand ausgehen und alle Zwischenschritte bis zur angenommenen Wurzel belegen müsse, ist

in Bonnevilles "Etymologien" nichts spürbar. Auch die Idee, daß in der Ordnung der Sprache von den Wurzeln bis zum aktuellen Wortbestand die Entwicklung des Denkens sich ablesen lasse, wird bei Bonneville nicht ausgeführt, und zwar deswegen, weil er im Gegensatz zu Turgot die ursprüngliche Wortbedeutung für die richtige hält, und es ihm in der konkreten Argumentation nicht darum geht, die Entwicklung des Denkens nachzuzeichnen, sondern in den "mots primitifs" die Wahrheit schlechthin zu finden. Nun bleibt allerdings Bonneville in seinem Verfahren der Mythenerklärung soweit der aufklärerischen Sprachauffassung verpflichtet, als er teilweise eine Ordnung der Repräsentationen aufstellt nach den Prinzipien der rhetorischen Figuren, deren Kenntnis auch Turgot für ein wesentliches methodisches Instrument der Etymologieforschung hält.[258] Dieses Verfahren entspricht der aufklärerischen Idee einer "échelle des mots", die der "échelle des êtres" analog sei und in deren Nachvollzug sich die abstraktesten Ideen auf die Repräsentation konkreter Gegenstände zurückführen ließen und so vor allem die religiösen Vorurteile aus ihrer materialen Basis in den Repräsentationen sich ableiten und damit auflösen ließen.[259]

Im folgenden wird zu zeigen sein, wie der im Kern aufklärerische Ansatz der "échelle des mots" und der Geschichte der Vorurteile überlagert wird von der Bestimmung der Etymologie als Wahrheitssuche.

Bonneville spricht der Erforschung der Ursprache eine direkte Aktualität zu, die Funktion nämlich der Befreiung von Vorurteilen:

> "Voulez-vous aggrandir votre intelligence, et créer dans votre coeur le regard du génie, délivrez-vous d'une foule de préjugés qui l'énervent, l'abâtardissent.
> Décomposez, jusques dans leurs racines, ces mots élémentaires, qui sont les signes reçus des idées primitives, comparez entre elles universellement et avec constance les langues anciennes, en images, toutes pour les yeux et nos langages modernes, qui ne sont qu'harmonie et parole." (EdR App., p. 1)

Daran unmittelbar anschließend gibt er einen Abriß der historischen Erkenntnisse, die die Analyse der Wörter bewirken soll:

> "Alors vous pourrez un jour nous révéler les moeurs des premiers hommes, les émigrations des peuples, le berceau des arts, qui ne sont pas arrivés d'un saut à la perfection:

> vous pourrez nous faire insensiblement retrouver, dans l'antre de Protée, ou dans la grotte des Nébréïdes, ou dans l'étable du fils de Marie, ces belles découvertes qui sont aujourd'hui perdues pour vous et pour nous." (EdR App., p. 2)

In der ersten Hälfte des Zitats drückt Bonneville die der Etymologieforschung im 18. Jahrhundert zugrundeliegende Vorstellung aus, daß die Aufdeckung und Analyse der Wortwurzeln eine Historiographie von Sitten und Gebräuchen, Geschichte der Völker und der Entwicklung der Künste ermögliche, allerdings nicht in dem Sinn, daß in der Sprache Zeugnisse außersprachlicher Realität gesucht werden; die Sprache erscheint nicht als vermittelndes Medium, Quelle der Geschichtsschreibung, sondern als Ort der Geschichte selbst: in der Analyse der Sprache selbst sei bereits das Erkennen der Geschichte aufgehoben. Bonnevilles "Sprung" von Sprachbetrachtung zu Geschichtsschreibung ist nicht als Zeichen wirren Denkens zu bewerten, sondern als konsequente Formulierung der fundamentalen Sicht von Sprache, die Foucault in seiner Analyse der Etymologieforschung im 18. Jahrhundert folgendermaßen ausdrückt:

> "Die Sprache ist in der klassischen Epoche kein Fragment der Geschichte, das zu einem bestimmten Augenblick eine definierte Denk- und Reflexionsweise autorisiert. Es ist ein Raum der Analyse, in dem die Zeit und das Denken der Menschen ihre Bahn vollziehen."[260]

Die zweite Hälfte des Zitats bringt zunächst eine materiale Bestätigung des engen Zusammenhangs von Mythenerklärung und Sprachanalyse bei Bonneville: auch dem Selbstverständnis nach erscheint die Mythenerklärung als etymologische Erklärung der Wörter, auf der anderen Seite stellen die Mythen das Material der Sprachanalyse. Die Sprachanalyse löst sich in die Mythenerklärung auf und umgekehrt. Mit der Formulierung "vous pourrez nous faire insensiblement retrouver (...) ces belles découvertes" wird der Erforschung der "mots élémentaires" nicht mehr die Funktion von Geschichtsschreibung zugewiesen, sondern die, eine verlorengegangene Wahrheit ans Licht zu bringen. Zielt die Etymologieforschung im 18. Jahrhundert allgemein darauf ab, im Rückgang zu den Wurzeln der Wörter eine Genealogie aufzustellen, die in der Gestalt eines Baumes als fortschreitende Differenzierung der

Wörter und ihrer Bedeutungen vorgestellt wird, in der sich die Logik der Sprache und des Denkens spiegele, ein im Ursprung umfassendes Benennen zu immer feineren Gliederungen der Repräsentationen zu organisieren; zielt also die Etymologieforschung darauf ab, eine Ordnung der Wörter in die Tiefe - zu den Wurzeln - und in die Breite - in der synchronen Verwandtschaft der Bedeutungen und der Repräsentationen - zu zeichnen,[261] so ist die Idee dieser logischen Ordnung bei Bonneville verlassen, sie wird eliminiert in dem Gedanken, daß die Analyse der elementaren Wörter eine in ihnen versteckte, verlorengegangene Wahrheit auffinden solle. Die Wörter erhalten hier ihre Relevanz nicht nach dem Platz, den sie in der allgemeinen Ordnung einnehmen, sie werden vielmehr als nicht nur bezeichnend, sondern direkt benennend und "wahr" begriffen; der ganze Raum des Tableaus der Wörter, der sich zwischen die Wurzeln und das Forschersubjekt schiebt, ist hier gleichsam abgeschnitten. Die folgende Stelle schließt direkt an die "belles découvertes, qui sont aujourd'hui perdues pour vous et pour nous" an:

> "Vous y saisirez, peut-être, le principe initial de ces élémemens (sic) associatifs qui, de l'aveu même de nos philosophes, dominent sur la progression des espèces et sur la durée des individus. En saisissant la trace que ces premières causes, dans leur harmonie, invisible mais constante, nous ont indiquée à l'heure de l'aggrégation et de la disparution des formes, vous pourrez pressentir, <u>et sans miracles</u>, comme il paroît probable que l'ont fait quelquefois les anciens sages, la véritable route que tiendra encore la nature dans le cercle incommensurable de ses métamorphoses éternelles." (EdR App., p. 1f)

Die Wendung ist frappierend: die Analyse der elementaren Wörter soll zur Erkenntnis der magischen Naturkräfte führen. Diese Vorstellung kann verschiedene Implikate haben. Eine Möglichkeit wäre, daß Bonneville annimmt, die alten Weisen hätten verlorengegangene Erkenntnisse über die Natur gehabt und diese in den Mythen und symbolischen Traditionen entweder in bewußt verschleierter Form niedergelegt oder die Mythen enthielten dieses Wissen in transparenter Form und die Moderne könne nur die alte Sprache nicht mehr unmittelbar verstehen; die Sprache hätte dann aber nur die Funktion gehabt, Übermittlungsinstrument dieser Wahrheit zu sein, es wäre nicht prinzipiell auszuschließen,

daß die Moderne ohne den Rekurs auf diese sprachliche Tradition zu demselben Wissen gelangen könne.
Mit dieser Erklärung scheint mir allerdings der Sinn der zitierten Stelle noch nicht vollständig erfaßt. Die Formulierung "En saisissant la trace que ces premières causes (...) nous ont indiquée" weist eher auf die Vorstellung einer magischen Sprache der Natur hin, deren Erkenntnis für den Menschen das Wesen der Dinge enthülle, als auf die Idee, daß die Kräfte der Natur durch Beobachtung und Analyse erfaßbar seien. Bestünde also die Überlegenheit des Wissens der alten Weisen darin, daß sie die Sprache der Natur noch vernommen hätten, weil sie dem Ursprung näher waren? Oder stellt sich Bonneville eine natürliche Offenbarung ähnlich der göttlichen Offenbarung vor? Dann allerdings ist schwer vorstellbar, wie die Analyse der "mots élémentaires" allein dieses Wissen wiedergewinnen könne; ihre Bedeutung wäre sekundär und sie bestünde auch dann nur darin, den ursprünglichen Sinn der Wörter wiederherzustellen.
Die Identität von Rekonstruktion der Ursprache, Mythenerklärung und Naturerkenntnis, die Bonneville implizit behauptet, läßt sich nicht recht nachvollziehen. Das Problem liegt meiner Meinung nach darin, daß sich bei Bonneville zwei verschiedene Konzeptionen der Ursprache überlagern, nämlich die dem sprachtheoretischen Ansatz gemäße Idee der Ursprache als einer einheitlichen menschlichen Sprache - wie etwa bei Court de Gébelin - und die religiös motivierte illuministische Konzeption der Ursprache. Hier müssen wir genauer auf Saint-Martins Bild der Ursprache eingehen.
Nach Saint-Martin ist die Sprache ("langage") im Ursprung notwendiges Äußerungsprinzip aller von Gott erschaffenen Wesen. Die Ursprache, d.h. die paradiesische Sprache, die dem Menschen im Zustand der Einheit mit Gott zukam, habe die Sprache der Schöpfung auf einer höheren Ebene zusammengefaßt und sei ein unvollkommenes Abbild der Sprache Gottes gewesen. In dieser Qualität habe sie eine vollständige Erkenntnis des Wesens der Dinge umfaßt[262] und sei in ihrer Äußerung nicht auf die phonische Realisierung angewiesen gewesen. Saint-Martins Konzeption der Ursprache liegt die Idee des universalen Symbolismus zugrunde, die Vorstellung nämlich, daß das Wesen des Menschen und der

Dinge nicht in ihrer äußeren Konstitution liege, sondern in ihrer Qualität, auf die schöpferischen Kräfte zu verweisen, deren materieller - und damit unvollkommener - Ausdruck sie seien, also in einer inneren, symbolischen Beziehung zum Schöpfergott. Diese Beziehung faßt Saint-Martin als "langage". Die Identität von Wort und Erkenntnis in der Ursprache begründet er damit, daß im paradiesischen Urzustand Wesen und Erscheinung der Dinge noch nicht auseinanderfielen.

Bonneville ist von dieser illuministischen Idee der Ursprache ohne Zweifel beeinflußt, wie auch sein Satz zeigt: "Arriver à la racine des mots, c'est avoir saisi la racine des choses" (EdR II, p. 161). Von diesem Einfluß her können wir annehmen, daß er tatsächlich glaubte, die Erkenntnis der Ursprache bedeute eine Erkenntnis der Naturgeheimnisse. Konfus wird diese Position erst dadurch, daß er die bei Saint-Martin so wichtigen und ausgearbeiteten Vermittlungsschritte zwischen göttlicher Sprache, menschlicher Ursprache und Ursprache der Schöpfung einerseits und zwischen paradiesischer Ursprache und den materialen Einzelsprachen andererseits eliminiert. Während Saint-Martin eine Wiedergewinnung der Ursprache für unmöglich hält und die Einzelsprachen als prinzipiell unvollkommene Abbilder der Ursprache begreift, deren versteckte schöpferische Kräfte zudem nie durch eine Analyse ihrer äußeren Dimension, der Laute und Wörter, zu erkennen seien, sondern nur in der Dichtung geweckt werden könnten, behauptet Bonneville die Ursprache als materiale, menschliche Sprache, deren Rückgewinnung möglich sei und zwar in ihrer Qualität der Naturerkenntnis und gibt zudem als Weg der Rückgewinnung die Zerlegung der Wörter an.

Gegenüber Saint-Martin ist dies als Rückschritt zu werten: Saint-Martin erkennt, daß die "magischen" Kräfte der Sprache nicht in der Analyse eines vorgegebenen lexikalischen Korpus einholbar sind, sondern nur im kreativen Umgang mit der Sprache; Bonnevilles Ausrichtung auf das Sprachmaterial, die vielleicht aus dem Wunsch nach Überwindung von Saint-Martins im Ansatz negativer Bewertung der Sprachmaterialität resultiert, führt nur dazu, daß er auf die behauptete Autorität der Ursprache und das herkömmliche Etymologieverfahren fixiert bleibt. Gegenüber dem Postulat, daß die Analyse der elementaren Wörter eine Erkenntnis

der schöpferischen Kräfte der Natur ermögliche, gerät natürlich Bonnevilles Versuch einer materialen Einlösung sehr mager: seine Zerlegung der Namen und Schlüsselbegriffe der Mythen hat zum Resultat nur die These, daß die Schöpfung aus einer Einheit von Feuer und Wasser entstanden sei.
Die Idee, daß die Wahrheit der Sprache in der Ursprache, also in sprachlicher Tradition zu gewinnen sei, stellt Bonneville nirgendwo explizit in Frage; wir werden aber noch sehen, daß seine Beschäftigung mit den "mots élémentaires" zum Teil unter der auf die Zukunft gerichteten Motivation steht, transparente sprachliche Wendungen zu finden, in denen die schöpferische Kraft der Sprache zum Ausdruck komme.

5.3 Sprache als produktives Prinzip

Im folgenden wollen wir näher auf die illuministischen Einflüsse in Bonnevilles Sprachauffassung eingehen, die zum Teil bereits bei der Darstellung seiner Konzeption der Ursprache deutlich wurden, und aufzeigen, in welcher Weise er deren christliche Dimension aufzulösen versucht.
Die Idee einer universalen Sprache ist bei Bonneville nicht auf die Ursprache beschränkt, auch in der Vielfalt der Einzelsprachen sieht er eine höhere Einheit:

> "Ce qui constitue la cité, le genre humain, l'HOMME enfin, ce sont tous les peuples, tous les individus, tous les hommes épars, qui ne sont que les petits membres du corps social, comme tous les idiomes ou dialectes, sont les petits membres de la parole éternelle." (Vieux Tribun, 1796, p. 57)

In der Behauptung einer Einheit in der Verschiedenheit der Sprachen, die auch noch als ewig deklariert wird, erweist sich Bonnevilles Vorstellung der Sprache als religiös gefärbt. Die behauptete versteckte Einheit der Sprachen auch real zu instituieren, stellt er als eine Aufgabe für die Zukunft dar, wobei er aber nicht explizit eine Vereinheitlichung der Sprachen zu einer <u>einzigen</u> Sprache fordert:

> "Un culte rendu à la parole par toutes les nations, pourra seul marquer un jour avec clarté ces différences, et ramener tous les idiomes à l'unité du langage, à cette parole

de vérité, qui est l'organe de la nature et la voix de la sagesse incrée (sic)." (Vieux Tribun, 1796, p. 58)

Die Formulierung "culte rendu à la parole" signalisiert, daß es Bonneville nicht so sehr um eine wissenschaftliche Analyse der Sprache geht; die Rekonstruktion der Ursprache, die er im Kontext dieses Zitats fordert, soll weniger dem Ziel dienen, Erkenntnisse über die Historizität der Sprachen zu gewinnen oder genetisch die parallele Entwicklung von Sprache und Denken nachzuzeichnen, als vielmehr eine Sprache der Wahrheit neu entstehen zu lassen. Die Beschäftigung mit der Sprache ist Bonnevilles Idee nach auch auf Gegenwart und vorgestellte Zukunft der Sprache bezogen: "ramener tous les idiomes à l'unité du langage" enthält die Vorstellung, daß die Einzelsprachen auf ihre ursprüngliche Einheit zurückzuführen seien, sowohl in einem auf die Vergangenheit der Sprache bezogenen Sinn wie in dem Sinn einer Ausrichtung auf die Zukunft, nämlich daß diese Einheit wiederzugewinnen sei. Von der Etymologieforschung erwartet er, daß sie die schöpferische Kraft der ersten Sprachelemente und den Grund für deren weitgehenden Verlust nachweise: "... remonter à la racine du langage, à ses premiers élémens, à tout ce qui a pu en altérer la sève créatrice" (Vieux Tribun, 1796, p. 58).

Der Gegenpol zu Bonnevilles Idee einer Sprache der Wahrheit ist die aufklärerische Konventionstheorie: Sprache als im Ursprung willkürliche Setzung, vereinbartes Instrument der Kommunikation. Bei Condillac allerdings wird das Verhältnis von Sprache, Erkenntnis und Realität differenzierter gestaltet: er spricht der Sprache notwendigen Charakter zu insofern, als sie die Beziehungen der Dinge untereinander und die Beziehungen der Dinge zu den Menschen abbilde; das Wesen der Dinge allerdings sei in ihr nicht aufgehoben und folglich für den Menschen auch nicht erkennbar, da der Raum der Erkenntnis durch die Strukturen der Sprache abgegrenzt sei.[263] Die Sprache enthält also für Condillac immer nur eine relative Wahrheit, damit wird implizit auch der Gedanke göttlicher Offenbarung ausgeschlossen.

Bonneville dagegen greift in dem Gedanken einer ursprünglichen Sprache der Wahrheit - zumindest der Formulierung nach - auf das Prinzip göttlicher Offenbarung zurück. Dies ist zunächst nicht ungewöhnlich: Beauzée und Court de Gébelin begründen ihre

Ablehnung der Konventionstheorie mit der Idee des göttlichen Ursprungs der Sprache, auch Rousseau spielt mit diesem Gedanken;[264] die Theorien des Sprachursprungs im 18. Jahrhundert bewegen sich im allgemeinen in der Zuordnung der Kategorien 'menschlich'/'willkürlich' und 'notwendig'/'göttlich'.
Anders als Court de Gébelin, der nur die Sprachorgane als göttlichen Ursprungs betrachtet, nicht aber die Sprache auf der Ebene der Performanz, zeigt Bonneville ausgesprochen sprachmagische Vorstellungen:

> "Arriver à la racine des mots, c'est avoir saisi la racine des choses: c'est la parole qui a tout fait, qui a créé l'ordre dans l'univers; c'est la parole qui purifie; qui régénère, qui sauve, qui nous guérit, qui nous encourage, qui nous réveille. O parole! les anciens sages t'ont nommée Dieu même; les hommes toujours inattentifs et frivoles, ne chercheront-ils jamais à te comprendre." (EdR II, p. 161)

Das Thema der Notwendigkeit der Sprache, einer nicht-arbiträren Beziehung von sprachlichem Zeichen und bezeichnetem Gegenstand erhält bei Bonneville eine ungewöhnliche Gestaltung. Während für die rationalistische Theorie des Sprachursprungs, soweit sie eine ursprüngliche Notwendigkeit des sprachlichen Zeichens annimmt, die Gegenstände der äußeren Realität das logisch und genetisch erste Prinzip darstellen, deren Bestimmungen und Qualitäten die Sprache in einem nachahmenden Akt in sich aufnehme, während also für diese Theorie das ursprüngliche Prinzip der Sprache in Imitation und Abbildung besteht, betrachtet Bonneville die Dinge selbst als durch Sprache erschaffen - die Sprache wird damit zum universalen schöpferischen Prinzip und erhält die Qualität absoluter Autonomie. Mit dieser Auffassung der Sprache als autonom göttlichen Prinzips, mehr noch: als Gott selbst, läßt sich der Sinn, den Bonneville der Etymologieforschung zuschreibt, erklären: wenn nämlich die Dinge selbst durch Sprache vermittelt sind und der Unterschied von Ding und Wort nur im höheren "Reinheitsgrad" des Wortes liegt, enthüllt die Erkenntnis der ursprünglichen schöpferischen Kräfte der Sprache die inneren Kräfte der Welt. Dagegen kann die vorher skizzierte rationalistische Theorie der Notwendigkeit der Sprache nicht der Etymologieforschung den Sinn zuschreiben, das versteckte Wesen der Dinge zu erkennen: die Erkenntnis der Urspra-

che kann immer nur deren nachahmenden Charakter konstatieren, die Wörter oder Laute in Beziehung setzen zu den Objekten, die sie bezeichnet haben, über die als vorgegeben vorausgesetzte äußere Realität aber keine neuen Aussagen machen.
Zu fragen ist nun weiter nach dem Verhältnis von Bonnevilles Behauptung der Sprache als welterschaffenden Prinzips zur christlichen Idee der Schöpfung und der Offenbarung, die Formulierung "c'est la parole qui a tout fait, qui a créé l'ordre dans l'univers" weist ja eine deutliche Ähnlichkeit mit der Genesis auf. Daß er die orthodoxe Vorstellung eines göttlichen Logos, mit dem das menschliche Medium Sprache nicht vergleichbar sei, nicht teilt, legt bereits die Wendung nahe "O parole! les anciens sages t'ont nommée Dieu même" (Hervorhebung von mir, SK), die einen bereits säkularisierten Begriff der schöpferischen Kraft der Sprache vermuten läßt. Zum zweiten steht Bonneville aufgrund seiner pantheistischen Tendenzen einer strengen Unterscheidung von göttlicher und menschlicher Sprache fern: wenn sein Sprachbegriff überhaupt eine metaphysische Dimension enthält, müßte er die Welterschaffung durch Sprache als Emanation der Dinge aus Sprache begreifen, die in ihnen noch aufgehoben wäre, damit auch im Menschen und seiner Sprache - für diese Konzeption finden sich allerdings keine direkten Textbelege.
Wir können hier bereits festhalten, daß Bonneville nicht eindeutig unterscheidet zwischen einer göttlichen und der menschlichen Sprache. Wenn er dabei aber die Sprache als autonome und welterschaffende, schöpferische Kraft bestimmt, bleibt dennoch das Problem bestehen, wie er diesen Sprachbegriff vermittelt mit der realen Sprachpraxis und dem instrumentellen Charakter der Sprache. Ein Hinweis darauf, daß Bonneville das Problem bewußt war, daß die Sprache nicht schlechthin autonom und wahr ist, ist im folgenden Zitat enthalten:

> "Mais, avant tout, il faut que la Parole soit entendue, la Parole qui a tout fait; nous voulons dire la voix de la vérité, celle qui n'est point sujette aux frivoles interprétations des hommes, cette parole si pure et si FRANCHE que les sages de l'ancien monde l'appelloient à la fois, la lumière, la vie, la CRÉATION, la voix du peuple, la voix de Dieu, souvent la divinité même, souffle céleste qui a donné une ame à tout ce qui respire." (BdF I, p. 5)

Bonneville scheint hier zu unterscheiden zwischen einer Sprache der Wahrheit und einer Sprache, die der Willkürlichkeit menschlicher Interpretation unterworfen sei. Eine Sprache aber, die den Interpretationen der Menschen entzogen sei, bedeutet eine Sprache vor und unabhängig von jeder menschlichen Existenz - rekurriert also Bonneville doch auf das Prinzip göttlicher Offenbarung, auf eine Sprache, deren unveränderliche Wahrheit in einer außermenschlichen Instanz, also Gott ruhe?
Die im letzten Zitat angedeutete Idee einer offenbarenden Sprache kann verschiedene Vorstellungen implizieren: die einer festgelegten, durch Gott vermittelten Offenbarung, des in der Heiligen Schrift niedergelegten Wort Gottes, einer Offenbarung, deren Wahrheit nicht in einer besonderen Form von Sprache liegt; oder die Vorstellung einer von sich aus bedeutenden Sprache, die nicht Träger einer Wahrheit sei, die sich aus einer außer ihr liegenden Instanz begründet, sondern die selbst Wahrheit sei und sich daher sprachlich von der durch ihre instrumentelle Funktion geprägten Alltagssprache unterscheide.
Welche dieser Bedeutungen die angegebene Stelle hat, läßt sich nicht eindeutig entscheiden. Sie steht im Kontext einer Begründung der Ziele des "Cercle Social", die Formulierung "il faut que <u>la Parole</u> soit entendue" kann daher den Sinn haben, daß die wahre, nach Bonneville sozialrevolutionäre Botschaft der Bibel verstanden werden müsse; im folgenden ist allerdings das Zitat so allgemein gehalten, daß es eher als Reflexion über eine ursprünglich reale und gegenwärtig potentielle Sprache erscheint, die sich nicht auf ein schriftliches Korpus wie die Bibel festlegen lasse.[265]
Die christliche Idee göttlicher Offenbarung verläßt Bonneville eindeutig in folgendem Zitat:

> "Dans les maximes universelles, ou proverbes des nations, je trouvai la révélation de la sagesse éternelle. <u>La parole est Dieu</u>. Créons!
> Que ferai-je de toutes ces pierres brutes? A la faveur des ténèbres, j'y déposerai des germes de réflexion; quand le jour paroîtra, tout sera lumière!" (EdR I, p. 76)

Mit der Aufforderung zu schöpferischer Gestaltung der Sprache gewinnt die Formulierung "La parole est Dieu" den Sinn, daß die menschliche Sprache selbst ein göttliches Prinzip sei, es erfolgt

eine ähnlich radikale Säkularisierung des christlichen Gedankengutes wie in Bonnevilles Diktum, daß der Mensch - als Gattungswesen - Gott sei. Die Sprache ist für Bonneville Medium und Indikator der Göttlichkeit des Menschen, der Satz "Il a la Parole! - qui est tout! Et tout parle dans l'Homme!" (EdR App., p. 103) ist der Kulminationspunkt seiner in Pkt. 3.3.3 dargestellten Idee der Göttlichkeit des Menschen.
Welche Bedeutung hat die Säkularisierung des Offenbarungsgedankens für Bonnevilles Sprachbegriff? Formulieren wir nochmals den Kontext und das Problem: die Sprachtheorie der Aufklärung - mit Ausnahme von Beauzées Artikel "Langue" und Court de Gébelin - setzt der christlichen Idee einer göttlichen Sprache, der Offenbarung, die Theorie des rein menschlichen Ursprungs der Sprache und ihres arbiträren oder ursprünglich nachahmenden Charakters entgegen, die Qualität der Sprache wird vorrangig in ihrer instrumentellen Funktion gesehen, als Kommunikationsmittel. Bonneville übernimmt aus der Idee einer göttlichen Sprache die Bestimmungen von autonomer schöpferischer Kraft und voraussetzungslosem Ursprung der Sprache und der Identität von Sprache und Erkenntnis des Wesens der Dinge, sowie der Unabhängigkeit ihrer Wahrheit vom Sprachgebrauch der Menschen als einzelner Existenzen; die Sprache ist für ihn ein Absolutum: "La parole est Dieu". Dabei rückt er sie jedoch aus dem Bezug auf die transzendente Instanz eines personalisierten Gottes, die Sprache ist zwar selbst Transzendenz, bleibt aber für Bonneville allein auf den Menschen bezogen, sie ist dem Menschen als Gattungswesen immanent. Daraus ergibt sich die Frage nach dem Verhältnis dieser Sprache zu den aktuellen Einzelsprachen und ihrem Charakter. Da Bonneville nicht eine besondere Form der Sprache, etwa die biblische oder dichterische Sprache, als diese schöpferische Sprache definiert, kommt es konsequent zu einer ideellen Verlagerung der schöpferischen "parole" in die Vergangenheit und in die Zukunft. Daß dies verschiedene Haltungen gegenüber dem Phänomen Sprache bedingt, nämlich entweder das Bemühen um Konservierung unter dem Blickwinkel eines hypothetischen vergangenen Sprachideals oder die Suche nach neuen schöpferischen Ausdrucksformen, scheint ihm nicht bewußt zu sein. Im folgenden Zitat tritt dies als Zirkelbewegung in der Argumentation auf,

auch zwischen den Bestimmungen der Transzendenz und Immanenz der Sprache springt Bonneville hin und her:

> "Fidèles aux loix de la nature, arrivons à pas lents, comme elle, à la régénération de l'univers; rendez à la nature la parole; et sa parole, qui au commencement a créé des hommes, va récréer ces mêmes hommes et pour eux un autre monde. Ils y naîtront tous égaux en droits; et par cette égalité originelle, seront enfin effacées à jamais les taches d'une servile naissance.
> Tels sont les principes consacrés par les mystères de tous les temples anciens et modernes. Amis de la Vérité, soyez bien persuadés que seulement pour vous apprendre à être attentifs et à vous connoître vous-mêmes, il vous importe essentiellement de rechercher les principes ou initiations des choses.
> Leur force motrice, cachée, fondamentale, vous apprendra que la parole libre et pure, image ardente de la vérité, saura tout éclairer par sa chaleur active, tout aimanter par sa puissance attractive, électriser d'excellens conducteurs, organiser les hommes, les nations et l'univers. Alors tout parlera dans la nature; tout répondra dans la nature; tout y sera lumière, vérité, bonne constitution et bonheur universel." (EdR II, p. 189f)

Analysieren wir diese Stelle genauer. Im ersten Absatz greift Bonneville auf seine Idee einer Sprache der Natur zurück.[266] Die Sprache der Natur habe wahre Menschen - dies scheint mir die Bedeutung des hervorgehobenen "des hommes" - erschaffen (Transzendenz), sei ihr selbst verlorengegangen, und zwar, so muß man ergänzen, durch die Menschen, die das göttliche Prinzip Sprache entweihten und verfälschten, indem sie es zum Mittel ihrer Interessen machten, die dabei aber in der Lage seien, die Sprache der Natur wiederherzustellen: "rendez à la nature la parole"; die schöpferische "parole" wird hier zu einer der Menschheit immanenten Sprache. In einem dritten Schritt wird die "parole", die die Menschen der Natur zurückgeben, wieder zu einer die Menschen transzendierenden Kraft: sie wird ihrerseits die Menschheit regenerieren, neue Menschen und eine neue Welt von politischer Gleichheit schaffen.
Im zweiten Absatz greift Bonneville zunächst auf seine übliche Interpretation alter religiöser Traditionen zurück, in denen er eine sprachliche Formulierung des Ursprungs und Wesens der Dinge vermutet. Dieser Absatz steht eher unter dem Thema einer in die Vergangenheit, auf den Ursprung der Sprache und der Dinge gerichteten Reflexion, vergleichbar mit der Motivation,

die Bonneville der Analyse der "mots élémentaires" zugrundelegt.

Im dritten Absatz stellt Bonneville den Gedanken der schöpferischen Sprache ausschließlich in die Dimension der Zukunft. Die Bestimmungen von Immanenz und Transzendenz der Sprache fallen hier weitgehend zusammen: "la parole libre et pure" ist die Sprache des freien Menschen und gleichzeitig die Kraft, die die Menschen und die Welt befreien wird. Das utopische Moment dieser Idee besteht hier vor allem darin, daß die "parole de la nature" des ersten Absatzes ersetzt wird durch die Sprache der Menschheit. Die Menschheit erscheint hier nicht mehr als Objekt, sie löst die Natur als schöpferische Instanz ab; die menschliche Sprache wird in einem künftigen Zustand der Freiheit nicht nur die Menschen befreien, sondern auch die Natur zum Sprechen bringen. Bonneville verbindet hier das Thema der schöpferischen Kraft der Sprache mit einem säkularisierten Erlösungsgedanken: die Sprache wird zum Medium einer kollektiven und nicht nur politischen Befreiung und der Herstellung einer paradiesischen Einheit zwischen Mensch und Natur.

Diese Vorstellung einer befreienden und erlösenden Kraft der Sprache ist von der Deutlichkeit der Formulierung her ungewöhnlich. In dieselbe Richtung weisende Ansätze sind im historischen Kontext am ehesten bei Saint-Martin vorhanden: Saint-Martin begreift Sprache und Dichtung als die wesentlichen Kräfte der Reintegration des Menschen in Gott, die Sprache bleibt bei ihm allerdings sowohl von ihrem Ursprung her wie in ihrer zukünftigen Funktion durchgehend auf Gott hin definiert; er setzt die erlösende Kraft der Sprache ausschließlich in der religiösen Dimension an, der Gedanke einer "Erlösung" der Natur durch die menschliche Sprache fehlt außerdem.[267] Ballanche hat zwar den Gedanken einer Erlösung der Natur durch den Menschen, verbindet ihn aber nicht mit seiner Idee der Sprache.[268]

Der Gedanke, daß die menschliche Sprache die Natur zum Sprechen bringen könne, steht bei Bonneville noch in einer ausgeprägt mystisch-utopischen Dimension und hat nicht die Bedeutung, daß die Sprache ein verstecktes Wesen der Dinge im übertragenen Sinn zum Ausdruck bringen könne, wie dies in der Romantik für die dichterische Sprache angenommen wird. Was Bonneville von der romantischen Idee der dichterischen Sprache unterscheidet, ist erstens, daß er den Gedanken einer schöpferischen Kraft der Sprache nicht auf eine Reflexion über die besondere Qualität der poetischen Sprache hinführt, und zweitens, daß er ihn nicht mit einer Theorie des Symbols verbindet. Der romantische Gedanke, daß der Dichter die Natur zum Sprechen bringen könne, basiert auf der Idee des Symbols, genauer: der Annahme, daß sowohl die Dinge als auch die Wörter Symbole seien und es Aufgabe der poetischen Intuition sei, im dichterischen Symbol diese versteckte "Sprache" der Dinge einzufangen. Ballanche schreibt, hier in Bezug auf die Sprache im allgemeinen, seinem Orphée folgende Worte zu:

> "Les objets de la nature, les arbres, les fleurs, les nuages, les parfums, la lumière, les vents sont-ils des emblèmes dont l'homme cherche l'explication après l'avoir perdue? Et cette explication ne doit-il pas la trouver dans la parole, révélation qui ne finit point, chaîne éternelle dont tous les anneaux, attachés entre eux, sont d'indestructibles traditions?" [269]

Aufgrund des Fehlens einer Symboltheorie kann Bonnevilles Vorstellung der schöpferischen und befreienden Kraft der Sprache nicht als genuin romantisch gewertet werden, was allerdings nichts an der Außergewöhnlichkeit seines Gedankens, vor allem im Kontext der Aufklärungstheorie, ändert. Thematisch geht Bonneville sogar über die meisten Romantiker hinaus, indem er auf einen Rekurs auf göttliche Offenbarung völlig verzichtet und eine deutliche säkularisierte - wenn auch mystische - Sprachauffassung entwickelt.

Kommen wir nun noch einmal auf das Bonneville-Zitat zurück, um zu betrachten, in welcher Weise er die schöpferischen Kräfte der Sprache bestimmt. Auffallend ist zunächst das Wort "aimanter", das nicht im übertragenen Sinn zu verstehen ist, da Bonneville als Anhänger des Magnetismus an eine magnetische Wirkung des Geistes in einem nahezu physikalischen Sinn glaubte. Dieselbe Kraft zur Durchdringung der Materie schreibt er der Sprache zu. Er verwendet dabei dieselben Attribute, in denen er die magischen Kräfte des Geistes beschreibt.[270] Insgesamt wird der Sprache eine materielle, unmittelbare Wirkung zugesprochen.

Im übrigen meint Bonneville mit "parole libre et pure" keineswegs eine durch einen bestimmten Inhalt definierte Sprache, etwa die politische Rhetorik. Die magnetisierende Kraft schreibt er vielmehr der Sprache überhaupt zu, unabhängig von ihrem sozialen und kulturellen Kontext, unabhängig von der Sprechsituation und dem jeweiligen Inhalt, und zwar aufgrund seiner Annahme, daß Gedanke und Wort gleichermaßen "corps spirituels" sind. Im folgenden Zitat, das eine recht merkwürdige Argumentation zeigt, ist von Interesse, daß Bonneville hier sogar behauptet, allein durch die Sprache sei die Vernunft der Klügsten potentiell der Menschheit insgesamt einimpfbar; dies bedeutet erstens eine völlige Vernachlässigung der realen Selektions- und Wertungsprozesse im rezipierenden Subjekt, zweitens eine Verkennung der Tatsache, daß Vernunft aus geistiger Aktivität resultiert und als solche nicht beliebig übertragbar ist; Bonneville definiert hier die Menschen als passive Objekte der Sprache:

> "Dans l'organisation intellectuelle, la vérité est le centre où tout doit graviter. Elle ne peut naître que dans un foyer ardent de lumière. Transportez donc dans la morale ces loix ineffables de l'attraction, de l'électricité, de la bonne conduite. C'est la puissance spirituelle.
> Cette union d'esprits épurés, enfante le mouvement ou motions d'ordre; et puisque les esprits ont une organisation et des formes sensibles et palpables par la pensée, on peut inoculer, au genre humain, par la parole, corps spirituel, la lumière et la raison des plus sages.
> La tyrannie étouffe la parole. Alors ce n'est plus la nature libre qui conçoit, c'est la nature esclave; la servitude ne peut enfanter que des êtres imparfaits."
> (EdR I, p. 88)

Interessant ist auch der letzte Satz: die menschliche Unvollkommenheit im Zustand der Unfreiheit leitet Bonneville direkt aus der Verhinderung freien sprachlichen Ausdrucks durch den Despotismus ab. Der Despotismus besteht für ihn wesentlich in der Unterdrückung der Redefreiheit. Die Vehemenz seines Eintretens für eine absolute Pressefreiheit erklärt sich gerade aus seiner Vorstellung einer unmittelbaren Wirkung der Sprache. Er begründet seine Forderung nach Rede- und Pressefreiheit nicht mit dem funktionalen Charakter der Sprache, Instrument der Ideenvermittlung zu sein, sondern mit dem Argument, daß die Zensur jeden schöpferischen Impuls unmöglich mache und in der Unterdrückung der Sprache sich an der Schöpfung insgesamt vergehe:

> "(...) enchaîner la parole, la parole qui se fait chair pour punir les despotes, c'est vouloir enchaîner la création." (EdR II, p. 194)

5.4 Die magische Kraft der Wörter

Im folgenden soll betrachtet werden, wie sich Bonnevilles Sprachauffassung in seinem Verhältnis zu den Wörtern ausdrückt. Ausgangspunkt ist dabei seine Sicht der Sprache als Medium einer umfassenden Regeneration der Menschheit: "Régénérons le genre humain comme il a été créé, par la parole." (EdR I, p. 19)
Dies bedeutet, daß Bonneville die Sprache auch unter dem Gesichtspunkt einer auf die zukünftige Geschichte ausgerichteten Sprachpraxis betrachtet.
Rekapitulieren wir hier zunächst die für Bonnevilles These einer Regeneration durch Sprache wichtigen Momente seiner Sprachauffassung: die Annahme einer ursprünglichen Nicht-Arbitrarität des sprachlichen Zeichens, d.h. daß die Sprache von sich aus wahr sei, und nicht erst eine relative Wahrheit durch den Menschen erhalte, und besonders die Annahme einer autonom schöpferischen Kraft der Sprache und ihres magnetisierenden Charakters.
Die bereits dargestellte Idee Bonnevilles, daß die Sprache das wesentliche Medium gesellschaftlicher Veränderung darstelle, muß nun noch nicht eine besondere Reflexion auf die Sprache als solche beinhalten, die Sprache kann in dieser Vorstellung eine durchaus untergeordnete Funktion einnehmen, in dem Sinn, daß sie nur als Träger von Ideen begriffen wird und die Betonung auf der Vermittlung der richtigen Gedanken liegt; in diesem Fall würde die Idee der gesellschaftsverändernden Kraft der Sprache zusammenfallen mit der Idee der Aufklärung. In folgendem Zitat zeigt sich, daß Bonneville auf eine besondere Form der Sprache abzielt:

> "Donnez-moi de la matière et du mouvement, disoit Descartes, et je ferai aussi un monde! Ce mot qui plaît, par son audace, n'a rien de profondement senti. L'homme qui veut créer un nouveau monde, a besoin d'autre chose que de la matière et du mouvement.
> Descartes, lui-même, avoit en soi tout ce qu'il demandoit. Donnez-moi la liberté! la liberté de la parole; apportez-moi

> des vases bien purs qui reçoivent ce germe céleste de la création! et la parole 'qui étoit au commencement', qui a formé l'ancien monde, ranimera des cadavres gangrenés, et dans le coeur de l'esclave qui n'est encore qu'une pierre brute, la parole du sage imprimera une image de la divinité." (EdR II, p. 162f)

Mit "des vases bien purs" sind die Wörter gemeint, Bonneville postuliert damit eine Verwendung expressiver Wörter oder eine Neuschöpfung von Wörtern. Nun geht er aber noch weiter, indem er nicht fordert, für einen bereits festgelegten Inhalt das richtige Wort zu suchen - dies würde immer noch eine Unterordnung des Wortes unter den Inhalt, den es propagieren soll, bedeuten; er verläßt vielmehr jede instrumentelle Definition der Sprache in der Idee magischer Wörter:

> "Le premier pas à faire pour commencer les révolutions universelles, est d'apprendre de la nature même, l'art de baptiser de noms magiques ou circulaires, les hommes et les choses. (...) Le mystère du baptême est une loi sensible de la nature qui commence une organisation spirituelle. Toutes les initiations religieuses, unissantes ou fraternelles, commencent à s'organiser par le baptême ou dénomination commune. Un nom, par cela seul qu'il plaît, est un mot d'ordre; car il unit les hommes et les choses, et l'ordre naît de l'union." (EdR I, p. 74f)

Der Verweis auf die Natur, von der die Kunst des Benennens zu erlernen sei, hat die Bedeutung, den schöpferischen Umgang mit Sprache als nicht-willkürlich erscheinen zu lassen. Während im allgemeinen in der Sprachtheorie der Aufklärung das Sprachideal nach dem Muster der künstlichen Zeichensprache der Mathematik konzipiert wird und das ideale Wort als durch allgemeine Vereinbarung völlig eindeutiges, allerdings arbiträres Zeichen, wird bei Bonneville gerade in der Vorstellung magischer Namen der Wunsch nach einem autonom bedeutenden Zustand der Wörter deutlich. In seiner weiteren Argumentation scheint Bonneville allerdings dem Gedanken einer magischen Kraft der Wörter nicht mehr gerecht zu werden, zum einen in der rationalistisch-gefärbten Erklärung von "baptême" als "dénomination commune", zum anderen indem er die Wirkung des Namens auf das Gefallen reduziert. Es dürfte hier wieder das bei Bonneville öfter anzutreffende Phänomen vorliegen, daß die allgemeine und emphatische Formulierung eines Gedankens auseinanderfällt mit der Vorstel-

lung einer möglichen praktischen Realisierung. In diesem Fall scheint sich die Idee magischer Namen in das banale Postulat aufzulösen, daß eine politische Organisation einen treffenden, expressiven Namen tragen solle.
Einstweilen ist festzuhalten, daß Bonneville die Aufgabe der Regeneration der Menschheit nicht der Sprache insgesamt in ihrem gegebenen empirischen Zustand zuschreibt, sondern eher besonderen Wörtern, die zu finden seien. In diesem Sinn ist wohl auch die folgende Stelle zu verstehen:

> "Ce mot de national, sera le mot magique, et circulant comme l'éclair sur tout le globe, fera la révolution universelle." (BdF IV, No 82, p. 6)

Welche Bedeutung die Idee magischer Namen haben kann, können wir am Beispiel von Ballanche erkennen. Nach Ballanche ist das Benennen identisch mit der Erkenntnis des Wesens der Dinge:

> "Nommer une chose dans la force de la prérogative qui donne la faculté de nommer, c'est connaître l'essence de cette chose (...) La prérogative de nommer est donc en quelque sorte une participation à la création." 271

Da Ballanche als die wesentliche Fähigkeit im schöpferischen Umgang mit der Sprache - und damit als Kraft des Benennens - die Intuition begreift, überrascht es nicht, daß er die Dichtung als Urbild der Sprache, und zwar der Sprache der Erkenntnis, faßt: "La poésie est la parole primitive, révélée à l'homme."[272]

Basis dieser Identifikation von Sprache, Erkenntnis und Dichtung ist der Symbolbegriff: das Benennen hat die magische Fähigkeit, das Wesen der Dinge zu offenbaren, nur insofern, als es Verdichtung der Sprache zum Symbol ist und darin die symbolische Struktur der Welt zu erfassen vermag.
Ballanche setzt letzten Endes den magischen Akt des Benennens identisch mit poetischer Sprachgestaltung. Was Bonneville unter den magischen Namen versteht, bleibt demgegenüber unklar. Hat er nur die traditionelle mimologische Idee des richtigen Namens, daß der Name bereits richtige Aussagen über seinen Träger enthalten müsse? Worin bestünde aber in diesem Fall seine magische Qualität? Oder: welche Qualität müssen für Bonneville die Wörter haben, damit sie magische Namen sind?
Einen ersten Aufschluß kann uns Bonnevilles Vorstellung über

die Natur der Vorurteile geben. Er setzt die Vorurteile stets in Beziehung zur Sprache und kritisiert sie nicht als ein falsches Denken, sondern als eine Verfälschung der Sprache:

> "Les préjugés se greffent sur les mots. Ils souillent nos pensées parce qu'ils souillent les mots qui les habillent, et dont elles sont l'ame, si je puis m'exprimer ainsi. Un préjugé est-il enfin détruit? Que le sage dise aux hommes de se garder des expressions que le préjugé a souillées." (EdR II, p. 72)

Im Kontext seiner Darstellung der Sprache als autonom schöpferischer Kraft schreibt Bonneville:

> "Sera-ce envain, que des hommes remplis du feu sacré de la nature, ont déposé dans leurs paroles ces germes de vérité qui ne devoient éclore que dans l'immensité des siècles?
> Soyez attentifs:
> Tous les malheurs qui désolent les empires, les nations et l'espèce humaine toute entière, viennent d'un manque d'attention, d'une méprise dans le langage, d'une mésintelligence, d'un mal-entendu, d'un jugement précipité (préjugé); et cependant on se hâte encore de faire croire sans examen, ce qu'on a cru sans réflexion." (EdR II, p. 162)

Wir stoßen hier wieder auf die Vorstellung eines ursprünglichen Wissens, das durch das Verschulden der Menschen, durch ihre Unaufmerksamkeit gegenüber der Sprache verlorengegangen sei. Das aufklärerische Thema, daß die geschichtlichen Fehlentwicklungen durch die Vorurteile bedingt seien, erhält bei Bonneville einen eigenartigen Sinn: die Vorurteile bewegen sich für ihn im innersprachlichen Raum, sie bewirken eine Verdunkelung der Sprache und können eine Veränderung der Realität überhaupt nur dadurch bewerkstelligen, daß sie die ursprüngliche Transparenz der Sprache zerstören. So meint er, daß erst die Einführung "dunkler" Wörter und den ursprünglichen Wortsinn verfälschende Bibelübersetzungen es ermöglichten, das Christentum zu einem Unterdrükkungsinstrument umzuformen:

> "La plupart de ceux qui ont traduit dans nos langues modernes par des mots incompréhensibles pour toute l'Europe, des expressions claires, même pour la multitude, chez les Orientaux et les Grecs, avoient autre chose en vue que le bonheur des hommes. Peu-à-peu, à force d'interprétations étranges, ils se proposoient d'y substituer tel ou tel sens qui leur seroit convenable." (EdR II, p. 76)

Aus dieser Konzeption der Vorurteile und ihrer Entstehung heraus fordert Bonneville, daß bestimmte Wörter zu eliminieren seien, da sie von Vorurteilen behaftet seien und ihr Gebrauch das Vorurteil perpetuieren würde, und daß positiv an ihre Stelle die ur-ursprüngliche "expression claire" zu setzen sei. In dieser zweiten Forderung können allerdings verschiedene Positionen enthalten sein, und zwar grob umrissen folgende:

1. Die ursprüngliche Bezeichnung ist a priori die wahre.
2. Die ursprüngliche Bezeichnung ist wahr entweder
   a) weil sie dem bezeichneten Gegenstand angemessener von der Bedeutung her ist, oder
   b) weil sie bereits vom "signifiant" her, etwa durch die lautliche Verwandtschaft zu anderen Wörtern, die richtige Vorstellung entstehen lasse.

Betrachten wir nun Bonnevilles konkrete Beschäftigung mit den Wörtern unter dieser Fragestellung. Seiner Suche nach den ursprünglichen Bezeichnungen und nach besseren Wörtern liegt primär nicht die Intention zugrunde, expressive Wendungen zu finden, sondern Wörter, die quasi von sich aus richtige Ideen vermitteln. Die damit einhergehende Unterscheidung von falschen und richtigen Wörtern bedingt, daß er stets von einer Kritik der als dunkel oder falsch empfundenen Wörter ausgeht und sie ersetzen will. So will er z.B. das dunkle Wort "dieu" ersetzt wissen durch "esprit créateur" und gibt als Begründung folgenden Satz, der sich dem Inhalt nach auch auf alle folgenden Beispiele anwenden läßt:

> "Avant de passer à la révélation de ce mystère, parlons de l'Eternel; si je l'ai bien nommé, j'anéantis toutes vos querelles sacerdotales, je rafraîchirai votre ame, j'y ferai jaillir une source de lumière, et je vous aurai donné une idée pure de la création et de l'éternité du monde."
> (EdR I, p. 22)

Bonneville hat ein recht naives Verhältnis gegenüber den Bedeutungen: er meint, durch die Komposition zweier für sich schon sinntragender Wörter einen transparenten Ausdruck zu geben, der, da er eine Definition Gottes material enthalte, von sich aus die richtige Idee vermittle. Er verfällt hier dem bereits im Kratylos enthaltenen Zirkel des eponymischen Verfahrens (Genette).[273] Über dem Blick auf die sprachliche Transparenz des Ausdrucks übersieht er, daß auf der ideellen Ebene "esprit

créateur" genau so interpretationswürdig, also genauso wenig transparent ist wie "dieu".
Komplizierter ist das nächste Beispiel, in dem Bonneville seine These der ursprünglichen Transparenz der Sprache, der "expressions claires", zu belegen versucht. Er fordert zunächst eine Wiederaufnahme der bildhaften Ausdrücke der ursprünglichen Religionen:

> "En vous efforçant de remonter aux anciennes et primitives initiations, reportez, dans votre langue usuelle, leurs expressions figuratives, et dont la simple énonciation fera souvent jaillir la réflexion la plus conforme à la vérité."
> (EdR II, p. 190f)

Bonneville präzisiert hier seine Vorstellung der magischen Wirkung der Sprache: das einfache Aussprechen der bildhaften Ausdrücke soll bereits eine Erkenntnis der Wahrheit bewirken. Anders als Condillac setzt er also die erkenntnisprägende Kraft der Sprache nicht in ihrer syntaktischen Gliederung an, die die Ideen analysiere, sondern im Wort selbst. Dies kann entweder eine ausgesprochen irrationalistische Vorstellung von Sprache bedeuten, nämlich daß allein das Aussprechen bestimmter Wörter unmittelbar erkenntnisübertragende Wirkung habe, ohne daß der Grund dafür am Wort selbst aufgezeigt werden kann, oder die Vorstellung einer Sprache, die bereits durch die Lautgestalt der Wörter unmittelbar wirkt oder durch den Kontext über die denotative Bedeutung hinaus Konnotationen entstehen läßt, die im Sinne einer Erkenntnisvermittlung bestimmte Assoziationen hervorrufen; dies wäre eine Konzeption von rhetorischer oder allgemein literarischer Sprache.
Bonneville nun reflektiert in diesem Kontext keineswegs über die poetische Sprache, allerdings wäre doch ein Verweis auf rhetorische Figuren oder zumindest ein Beispiel bildhafter Ausdrucksform zu erwarten. Er fährt jedoch mit folgendem Beispiel fort:

> "Que la Basilique auguste de la cité ne soit pour vous aujourd'hui, comme en son origine, que le rendez-vous des fédérations ou sections partielles où doit s'exercer la souveraineté nationale." (EdR II, p. 191)

Hierzu gibt er als Fußnote folgende Erklärung: "Basileus, en grec, veut dire roi."

"Basilique" ist hier offensichtlich das dunkle Wort, "rendez-vous des fédérations" wäre seine ursprüngliche Bedeutung und solle es ablösen. Abgesehen davon, daß dessen angeblich bildhafter Charakter nicht einsehbar ist, kann weder "Basilique" noch "rendez-vous des fédérations" jeweils für sich allein genommen eine besondere sprachliche Qualität beanspruchen. So hat also Bonneville zwar die Forderung nach Rekonstituierung der ursprünglichen Bedeutung eingelöst, diese wirkt allein aber nicht "erleuchtend", sondern höchstens im Kontext mit "Basilique" Die Wirkung von "Basilique" = "rendez-vous des fédérations" liegt dabei allein auf der Seite des "signifié", in der Spannung nämlich, die zwischen den entsprechenden Vorstellungsinhalten und den damit verbundenen Assoziationen besteht: hier die Basilika, für Bonneville ein Symbol für die Kirche als repressive Institution, dort die lebendige Zusammenkunft der patriotischen Bürger. Die Begeisterung, mit der Bonneville seine Entdeckung feiert, liegt nun allerdings gerade darin begründet, daß "Basilique" und "rendez-vous des fédérations" für ihn in einer innersprachlichen Beziehung stehen: die Sprache selbst autorisiert ihn, implizit die Ersetzung der Basilika durch die Zusammenkunft der "fédérations" zu fordern, er gibt seinem Selbstverständnis nach keine willkürliche Interpretation, sondern macht sich zum Organ der ursprünglichen Wahrheit der Sprache gegen deren priesterliche Usurpatoren und Verfälscher. Er fordert dabei nicht einmal, daß die Institution Kirche durch eine revolutionäre Organisation ersetzt werden müsse, sondern nur, daß die ursprüngliche Bedeutung von "ecclesia", nämlich "fédération" ("conventus civium"), wieder eingeführt werden solle:

> "Allez à l'<u>église</u>; mais que ce mot-là qui, tant de fois, est un nom de terreur et de scandale, pour les sages et pour le peuple, reprenne en votre langue, sa signification réelle: <u>fédération</u>." (EdR II, p. 191)

Bonneville verwechselt bzw. identifiziert in merkwürdiger Weise Sprache und außersprachliche Realität: "église" ist als Wort beladen von den kirchlichen Verbrechen, es muß ersetzt werden; daß Bonneville seine Leser ermahnt, weiterhin zur Kirche zu gehen, aber die ursprüngliche Bezeichnung "fédération" zu verwenden, ist nicht nur als Bedürfnis nach einem neuen Wort zu verstehen, sondern als Wunsch, daß das neue Wort die bezeichnete Sache im Sinne seiner Bedeutung verändern möge. Ob für Bonneville die Kirche selbst zur "fédération" werden oder durch sie ersetzt werden soll, läßt sich auf dieser Ebene nicht entscheiden; dies dürfte ein Grund für die in Kap. 2 skizzierte Schwierigkeit sein, zu beurteilen, welches religionspolitische Programm er vertritt.

Wenn nun Bonneville behauptet, daß die bloße Kundgabe der ursprünglichen Bedeutung von "Basilique", "église" und anderen Wörtern auf das Publikum magisch wirke in dem Sinn, daß sie unmittelbar die richtigen Ideen entstehen lasse, so bedeutet dies zusätzlich eine völlige Verkennung der außersprachlichen Faktoren, die in diesem Fall über die Annahme seiner Worterklärung durch das Publikum entscheiden. Das Problem ist ja, daß er nicht einmal behaupten kann, daß "fédération" eine richtigere Bezeichnung für die Kirche sei als "église" - schließlich ist die Kirche eben keine "fédération". Die Wirkung seiner Worterklärungen würde entweder auf einer vorgängigen Übereinstimmung des Publikums beruhen, daß die ursprüngliche Bedeutung stets die wahre sei und das Wesen der Dinge in verbindlicher Form ausdrücke, oder darauf, daß die konkrete inhaltliche Erklärung auf Bedürfnisse des Publikums stößt - was in diesem Fall gegeben wäre, da in der Revolution eine breite Tendenz bestand, die Kirche nicht zu eliminieren, sondern sie den veränderten politischen Bedingungen anzupassen, wodurch Bonnevilles Erklärung der Wörter durchaus eine gewisse politische Brisanz haben konnte und nicht als reine Behauptung oder akademische Spielerei erscheinen mußte.

In Bezug auf die weiter oben formulierten möglichen Positionen, die die Forderung nach Ersetzung vorurteilsbehafteter Wörter durch "richtigere" oder ausdrucksstärkere Wendungen beinhalten kann, läßt sich für die zitierten Beispiele festhalten: Bonneville nimmt hier nicht als Kriterium die sprachliche Transparenz oder Expressivität, sondern die Ursprünglichkeit und Wahrheit der Bedeutung (in dem Sinn, daß die ursprüngliche Bedeutung den idealen Zustand der bezeichneten Sache formuliert). Die Behauptung einer magischen Wirkung des neuen Wortes kann dabei nur unter der Bedingung aufrechterhalten werden, daß die rein außersprachliche Bedingtheit der Wirkung nicht erkannt wird.

Betrachten wir nun weitere Beispiele. Auch hier geht Bonneville zunächst auf die ursprüngliche Bedeutung zurück. So will er etwa das Wort "Chrétien" durch die wörtliche Bedeutung "purifié" ersetzt wissen - mit dem Gedanken, daß dadurch das kirchliche Machtmonopol gebrochen werden könne: "tout homme dont le coeur est pur est donc un véritable Chrétien." (EdR II, p. 74) -, und ebenso die Wörter "saint" und "sacré" durch die ursprüngliche Bedeutung von ἱερός, nämlich "salutaire", wobei er den Sinn dieser Unterscheidung mit dem Hinweis erläutert, daß der Hohepriester der Ägypter, der Hierophant, keineswegs ein Priester im christlichen Sinn gewesen sei, sondern "celui qui parle des choses salutaires, celui qui guérit, tant au moral qu'au physique, celui qui sauve, qui purifie, le grand Médecin." (EdR II, p. 74). Dies ist gleichzeitig ein anschauliches Beispiel, wie Bonneville seine These, daß die Bezeichnungen schon Aussagen enthalten und daß die Kenntnis der ursprünglichen Bedeutungen die vergangene Realität bzw. ein unverfälschtes Wesen enthülle, zu belegen versucht.

Worin besteht nun aber der Unterschied von "Chrétien" und "purifié" und von "sacré" und "salutaire"? Im Fall von "Chrétien"/ "purifié" besteht er zunächst darin, daß "Chrétien" ursprünglich ein Name ist, und zwar kein sprechender, sondern ein - für Bonneville zumindest - undurchdringlicher Name, dessen Unverständlichkeit es der Kirche überhaupt erst ermöglicht habe, ein Monopol in der Interpretation dessen, was christlich sei, zu bebeanspruchen; "purifié" dagegen steht als "normales" Wort und vor allem durch seine Verwandtschaft mit "pur" in verschiedenen semantischen Kontexten und entzieht sich daher in weit größerem Maße willkürlicher Interpretation. Worin aber liegt der Unterschied von "sacré" und "salutaire"? Hier scheint sich Bonneville nur auf die Inhalte des "signifié" zu beziehen bzw. auf der Objekt-Ebene zu argumentieren: was heilig ist, entzieht sich der Definition durch den "bon sens", eine heilsame Sache ist dagegen durch ihre Wirkung direkt erfahrbar, also ist "salutaire" klarer als "sacré". Er führt allerdings diese Argumentation nicht aus, sondern geht über zu einer Betrachtung der sprachlichen Qualitäten der von ihm vorgeschlagenen Wörter. Ich zitiere ausführlicher:

"Pourquoi ne pas traduire le mot Βαπτισμα baptême, par le mot purification? Ce sont des mots synonymes, j'en conviens; mais le mot purification est plus satisfaisant; il s'entend. Pourquoi substituer au mot religion le mot foi? Il veut dire, à la vérité, la même chose que le mot latin religio; mais il ne présente aucune idée à ceux qui ne savent point le Grec.
Ces mots purification, religion, salutaire, présentent un sens déterminé. J'avoue que le mot religion est encore un peu obscur pour ceux qui ne connoissent point la langue latine; mais outre que cette langue fait partie de notre éducation dans toute l'Europe, nous avons en françois les mots lier et relier. Pour un homme qui cherche à se rendre raison de ce qu'il n'entend pas, ces mots suffisent pour lui expliquer en quelque sorte, le mot religion. On y voit une société de frères qui s'unissent, se lient et se relient pour s'aider à supporter la vie." (EdR II, p. 75f)

Daß die Wörter "purification", "religion", "salutaire" einen "sens déterminé" besitzen, begründet Bonneville von der Tatsache her, daß sie im Lautbild erkenntlich in einem Wortbildungszusammenhang stehen und durch diesen von sich aus sinntragend sind: "purification" evoziert unabhängig von jeder Interpretation "pur" und ist dadurch in seiner Bedeutung festgelegt. Warum aber nimmt Bonneville nicht auch "sacré" in diese Reihe auf, das ja ebenfalls mit "sacré", "sacrer", "sacrifice", "sacrement" in einem Wortbildungszusammenhang steht? Es geht ihm offensichtlich nicht darum, die Ordnung der Wörter nachzuvollziehen und die Forderung nach neuen Wörtern ausschließlich unter das Kriterium ihrer semantischen Transparenz zu stellen, er hat nicht das Ziel, einen Zustand sprachlicher Eindeutigkeit zu schaffen, in dem die Wörter allein schon durch ihre Verwandtschaft zu anderen Wörtern ihre Bedeutung kundgeben. Bonnevilles Intention läßt sich eher folgendermaßen beschreiben: er sucht in der Sprache eine versteckte Wahrheit, die Wörter sollen ihm, wenn er sie nur auf sich wirken läßt, ein Geheimnis verraten und ihm die richtigen Ideen eingeben, es geht also nicht darum, eine augenscheinliche materiale Ordnung nachzuvollziehen, sondern darum, die versteckten Bedeutungen hervorzulocken. Dies scheint mir das Motiv für die Bedeutung zu sein, die er dem Wort "religion" zuspricht: "religion" hat ja anders als "fédération" in der Gegenüberstellung "église"/"fédération" zunächst eine Bedeutung, die Bonneville nicht unterschreiben würde: "religion" bedeutet einen in Dogmen fixierten Glauben. Erst die Verwandtschaft mit "lier" und "relier" offenbart ihm die wahre Bedeutung von "religion" und den ursprünglichen Sinn der Religion, eine Instanz zur Herstellung von Brüderlichkeit und Solidarität der Menschen untereinander zu sein. Das Wort "religion" ist expressiv in dem Sinn, daß es für Bonneville durch die in ihm enthaltenen Wörter "lier" und "relier" eine Bedeutung enthüllt, die der konventionellen Bedeutung zuwiderläuft. Daß es in dieser Qualität das dunkle "foi" ersetzen solle, ist demgegenüber sekundär.

Anders liegt der Fall bei "salutaire". Daß "salutaire" als Ableitung von "salut" durchsichtig ist, bestätigt nur seine konventionelle Bedeutung. Das Moment der semantischen Konfrontation führt Bonneville jedoch auch hier an, allerdings kann er dies nur über die Vermittlung, es mit "sacré" zu konfrontieren. Die Beziehung wird dabei wieder wie im Fall "église"/"fédération" über den Rekurs auf die Etymologie autorisiert. Während die Spannung der Bedeutungen bei "religion" in einem einzigen Wort liegt, wird sie im Fall "sacré"/"salutaire" in die Beziehung zweier material ganz verschiedener Wörter gelegt; die einzige Klammer ist die Behauptung, daß "salutaire" die ursprüngliche Bedeutung von "sacré" sei.

Den Unterschied der beiden Beispiele bemerkt Bonneville nicht, vor allem übersieht er die Tatsache, daß die Beziehung von "religion" und "lier"/"relier" der unmittelbaren Spracherfahrung zugänglich ist, die von "sacré" und "salutaire" oder "église" und "fédération" aber nicht. Er findet für seine Idee einer unmittelbar im Sinne von Wahrheitsvermittlung und Gesellschaftsveränderung wirkenden Sprache nicht die adäquate konkrete Einlösung.

Der Grund dafür scheint mir erstens in Bonnevilles Ausrichtung auf die Ursprache bzw. die ursprünglichen Bedeutungen im Griechischen und Latein zu liegen, zweitens darin, daß er auf einzelne Wörter fixiert bleibt, was wieder daher rührt, daß er letzten Endes in den Wörtern selbst eine versteckte eindeutige Wahrheit sucht. Bonnevilles Beschäftigung mit den Wörtern liegt der Wunsch zugrunde, daß die Sprache selbst die richtigen Ideen unmittelbar übertrage und den Diskurs, den er selbst führen müßte, überflüssig mache, den Diskurs beispielsweise über die Frage, wie die Kirche umgestaltet oder ob sie durch die "fédération"

ersetzt werden müßte. Nun vermitteln aber die Wörter, die als Bezeichnungen für religiöse Phänomene dienen, nicht die nach Bonneville richtigen Ideen über die Religion, sie müssen also ersetzt werden. Dies aber bedeutet einen Eingriff in die Sprache, Bonneville müßte daher einen Diskurs darüber führen, warum man neue Bezeichnungen verwenden solle. Er umgeht dies dadurch, daß er sich auf die ursprünglichen Bedeutungen beruft. Die ursprünglichen Bedeutungen aber sind in der Spracherfahrung nicht präsent, sie können daher nicht unmittelbar wirken. Das Problem Bonnevilles ist auf der Ebene der einzelnen Wörter nicht lösbar. Auch das Beispiel "religion" bietet keine Lösung: es muß zwar nicht ersetzt werden, dafür stellt sich das Problem, daß es den durch "lier" und "relier" determinierten Sinn - der im übrigen zum größten Teil auch nur eine Interpretation von Bonneville ist - nicht ohne weiteres erscheinen läßt. Im instrumentellen Sprachgebrauch bilden "lier" und "relier" entweder keinen Teil der Spracherfahrung von "religion" oder sie werden in die konventionelle Bedeutung integriert. Dieses Problem sieht Bonneville nicht, er erkennt nicht, daß "religion" eine durch "lier"/"relier" bedingte, von der konventionellen Bedeutung abweichende, neue Bedeutung nur gewinnen kann, wenn es in einen besonderen Kontext gestellt wird. Bonneville hat im Ansatz schon die Intention, die die literarische Spracherfahrung im 19. Jahrhundert zunehmend geprägt hat: die Sprache über die konventionellen Bedeutungen hinaus zum Sprechen zu bringen, seine Realisierungsversuche aber verfehlen diese Intention, weil er sie mit der Suche nach den richtigen Ideen verbindet oder vielmehr: weil er die Wahrheit nur als Eindeutigkeit bestimmt. Auch hier verhindert das Fehlen des Symbolbegriffs die mögliche Öffnung auf eine Reflexion über die poetische Sprache.
Die Fixierung auf die einzelnen Wörter reicht noch in seine allgemeineren Überlegungen hinein, beispielsweise in folgender Stelle:

> "Analysez les langues; décomposez les mots. L'étude des langues jette un grand jour sur les mystères de la nature. Elles donnent des connoissances qui satisfont l'esprit et le coeur. C'est de la langue des prophêtes sur-tout que je veux parler. C'est là que certaines expressions, quand on en découvre le sens véritable, portent dans notre coeur

une flamme céleste; que tout de suite on y sent dévorer ce que l'haleine des méchans y a fait passer d'impur."
(EdR II, p. 72f)

Im historischen Abstand erscheint es befremdlich, daß Bonneville das Verfahren der Etymologieforschung, die Wortzerlegung, in einen unmittelbaren Zusammenhang bringt mit der Sprache der Propheten. Er sieht zwar die besondere Qualität dieser Sprache in ihrem Metaphern-Reichtum, gibt aber als Beispiel nur isolierte Wörter an ("purifié", "salutaire"). Wir haben bereits in Pkt. 4.3 dargestellt, daß die Betrachtung der Stilformen der Antike übergeht in eine Reflexion über Sprache und Schrift. Diese unklare Differenzierung zwischen der Ebene der Wörter und der Bedeutungen und der Ebene des Stils, d.h. der Metaphern ist im historischen Kontext nicht ungewöhnlich. Im übrigen trennt erst Nodier deutlich Etymologieforschung und die Betrachtung des Zustands der Wörter, d.h. ihrer sinnlichen Qualitäten.[274]
In der Ausrichtung auf die Sprache der Propheten hebt sich Bonnevilles Sprachauffassung allerdings vom aufklärerischen Sprachideal ab. Seine positive Wertung metaphorischer Sprache wird deutlicher in folgendem Zitat:

"On nous assure, avec raison, qu'il faut absolument connoître la mythologie, et le cercle mythique d'Homère pour comprendre les anciens Grecs; et toutefois il ne nous vient pas même dans la pensée que nos langues modernes, pauvres de métaphores et d'idées, parce qu'elles ne sont parlées que par des esclaves, ne peuvent pas nous donner littéralement le sens véritable du style de l'ancien monde: langage si au-dessus de la portée du commun des hommes, qu'il paroît que très-peu de sages, initiés dans la science des allegories, pourroient nous en offrir une explication satisfaisante." (EdR II, p. 77)

Während in der aufklärerischen Sprachtheorie im allgemeinen als Ideal die völlige Eindeutigkeit der Wörter propagiert wird und der Metaphern-Reichtum der antiken Sprachen als Zeichen eines Sprachzustandes begriffen wird, in dem die analysierende Kraft der Sprache noch nicht zur Geltung gekommen sei, sieht Bonneville die Metaphern-Armut der modernen Sprachen als Zeichen von Unfreiheit. Zieht er damit auch die Konsequenz, eine Mehrdeutigkeit der Wörter als sprachliches Ideal anzunehmen? Wir haben zuwenig Ansätze, um diese Frage positiv beantworten zu können: seine Vorstellung richtiger Wörter spricht eher gegen diese

Annahme, auch ist seine Wertung der Metapher insgesamt nicht eindeutig; wie in Pkt. 4.3 dargestellt, gebraucht er beispielsweise die abwertende Redeweise, der metaphorische Stil der Antike habe Monstruositäten hervorgebracht.
Aus dem Zitat können wir weiter entnehmen, daß Bonneville eine bildhafte Sprache nicht als aktuelle Möglichkeit begreift; er definiert die bildhafte Sprache der Antike ausschließlich als Gegenstand diskursiver Erkenntnis. Die Nicht-Aktualität bildhafter Sprache empfindet auch Nodier, aber in anderer Weise. Während Bonneville die Metaphern-Armut der modernen Sprachen aus den gesellschaftlichen Zuständen erklärt, wird sie von Nodier als Verfallszeichen der Sprache selbst gewertet. Bei Nodier klingt bereits das Thema der semantischen Leere an:

> "Aussi voyez ce qui arrive des langues complètes! Elles s'en vont, elles meurent de faim comme l'avare au milieu de ses richesses inutiles, (...) Le langage simple et limpide des premières sociétés étoit semblable, au contraire, à ce nectar de la dive bouteille qui prenoit, au gré de la fantaisie, toutes les saveurs que l'imagination vouloit lui donner." [275]

Die Ursache der Dekadenz der Sprache sieht Nodier in der weitgehenden Eindeutigkeit der sprachlichen Zeichen und in Umfang und Differenziertheit des Lexikons; dies raube der Sprache jede schöpferische Energie und expressive Kraft:

> "Le malheur de nos langues perfectionnées est d'avoir fourni des mots à toutes les nuances de l'idée. Chez les peuples dont le dictionnaire est large, la parole n'est plus que la monnoie de la sensation. C'est un signe exact si l'on veut dans sa valeur conventionnelle; ce n'est plus de l'or, c'est du billon."[276]

Nodiers Sprachauffassung ist zwar anders als die Bonnevilles deutlich auf die poetische Sprache ausgerichtet - die ursprüngliche und ideale Sprache ist für ihn poetischer Natur -, doch hält er eine Erneuerung der dichterischen Sprache für ausgeschlossen: "La poésie est morte en France de la stérile opulence du langage."[277] Nach Genette, Mimologiques, steht Nodiers Sprachauffassung noch weitgehend im Rahmen der klassischen mimologischen Sprachtheorie, er setzt den Bruch innerhalb dieser Richtung erst mit Mallarmé an.[278] Von Nodiers durchaus traditioneller Konzeption der Onomatopoesie her ist diese Einordnung begrün-

det, dabei ist allerdings festzuhalten, daß seine Annäherung von Sprache und Dichtung eine thematische Öffnung gegenüber der klassischen mimologischen Argumentation bedeutet.
Wie ist nun Bonnevilles Position in diesem theoretischen Kontext einzuschätzen? Weist seine Sprachauffassung Differenzen zur traditionell mimologischen Sprachkonzeption auf und wenn ja, führen diese in die Richtung einer Theorie der poetischen Sprache als der Sprachform, in der die Notwendigkeit der Wörter realisiert ist?
Die deutlichste Differenz zur traditionell mimologischen Theorie besteht darin, daß bei Bonneville die Idee phonischer Mimesis fehlt; er versucht nirgendwo, die Richtigkeit der Wörter aus den Qualitäten der Sprachorgane abzuleiten. Die Frage nach der Notwendigkeit der Wörter, die bei Court de Gébelin und auch noch bei Nodier als Naturnachahmung begriffen wird, verschiebt sich bei Bonneville in den oben dargestellten Beispielen zur Frage erstens nach der semantischen Transparenz der Wörter (Wortbildungszusammenhang), zweitens zur Frage nach möglichen versteckten, von der konventionellen Bedeutung abweichenden, "richtigeren" Bedeutungen der Wörter. Die Problematik des dabei vorgenommenen Rückgriffs auf die ursprünglichen Bedeutungen haben wir bereits aufgezeigt, wichtig ist in diesem Kontext, daß bei Bonneville die Notwendigkeit der Wörter allein als semantische Motivation gefaßt wird und der Nachweis dessen nicht für die Sprache allgemein intendiert wird, sondern auf einige Wörter beschränkt bleibt, die kritisch abgesetzt werden von den "dunklen" Wörtern. Während Court de Gébelin und auch Nodier - im _Dictionnaire raisonné des onomatopées françaises_ in der Beschränkung auf einen Teilbereich der Wörter - das Anliegen haben, die Notwendigkeit der Wörter in ihrem aktuellen Zustand aufzuzeigen, steht Bonnevilles Beschäftigung mit den Wörtern, nicht zuletzt aufgrund seines Motivs der "parole de vérité", wesentlich in einer kritischen Dimension. Er fällt - vor allem gegenüber Court de Gébelin - unter die Richtung, die Genette bereits in der Position von Sokrates im _Kratylos_ enthalten sieht und die er als "mimologisme secondaire" bezeichnet:

> "Je propose de baptiser cette attitude _cratylisme_ (ou _mimologisme_) _secondaire_, pour le désir presque irrésistible

> qu'on y éprouve de corriger d'une manière ou d'une autre cette erreur du nomothète que Mallarmé appelle le "défaut des langues" - et donc d'établir ou rétablir dans le langage, par quelque artifice, l'état de nature que le cratylisme "primaire", celui de Cratyle, croit naïvement y voir encore ou déjà établi."[279]

Der wesentliche Unterschied liegt auf der Hand: Bonneville fordert naiv eine Ersetzung der "dunklen" Wörter, während Mallarmé eine notwendige, in sich motivierte Sprache nicht mehr auf der Ebene der einzelnen Wörter und der allgemeinen Sprache möglich, sondern nur in der poetischen Sprache, im "vers" herstellbar erscheint, den er als neues, synthetisches und notwendiges Wort definiert. Die Forderung nach Ersetzung der unzureichenden Wörter und das Verharren auf der Ebene der einzelnen Wörter stehen bei Bonneville in einem Bedingungszusammenhang, der die Konzentration der mimologischen Intention auf die literarische Sprache ausschließt. Wenn auch bei Bonneville die klassische mimologische Argumentation bereits aufgebrochen ist, eine Orientierung auf die Sprache der Dichtung erfolgt nicht.

5.5 Der Dichter und die Sprache

Während die Vorstellung einer magischen Kraft der Wörter nicht zu einer Reflexion über die ästhetische Dimension der Sprache führt, kommt Bonneville in der Bestimmung der Träger der sprachlichen Erneuerung und der gesellschaftlichen Regeneration durch die Sprache zu einem neuen Bild der Funktion des Dichters.

Der Satz "Régénérons le genre humain, comme il a été créé, par la parole" (EdR I, p. 19) impliziert in der Konsequenz die Idee einer herausragenden Stellung der gesellschaftlichen Gruppe, deren Tätigkeit ausschließlich im Medium Sprache liegt. Bonneville bestimmt als Träger der Erneuerung hauptsächlich die "république des lettres", die Literaten im allgemeinen, wobei er allerdings in der Definition der künftigen Literaten als "ministres de la parole" von der üblichen Bestimmung der Literaten als "philosophes" bereits abweicht.[280] Auch dem Volkstribunen, den Bonneville sonst eher als einen politisch fungierenden Anwalt der Unterdrückten zeichnet, spricht er - wie in folgender Stelle in der Gestalt des Genies Frankreichs - die Aufgabe einer umfassenden sprachlichen und ideellen Neuschöpfung zu:

> "Régénere les coeurs, purgés d'esprits immondes,
> Il te reste à créer une langue et des mondes
> Qui dureront autant que le globe immortel,
> Qui n'est qu'une pensée, un voeu de l'éternel."
> ("L'Année 1789", p. 16, CS II)

Parallel zu seiner Definition der künftigen Literaten als "ministres de la parole" propagiert Bonneville einen Kult der Sprache:

> "Rendez un culte à la parole, à la parole qui engendre. C'est elle seule qui commence le mouvement vital. Qu'elle soit inviolable dans le temple de la vérité." (EdR I, p. 90)

Anders als in der Romantik, wo die Idee des Sprachkultes mit genuin literarischer Produktion und der Idee des Priestertums des Dichters verbunden wird, bleibt die Bedeutung dieser Vorstellung bei Bonneville noch unspezifisch. So nimmt er etwa das Auftreten verschiedener Grammatikschulen als Indiz für ein zunehmendes Bewußtsein der Notwendigkeit des geforderten "culte à la parole."[281]

Zum Verhältnis von sprachlicher Erneuerung und der Funktion des Dichters existieren bei Bonneville zwei inhaltlich recht verschiedene Stellen.

Die erste ist eine längere Anmerkung in seiner Lettre à Condorcet sur les devoirs de l'historien moderne von 1787. Unter dem Titel "Les hommes commencent à comprendre la vie" schreibt er anläßlich seiner Schwierigkeiten, einen adäquaten sprachlichen Ausdruck für seinen Begriff der Lebenskunst in Abgrenzung zum "intellegere vitam" der Antike und dem "savoir vivre" der Moderne zu finden:

> "Nos langues Européennes sont des langues d'enfant; d'enfans sans expérience. Il n'en sera pas toujours ainsi. Sans rien changer à leur idiôme, car alors on nous feroit perdre un Racine, un Shakespear (sic), un La Fontaine, un Montesquieu, elles s'enrichiront peu à peu de grandes idées; et, quoiqu'on fasse, je dirois le jour où les enfans du Peuple, à leur naissance, ouvriront les yeux à la raison et à la lumière." (Lettre à Condorcet, p. 64f)

Die Vorstellung, die europäischen Sprachen seien noch in einem kindlichen Entwicklungsstadium, ist zwar untypisch für die Sprachauffassung der Aufklärung (die im allgemeinen nur die antiken Sprachen als kindliche bezeichnet), nicht jedoch die Idee eines Fortschritts innerhalb der Sprache korrespondierend mit dem Fortschritt von Aufklärung. Bonneville gibt ein Beispiel, in welcher Form eine Bereicherung der Sprache stattfinden solle:

> "Ne cherchons point ces néologismes qui marquent un esprit superficiel; mais pour donner un grand résultat d'idées n'ayons point une fausse délicatesse.
> J'ai entendu dire un jour que le pas de la fourmi influoit sur le mouvement universel. Cette expression ajoûte à mes preuves. Sa belle simplicité suffit pour convaincre tout homme de bonne foi qu'une langue devient tout à coup savante et poëtique, quand ceux qui la parlent ont des connoissances et des idées; quand ils ont un coeur." (Lettre à Condorcet, p. 65)

Diese Stelle bleibt bis in die Formulierungen traditionell, vor allem in der Zuordnung von "savante" und "connoissances" und "idées" und von "poëtique" und "coeur", sowie in der Beschränkung, daß die Weiterentwicklung der Sprache als ein Problem ihrer Inhalte gesehen wird.
Im folgenden jedoch nimmt Bonneville nicht den Philosophen als Träger der sprachlichen Entwicklung an, sondern das Volk und den Dichter:

> "Prenons toujours pour exemple le Peuple et le Poëte qui franchissent les idées intermédiaires; qui embrassent d'un regard tout l'univers ensemble. Ils aggrandissent jusqu'à l'espace à force de création, et le remplissent de leur âme expansive.
> Tous les mots énergiques ne sont pas encore trouvés! Il y a bien d'autres choses à trouver que des mots! Il y a des mondes à créer dans la pensée du Poëte; et ces mondes, une fois créés, dureront autant que notre monde, qui est une pensée de l'Eternel." (Lettre à Condorcet, p. 65f)

Hier weicht Bonneville von traditionellen Argumentationsmustern ab: erstens ist die Union von Dichter und Volk ein romantisches Thema, zweitens wird als höchste Stufe der Erkenntnis eine synthetische, totalisierende Sicht der Welt angegeben - die "âme expansive" kann man als Gegenbild zur analysierenden und gliedernden "raison" werten -; drittens wird die Suche nach den "mots énergiques" nicht als Suche nur nach Wörtern, also nicht als nur stilistisches Problem betrachtet, sondern der Umgang des Dichters mit der Sprache emphatisch als Schöpfung von Welten gewertet; die Fiktionalität der Dichtung erscheint implizit als Realitätsschöpfung.

Das zweite Beispiel für Bonnevilles Sicht des Verhältnisses von Dichter und Sprache ist sein Gedicht "La Parole perdue" von 1796.
"Parole" ist hier weitgehend die welterschaffende, göttliche Sprache, eine Verbindung zur empirischen Sprache als System sprachlicher Zeichen wird nicht gezogen. Das Gedicht beginnt mit einem hymnischen Gesang des Dichters auf die welterschaffende "Parole":

> "Tu dis, et le chaos, qui ne t'a point comprise,
> "Rayonne de lumière et réveille le tems;
> "Toi, que l'Eternité renfermoit dans ses flancs,
> "Insondable, comme elle, et sur son trône assise,
> "Sans principe et sans fin, abyme de grandeur,
> "De l'Univers créé, la vie et la splendeur,
> "Tu dis, l'Homme est sorti de ses prisons funèbres;
> "Le Soleil se lève et le suit,
> "Et ses feux, au sein de la nuit,
> "Déposent tes bienfaits, ignorés des ténèbres.
>
> "Que faites-vous, cruels, qui lui forgez des fers?
> "La Parole s'enfuit, la Parole est perdue,
> "Tout est nuit, l'homme ingrat ne l'a point entendue,
> "Et les démons vainqueurs règnent sur l'Univers.
>
> J'ECOUTOIS, au désert, une voix qui soupire;
> Le Poëte divinisé;
> L'ignorance a coupé les cordes de sa lyre,
> Et tout s'est désorganisé."
>
> (Vieux Tribun, 1796, p. 30f)

Mit der Formulierung "Le Poëte divinisé", die für Bonnevilles Zeit ganz ungewöhnlich ist, spricht er bereits der Dichtung sakrale Würde zu. Interessant sind vor allem auch die weiteren Zeilen: vom Kontext her dürfte mit "les cordes de sa lyre" die Sprache gemeint sein, die ja der vorhergehenden Strophe zufolge durch menschliche Schuld versklavt wurde; "les cordes de la lyre" bedeutet aber direkter die Dichtkunst, die poetische Intuition, sodaß "Et tout s'est désorganisé" als Wirkung des Verlustes der dichterischen Sprache erscheint. Im folgenden wird die Wendung "Le Poëte divinisé" noch übersteigert, der Dichter erscheint als Demiurg:

""VIENS, et créons un Nouveau Monde,
"Ton instrument n'est pas brisé;
Le vieillard lève au Ciel son front cicatrisé,
Il remonte sa lyre, en merveilles féconde;
Que l'Eternité lui réponde:

"SIECLES D'OR, levez-vous; et que la sombre Nuit,
"Tremblante sur son char, tout parsemé d'étoiles,
"Laisse échapper le jour, enfermé dans ses voiles;
"Que des débris du Monde, un Monde soit construit,
"Qui révèle ta gloire, ô Parole céleste!
"Que ta grandeur se manifeste
"Dans ces flots embrâsés, dont la vie est le fruit."

Diese Stelle ist in mehrfacher Hinsicht beachtlich: dem Dichter wird eine göttliche Mission zugesprochen, gleichzeitig erscheint das Thema des Leidens ("front cicatrisé"), des verfolgten Genies. Die "merveilles" der Leier deuten bereits an, daß der Dichter der Aufgabe, eine neue Welt zu schaffen, gewachsen sei.
Es folgt nun als kurzer Einschub die Erklärung, daß die "Parole" das ursprüngliche welterschaffende Prinzip sei, und darauf wieder der Gesang des Dichters:

""Aux rayons du Soleil les Mondes suspendus,
"Promènent le Printems de l'un à l'autre Pôle,
"Ramènent les faveurs des ans qui sont perdus,
"C'est ton oeuvre éternel, l'oeuvre de la Parole;
"De ce vaste Univers, elle meut les ressorts,
"Le Monde, en harmonie, est sa lyre immortelle,
"L'homme intègre est toujours son organe fidèle;
"Là, sourioit mon frère; ici, mon fils, tu dors;
"Un son fuit et revient, un autre son expire;
"La tempête murmure, ici, l'amour soupire;
"Faut-il pas sur mon luth, riche de tant d'accords,
"Que ces traits enchanteurs qui peignent le sourire
"Dorment et fassent place à des accens plus forts?
"De tous les sons divers qu'assemble son génie,
"O siècles! j'en vois naître une haute harmonie,
"Dont le frémissement saisissant tous les corps,
"Unit dans ses concerts les vivans et les morts." (p. 32)

Wir begegnen hier in für Bonneville erstaunlicher Deutlichkeit dem Motiv der Welt als der Lyra der göttlichen "Parole" und der Vorstellung vom Menschen als Organ der Stimme Gottes. Wahrscheinlich ist er darin von Saint-Martins Theorie der Korrespondenzen beeinflußt. Dieser könnte umgekehrt seine Formulierung "l'homme est comme la lyre de Dieu"[282] in De l'esprit des choses (1800) nach der oben zitierten Stelle geprägt haben. Es erfolgt weiter eine Annäherung von göttlicher "Parole" und dichterischer

Sprache ("sa lyre" - "mon luth"), vor allem durch die Vorstellung einer beiden innewohnenden Harmonie. Das Thema der poetischen Harmonie, die die Lebenden und die Toten vereine, evoziert vollends die Gestalt des Orpheus, die in der Romantik für das Verständnis der Rolle des Dichters eine eminente Bedeutung hat.[283]

Die "haute harmonie" bestimmt Bonneville als eine erst in der Zukunft erreichbare Höhe der Dichtung. Dieser Gedanke ist deutlicher ausgedrückt in den Zeilen "Que ces traits enchanteurs qui peignent le sourire / Dorment et fassent place à des accens plus forts?", die zu verstehen sind als Wunsch nach einer energischeren Dichtung - wir werden im nächsten Kapitel ausführlicher auf Bonnevilles Vorstellung einer neuen Dichtung eingehen.

Im folgenden läßt Bonneville den Dichter die Feindseligkeit der Menschen untereinander beklagen; interessant sind nur die folgenden Verse:

""L'homme dans un autre homme a tué sa pensée!
"Le bras utile à tous, un bras du genre humain!
"C'est un son qui périt sur ma lyre offensée;
"Dis-leur, jeune arbrisseau, témoin de mes douleurs:
"Vous arrachez mes fruits, en flétrissant mes fleurs,
"Plus de fleurs, plus de fruits, ni foyer, ni feuillages,
"L'homme, qui n'est pas né, souffre de leurs outrages.
JE m'écriai: "C'est là le Monde d'aujourd'hui!"
Le vieillard disparoît, et sa lyre avec lui."

Der Dichter spricht hier nur noch als Organ der Stimme Gottes, er erfüllt seine Mission; die anschließenden Fragen des bezeugenden Ich lassen keinen Zweifel:

"Es-tu le Prophête Isaïe?
Le second Adam? le Messie
Qui sort triomphant des enfers?

Échos de ces rochers, dites à ma Patrie,
Que je suis la voix des déserts,
La voix mourante qui lui crie
Que la Parole est dans les fers." (p. 33)

Daß im letzten Abschnitt die Anführungszeichen fehlen, dürfte beabsichtigt sein: die Unterscheidung zwischen der göttlichen Dichtergestalt und dem Ich wird dadurch verwischt. Es bleibt unklar, wer spricht: ob der Dichter die Fragen des Ich beantwortet oder das Ich bereits die ihm auferlegte Mission, Zeugnis

abzulegen, erfüllt. Mit dem Vers "Que la Parole est dans les fers", dem letzten des Gedichts, bringt Bonneville die "Parole" auf eine rein menschliche Ebene. "Parole" hat damit in dem Gedicht verschiedene Bedeutungen, die ineinander übergehen: erstens die göttliche, welterschaffende Sprache, die zunächst nur als eine andere Bezeichnung für den Schöpfergott erscheint; zweitens die unfreie menschliche Sprache; drittens, ohne daß sie explizit als "Parole" bezeichnet wird, die zwischen beiden vermittelnde, göttlich inspirierte Sprache des Dichters, die der göttlichen "Parole" angenähert wird, indem ihr die Kraft zugeschrieben wird, eine neue, utopische Welt zu schaffen.
Wir sehen hier, daß die in Pkt 5.3 dargestellte Idee der schöpferischen "parole" in der Formulierung eines neuen, bereits deutlich romantischen Bildes des Dichters eine große Rolle spielt. Die fehlende Unterscheidung der Bedeutungen von "Parole" erlaubt Bonneville, den Dichter in den Status eines gottähnlichen Wesens oder zumindest eines Propheten der Stimme Gottes zu erheben. Im Zusammenhang damit ermöglicht die spiritualistisch-orphische Vorstellung der "lyre", die auf eine sphärische und musikalische Harmonie deutet, die Konzentration der Idee einer menschlichen schöpferischen "Parole" auf die Dichtung.

6. Literaturtheoretische Positionen

Bonnevilles Reflexionen zur Literatur weisen eine größere Geschlossenheit auf als die meisten der bisher behandelten Themenkreise. Durchgehend erkennbar sind das Bedürfnis nach einer neuen, ausdrucksstärkeren Dichtung und nach Überwindung des Regelkanons der "doctrine classique" und die Suche nach einer neuen Standortbestimmung des Dichters in der Gesellschaft. Dies zeigt sich einerseits in der Wahl der literarischen Virbilder und dem starken Interesse an der englischen und deutschen Literatur, andererseits in der Idee des Genies und im Bild des Dichters als patriotisch inspirierten Barden und Propheten. Beide Seiten stehen dabei in einem Bedingungszusammenhang: in die Vorstellung einer politischen Funktion des Dichters geht das von Ossian und Gray entworfene Bild des Barden ein, sie bedeutet gleichzeitig eine Suche nach neuen Ausdrucksformen, nach einer archaischen, pathetischen, erhabenen Dichtung als Basis der erwünschten neuen Würde des Dichters; umgekehrt ist vielleicht die Idee des Dichters als Propheten und das Bild des Genies erst aus der Rezeption der deutschen und englischen Literatur entstanden. Aus systematischen Gründen werde ich jedoch zunächst die äußeren Einflüsse und ihre Verarbeitung - das Verhältnis zur literarischen Tradition, die Übersetzung deutschen Theaters, den Rousseaukult - behandeln und in einem zweiten Schritt die neuen Positionen im Geniebegriff und Bild des Dichters gesondert genauer herausarbeiten.

6.1 Literarische Vorbilder

Bonneville hatte eine reiche literarische Bildung, er hatte sich in seinen Jugendjahren auf das Studium der Fremdsprachen spezialisiert und war aufgrund seiner Sprachkenntnisse - griechisch, lateinisch, englisch, deutsch, italienisch - in der Lage, die maßgeblichen Texte im Original zu lesen. Durch seinen Englandaufenthalt 1786 und die Übersetzung deutschen Theaters stand er in Kontakt mit einigen deutschen und englischen Schriftstellern. Er rezipiert die ausländische Literatur durchwegs positiv und zieht sie der französischen Klassik vor.

6.1.1 Das Verhältnis zur Antike

Bonnevilles Reflexionen über den bildhaften Stil der Antike sind getragen von der Motivation, in den Schriften der Alten deren für die Moderne noch gültige Wahrheit zu erkennen; seine Darstellung des Stils der Antike soll hinführen auf die Neuinterpretation der christlichen Mysterien. Wie in Pkt. 4.3 dargestellt, ist sie zudem recht verwirrend, da die Darstellung verschiedener Stilformen und Gattungen (Drama, Nationalepos) überlagert wird von einer Reflexion auf die Entwicklung von Sprache und Ideen überhaupt. Auch in der positiven Bewertung des bildhaften Stils der Antike als "langage si au-dessus de la portée du commun des hommes..." (EdR II, p. 77) hebt er nicht seine poetische Qualität hervor, sondern den ideellen Gehalt:

> "A mesure que je m'apprends à l'interpréter, je sens ma raison abandonner un systême superstitieusement caressé, pour en adopter un autre plus conforme à la nature de l'homme, et par conséquent plus vrai." (EdR II, p. 77)

Diese Stelle bezieht sich auf die Mythologie bei Homer. Mit "systême superstitieusement caressé" könnte die Aufklärungsphilosophie gemeint sein, wahrscheinlicher aber das orthodoxe Christentum; den weiteren Kontext des Zitats bilden die Wortdeutungen von "religion", "baptême", "saint", die ich im letzten Kapitel behandelt habe.
Bonneville teilt die damals verbreitete Vorstellung der Antike als Goldenen Zeitalters der Poesie und der Moderne als Reich der "raison" nicht. Er vermutet einerseits in der Antike ein tieferes Wissen um die Naturgeheimnisse und die Prinzipien einer freien Gesellschaftsordnung, andererseits schließt er aus der Verschiedenheit der Sprache von Antike und Moderne[284] nicht auf eine prinzipiell größere Kompetenz der Antike in der Dichtung. Das Thema der Naivität der Antike erscheint nur in der folgenden Stelle, wo sie in kritischer Absicht den Sitten der Moderne entgegengehalten wird:

> "Nos moeurs frivoles et mensongères, sont bien loin de cette naïveté, qui nous charme dans les écrits des premiers sages, toujours éloquens et sensibles, parce qu'ils parlent toujours de ce qu'ils ont vu, de ce qu'ils ont senti; ils nous apprennent à nous reconnoître dans leurs peintures."
> (EdR I, p. 3)

Daraus leitet Bonneville allerdings nicht die literarische Vorbildlichkeit der Antike ab, die Forderung nach "imitation des anciens" stellt er nirgendwo.
Wichtig ist darüber hinaus, daß Bonneville unter Antike meist nicht nur die klassische Antike versteht. In seinen Reflexionen über den bildhaften Stil der Antike (EdR I, p. 29-41) führt er Moses und Ossian neben Thukydides und Pindar an. Er wendet sich gegen den Begriff "poésie orientale":

> "On appelle à tort ce langage poésie orientale; car en lisant les récits d'Ossian, c'est la même chose, c'est aussi une poésie occidentale, (...)" (EdR I, p. 35)

Meist spricht er nicht von der Antike, sondern von den "anciens sages", wobei unklar ist, wen er im einzelnen damit meint: die ägyptischen Isis-Priester, die Druiden, die griechischen Philosophen (Platon bezeichnet er als "initié"), die biblischen Propheten oder Jesus. Im Kontext seiner politischen Ideen schließlich wendet er sich ganz von dem Modell der klassischen Antike ab, indem er eine freie Gesellschaftsordnung nur bei den alten germanischen Völkern realisiert sieht und besonders auch deren Verehrung der Dichtung als beispielhaft darstellt. Ich behandle daher im folgenden nur die Textstellen, aus denen ein Bezug auf Dichter der griechischen und römischen Antike eindeutig hervorgeht.
Innerhalb der klassischen Antike gilt Bonnevilles Vorliebe klar den griechischen Dichtern. In seiner "Bücherliste" (EdR App., p. 211) führt er zwar Tacitus, die Briefe Ciceros und Vergil an, zieht aber darüber hinaus nur Tacitus als Beleg für die Darstellung der germanischen Tugenden heran. An griechischen Autoren gibt er Sophokles, Euripides, Pindar, Epiktet, Homers Ilias und Platons Politeia an und bezieht sich an einigen Stellen eingehender auf Pindar und Homer.
Seine Bewunderung für Pindar begründet Bonneville implizit in der folgenden Darstellung des Verhältnisses von Horaz zu Pindar:

> "Horace avoue que souvent il n'a pu comprendre Pindare; mais il trouvoit dans Pindare de trop sublimes beautés, un style trop mâle, et une versification trop pure, pour oser l'accuser d'avoir souvent parlé sans penser." (EdR II, p. 169)

Allgemein plädiert Bonneville für ein Verhältnis der Antike

gegenüber, das sich primär um Verständnis bemüht:

> "N'est-il pas bien étrange que nous accusions Hérodote de manquer de sens, ou d'être un écrivain puérile par-tout où nous ne l'entendons pas: tandis que ses contemporains auxquels il faisoit de ses ouvrages des lectures publiques, furent pénétrés pour lui de vénération, ravis de la beauté de son style, de l'immensité de ses connoissances, et de sa fidélité à rapporter quelques faits dont ils avoient été les témoins." (EdR II, p. 170)

Er zieht daraus für sich die Konsequenz:

> "Alors il faut bien que je me dise par-tout où je ne les comprends pas, il y a là quelque allégorie dont je n'ai pas la clef;" (EdR II, p. 171)

Bonneville bewegt sich mit dieser Position in der Linie eines historischen Verständnisses der Antike, das seit der "Querelle des Anciens et des Modernes" einsetzt, nämlich der Erkenntnis, daß aufgrund des historischen Abstandes Antike und Moderne nicht unmittelbar miteinander zu vergleichen seien. Die Frage nach dem "mérite" der antiken Werke tritt zurück zugunsten der Erklärung der Werke aus Sitten und Sprache der Antike und der Problematisierung des Prinzips der "imitation" überhaupt. Bonnevilles Rechtfertigung seiner Bewunderung für Pindar läßt sich daraus erklären, daß es damals nicht die Norm war, Pindar und Homer den lateinischen Dichtern vorzuziehen, was beispielsweise die Bedeutung des Terminus "pindarique" zeigt, den man - so Paul Van Tieghem - zur Charakterisierung von Ossian und der skandinavischen Dichtung, zum Teil auch von Young verwendete:

> "(...) on nomme volontiers ainsi au XVIIIe siècle tout ce qui paraît porter le caractère d'un génie franc, hardi, véhément, tout ce qui annonce ou paraît annoncer une poésie nouvelle." [285]

Pindar erscheint bei Bonneville als Typus des "poète primitif", als griechische Variante der gälischen Barden. In der Vorbemerkung zu seinem Gedicht "Le Poëte", das im Rahmen von Nationalfesten zu kriegerischen Tänzen und anderen feierlichen kämpferischen Darstellungen gesungen werden sollte, gibt er Pindars olympische Oden als Vorbild an. Er begreift sich selbst als Nachfolger Pindars:

"Dans la Grèce antique,
Le Poëte a chanté les vainqueurs et les chars
De la course Olympique.
Qu'un nouvel hymne, un sublime cantique
Puisse, en nos jours, créer les jeux du Champ-de-Mars."
(Le Poëte, 2nd Chant, Poésies, p. 207)

Die Freiheit des Dichters in einem freien Gemeinwesen, die er beispielhaft bei Pindar sieht, erscheint ihm als Basis der Dichtung:

"Dans un réduit stérile et de haillons couvert,
Sous le fer de la tyrannie,
Pindare, où retrouver ton antique harmonie?
Dans l'esclavage et dans l'adversité,
Le coeur est sec, flétri. Sommeil. Caducité."
(Le Poëte, Poésies, p. 208)

Bonneville begreift Pindar nicht so sehr als nachzuahmendes literarisches Vorbild aufgrund seiner Werke, sondern hauptsächlich als Figur des patriotischen Dichters; darin könne er von der Moderne sogar übertroffen werden:

"Dans ces jeux Olympiques, (...) Pindare lui-même a trop chanté son roi Hiéron. Il sera surpassé." (Le Poëte, Poésies, p. 205)

Bonnevilles Rezeption von Pindar und Homer ist nicht unter der Perspektive der restriktiven Norm der "imitation des anciens" zu sehen. Wie Paul Van Tieghem in Le Préromantisme zeigt, verlaufen die Fronten etwa ab 1750 nicht mehr in der Opposition von "Anciens" und "Modernes", wobei zu bemerken ist, daß sich eine Verwischung der Fronten bereits in der zweiten Phase der "Querelle" über Homer (1711-1717) abzeichnete. Gesamteuropäisch gesehen bildet sich eine Opposition zwischen Anhängern der "poésie primitive" und Verteidigern der klassischen französischen Literatur heraus.[286] Homer wurde dabei gegen die Regeln der "doctrine classique" als Beispiel des Genies angeführt, das aus sich heraus Meisterwerke schafft - so z.B. in Youngs Conjectures on Original Composition (1759), das Bonneville wahrscheinlich kannte.
Er verweist in der Lettre à Condorcet (p. 58) auf Blackwells An Inquiry into the Life and Writings of Homer (1735), der Herder beeinflußte. Ob Bonneville Herders Idee der ursprünglichen Dichtung kannte, ist nicht nachweisbar, an seinen wenigen Bemer-

kungen ist jedoch ablesbar, daß er das Beispiel Homers in einer Gegenüberstellung der Begriffe "barbare" und "policé", "nature" und "art" positiv gegen den klassisch orientierten Geschmack richtet. In seiner einleitenden Bemerkung zu dem Textstück "Caractère de l'homme intègre destiné par la nature à réveiller les nations", auf das ich noch ausführlicher eingehen werde, schreibt er über seinen eigenen Stil:

> "(...) malheureusement c'est le style sauvage d'Ossian et des anciens Bardes: c'est quelquefois beau comme Homère et la nature, mais il faut des hommes pour l'entendre."
> (EdR II, p. 210)

Bonneville stellt Pindar und Homer in eine Reihe mit Ossian, der Bibel, Shakespeare und Klopstock und ist insofern ein Beispiel dafür, daß der Bezug auf die Antike allein noch nicht als Indiz für eine klassizistische Orientierung zu werten ist.[287] Daß er in seiner Bewunderung für Homer nicht eine literarische Vorbildgeltung der Antike insgesamt behauptet, erweist sich deutlich in seiner Nachbemerkung zu den Poésies, in der er fordert, daß die Orientierung auf die Antike in der Auswahl der Stoffe aufzugeben sei:

> "Les Jésuites chassés de la Maçonnerie, le Tribun du Peuple, la Bouche de Fer, et sur-tout l'Esprit des Religions, pourront offrir jusques-là des développemens à l'ami de la vérité, qui croira plus utile d'aller chercher son merveilleux poëtique, dans la bonne organisation de ces institutions mystérieuses qui existent encore, que dans une mythologie usée, totalement étrangère à son siècle, comme l'ont fait presque tous nos Poëtes modernes." (Poésies, Appendix)

Dies ist die einzige Stelle, in der Bonneville die Kategorie des "merveilleux" verwendet, er führt seinen Gedanken leider nicht weiter aus. Rein thematisch gesehen ist diese Position nicht neu, schon Desmarets de Saint-Sorlin fordert in der "Querelle du merveilleux" die Suche nach dem Wunderbaren in der christlichen Lehre. Die Ausrichtung auf die Geheimgesellschaften und die eigenen Werke wirkt naiv, das Zitat ist nur als Indiz für Bonnevilles Bedürfnis nach einer Neuorientierung der Dichtung von Interesse.

6.1.2 Die Bibel und Klopstocks Messias

Bonneville zeigt schon früh eine Vorliebe für die poetische Sprache der Bibel. In Choix de petits romans imités de l'allemand bemerkt er, daß sein erstes dichterisches Projekt eine Nachdichtung des Buches Job gewesen sei, was allerdings seine Kräfte überstiegen habe; der Band enthält die Fragmente "Description d'un cheval de Bataille, imitée du livre de Job" - daneben eine wenig geglückte Imitation von Youngs Nachdichtung dieser Stelle -, "Le désespoir de Job", sowie "Prophétie contre Tyr" (nach Isaias) und "La ruine de Jérusalem". Bonneville schreibt im Rückblick auf diese Zeit:

> "Je vivois solitaire depuis quatre longues années, sans avoir voulu d'autre société que les esprits des prophêtes, d'Homère, de Pindare, de Shakespeare, de Klopstock, et les belles glaces des hyvers, sur lesquels je courois avec mes patins, seul au clair de la lune et fort avant dans la nuit; je ne rêvois que les ravissans tableaux des premiers âges du monde, si bien décrits dans l'écriture; et Dalembert les aimoit aussi, seulement, disoit-il, quand il en parloit avec moi." (EdR App., p. 186)

Den weiteren Ausführungen zufolge scheint d'Alembert allerdings gehofft zu haben, daß Bonneville diese Vorliebe für die Bibel verlieren würde. Mit der Wendung "ravissans tableaux" zeichnet sich eine ästhetisierende Sicht der Bibel ab, die in Bonnevilles anderen Stellungnahmen zur Bibel nicht zu finden ist. Für die Wahl biblischer Stoffe als Vorlage setzt er nicht das Kriterium theologischer Wahrheit an, sondern das der poetischen Ausdruckskraft.

Mit "Le désespoir de Job", einer Nachdichtung der Rede Gottes an Job, wollte Bonneville möglicherweise in Konkurrenz zu Young treten, dessen "A Paraphrase on part of the Book of Job" in Le Tourneurs Young-Übersetzung enthalten ist. Inhaltlich interessiert Bonneville im Buch Job das Thema der Auferstehung, er stellt die entsprechende Stelle sowie ein ähnliches Zitat aus einem Paulus-Brief seiner "Hymne de Résurrection" (Poésies, p. 167) voran.[288] In "L'Année 1789" greift er ebenfalls dieses Thema im Prolog des Dichters auf: der Dichter sitzt zwischen den Gräbern von Racine, Rousseau, Henri IV, Jacques Molay, dem Gründer des Templerordens, und Chardin und betrachtet "avec attendrissement" die Grabinschriften, darunter die Stelle, in der Job seine Auferstehung vorhersagt; Geister steigen aus den Gräbern auf, der Dichter, inspiriert durch das Genie Frankreichs, prophezeit die Auferstehung Racines. Dieser Prolog ist eine kuriose Mischung von freimaurerischen Elementen und Anklängen an die "poésie des tombeaux" (Van Tieghem); Bonneville kannte Grays "Elegy Written in a Country Church-Yard", ohne freilich dessen Stil zu treffen. Die Idee der Auferstehung wird hier säkularisiert: Racine wird im Dichter der Revolution auferstehen. Die existentielle Problematik, die das Buch Job enthält und die in der Romantik stark als poetisches Thema aufgenommen wird,[289] spricht Bonneville nicht an.

Der "Prophétie contre Tyr" stellt er ein Zitat von Roucher voran:

> "On lit dans Isaïe, sur la ruine de Tyr, un chapitre entier (c'est le vingt-troisième), qui me semble laisser bien au-dessous de lui tout ce que nous connoissons de plus sublime dans le genre lyrique."[290]

Wichtig ist die Darstellung von Isaias:

> "Assis sur un rocher, sous un ciel sans nuage,
> suivant d'un oeil errant les débris d'un naufrage,
> Isaïe attendri soupiroit ses douleurs,
> & de ses cheveux blancs il essuyoit ses pleurs.
> Un frisson le saisit. Son sang, de veine en veine,
> goutte à goutte, en suspens, s'arrête, & coule à peine."

Im folgenden beschreibt er, wie der Prophet, der durch einen Sonnenstrahl geblendet wird, in eine visionäre Ekstase gerät; die Einführung schließt mit den Versen:

> "Le Prophête croit voir un déluge de feux
> s'élancer, par torrens, de la voûte des cieux;
> son sang jaillit par bonds dans sa veine embrâsée,
> & déjà le délire allume sa pensée." (Choix, p. 299)

Der Rest des Gedichtes stellt die prophetische Vision des Untergangs von Tyrus dar.

Das Bild des Propheten kehrt bei Bonneville mehrmals wieder, meist in Verbindung mit dem Bild des Dichters als Barde, z.B. in "La parole perdue": "Es-tu le Prophête Isaïe? Le second Adam?" (Vieux Tribun 1796, p. 33). In "Le Poëte" nimmt er die Isaias-Stelle "Et scribam super eum nomen civitatis dei mei" auf und bezieht sie auf den modernen, engagierten Dichter-Propheten. In "L'Hymne des combats" läßt er den Dichter in einer ähnlichen Szene auftreten wie in "Prophétie contre Tyr" (allerdings ist er in dieser Stelle direkt von Grays "The Bard" beeinflußt):

"Sur le front du rocher, debout, c'est le Poëte!
Son fardeau, ses douleurs, l'oeil hagard, le Prophête,"
(L'Hymne des combats, p. 10)

"La Ruine de Jérusalem" zeigt Bonnevilles Vorliebe für szenische Darstellungen: es besteht aus Wechselgesängen zwischen Chor und Einzelstimmen, ein Verfahren, das er in "Le Poëte" ausbaut, das er für ein öffentliches Rezitativ vorgesehen hatte. Manche Stellen in "La Ruine de Jérusalem" zeigen im Gegensatz zu späteren Gedichten ein Bemühen in der Ausarbeitung:

"Sous un ciel embrâsé du couchant à l'aurore,
dans les murs de Sion, que la flamme dévore,
accouroient, par milliers, les Démons s'entasser:
les voyant tous, courbés, lentement se glisser
sur des amas impurs de funebres décombres,
&, par bonds, s'aggrandir & s'élancer leurs ombres;
dans un délire affreux, stupides, étourdis,
l'un à l'autre inconnus, nous fuyons, poursuivis
du tumulte & des pleurs d'une ville enflammée,
que repoussoit en vain notre oreille alarmée."
(Choix, p. 307)

Seiner Auswahl nach zu urteilen, dürfte Bonneville an der Bibel vor allem die erhabenen und dramatischen Passagen geschätzt haben (Vision des Untergangs von Tyrus, Untergang Jerusalems und Fluch des Volkes Israel).
Bonneville nimmt Klopstocks Messias ausgesprochen positiv auf, Klopstock ist der einzige deutsche Autor, auf den er sich ausserhalb des Nouveau Théatre Allemand eingehender bezieht. Er scheint zu Klopstock, Nicolai und Wieland Kontakt gehabt zu haben, Wieland wird sogar als Mitglied des "Cercle Social" bezeichnet.[291] In einer Fußnote zu Sturz' "Dialogue sur les François & Les Allemands", einer Persiflage auf die Ignoranz der Franzosen im Hinblick auf die deutsche Literatur, bedauert Bonneville, daß erst 10 Gesänge des Messias übersetzt seien, und meint pessimistisch, daß in Frankreich auch eine vollständige Übersetzung keinen Erfolg hätte (Choix, p. 12 bis). In Frankreich war zur Zeit Bonnevilles noch keine große Aufnahmebereit-

schaft für Klopstock vorhanden, selbst die Zeitschrift Année Littéraire, die der deutschen Literatur aufgeschlossen gegenüberstand, hält den Messias für weit unterlegen im Vergleich zu Tassos und Miltons Werken.[292]

Auf die religiöse Thematik des Messias geht Bonneville nicht ein, er scheint darin eher eine Bestätigung für die eigene, auf das Prinzip der Brüderlichkeit orientierte Bibelinterpretation zu sehen:

> "L'homme vulgaire ne peut atteindre à la hauteur de ses pensées, quand il chante sur le ton des Bardes, le Peuple-frère, la foi promise, son amitié ardente et le saint amour de la patrie. La magie de ses chants donne quelques idées du langage des chérubins." (Vieux Tribun, 1796, p. 41)

Im Messias erkennt Bonneville ein Beispiel der neuen, wahren Dichtung:

> "Que d'allégories neuves, d'inversions courageuses, de traits inattendus, quelle inspiration, qui n'est jamais interrompue, que d'images affectueuses, terribles, orientales! Que de pathétique! Quelle puissance pour attendrir le coeur de celui qui l'écoute, pour le changer, pour en créer un autre, et pour en faire ce coeur divin, qui est l'objet de ses chants. Plus Klopstock s'approche de son but, plus sa flamme devient pénétrante. Il achève son poëme, ce grand oeuvre du génie, avec une ardeur et une ivresse qui rappellent toute l'énergie des anciens Bardes. (...)
> Quiconque ne l'a pas entendu, quiconque le trouve obscur et incompréhensible n'a aucun sentiment de la véritable poësie!"
> (Vieux Tribun, 1796, p. 41f)

Diese Stelle ist sehr interessant in den Formulierungen, die - in ungewöhnlicher Häufung - zeigen, wie weit Bonneville von der traditionellen Bestimmung entfernt ist, daß die gelungene Dichtung eine gegenstandsangemessene "peinture" sei: "hauteur de ses pensées" zeigt das Bedürfnis nach Erhabenheit in der Dichtung, "magie", "inspiration", "langage des chérubins" verweisen auf die Vorstellung eines Wirkens übernatürlicher Kräfte in der Dichtung; "puissance", "créer", "flamme", "génie", "ardeur", "ivresse", "énergie" sind typisch für die Aufwertung des dichterischen "enthousiasme" und die Vorstellung von Dichtung als Neuschöpfung. Umgekehrt ist von "art", einem der Kernbegriffe der klassischen Ästhetik, nicht die Rede. Bonneville wertet die Elemente auf, an denen der klassische Geschmack sich in der Rezeption der deutschen und auch englischen Literatur (Shakespeare)

stößt: Inversionen und Pathos; "terrible" wird positiv besetzt, das Neue erscheint als Qualität.
Wichtig ist auch die Formulierung "véritable poësie", die, vor allem da sie zur Beurteilung des Messias verwendet wird, Bonneville als zugehörig zu der Bewegung ausweist, die die Stagnation der Lyrik im 18. Jahrhundert in Frankreich durch einen Bezug auf die als wahre Dichtung definierte, ausländische oder ursprüngliche Dichtung überwinden wollte.

6.1.3 Die englische Literatur

Bonneville war durch seine Freundschaft mit Le Tourneur, dem Übersetzer von Young, Gray, Richardson und Shakespeare, mit der englischen Literatur vertraut. Er bewundert Ossian und vor allem Shakespeare und versucht das französische Publikum mit Chatterton bekanntzumachen. Zu Ossian gibt es keine ausführlichere Stellungnahme Bonnevilles. Nach einer Bemerkung in der Lettre à Condorcet (p. 58) hat er während seines Englandaufenthaltes 1786-88 Blairs Untersuchung der Dichtungen von Ossian/Macpherson von 1763 gelesen, die in Frankreich von Suard verbreitet wurde[293] und geeignet war, die Position der Ossian-Anhänger abzusichern. Seinen wenigen Bemerkungen nach zu schließen, schätzt Bonneville an Ossian nicht die melancholische Stimmung, sondern den poetischen "enthousiasme" und die Gestalt des Barden. Der Barde wird bei ihm zu einer durchweg heroischen Gestalt, zum Typus des patriotischen Dichters, Rächers und Propheten. Vorbild dafür ist neben Ossian Grays "The Bard". In dieser Ode gestaltet Gray die Prophezeiung des letzten Barden gegen England: der Barde, von den Soldaten König Edwards I verfolgt, der bei der Eroberung von Wales - einer Sage zufolge - alle Dichter umbringen ließ, prophezeit die Geschichte Englands und sieht voraus, daß Shakespeares und Miltons Ruhm den des Königshauses übertreffen werde. Mit dieser vorweggenommenen Rache, daß die Dichter Unsterblichkeit gewinnen und nicht die Könige, stürzt er sich ins Meer.
Der Dichter ist hier Opfer der Tyrannen und gleichzeitig in seiner Dichtung Rächer und Prophet. Dieses Bild des Dichters hat Bonneville besonders beeindruckt, man vergleiche die folgenden Textstellen:

Gray:

"On a rock, whose haughty brow
Frowns o'er old Conway's foaming flood,
Robed in the sable garb of woe,
With haggard eyes the Poet stood;
(Loose his beard, and hoary hair
Stream'd, like a meteor, to the troubled air)
And with a Master's hand, and Prophet's fire,
Struck the deep sorrows of his lyre."[294]

Bonneville:

"C'est un vieillard, un Barde, approchez, mes enfans,
Sur le front du rocher, debout, c'est le Poëte!
Son fardeau, ses douleurs, l'oeil hagard, le Prophête,
Les cheveux hérissés, de feux étincelans,
Et sa barbe d'argent qui flotte dans les vents."
(L'Hymne des Combats, p. 10)

Heute würde man Bonnevilles Version als Plagiat bezeichnen. Der Kantate "Le Triomphe de l'Harmonie" stellt er ein Zitat aus Grays "The Bard" voran:

"They do not sleep.
On yonder cliffs a grisly band,
I see them sit; they linger yet
Avengers of their native land;
With me in dreadful harmony they join."
(Poésies, p. 151)

Das Bild der "dreadful harmony" kommt Bonneville in seiner Ablehnung einer nur unterhaltenden Dichtung entgegen.
Bonneville betrachtet Shakespeare trotz einiger Kritikpunkte als das literarische Genie par excellence. Er begründet seine Bewunderung für Ossian und Shakespeare mit deren patriotischer Begeisterung, dichterischem Enthusiasmus und gelungenem Studium der Natur. Anhand seiner Ausführungen zu Shakespeare läßt sich genauer angeben, was er unter "étude de la nature" versteht.
In Choix de petits romans imités de l'Allemand schreibt er an einen Freund, der den Caton-Monolog von Addison Shakespeares Hamletmonolog vorzieht:

"Le monologue du premier est celui d'un Savant, d'un Philosophe, d'un homme vertueux, tous les sentimens y sont acquis par l'étude, par l'instruction & dans la société.* Caton parle comme un grand Ecrivain d'Athenes. Le langage d'Hamlet est celui du coeur humain, prêt à faire une action terrible, de la plus haute importance, décisive. C'est le vrai langage de l'humanité, dans toutes les classes d'hommes, depuis le Roi jusqu'à son esclave, depuis le Philosophe jusqu'au plus simple paysan. C'est une langue qu'on peut parler sans

> l'avoir apprise, & que cependant aucun Savant ne peut perfectionner, & qu'aucun Philosophe ne peut rendre plus sublime.
> Le sublime est toujours d'imiter la nature. On ne peut en dire autant du monologue de Caton, il part de la tête & non du coeur. C'est le courage qui parle & non la Nature. C'est l'énoncé d'une résolution déjà prise, il doute, mais on voit qu'il lui importe peu de résoudre ou non ses doutes, il est déjà déterminé. Les paroles de Caton ne sont point les élans d'une âme inquiette, oppressée, chargée du poids de l'avenir. Tous ces beaux discours ne conviennent point à un monologue où l'on doit ne parler qu'à son coeur, la seule source de la vérité." (Choix, p. 253f)

Die Fußnote* dazu lautet: "Voilà ce qu'on peut dire de presque toutes les Odes du grand Rousseau."; Bonneville kritisiert an anderer Stelle J.B. Rousseau ausdrücklich.
Mit der zitierten Stelle begründet Bonneville, warum Addison "un grand Ecrivain" sei, Shakespeare dagegen "un homme de génie". Im Hamletmonolog sieht er die Sprache des Herzens, das innere Schwanken und Zögern in einer extremen Gefühlssituation getroffen, einen psychischen Innenraum gestaltet. Die Besonderheit des Monologs liegt für ihn darin, daß der dramatische Konflikt in das Individuum verlagert ist, indem die Entscheidung als Prozeß gezeichnet wird; genau darin erreiche der Hamletmonolog die Universalität, die Addison vermissen lasse. Die "imitation de la nature", die Bonneville bei Shakespeare realisiert sieht, hat hier bereits eine andere Bedeutung als in der "doctrine classique": er setzt Natur gegenüber Gesellschaft und begreift als "imitation de la nature" die dramatische Entwicklung von Subjektivität und schließt eine Gestaltung der Personen allein nach ihrer äußeren Rolle und gesellschaftlichen Position als dieser Forderung nicht gerecht werdend aus. Wichtig ist auch die Gegenüberstellung von "beaux discours" und "vrai langage de l'humanité". Bonneville fordert hier eine Sprache, die die soziale Position der Figur nicht verrät und universal ist. "C'est une langue qu'on peut parler sans l'avoir apprise" beinhaltet vielleicht nicht nur den Versuch einer Abgrenzung der Inhalte der dramatischen Sprache, sondern auch eine Kritik an der normativen Einengung der Tragödiensprache in der "doctrine classique" auf die Verwendung gehobener Wörter, die zu einer Erstarrung und tendenziellen Ablösung der dichterischen Sprache von

der Allgemeinsprache führte.[295]
Bonnevilles Einschätzung gleicht der Le Tourneurs, der im 1. Band seiner Shakespeare-Übersetzung schreibt:

> "Jamais homme de génie ne pénétra plus avant que Shakespeare dans l'abîme du coeur humain, et ne fit mieux parler aux passions le langage de la nature. Fécond comme elle-même, il prodigua à tous ses personnages cette étonnante variété de caractères qu'elle dispense aux individus qu'elle crée."[296]

Zu seiner Einschätzung über Addison und Shakespeare verweist Bonneville darauf, daß er dem Urteil eines englischen Kritikers folge; möglicherweise ist damit Young gemeint, der zwar Addison nicht so negativ sieht wie Bonneville, den Unterschied zu Shakespeare aber in ähnlichen Argumenten darstellt. Young betrachtet Pindar und Shakespeare als originale Genies und begründet dies damit, daß sie nur die Natur nachgeahmt hätten unbekümmert um alle literarischen Vorbilder.[297] Mercier rezipiert Shakespeare in Mon Bonnet de Nuit ebenfalls unter der Perspektive einer Opposition von "nature" und "art" und von "créer" und "embellir".[298] Diese Autoren bilden sozusagen das Umfeld von Bonneville; im Streit zwischen Voltaire und Le Tourneur über Shakespeare steht er eindeutig auf der Seite Le Tourneurs.
Daß sein Freund Addisons Caton-Monolog dem Hamletmonolog vorzieht, führt Bonneville darauf zurück, daß dieser beide Texte nur aus Voltaires Übersetzung kenne, die dem Hamletmonolog nicht gerecht werde: "Chez Voltaire, c'est dans tous les deux le langage épuré du portique & de l'Académie." (Choix, p. 253); dadurch gehe die "belle simplicité" des Hamletmonologs verloren. Bonneville hält eine Übersetzung von Shakespeare in Blankversen für wünschenswert und plädiert allgemein für die Einführung neuer Versformen:

> "Il faudroit qu'un petit Poëme fût absolument une grande création. Des images neuves me sembleroient autoriser une harmonie qui est étrange, mais qui n'est pourtant pas sans douceur." (Choix, p. 256)

Bonneville zitiert Voltaires Kritik, Shakespeare sei zwar ein kraftvolles und schöpferisches Genie, habe aber keinen "bon goût" und nicht die geringste Kenntnis der klassischen Regeln, und meint dazu: "Critique si puérile, que je doute fort que Voltaire l'ait faite sérieusement." (Choix, p. 255). Er stellt die Kategorie des "bon goût" in Frage:

> "Quant au bon goût qui manque à Shakespeare, que vous importe; je ne vous dis pas d'aller chercher le bon goût dans ses écrits. Quoique ce bon goût pourroit demander explication. Cherchez-y, mon ami, ce qui ne tient point à la mode; cherchez-y ce qui, dans tous les siecles, ravit les belles âmes, & vous serez sûr de l'y trouver." (Choix, p. 255)

Die Unterscheidung von Zeitgeschmack und dem zeitlosen Geschmack der schönen Seelen ist zwar noch keine dezidierte Kritik an der Kategorie des "bon goût", bedeutet aber insofern eine Relativierung klassischer ästhetischer Positionen, als sie positiv auf Shakespeare bezogen dessen Verstöße gegen die Regeln für belanglos erklärt. Bonneville nimmt hier eine ähnliche Position ein wie Le Tourneur, der in der Einleitung seiner Übersetzung von Young schreibt:

> "Le vrai goût, c'est-à-dire, ce tact naturel qui fait sentir les vraies beautés, perfectionné par l'habitude de comparer, est peut-être aussi rare que le génie. Mais il en est un fort commun. C'est le goût de tous ceux qui n'ont ni imagination, ni sensibilité, ou qui n'en ont reçu qu'une mesure foible, qu'ils prennent encore soin d'affoiblir tous les jours. Ceux-là ne vantent dans un ouvrage que deux qualités; c'est qu'il soit bien écrit, & bien fait. Mais qu' entendent-ils par bien fait? Un plan exact, mais étroit; une forme élégante, mais commune & petite."[299]

In seinem Gedicht "Shakespear et Voltaire" kritisiert Bonneville vehement Voltaire:

> "Le Poëte divin, l'Homme de tous les tems,
> Shakespear dormoit en paix assis sur ses trophées;
> Joyeuses près de lui, dansoient toutes ses Fées;
> Et sa grande ame erroit dans ses pensers rians.
>
> Voltaire alors se glisse et l'embrasse, et soupire!
> De son or le plus pur voulant se couronner,
> En secret, à la hâte, il s'en pare, et s'admire;
> Et pour cacher ses vols cherche à l'assassiner.
>
> Honte, que tes vertus n'ont pas même effacée,
> Perfide, entre tes mains ton arme s'est brisée!
>
> Son génie immortel se rit de tous vos traits,
> Ingrats, l'heureux Shakespear sous son aîle repose;
> Les ris (sic) semblent ouvrir sa bouche demi-close,
> Et l'on diroit qu'il songe aux heureux qu'il a faits."
> (Poésies, p. 71)

Bonneville hält Shakespeare für den größten Dichter überhaupt:

> "Quand on juge les talens des grands poëtes, c'est par les beautés seules, ce nous semble, qu'on les doit comparer; et sous ce point de vue, je ne lui connois point de supérieur; il est à part. O Shakespeare! tes défauts sont grossiers et insupportables!
> Mais d'autant es tu Dieu, comme
> Tu te reconnois homme. - Montaigne"
> (EdR App., p. 198)

Bemerkenswerter ist seine Stellungnahme zu Shakespeare als Dramatiker. Konnte Shakespeare auch vor dem Urteil des klassischen Geschmacks als poetisches Talent Gnade finden, so traf seine Anerkennung als Dramatiker auf größeren Widerstand. Die zeitgenössischen Kritiken führen seine "Verstöße" an: Verstöße gegen die drei Einheiten, gegen die "bienséance", Mißachtung der Stiltrennungsregel, Mord und Gespenster auf der Bühne, Inversionen und gewagte Metaphern. Bonneville zeigt sich um diese Normen recht unbekümmert: er erwähnt nicht einmal die Frage der dramatischen Regeln; in seinem Gedicht "Le Poëte", das theatrale Züge hat, läßt er eine Stimme aus dem Grab sprechen, eine Hand aus dem Grab heraus auf die Septembermörder deuten und gibt dazu die weitere Anweisung "La grande ombre de Shakespear qui s'éleve, dans sa gloire, sur l'autel de la Liberté". Zwar kritisiert er an Shakespeares Dramen Kompositionsschwächen, hält sie aber dennoch für das Vorbild eines neuen Dramas, das die klassische Tragödie ablösen werde:

> "Une carrière immense vient de s'ouvrir pour les auteurs dramatiques; la liberté qui les rapproche des plus doux sentimens de la nature, en expulsant de notre scène les rois-tigres, et nos soupirans langoureux, nous élevera jusqu'à ces passions franches et viriles, dont Shakespear a donné quelques modèles admirables. Ne suivons ce beau génie ni dans l'ordre de ses pièces, ni dans la bouffissure de son langage, qui n'est plus celui de notre siècle; mais allons comme lui <u>sonder les reins</u>, et peindre l'homme tel qu'il est." (EdR App., p. 192)

Der Gedanke der "imitation de la nature" wird hier durch die Formulierung "peindre l'homme tel qu'il est" konkretisiert: ausgeschlossen ist damit die klassische Idee der Naturnachahmung als Gestaltung von Modellen der "belle nature", die in der Antike zu suchen seien.

Bonnevilles <u>Choix de petits romans imités de l'allemand</u> enthält eine Übersetzung des Hamletmonologs, des Einleitungsmonologs zu

Richard III und des Streits zwischen Brutus und Cassius aus Julius Caesar. Den Hamletmonolog gibt er in Prosa wieder und bleibt dabei nah am Text, seine Übersetzung ist jedoch nicht so gelungen wie die Le Tourneurs. Den Monolog aus Richard III übersetzt er in Blankversen wie Voltaire und erkennt - im Gegensatz zu Voltaire - die Berechtigung des Blankverses im Französischen ausdrücklich an. Auch diese Übersetzung hat Schwächen: Bonneville kürzt und gibt einige Metaphern nicht adäquat wieder.[300]

Unter den englischen Dichtern hebt er weiter Chatterton hervor und versucht als erster das französische Publikum mit dessen Schicksal bekanntzumachen. Er gibt auf mehreren Seiten (Choix, p. 3-17) eine Darstellung von Chattertons Leben und des Charakters seiner Dichtungen und zitiert ausführlicher Horace Walpoles Begründung der Ablehnung von Chattertons Werken. Bonneville stellt Walpole als Exempel für die Oberflächlichkeit der "entrepreneurs" dar, die die jungen Dichter entweder ausbeuten oder ihnen jede Unterstützung verweigern. Insbesondere verweist er auf die Diskrepanz zwischen dem posthumen Ruhm Chattertons und der Tatsache, daß Chatterton aus Verzweiflung über die Ablehnung seiner Gedichte und aus materieller Not sich umbrachte. Chattertons Selbstmord im Alter von 18 Jahren sieht er als Konsequenz aus dem harten Los der jungen Genies, die nicht nach Auftrag schreiben können; er dient ihm als Ausgangspunkt einer Anklage gegen die Gesellschaft, die ihre Dichter verhungern lasse. Bonneville gibt eine freie Übersetzung von W. Hayleys Widmung an Chatterton, ich zitiere nur einen Ausschnitt:

> "O puissant Génie que la Nature a formé en vain pour nous donner une plus grande idée de l'homme, sous quel astre fatal es-tu né?
> Terrible exemple! Quels affreux tourmens assiégent le Génie, qui se débat contre l'indomptable malice de la destinée!"
> (Choix, p. 21)[301]

6.1.4 Bonneville als Vertreter der Idee der "vraie poésie"

Bonneville verbindet seine Wertschätzung der englischen Literatur mit einer impliziten Kritik an der französischen Klassik, was die folgende Selbstdarstellung zeigt:

> "Nous n'avons point de Versificateur; mais nous comptons dans notre Société un POETE qui n'a jamais à la bouche que les vers de Pindare, de Sophocle & d'Homère. Il aime Racine, dont il est le petit-neveu, mais il trouve dans son Shakespear & dans son Ossian plus de verve patriotique, un plus grand enthousiasme, & plus de profondeur dans l'étude de la Nature." (CS I, p. 7) [302]

Die Aufwertung des "enthousiasme" zu einem Kriterium des literarischen Urteils, verbunden mit einer Wendung gegen die französische Klassik, ist charakteristisch für die Versuche einer Neudefinition der Dichtung in der zweiten Hälfte des 18. Jahrhunderts, die Paul Van Tieghem in "La notion de vraie poésie" (_Le Préromantisme_, vol. 1) untersucht. Diese Richtung wirkt vor allem in Deutschland, da sie dort aus dem starken Bedürfnis nach einer eigenständigen Nationalliteratur hervorgeht; als französisches Beispiel führt Van Tieghem Diderot mit seinem berühmten Ausspruch an: "La poésie veut quelque chose d'énorme, de barbare et de sauvage."[303] Der Begriff "vraie poésie" zielt auf eine "barbarische", ursprüngliche, erhabene Dichtung, deren Vorbilder in Homer, der Bibel, Macphersons Ossian, Shakespeare, Milton, Tasso, zum Teil auch schon in den Volksdichtungen gesehen werden.[304]

Bonneville ist von der Wahl seiner literarischen Vorbilder her - Pindar, Homer, die Bibel, Klopstock, Shakespeare, Ossian - als Vertreter dieser Tendenz zu werten. Seine "Bücherliste" bestätigt diese Einschätzung und zeigt, in welchem Maß Bonneville die zugängliche ausländische Literatur rezipiert hat. So führt er neben Ossian, Shakespeare, Chattertons _The Battle of Hastings_, Gray, Smollet und Dryden Miltons _Paradise lost_ und _Paradise regain'd_, dessen Bedeutung vor allem für die damalige neue deutsche Literatur Van Tieghem hervorhebt, und Masons _Caractacus_ (1759) an; durch dieses Werk ist wahrscheinlich Klopstocks _Hermanns Schlacht_ (1769) beeinflußt. Weiter führt Bonneville William Hayleys _An Essay on Epic Poetry_ (1782) an, der u.a. positiv Lope de Vega, Dante, Ariost, Tasso hervorhebt, Boileaus Urteil über Tasso kritisiert und den literarischen Führungsanspruch Frankreichs zurückweist.[305] An deutscher Literatur gibt Bonneville Klopstocks _Messias_, Weisses _Amazonenlieder_ und seinen _Kinderfreund_, Lessings _Nathan der Weise_, Babos _Otto von_

Wittelsbach, ein Ritterdrama, Goethes Götz von Berlichingen, und den Werther an; an italienischer Literatur Petrarca und Tassos Gerusalemme Liberata; weiter Cervantes' La Galatea und Camões.

Bonneville gibt leider keine Kommentare zu den angegebenen Autoren. Auffällig ist, daß er weder Fielding noch Richardson anführt, die damals schon breiter rezipiert wurden. Die spanische Literatur hat er offensichtlich kaum gekannt; allerdings fand die spanische Literatur damals nur geringes Interesse, was sich beispielsweise an den wenigen Kommentaren der Zeitschrift Année Littéraire zu spanischen Autoren ablesen läßt.[306] Was die italienische Literatur betrifft, ist Bonnevilles Geschmack eher konventionell: er führt weder Dante noch Ariost an; allerdings war selbst Tasso nicht unumstritten, Fréron beispielsweise bestätigt 1761 noch einmal die negative Kritik Boileaus.[307]

In der Aufnahme der zitierten deutschen Werke, vor allem von Klopstocks Messias, Goethes Götz von Berlichingen und Werther erweist sich Bonneville jedoch weit dem zeitgenössischen Urteil voraus.

6.2 Das Nouveau Théatre Allemand

Der wichtigste Beitrag Bonnevilles zur Vermittlung neuer literarischer Impulse war ohne Zweifel seine Übersetzung zeitgenössischer deutscher Dramen. In der Literaturgeschichte erscheint er meist als Übersetzer deutschen Theaters, schon Sainte-Beuve sieht darin seine Bedeutung:

> "Savez-vous qu'on était fort en train de connaître l'Allemagne en France avant 89? Bonneville et d'autres nous en traduisaient le théâtre. Cette Hrosvitha, si à propos ressuscitée par M. Magnin, était nommée et mentionnée déjà en plus d'un endroit; sans l'interruption de 89, on allait graduellement tout embrasser de l'Allemagne, depuis Hrosvitha jusqu'à Goethe."[308]

Die erste französische Übersetzung deutschen Theaters ist Théâtre Allemand von Juncker und Liébaut von 1772, die 2. Auflage von 1785 wurde um 2 Bände erweitert. An wichtigen Dramen enthält sie nur Lessings Miss Sara Sampson und Minna von Barnhelm; daneben 5 weitere Stücke von Lessing, davon 4 Komödien, Weisses Romeo und Julia, sowie 4 Stücke von Gärtner, Gellert, Gebler und Cronegk. Im Vorwort der 2. Auflage beschweren sich die Verfasser darüber, daß sie in der Übersetzung von Friedel und Bonneville nicht zitiert wurden; Bonneville verweist daraufhin in Choix de petits romans imités de l'allemand (p. 62) und im 12. Band des Nouveau Théatre Allemand auf die Übersetzung von Juncker und Liébaut, allerdings ohne ausführlicher Stellung zu nehmen.

Die Initiative zur Übersetzung deutscher Dramen ging von Friedel aus, der Professor an der Pagenschule des Königs war; Bonneville beteiligte sich erst ab Ende des 2. Bandes, übersetzte jedoch die restlichen 10 Bände allein, sein Name erscheint allerdings erst mit dem 7. Band.[309] Wie Le Harivel in Nicolas de Bonneville, préromantique et révolutionnaire aufzeigt, unterscheiden sich die Übersetzungen von Friedel und von Bonneville deutlich, dagegen ist nicht nachweisbar, welcher von beiden die Vorworte geschrieben hat. Das Vorwort zur Übersetzung von Schillers Die Räuber dürfte, da auch in Choix de petits romans imités de l'allemand enthalten, von Bonneville stammen (Choix, p. 131-141).

Das Nouveau Théatre Allemand enthält die ersten Dramen von Goethe und Schiller und gibt einen repräsentativen Überblick über das damalige deutsche Theater; die meisten Stücke datieren aus den 70er Jahren. Die wichtigsten Stücke sind:

Lessing: Emilia Galotti (Bd. 1), Nathan der Weise (Bd. 7), Philotas (Bd. 7), Miss Sara Sampson (Bd. 10)

Goethe: Clavigo (Bd. 1), Stella (Bd. 3), Götz von Berlichingen (Bd. 9)

Schiller: Die Räuber (Bd. 12)

Klopstock: Der Tod Adams (Bd. 9)

Das Ritterdrama ist - neben dem "Götz" - vertreten mit Joseph v. Babos "Otto von Wittelsbach" (1782) und Graf v. Törrings "Agnes Bernauer" (1778).

Weitere Tragödien sind: "Elfriede" von Friedrich J. Bertuch, dem Herausgeber der Allgemeinen Literaturzeitung, "Julius von Tarent" des Sturm-und-Drang-Autors J.A. Leisewitz, Christian-

Felix Weisses "Atreus und Thyestes" und "Diego und Leonore" des kaum bekannten Joh. Unzer. Als "drames" eingeführt werden: "Walwais und Adelaide" des damaligen Mannheimer Intendanten v. Dalberg, Freiherr von Gemmingens "Der teutsche Hausvater" nach Diderots "Père de famille" und v. Geblers "Der Minister". Das Nouveau Théatre Allemand enthält weiter einige durchweg unbedeutende Komödien von v. Ayrenhoff, Brandes, Engel, Grossmann, Hippel, Richter, Unzer und Wezel.
Als Auswahlkriterium geben Friedel und Bonneville die Beliebtheit der Stücke in Deutschland an, sie sehen ihre alleinige Aufgabe darin, möglichst textgetreu zu übersetzen, auch wenn die Stücke für den französischen Geschmack anstößig sein sollten. Was die Skizzierung der Inhalte und die Erarbeitung der Rezeptionsgeschichte einzelner Stücke, sowie Bonnevilles Verfahren der Übersetzung betrifft, möchte ich auf die Arbeit von Le Harivel verweisen, dessen Ausführungen ich in dieser Hinsicht nichts hinzuzufügen habe; hilfreich ist insbesondere der Anhang B seines Werkes, der anhand verschiedener Textstellen aus Original und Übersetzung einen anschaulichen Eindruck davon vermittelt, in welcher Weise Bonneville durch Erweiterungen, Kürzungen und Veränderungen teilweise die Sprache der deutschen Dramen dem französischen Zeitgeschmack anzupassen versucht. In der Übersetzung von Schillers "Räubern" allerdings, deren Sprache Bonneville fasziniert hat, versucht er möglichst nah am Originaltext zu bleiben und gibt zum Teil in Fußnoten wörtliche Übersetzungen. Angesichts der restriktiven Sprachnormen der "doctrine classique", die damals ja noch nicht allgemein als überholt und einengend kritisiert wurden, und des durch die klassischen Dramen geprägten literarischen Geschmacks war eine Übersetzung von Dramen wie des "Götz von Berlichingen" und der "Räuber" ein ebenso gewagtes wie schwieriges Unternehmen, dem an einigen Stellen Bonnevilles Fähigkeiten offensichtlich nicht genügten.[310]

Bonneville sieht die Schwierigkeiten selbst und macht dafür den unterschiedlichen Charakter von deutscher und französischer Sprache verantwortlich:

> "Aussi, dans toutes nos traductions, avons-nous été scrupuleusement fideles; autant qu'on pouvoit l'être dans une lan-

> gue, qui n'a pas l'audace vigoureuse des langues du nord, dont la discordante harmonie annonce les orages des grandes passions." (NTA vol. 12, p. 3)

Bezeichnenderweise wird auf die Übersetzungsprobleme nur anläßlich der gewagtesten Stücke hingewiesen, so im Vorwort zu "Götz von Berlichingen":

> "Nous ne nous dissimulons pas, qu'un Ouvrage Allemand perd infiniment de sa couleur native dans une traduction françoise, avec quelque énergie qu'on puisse en rendre tous les sentimens; mais nous attendons beaucoup d'indulgence pour nos efforts, & nous espérons même que ceux qui compareront par-tout l'original & la copie, nous saurons (sic) gré de notre travail." (NTA vol. 9, p. 8)

In der Übersetzung der "Räuber" (mit dem verfälschenden Titel "Les Voleurs") gibt Bonneville mehrmals in Fußnoten wörtliche Übersetzungen und bemerkt zur Wortstellung im Original:

> "M. Schiller, comme un Poëte lyrique, ne parle gueres que par ellipses; & dans une langue dont la clarté fait le caractere, il est difficile de le faire entendre."
> (NTA vol. 12, p. 165)

An den "Räubern" bewundert er die poetische Kraft der Metaphern und bedauert in der Fußnote zu dem Bild "Seht ihr die Flammen lecken an den Wiegen der Säuglinge?", daß im Französischen die Disqualifizierung der sogenannten "mots bas" (hier "lecken") neue Ausdrucksmöglichkeiten verhindere und die Übersetzung deutscher Texte erheblich erschwere:

> "C'est une image affreusement belle! mais il faut tant d'art pour ennoblir en François ce qu'on appelle des mots bas. A une impossibilité, visible à tous les yeux, de s'exprimer autrement, il faut réunir une pensée si auguste, des expressions si majestueuses, que souvent, en traduisant avec autant de zèle, on sent encore toute l'indulgence dont on a besoin pour ces choses étranges, & le dégoût iroit jusqu'à les sacrifier, si l'on n'avoit en vue que certains Lecteurs.
>
> <u>Des langues de feu qui devorent</u>, &c. rendent certainement l'image de l'Auteur, mais, qu'on y fasse attention, ces mots qui sont usés, n'ont plus la terreur de la surprise, leur pointure est emoussée, <u>ab assuetis non fit passio</u>.
>
> L'autre expression, neuve, saisit le coeur: comme frappé d'un coup de tonnerre, on se recueille pour en sentir toute l'horreur." (NTA vol. 12, p. 233)

Der 1. Band des <u>Nouveau Théatre Allemand</u> enthält die "Histoire abrégée du Théatre Allemand" von Friedel, in der er die Entwicklung des deutschen Theaters bis zu Goethes "Götz von Berlichingen" und die verschiedenen Schauspieltruppen darstellt. In der Frage der Regeln nimmt er eine gemäßigte Position ein und beruft sich auf Lessings "Hamburger Dramaturgie". Er teilt die Einschätzung, daß das deutsche Theater dem französischen unterlegen sei, erklärt dies allerdings aus der fehlenden Tradition und ungünstigen äußeren Bedingungen. Friedel situiert das deutsche Theater zwischen englischem und französischem Drama. Interessant sind seine Überlegungen zum bürgerlichen Trauerspiel und zur Gestaltung der Charaktere im deutschen Drama.[311] Im bürgerlichen Trauerspiel spricht er den Deutschen eine führende Rolle zu und implizit eine große Zukunft, da diese Dramenform durch ihre Nähe zum Leben der Zuschauer größeres Interesse erwecke und das Publikum stärker berühre als die klassische Heroentragödie. In der Gestaltung der Charaktere sieht er eine starke Affinität zwischen deutschem und englischem Theater: der Deutsche bevorzuge ebenfalls an den Personen psychologische Dichte und suche eine Ausarbeitung der inneren Motive und eine stärkere Dramatik in Charakter und Handlung, als der französische Geschmack erlaube. Sehr positiv wertet Friedel, daß alle Aktionen auf der Bühne stattfinden und daß die im französischen Drama erforderlichen Berichte und Vertrauten-Rollen damit überflüssig werden.

Bonneville hat in seinen Überlegungen zum Drama sicher auf diesen Gedanken aufgebaut. So zeigen etwa seine Reflexionen zum Hamletmonolog ähnliche Argumente, jedoch ohne den relativierenden Hinweis auf den Nationalcharakter: die psychologische Ausarbeitung erscheint dort bereits als eine adäquatere Gestaltung der Natur des Menschen, als es die französische Tragödie vermag. Während Friedel betont, er wolle die deutschen Dramen nicht als Modelle in Frankreich einführen, stellt Bonneville das deutsche und englische Theater als Beispiel dar gegen die dogmatischen Vertreter der "doctrine classique":

> "Les tragiques allemans, sans être fort avancés, pourroient, ainsi que nos superbes insulaires, donner quelques leçons utiles à nos <u>maîtres d'école</u>; (...)" (CS II, L'Année 1789, Préface, p. VIIf)

Einigen Dramen stellen die Übersetzer kurze Vorbemerkungen

voran, die meist nur biographische Daten der Autoren enthalten. Das Vorwort zur Übersetzung von Klopstocks "Der Tod Adams" bildet dessen Rechtfertigung der Wahl eines biblischen Themas. Das Vorwort zu "Götz von Berlichingen" enthält einen Ausschnitt aus Friedels "Histoire abrégée du Théatre Allemand", darunter den folgenden Kommentar:

> "Point d'unité d'action, ni de temps, ni de lieu; mais de grandes beautés, des traits sublimes, une peinture énergique du seizieme siecle, & une foule de caracteres pleins de vérité." (NTA vol. 9, p. 6)

Die Übersetzer bemerken weiter, daß sie lange gezögert hätten, dieses Stück aufzunehmen; sie wenden sich an den Leser mit dem warnenden Hinweis:

> "En lisant une traduction d'Ouvrages Allemands, on doit bien s'attendre à n'y pas trouver la politesse des moeurs françoises. Nous traduisons." (NTA vol. 9, p. 8)

Das Vorwort zu den "Räubern", das höchstwahrscheinlich Bonneville geschrieben hat, verrät sein Schwanken zwischen Ablehnung und Faszination:

> "M. Schiller n'est point un de ces gens dont il est parlé au livre des Maximes, qui ressemblent aux Vaudevilles que tout le monde chante un certain temps, quelque fades & dégoûtans qu'ils soient. C'est un jeune Écrivain qui paroît fait pour étonner son siecle de la vigueur de son génie. Sa destinée intéresse tout être qui pense. Quoique l'ensemble & presque tous les détails de sa Piece soient du plus mauvais goût, les traits sublimes qu'on y rencontre en assez grand nombre, & sur-tout un horrible intérêt, vous attachent, malgré vous, à des scènes toujours plus affreuses." (NTA vol. 12, p. 12)

Das Vorwort enthält weiter eine kurze Darstellung der Verschwörung zu Freiburg und ein langes Zitat aus Schillers nachträglicher Distanzierung von den "Räubern". Bonneville sieht in der Sprache der "Räuber" das Prinzip wahrer Dichtung realisiert, so schreibt er in einer Anmerkung zum Text: "La poésie est sublime, alors qu'un sentiment profond naît d'une image pleine de simplicité." (NTA vol. 12, p. 226)

Das Nouveau Théatre Allemand wurde in der zeitgenössischen französischen Kritik recht positiv rezipiert. Ausgesprochene Verrisse einzelner Dramen - wie die Kritik der Zeitschrift Année

Littéraire an Leisewitz' "Julius von Tarent" - sind selten. Zwar wird auf Verstöße gegen die "vraisemblance", vor allem im Mercure de France, auf den fehlenden "goût" und die Mißachtung der Regeln ("Götz von Berlichingen") allgemein hingewiesen, gleichzeitig aber die Kühnheit, Dramatik, Einfachheit und Charakterzeichnung im deutschen Drama positiv hervorgehoben. In den Kommentaren zu Schillers "Räubern" schließen sich Année Littéraire und Mercure de France weitgehend dem Vorwort von Bonneville an.[312]

Die Zusammenarbeit mit Friedel war auf längere Zeit angelegt, beide wollten eine 6-bändige "Littérature Allemande", eine Sammlung von Prosatexten, Novellen und kurzen Romanen deutscher Autoren herausgeben. Der Tod Friedels 1786 verhinderte dieses Vorhaben. Bonneville veröffentlichte daher allein nur den Band Choix de petits romans imités de l'allemand, der neben eigenen Dichtungen den "Dialogue sur les François et les Allemands" von Sturz enthält, in dem dieser die Borniertheit des französischen Publikums in Bezug auf die deutsche Literatur karikiert, weiter eine freie Übersetzung von Walls "Albertine" und einige unbedeutende Anekdoten und kurze Prosatexte von Wieland, Sturz, Wall und Meisner.

6.3 Rousseaukult und Naturgefühl

Der französischen literarischen Tradition gegenüber hat Bonneville grob gesehen folgende Position: die französische Aufklärungsphilosophie nimmt er positiv auf ohne allerdings die genuin literarischen Werke zu beachten - zu Voltaires Dichtungen und Dramen äußert er sich nicht -, der literarischen Tradition der Klassik steht er kritisch gegenüber.[313]

Rousseau hat in Bonnevilles Rezeption der literarischen Tradition eine Sonderstellung: er unterscheidet erstens nicht zwischen Rousseau als Staatstheoretiker und Rousseau als Romancier und zweitens wird Rousseau nicht so sehr in seinen Werken rezipiert, sondern vor allem zur Figur des vorbildlichen Menschen und Schriftstellers erhöht - Bonneville nimmt teil an dem präromantischen und revolutionären Rousseaukult. Mit der Rezeption Rousseaus verbunden formuliert er Themen der "sensibilité": Melancholie, Einsamkeit und Naturgefühl.

Die "Lettre à un ami" vom Juni 1781, die Bonneville in Choix de petits romans imités de l'allemand aufgenommen hat, enthält seine ausführlichste Stellungnahme zu Rousseau. Bonneville beginnt mit einer interessanten Darstellung der Melancholie, unter der er seit längerer Zeit leide:

> "Une espece d'engourdissement enchaîne jusqu'à ma volonté. Tout est illusion à mes yeux. Je n'ai pas même la force de rien desirer; mais une santé foible & languissante me fait déjà sentir que je ne puis rester encore long-temps dans cet état d'insensibilité. (...) Ce n'est pas que je sois attrabilaire ou misantrope, non, ce n'est point de la misantropie. Il y a de la mélancolie, mais elle est douce. Souvent même, dans le silence d'une belle nuit étoilée, la sérénité de mon âme me rejouit, ces parfums balsamiques qu'on respire sur les montagnes me ravissent; je n'ai pas assez de sens pour jouir d'une volupté aussi délicieuse. Hier encore, tout abattu & triste que je suis, j'allois me promenant çà & là, sur des lieux escarpés, & la verdure, en me souriant, forçoit mon coeur à lui sourire. Je devins rêveur, & tout-à-coup des larmes qui sembloient jaillir de mon coeur inonderent mes joues dessechées."
> (Choix, p. 239f)

Bonneville scheint an seinen Leiden durchaus Gefallen zu finden: die Melancholie erlaubt ein intensives Naturerleben, die Einsamkeit wird in der Erfahrung der Natur kultiviert. Dies ist im übrigen das einzige Beispiel einer Darstellung der Melancholie, später - in der Enttäuschung über den Verlauf der Revolution - fehlt jede Idyllisierung: Bonneville stellt sich selbst dann als einen Menschen dar, der gegen die Verzweiflung und den Verlust des politischen und dichterischen "enthousiasme" ankämpft.

Er geht im folgenden über zu Rousseau und gibt sogleich die summarische Stellungnahme ab: "S'il étoit donné à un homme de changer le genre humain, Rousseau auroit eu cet honneur." (Choix, p. 240) Rousseaus Einfluß auf seine Jugendzeit beschreibt er folgendermaßen:

> "C'est lui qui a donné le change à mon imagination enflammée, & qui a nourri dans mon coeur une délicieuse sensibilité dont j'attends tout mon bonheur, --- s'il en doit être pour moi!" (Choix, p. 240)

Hier wird die "sensibilité" direkt thematisiert. Dieselbe Überschwenglichkeit prägt seinen Kommentar zu Rousseaus Discours sur les Sciences et les Arts:

"Il déchire à l'instant le voile de l'illusion. L'idole éblouissante est renversée. Libre de préjugés, il éleve sa voix contre ces arts si enchanteurs & si funestes qui ont énervé & corrompu les Nations savantes. Quelle sublime énergie dans ces tableaux où il nous peint les peuples corrompus par les lettres! Quelle pompe! quel ton imposant dans la prosopopée de Fabricius! Partout il tonne, il éclate; je vois enfin éclore l'éloquence dans ma patrie, & Rousseau éclipse tous ces frivoles déclamateurs, tous ces Ecrivains forcenés qu'on avoit décorés du nom d'éloquens." (Choix, p. 241)

Als nächstes verteidigt Bonneville die Lettre à d'Alembert sur les Spectacles: Rousseau sei keineswegs ein Feind des Theaters, er klage nur die korrumpierende Form des Theaters an; im folgenden argumentiert Bonneville sprunghaft:

"Comme il nous fait aimer les jeux aussi simples qu'innocens d'un peuple heureux & libre! Apprenez à goûter les vrais spectacles que vous êtes le maître de vous donner tous les jours. Vous avez des yeux, & la Nature varie à chaque instant. Sachez goûter les plaisirs qu'elle vous offre, & préférez-les à la pompe magnifique qu'invente le luxe pour l'amusement ou plutôt pour la corruption des hommes frivoles." (Choix, p. 243)

Wie zu erwarten, preist Bonneville daraufhin die Vorzüge eines einsamen Waldes und der Sternennacht, auch das folgende Gedicht ist ganz im Stil der "sensibilité" gehalten - Bonneville ist in seinen späteren Dichtungen unbestreitbar originaler und bizarrer; ich zitiere nur die typische zweite Strophe:

"Monts sacrés, flots de verdure,
Vents du nord, augustes bois,
Où mon coeur tressaillit pour la premiere fois;
Où dans l'extâse heureux d'une volupté pure,
Mon coeur à la vertu fit son premier serment,
Salut, vous me glacez d'un saint frémissement!"
(Choix, p. 243)

An Julie ou La Nouvelle Héloïse schätzt Bonneville die Figur von Julie als Mutter und Ehefrau und vor allem die Gestalt Edouards, "sa fierté, sa franchise & sa rudesse stoïque!" (Choix, p. 245). Auch hier kommt er wieder auf das Thema der Natur:

"Sa maison ne m'est point étrangere, je la connois comme le lieu que j'habite. Je vois son Elysée, je l'y suis avec Saint-Preux & Wolmar, & j'y partage le même ravissement qu'éprouvent ceux qui vivent autour d'elle. Je vous possede,

> vallons délicieux, campagnes heureuses; belles fleurs, je respire vos parfums; ruisseaux, j'entends votre doux murmure; sombres forêts, avec quelle volupté je viens vous voir!" (Choix, p. 245f)

Bonneville lobt an Rousseaus Emile die romanhafte Form der Darstellung, die eine Identifikation des Lesers ermögliche. An der "Profession de foi du Vicaire Savoyard" schätzt er, obwohl sie Fehler enthalte, das Fehlen scholastischer Argumente und Rousseaus Fähigkeit, nicht nur zu argumentieren, sondern Gefühle im Leser hervorzurufen: "En démontrant l'existence de Dieu, il nous force à l'aimer." (Choix, p. 247)
Bonneville schildert nach dieser Lobrede auf Rousseaus Werke ein persönliches Erlebnis, das zeigt, daß sein Bild von Rousseau als verfolgtem Genie und die Identifikation mit ihm bis in seine Jugendjahre zurückreicht: Bonneville bezog in seiner Schulzeit Position gegen einen Lehrer, der Rousseau als Atheisten darstellte, der die Gebete abschaffen wolle; er blamierte ihn, indem er öffentlich eine inhaltlich gegenteilige Stelle aus dem Emile vorlas, und mußte daraufhin die Schule verlassen. Die Selbsteinschätzung Bonnevilles, daß er das Schicksal Rousseaus teile, mag hier ihren Anfangspunkt gehabt haben.
Abschließend schreibt er an seinen Freund:

> "Peut-être je vous ai parlé dans cette lettre avec un ton trop imposant; mais en pensant à Rousseau, en parlant de lui, mon âme s'éleve, & je sens que l'expression participe à la noblesse des sentimens." (Choix, p. 249)

Bonneville sieht sich im Rückblick auf seine Jugend als Rousseaus Schüler, der die Lehren des Meisters besser befolge als dieser selbst; dabei schneidet er wieder das Thema von Einsamkeit und Naturerlebnis an:

> "Dans ma première jeunesse, presque toujours solitaire, errant sur les montagnes et dans les forêts, n'ayant rien à démêler avec des hommes corrompus, je ne pouvois concevoir comment J.J. Rousseau, infidèle à ses principes, avoit pu les oublier au point de se livrer, avec amertume, à des querelles personnelles." (EdR App., p. 233)

Die beiden wesentlichen Themen, die Bonneville mit der Lektüre Rousseaus vor 1789 verbindet, sind "vertu" und "nature". Beispielhaft dafür ist auch das Gedicht "Le Bonheur Champêtre" (Choix, p. 261-271), in dem er in einem Dialog zwischen einem

Bauern und einem städtischen Adligen in idyllisierender Weise den Bauern die Vorzüge des Landlebens schildern läßt: arbeitsames und tugendhaftes Familienleben im Einklang mit der Natur, bescheidenes Glück, frugale Genüsse, Liebe zwischen Eltern und Kindern. Der Adlige entwirft darauf ein negatives Bild von Korruptheit und leerem Prunk des Stadtlebens, wo nur das Geld herrsche und die Tugend lächerlich gemacht werde, bezieht sich dabei auf Rousseau und bekehrt sich schließlich zum ländlichen Glück:

"Quelle douce innocence en ce séjour champêtre!
que j'y serois heureux! --- Je le puis, je veux l'être.
Ah! trop long-temps séduit par de brillans appas,
j'ai cherché le bonheur où le bonheur n'est pas!"
(Choix, p. 271)

Während Bonneville vor der Revolution vorwiegend ein idyllisches Naturgefühl darstellt, zeichnet sich nach 1789 eine Wendung zu Bildern der wilden Natur ab: Felsen, Sturm, Meer werden nun die Requisiten des Naturgefühls. So vergleicht er den neuen Menschen, der die Nationen aufrütteln werde, mit einem Sturm, den die Natur auf den menschenleeren Höhen der Gebirge vorbereite:

"Peu-à-peu, ces nuages, qui se grossissent, ne peuvent plus porter l'immense fardeau; alors la tempête prend sa course, traverse l'immensité de l'Océan, entasse les ondes en pyramides; et de ces hauteurs épouvantables, pousse des hurlemens vers le Nord, et dans ces forêts solitaires, où le chêne regarde sans effroi les révolutions à travers les siècles. Embrassez d'un regard la multitude immense de tous les points du cercle de l'éternité, et vous bénirez ces orages et ce puissant mouvement des mers, qui empêchent une putréfaction universelle, dont le silence profond des ténèbres et la totale inaction de la création menacoient la nature. (...)
L'homme qui doit ressusciter les nations en léthargie, est toujours préparé par la nature dans un silence profond, comme les orages bienfaisans." (EdR II, p. 213f)

Mit der Wendung zur wilden Natur erscheint das Naturerlebnis als ekstatisches Gefühl:

"Que ne puis-je revivre une de ces années, où souvent égaré sur les montagnes ou dans les forêts, m'enivrant jusqu'au délire de la fureur des vents et des orages, il me sembloit que de mon coeur, comme d'un grand réservoir de la nature, alloient se répandre sur l'univers des torrens de lumière et de bonheur." (EdR II, p. 14)

Nach 1789 drückt Bonneville seine Verehrung Rousseaus inhaltlich mehr auf einer politischen Ebene aus. Rousseaus Werke spricht er in diesem Zusammenhang kaum an, insgesamt ist seine Rezeption des Contrat Social fragmentarisch; Bonnevilles Rousseaukult begründet sich nicht aus der Kenntnis seiner Werke, sondern aus dem Bild seiner Persönlichkeit. Wie Joan McDonald in Rousseau and the French Revolution zeigt, ist der Mythos von Rousseau als Vater der Revolution nicht aus der Rezeption seiner Werke zu erklären - eine Auseinandersetzung mit seiner politischen Philosophie erfolgt nur bei einigen Autoren, z.B. Fauchet, und beinhaltet dabei eine Kritik mehrerer Positionen Rousseaus -, sondern aus dem vorrevolutionären Rousseaukult und der an ihm orientierten "sensibilité".[314] Im Rousseaukult äußert sich vor und während der Revolution der Wunsch nach Bestimmung einer gemeinsamen Subjektivität. Diese hat schon vor der Revolution, obwohl sie nicht als politische, sondern literarisch vermittelte "sensibilité" formuliert wird, eine kritische Dimension, da sie sich gegen das Vorbild der "urbanité" richtet (Wunsch nach einfachem, ländlichem Leben, Naturgefühl, kleinfamiliale Intimität versus absolutistischen Prunk). Das verbindende Moment von vorrevolutionärem und revolutionärem Rousseaukult scheint mir nicht nur, wie Joan McDonald annimmt, die Verehrung Rousseaus als Moralist zu sein, sondern das Bild der Verfolgung und des Unverständnisses, auf das Rousseau stieß; einmal gilt er als Typus der empfindsamen Seele, die unter der Oberflächlichkeit der Zeitgenossen leide, dann als verfolgter Kämpfer für Wahrheit, Freiheit und Gerechtigkeit.

Bonnevilles Textstück "Caractère de l'homme intègre destiné par la nature à réveiller les nations" ist ein anschauliches Beispiel des revolutionären Rousseaukultes. Er schrieb es als Rede für den "Cercle Social" und gab es als Werk eines befreundeten "Franc du Nord" aus, gesteht aber in De l'Esprit des Religions, daß es aus seiner eigenen Feder stamme. Wahrscheinlich ist dieses Textstück von Mercier beeinflußt, der in J.J. Rousseau considéré comme un des premiers auteurs de la Révolution und in Le Bonheur des Gens de Lettres ähnliche Gedanken vertritt.[315] Bonneville beschreibt den Menschen, der die Nationen aufrütteln werde, zunächst allgemein als einen mit "profonde sensibilité" begabten Menschen, dessen unerschütterliche Wahrheitsliebe ihn allen möglichen Verfolgungen aussetzt und vereinsamen läßt, ihm jedoch Menschenkenntnis gibt und ihn die wahren Ideale Liebe, Freundschaft, Brüderlichkeit und Gleichheit erkennen läßt. Er feiert Rousseau als Beispiel dieses neuen Menschen; ich zitiere ausführlicher:

> "Pauvre Jean-Jacques, tu as fourni les traits de l'homme extraordinaire et toujours méconnu, qui doit influer sur les destins de l'univers! il a souffert pour la liberté, combattu pour la liberté, il vient de conquérir la divine liberté! Quel oeil assez pur a su distiguer (sic) ce nouvel envoyé de la nature, dans le pauvre citoyen de Genève, qui changea trois fois de religion pour avoir du pain? que les beaux esprits de son tems peignoient comme un polisson, qui travailloit dans son galetas à deux sols (sic) la feuille; le peuple qui se vantoit le plus de son urbanité, lui a craché au visage, l'eût volontiers couronné d'épines par dérision; les ministres de la vérité et de la justice lui ont préparé des bûchers! Delà ses nerfs endoloris, desséchés par le manque total des besoins de la vie, lui ont donné un air de mauvaise humeur et de singularité, qui l'ont entraîné quelquefois au-delà des bornes; mais ne calomniez pas les grands desseins de la nature: sans l'amertume et l'étrangeté de son langage, il ne se fut point attiré toutes les haines des ennemis de la vérité, de tous les faux sages; et pour repousser tous les traits empoisonnés des plus odieux satyres, il n'auroit point exposé toute la misère du foible dans le développement sublime de ses malheurs et de son grand caractère. Quand il eut cessé de parler, et que les hommes l'eurent oublié dans sa retraite, la terre, qu'il vouloit changer en un lieu de délices pour ses enfans, lui offrit, pour réjouir son ame, des fleurs balsamiques et des herbes fraîches qu'il recueilloit pour ses jeux innocens.
> Et pour sa récompense éternelle, tout ce qu'il a conçu de grand et de sublime, descendra sans cesse, avec son nom, sur les aîles de la pensée. Il sera l'ame de tous les cercles consacrés au bonheur des peuples." (EdR II, p. 221f)

Die Gestalt Rousseaus wird durch den impliziten Vergleich mit Christus überhöht, das Leiden an der Umwelt, das Bonneville in seinen Folgen zunächst negativ zeichnet ("mauvaise humeur"), wird zur Voraussetzung, die große Aufgabe erfüllen zu können. Der Gedanke, daß die Bewunderung der revolutionären Zirkel Rousseaus Leiden nachträglich kompensiere und seinen Ideen Unsterblichkeit verleihe, ist charakteristisch für den revolutionären Rousseaukult: die Revolution wird mehrfach als posthumer Triumph Rousseaus über seine Widersacher dargestellt, womit umgekehrt die Revolution selbst legitimiert wird.[316] Daß Rousseau für Bonneville zum Objekt einer fast religiösen Verehrung wird, zeigt das Gedicht "Hommage à l'Auteur d'Emile":

"CITOYEN libre, auteur d'Emile,
Ma voix implore ton secours;
Comme toi, l'espoir d'être utile
Fera le bonheur de mes jours."

"Du haut de la voûte azurée,
Rousseau, réponds-moi; m'entends-tu?
Reçois ma promesse sacrée
D'aimer à jamais la vertu.
Cieux, que le Parjure périsse!
Lève ton bras, dans ta justice,
Frappe, Ami de la vérité;
Et qu'on maudisse ma mémoire,
Si je recherche une autre gloire
Que le bien de l'humanité."

(Beide Zitate Poésies, p. 15f)

Bonneville versuchte darüber hinaus Rousseau direkt nachzuahmen und gibt in De l'Esprit des Religions einen angeblich verlorengegangenen Brief Edouard Bomstons, der aus seiner eigenen Feder stammt, zunächst als Werk Rousseaus aus (EdR App., p. 213-223). Er beschreibt darin die Meditationen Edouard Bomstons, der eine Nacht in einer Kirche verbringt, und bezieht sich explizit auf Young. Aus der Konfrontation mit den Grabmälern und Geistern der Verstorbenen läßt Bonneville allerdings keine Melancholie, sondern Pläne einer besseren Welt, eines Gesellschaftsvertrags aller "ames aimantes" und "coeurs nobles et généreux" entstehen. Die Szenerie wird sodann dramatisch: es erscheinen zwei Mönche mit Laure, die sie vor dem Altar töten wollen. Edouard rettet Laure und stellt den verantwortlichen Kardinal zur Rede. Bonneville knüpft hier an das Kapitel "Les amours d'Edouard Bomston" aus Julie ou La Nouvelle Héloïse an, allerdings in recht eigenartiger Form: Rousseaus Thema von Tugend und freiwilligem Verzicht wird überhaupt nicht aufgenommen, stattdessen gestaltet er seine eigene antiklerikale Einstellung. Außer den Namen der agierenden Personen erinnert nichts an Rousseau. In einem fingierten Gespräch gibt Bonneville zu diesem Textstück folgende verblüffende Wertung: er läßt einen Unbekannten sagen, daß es ihn freue, daß dieses Stück, das er für ein Meisterwerk Rousseaus gehalten habe, von einem anderen Autoren stamme, und zwar aus folgendem Grund: "C'est que l'Europe a encore sa plume." (EdR App., p. 224)

6.4 Der Geniebegriff

Bonneville reflektiert wenig über die Kategorien der ästhetischen Diskussion im 18. Jahrhundert wie über das Schöne, die "imitation de la nature" oder das ästhetische Ideal, er trägt zu einer Weiterentwicklung der ästhetischen Positionen, insbesondere zu der Frage, ob die Kunst naturnachahmend sein solle oder Darstellung des Idealschönen, direkt nichts bei. Seine literaturtheoretische Bedeutung liegt vor allem im Bereich des Geniebegriffs und dem Bild der Rolle des Dichters und des Verhältnisses von Gesellschaft und Dichtung.

6.4.1 Genie und "sensibilité"

Wie M. Gilot und J. Sgard in "La vie intérieure et les mots" in Le préromantisme: hypothèque ou hypothèse nachweisen, erfährt der Begriff "génie" im Laufe des 18. Jahrhunderts eine Bedeutungsveränderung: während er in der ersten Hälfte mit den verschiedensten Attributen gebraucht wird und von "bon génie", "mauvais génie", "génie pour l'intrigue", "génie fertile en fictions" gesprochen wird, gewinnt das Wort erstmals im Artikel "Génie" der Encyclopédie (1757) absoluten Wert und bedarf nicht mehr erläuternder Qualifizierung.[317] Der Artikel "Génie" von Saint-Lambert nimmt in den zeitgenössischen Definitionen des Genies eine Sonderstellung ein: in anderen Artikeln wird das Genie meist als ein mit konstruktiver Vernunft begabter Mensch dargestellt, der seine "imagination" kontrolliert, als Typus des "philosophe"; Saint-Lambert dagegen sieht das Genie exemplarisch in dem mit außerordentlicher "imagination" und "sensibilité" begabten Künstler und behauptet einen Gegensatz von vernunftgemäßer Kontrolle der Einbildungskraft und Genialität.[318]
Leo Pollmann weist darauf hin, daß Saint-Lamberts Genie-Artikel literaturtheoretisch gesehen einen fortgeschritteneren Ansatz darstellt als Diderots Äußerungen zum "enthousiasme", da er der

Phantasie des Genies bereits eine relative Unabhängigkeit von der gegenstandsgemäßen Reproduktion der Sinneseindrücke zuspricht und der Schönheit, die das Genie hervorbringt, Unregelmäßigkeit zugesteht; bezeichnenderweise führt er als Beispiel des literarischen Genies Shakespeare an.[319]
Ob Bonneville Saint-Lamberts Artikel gekannt hat, ist nicht nachweisbar; sein Geniebild kommt, von der Aufklärung her gesehen, diesem am nächsten: er setzt deutlich "génie" und "sensibilité" in Beziehung, das Bild des Genies als aufgeklärten Philosophen fehlt dagegen. In dem Textstück "Caractère de l'homme intègre, destiné par la nature à réveiller les nations" gibt er zwar abschließend Rousseau als Vorbild dieses Menschen an, begründet dies jedoch weder von seinen Werken, noch von seiner Position als Staatstheoretiker und Philosoph her; Rousseau erscheint vielmehr als Vorbild aufgrund einer ihm zugeschriebenen Subjektivität und Sensibilität. In dieser Textpassage spricht Bonneville zwar nicht ausdrücklich von Genie, sie ist dennoch zu einer Darstellung des Geniebegriffs heranzuziehen, da er zur Charakterisierung des "homme intègre" ähnliche Formulierungen gebraucht wie in expliziten Erläuterungen zum Genie (z.B. "homme-Dieu") und dessen Außergewöhnlichkeit deutlich markiert:

> "Celui qui ne va jamais au-delà de ce qui est, du vrai, du bon et du sublime, n'est point sans doute, d'une trempe ordinaire; mais ce n'est point encore là l'homme destiné par la nature à réchauffer le globe, et à causer dans l'univers de grandes révolutions." (EdR II, p. 210)

Bonneville erläutert seinen Gedanken mit dem Bild des außergewöhnlichen Kriegers:

> "Celui qui doit servir de modèle à des légions entières, quitte les rangs, et affronte l'ennemi par une démarche si inattendue que les deux armées sont dans l'épouvante; (...) émue par la terreur qu'inspire son courage, toute l'armée ne voit plus dans ce guerrier qu'un Dieu vengeur, qui a pris une forme humaine, tout s'ébranle, et les bastilles ne sont plus." (EdR II, p. 210f)

Für Bonneville steht das Genie über den gesellschaftlichen Normen, schafft etwas Neues, Unerwartetes und verfügt über außermenschlich erscheinende Kräfte.
Daß Bonneville das Genie als Literaten oder Redner sieht, geht aus folgender Stelle hervor: "(...) il n'a d'autres armes que

la parole; mais avec une bouche de fer, il appellera ces tyrans par leur nom." (EdR II, p. 212)

In dem Vergleich mit dem außergewöhnlich mutigen Krieger oder mit dem Sturm liegt eine deutliche Heroisierung des Genies vor. Louis-Sébastien Mercier, dessen Werk Le Bonheur des Gens de Lettres Bonneville höchstwahrscheinlich in der Abfassung von "Caractère de l'homme intègre ..." beeinflußt hat, heroisiert zwar ebenfalls den Literaten zum Beschützer des Vaterlandes und der Menschheit, sieht aber als reale Möglichkeit nur den freiwilligen Rückzug aus der Gesellschaft: "(...) fuir le monde pour lui devenir utile".[320] Insgesamt ist Mercier inhaltlich und im Argumentationsstil mehr der Aufklärung verhaftet als Bonneville, er nimmt z.B. noch das Bild des aufgeklärten Philosophen auf, der in Distanz zu den Leidenschaften der Menschen globale Reflexionen über den Lauf der Welt anstellt; auch in der Darstellung der guten Werke der Literaten greift er auf traditionell aufklärerische Argumente zurück:

> "Si la pensée est utile à l'homme, nous leur devons tout; ils ont éteints (sic) les torches du Fanatisme, ils ont poli les moeurs des Nations, ils ont applani les chemins qui menent aux grandes découvertes, ils ne jugent point la terre, mais ils l'éclairent en silence." [321]

Bonneville dagegen sieht das Genie weder als Philosophen noch seine Sprache als "raisonnement", sondern als inspiriertes Organ der Natur, dessen dunkle Worte dem Genie selbst unerklärlich sind und Sklaven und Tyrannen beunruhigen:

> "La nature n'a-t-elle que votre langage, courtisans? Personne encore parmi les esclaves, ne sait ce qu'il a voulu dire; il lui seroit impossible à lui-même de vous l'apprendre.
> 'Malheureux, s'il faut vous le dire, comment le comprendrez-vous?' (J. Jacques, dans son Emile, vol. 4)
> Il sent seulement qu'il a parlé, que la nature a parlé en lui; et ce qui le console de vos mépris, il sent encore qu'il a été entendu; témoins ces esclaves qui continuent de secouer machinalement leurs fers; et ces tyrans, qui ne dorment plus, toujours épouvantés par de sinistres présages.
> Des hommes frivoles n'ont point de sens assez exquis pour distinguer ce langage qui parle au coeur; le principe de ses actions extraordinaires ne tombe point sous les sens de la multitude, stupide et aveugle en la présence des bourreaux. Non, la nature, dans sa marche, ne laisse point de traces pour l'oeil vulgaire." (EdR II, p. 212f)

Bonneville ist hier weit entfernt von der aufklärerischen Berufung auf die Kategorie des "bon sens", die ein prinzipiell mögliches Einverständnis zwischen Leser und Philosoph beanspruchte. Damit ist der Weg offen für eine ausgesprochen elitäre Sicht der Position des Genies: mit der Bestimmung des "homme intègre" als vermittelndem Organ einer höheren Instanz erscheint jede mögliche gesellschaftliche Instanz, vor der er sich legitimieren müßte, z.B. vor dem Urteil einer aufgeklärten Öffentlichkeit, als hinfällig. Das Unverständnis der Menge ist nicht mehr nur beklagenswertes Schicksal des außergewöhnlichen Menschen, sondern geradezu Indiz dafür, daß er von der Natur mit einer besonderen Mission betraut wurde; die Natur verleiht ihm Fähigkeiten, die von vornherein im Widerspruch zur Gesellschaft stehen:

> "L'homme qui doit ressusciter les nations en léthargie, est toujours préparé par la nature dans un silence profond, comme les orages bienfaisans.
> Une sensibilité profonde, inconcevable dans ses effets, des sens très-fins, une imagination ardente et un coeur droit, voilà tout son héritage. Comme tous ces dons de la nature n'attirent point d'admirateurs, celui qui les possède les ignore long-tems; il n'en présage point l'usage futur: toujours simple, franc, toujours ouvert comme la nature, il est tout ce qu'il peut être, pour inviter ceux qui l'environnent à s'emparer de lui, à enchaîner son coeur, à lui ravir l'estime des gens honnêtes, la bienveillance de ses amis, sa propre confiance, ses espérances les plus douces. La nature semble l'avoir destiné, dans ses premières années, à être trompé en tout, comme pour le forcer à tout examiner par soi-même." (EdR II, p. 214f)

Daß Bonneville die "raison" nicht zu den Qualitäten des außergewöhnlichen Menschen zählt, zeigt, wie weit er von dem Geniebild der meisten Enzyklopädisten entfernt ist. Die zitierte Stelle ist ein Beispiel für die positive Besetzung von "imagination" und "sensibilité", die sich in der zweiten Hälfte des 18. Jahrhunderts herausbildet: "imagination" erscheint als aktive, schöpferische Fähigkeit, "sensibilité" nicht mehr wie bei Diderot - im Einklang mit der damaligen medizinischen Theorie - als eine organische Schwäche der Nerven, die der Genialität entgegengesetzt sei: "La sensibilité n'est guère la qualité d'un grand génie";[322] "sensibilité" hat hier vielmehr die Bedeutung von Empfindsamkeit und Innerlichkeit.

Die Suche nach der Wahrheit zeichnet Bonneville nicht als vernunftbestimmte Analyse, die eine stoische Distanz zu den Leidenschaften voraussetzt, sondern als Sturz in "mille abymes", Irrweg durch "inextricables labyrinthes", als innere Unruhe und Kampf:

> "Son ame est sans cesse en activité, veille toujours, combat toujours, combat même des fantômes, contre des ombres de danger. Toujours de nouvelles épreuves!" (EdR II, p. 216)

Bonnevilles positiv verstandenes Bild des "homme intègre" weist einige Momente auf, die in Diderots Krankheitsbild der unkontrollierten "sensibilité" gepaßt hätten:[323] so sieht der "homme intègre" auf einem Punkt seiner geistigen Entwicklung in paranoischer Weise in allen Menschen und in sich selbst einen Feind, der ihn korrumpieren wolle, und erlebt andererseits jedes fremde Leid als eigenes Leid:

> "Ce n'est pas lui qu'il voit l'objet de la dérision des Indignes, c'est tout un peuple, ce sont tous les peuples! La nature qui l'a conçu intègre, entier (hier als Fußnote: Integer, totus; SK), a attaché à son coeur tout ce qu'elle a de parties sensibles dans l'immensité des êtres organisés. Le trait méprisant, lancé avec indifférence sur l'esclave, n'a blessé que lui seul, qui porte dans son sein le coeur de l'esclave: (...)" (EdR II, p. 220)

Bonneville schneidet das Thema der Verrücktheit an: "Vous le prendriez pour un malade, qui a perdu le sens, commun à tous les hommes (...)" (EdR II, p. 218), wendet dies aber gegen die Zeitgenossen: das Urteil der Umwelt zeige nur deren Borniertheit.

Auf die Darstellung des psychischen Leidensdrucks läßt Bonneville unmittelbar die Apotheose des "homme intègre" folgen; das Leiden an der Umwelt und die gesellschaftliche Isolierung des Genies erscheinen dabei als Anklage gegen die Gesellschaft, aber auch als notwendige Prüfung und Bedingung des Triumphs, das Genie selbst sowohl als unschuldiges Opfer wie als heroische Gestalt:

> "Dans cette lutte d'un Dieu de la nature, contre les démons de la tyrannie, frappé, froissé, brisé, déchiré, dispersé dans tout son être, tout ce qu'il a d'un homme se fortifie: son oeil, où siège toute son ame, observe tout autrement les hommes et les choses. Le monde et ses changemens, l'homme et ses intérêts se présentent à ses yeux et à son coeur sous d'autres formes; de-là s'accroît, malgré lui, cette force de

> réflexion, qui enfonce ses regards, dans ses entrailles, pour y embrasser toute la création de son corps et de son ame.
> Il ne craint plus de s'égarer; il a un point d'appui. Ce qu'il trouve par-tout, c'est Dieu; et il voit par-tout la vérité où il trouve Dieu." (EdR II, p. 217)

Unter Reflexion versteht Bonneville nicht Analyse und Raisonnement, sondern ein Denken, das gleichzeitig Erleben sein soll und mit religiösem Elan einhergeht. Er läßt die Entwicklung des "homme intègre" in der Parteinahme für alle Unterdrückten und Leidenden und in der Erkenntnis enden, daß Liebe, Brüderlichkeit und Gleichheit die Forderungen des Gesetzes Gottes seien, und stellt den endgültigen Triumph des "homme intègre" in Aussicht:

> "Il ne capitulera pas; son ame et sa pensée ne se plieront plus à un langage ordinaire, il s'en crééra (sic) un nouveau qui lui sera propre, vrai, libre, audacieux, ravissant comme le systême de ses pensées; c'est un lion, dans sa force et dans sa fureur, qui enlève la dépouille des bêtes orgueilleuses, qui déchire leurs entrailles: c'est l'homme-Dieu dans la nature, c'est l'homme-Dieu qui confond tous les scélérats adorés par des esclaves; sa voix éternelle, que les tyrans n'enfermeront pas dans leurs tombeaux, remplira sa destinée d'un libérateur des humains."
> (EdR II, p. 220f)

Insgesamt läßt sich anhand des Textstücks "Caractère de l'homme intègre, destiné par la nature à réveiller les nations" ablesen, daß Bonnevilles Geniebegriff bereits ein Bild der genialen Persönlichkeit enthält. Im 18. Jahrhundert wird, wie Nedd Willard in Le génie et la folie au 18e siècle bemerkt, Genie als eine außergewöhnliche Fertigkeit begriffen, die sich in einem Werk niederschlage. Nur in der Ausübung dieser Fähigkeit hat der mit Genie begabte Mensch Außergewöhnlichkeit, nicht jedoch als Person.[324]

Bei Bonneville dagegen wird in der Betonung der konstitutiven Rolle der "sensibilité" der Weg zu einer Sicht des Genies als einer bestimmten Subjektivität eröffnet. Daß diese "sensibilité" im Gegensatz zu den gesellschaftlichen Normen stehe, sieht er als positiven Zug. Er stellt nicht die Frage, in welchen gesellschaftlichen Positionen das Genie von Nutzen sei, wie etwa Saint-Lambert, wenn er das Genie für ungeeignet zur Führung der Staatsgeschäfte hält, oder Diderot in seinem Vorbehalt, daß die

Genies häufig schlechte Staatsbürger seien.[325] Allerdings sieht Bonneville nicht eine unüberbrückbare Kluft zwischen Gesellschaft und genialem Menschen. Das Genie ist seiner Vorstellung nach stets auf das Wohl der Menschheit bezogen; die Verfolgung, der es ausgesetzt sei, resultiere daraus, daß es weiter blicke als die Zeitgenossen und die Zukunft entwerfe. Im folgenden Vergleich hält er eine Allianz von Genie und Volk für möglich und spricht dabei dem Genie die Rolle des geistigen Führers und dem Volk die der ausführenden Gewalt zu:

> "Jupiter, qui appelle à son secours le géant Briarée pour punir les dieux révoltés, qu'est-ce autre chose que l'emblême du génie persécuté, qui appelle à soi un grand peuple pour désarmer les ennemis de la vérité qu'il a trouvée?" (EdR II, p. 155)

Den jungen Schriftstellern rät er: "Saisissez l'avenir qui appartient aux créations du génie." (Vieux Tribun 1796, p. 18). Der Blick in die Zukunft und die Formulierung neuer Ideen erscheint ihm als wichtigste Aufgabe des Schriftstellers. Dies ist der wesentliche Ansatzpunkt seiner Kritik an Voltaires _Essai sur les moeurs_, den er als "triste roman philosophique" bezeichnet:

> "Toutefois, je l'avoue, ne s'occupant guere qu'à rassembler avec art des idées acquises, il n'arrêtoit point assez longtemps son coeur et sa pensée sur l'avenir qui n'est point encore pour l'oeil vulgaire, mais que l'oeil du génie va saisir à travers les siecles. Voilà pourquoi, ce me semble du moins, il a plus de tours dans le style que d'invention dans les idées." (BdR I, p. 153)

Der Schriftsteller ist durch seine Fähigkeit der Antizipation den Zeitgenossen überlegen:

> "Le regard de l'écrivain commence où le regard _national_ ne peut rien voir, ne doit rien voir encore." (Vieux Tribun 1796, p. 25)

Damit spricht er den Schriftstellern eine tendenziell elitäre Position zu: er bezeichnet sie als "une magistrature nouvelle". Aus dem Kontext geht nicht klar hervor, ob er damit eine formelle politische Position für die Schriftsteller fordert oder sie eher als geistige Führer begreift. Jedenfalls signalisiert das Wort "magistrature", daß er in einer neuen Gesellschaft eine relevante Stellung der Literaten für möglich hält.
Schon vor der Revolution reflektiert er über die problematische

soziale Position der Genies und verbindet den Anspruch auf Autonomie des Genies mit der Forderung nach minimaler sozialer Sicherung:

> "Ces encouragemens que je sollicite pour eux, ce ne sont pas les dons capricieux et avilissans de ceux qui achetent des plumes vénales: des âmes crapuleuses qui ne feront jamais rien de grand: car le génie n'est point à vendre.
> Je demande qu'on sauve le vrai génie de l'indifférence qu'il met toujours dans tout ce qui n'a rapport qu'à lui seul. Il s'oublie. Il a bien autre chose à penser qu'à se faire pensionner." (Lettre à Condorcet, p. 20)

Die zeitgenössische Situation des Genies schildert er am Beispiel Chattertons drastisch: das Genie habe nur die Wahl zwischen Verbrechen und Verzweiflung. Die Gesellschaft ist Bonneville zufolge moralisch verpflichtet, das Genie zu unterstützen, ohne von ihm eine Anpassung an den Zeitgeschmack zu verlangen. In dieser Hinsicht macht er konkrete Vorschläge und hält die Einführung staatlicher Schulen und Lehrerbildung für ein erstes Mittel zur Verbesserung der sozialen Situation der Genies. Bei Bonneville ist also sowohl das Bild des gesellschaftlich diskriminierten und isolierten Genies vorhanden als auch der Anspruch auf eine elitäre Position, wie er sich indirekt auch in seiner Idee der Literaten als Priester des Gesetzeskultes und Gesetzgeber niederschlägt. Den Widerspruch zwischen realer Situation und eigenem Anspruch versucht er allerdings noch zu vermitteln, insofern ist er weitaus optimistischer als Vigny, der aus dem Beispiel Chattertons ein durchweg düsteres Bild der allgemeinen Perspektive des genialen Dichters zieht.[326]

6.4.2 Die Idee der Göttlichkeit des Genies

Bonnevilles Geniebild kulminiert in dem Gedanken der Göttlichkeit des Genies; er begreift Genialität als Zugang und Teilhabe an der Göttlichkeit und - bei aller sozialen Misere ihrer Träger - als eine dem Zugriff menschlicher Mächte entzogene Kraft:

> "Véritable image de la divinité, le génie d'un grand homme qui est un rayon de la céleste lumière, est immortel & inattaquable; & comme on ne peut ni poignarder, ni empoisonner, ni aveugler, ni flétrir le soleil ou la divinité, on

ne peut ni poignarder, ni empoisonner, ni aveugler, ni flétrir le génie d'un homme de bien." (Tribun du Peuple, 1789, 1ère éd., p. 157)

Der Gedanke der Göttlichkeit des Genies ist das bemerkenswerteste Moment von Bonnevilles Geniebegriff, besonders auch in der Eindeutigkeit der Formulierungen, z.B. "véritable image de la divinité", "le génie, qui est un rayon de la divinité" (EdR II, p. 132).

Die Verbindung von Genie und Göttlichkeit ist nicht neu, wird aber traditionell auf den Bereich der dichterischen Inspiration eingegrenzt. So sprechen die Dichter der Pleiade vom "feu divin" der Inspiration, der Begriff "fureur poétique" ist bis Ende des 17. Jahrhunderts ein traditioneller Begriff der Rhetorik;[327] der dichterische Enthusiasmus wird in die Nähe zu göttlicher Inspiration gerückt.

Gegenüber der Dichtungstheorie der Pleiade wird in der "doctrine classique" allerdings der Enthusiasmus abgegrenzt gegenüber dem Subjektivismus und nicht in Opposition zu den Regeln gebracht.[328] In der Aufklärung wird, obwohl der Begriff Enthusiasmus weiterhin einen wichtigen Bestandteil der ästhetischen Theorien bildet, dem Thema einer höheren Eingebung Skepsis entgegengebracht. Der Abbé Batteux beispielsweise, der traditionelle Formulierungen des dichterischen Enthusiasmus wie "vision céleste", "yvresse", "extase", "influence divine" aufgreift, kritisiert die Idee göttlicher Inspiration als elitär und unreflektiert, obwohl er den Enthusiasmus als Grundlage großer Dichtung begreift.[329] Allerdings legt er dessen Horizont auf die "imitation" fest und bestimmt ihn als Übertragung der Imagination in die darzustellenden Gegenstände. Die Idee der Göttlichkeit des Genies tritt zögernd bei den Autoren auf, die die schöpferische Kraft des Genies von der "imitation" unterscheiden. So bezeichnet Saint-Lambert in seinem Genie-Artikel das Genie als "semblable à la divinité".[330] Zwar weist Young die Idee göttlicher Inspiration des Dichters an einer Stelle als "histoire des enthousiastes de toute espece"[331] zurück, greift aber selbst wiederholt dieses Thema auf, z.B. in folgender Unterscheidung von Geschmack und Genialität, von "homme de goût" und "enthousiaste inspiré":

> "Voilà la différence qui se trouve entre l'homme de goût, poli par une éducation brillante, parfaitement instruit des regles de son art, & le sublime enthousiaste inspiré des Dieux. L'un n'est qu'un foible rayon de l'étoile du matin: l'autre se lève comme le soleil & remplit l'univers des flots de sa lumière." [332]

Bonneville entwickelt die Idee der schöpferischen Kraft des Genies weiter: während bei Young Maßstab der Genialität weiterhin das ästhetische Produkt bleibt und das Thema des Genies auf diese Ebene der Vergegenständlichung hin diskutiert wird, gibt Bonneville jeden Bezug auf die Kategorie eines verbindlichen "beau" auf und legt das Gewicht auf den schöpferischen Prozeß selbst, dessen Bedingungen er allerdings nicht reflektiert. Nicht erst im gelungenen Werk, sondern in der dichterischen Kreativität schlechthin liegt für ihn die Nähe zu Gott: "O Moyse, ô Poëte! ah! créer est d'un Dieu!" (Poésies, La Méditation et l'Insecte, p. 66)
Konsequent rückt die Person des Dichters in den Vordergrund, des wahren Dichters, dessen Erscheinen er in messianischer Erwartung verkündet:

> "Quand viendra le Poëte, en votre siècle immonde
> Plonger l'injustice aux enfers,
> Briser nos fers;
> Et créateur d'un nouveau monde,
> Du feu de son génie embrâser l'univers?"
> (Poésies, La Méditation et l'Insecte, p. 66)

In der Wertung des Dichters als Weltschöpfer wird ein neues Verhältnis von Kunst und Realität anvisiert. Während in der "doctrine classique" die Dichtung als Gestaltung zwar nicht des historisch Wirklichen, sondern des Wahrscheinlichen gilt, als dessen Abbildung und Nachahmung vorgegebener Modelle, wodurch das Werk zugleich normativen Maßstäben unterlag, bestimmt Bonneville in der Aufwertung der Kreativität die Dichtung als Neuschöpfung generell. Er verwischt die Unterscheidung von Kunst und Wirklichkeit, indem er in emphatisch-naiver Weise der Dichtung die Kraft zuspricht, die Realität zu verändern. Daß für Bonneville das Bild der Dichtung als Weltschöpfung keine bloße Metapher war, zeigt das folgende Zitat:

> "L'oeuvre du génie est de former des hommes; des hommes 'à son image et à sa ressemblance'. Je croise les mains d'ad-

> miration quand le Statuaire voyant un bloc de marbre, s'écrie avec enthousiasme: 'Il sera Dieu'.
> Quelle allégorie sublime que cette poignée de boue dont la main créatrice fit un premier homme, le Père de mille et mille générations!" (Vieux Tribun an IV, 2e partie, p. 139f)

Der Hintergrund dieses impliziten Vergleichs von Welterschaffung und künstlerischer Schöpfung ist in Bonnevilles Idee der Kette der Lebewesen sowie in bestimmten illuministischen Gedankengängen zu sehen. In seiner Konzeption der "échelle des êtres" unterscheidet er deutlich zwischen der biologischen Konstitution des Menschen und dem Bewußtsein, das für ihn das Klassifikationsmerkmal bildet: an der Spitze der Stufenleiter stehen die gottähnlichen Lieblinge der Natur, deren Aufgabe es sei, die niederen menschlichen Wesen zum Licht und zu vollendeter Menschlichkeit zu führen. Gleichzeitig zeigt seine Begeisterung für die Revolution ausgesprochen chiliastische Momente, mit der Differenz nur, daß er das kommende Reich Gottes auf Erden als Werk der Menschen konzipiert. Den illuministischen Gedanken der Rehabilitation scheint er unter anderem dahingehend zu deuten, daß eine zweite Weltschöpfung stattfinden werde und zwar auf geistiger und sozialer Ebene; dem Genie spricht er darin konstitutive Bedeutung zu:

> "Salut et hommage aux siècles futurs. Je vois sortir du sein des siècles étonnés, un beau génie, un autre flambeau du monde. L'univers est inondé de lumière et de bonheur. Sa clarté radieuse et pure se répand à la fois dans la nature entière, comme les torrens du feu céleste, que le tems à sa naissance, fit jaillir dans l'espace, quand il déchira les flancs de l'épaisse nuit, encroûtés et durcis par une éternité de ténèbres.
> Je me suis créé l'avenir, - et j'y viens d'entendre la voix consolante d'un ami de la vérité, laquelle se prolongeoit et ne se perdoit point dans l'immensité des siècles. Il naîtra dans les siècles futurs cet ami de l'humanité, dont la force brisera l'enveloppe des préjugés où la raison qui nous a été donnée pour le bonheur mûrit en vain: sa grande ame lui fera trouver de sages loix, des loix humaines, qui ne donneront pas toutes nos espérances à ceux qui ont envahi tous nos biens; et pour faire aimer ces loix sages, il aura cette éloquence éternelle qui coule dans tous les coeurs, qu'elle embrâse. Il aura plus d'enthousiasme qu'on n'en peut trouver aujourd'hui dans ceux qu'on appelle les princes des poëtes, dont le coeur ne s'est presque jamais échauffé que pour faire adorer à des nations stupides les jeux cruels de leurs tyrans et de leurs dieux." (EdR II, p. 134f)

Hier ist mit "génie" nicht mehr eine bestimmte, in einem Werk materialisierte Begabung gemeint, wie etwa bei den Encyclopédie-Autoren. Allerdings erscheint das Genie auch nicht als Persönlichkeit, es wird stark mystifiziert und im ersten Abschnitt als eine Art neuen Welterlösers dargestellt, begabt mit übernatürlichen, magischen Kräften. Der zweite Abschnitt ist weniger mystisch gehalten: das Genie erscheint als Zerstörer der Vorurteile (wobei mit "enveloppe des préjugés" die "unwahren" Wörter gemeint sein könnten) und als Gesetzgeber. Das Medium des Genies ist nicht die analysierende Sprache, sondern die "éloquence éternelle". Interessant ist der letzte Satz: einmal, weil Bonneville den "enthousiasme" als wesentliche Qualität des Genies angibt, zweitens weil er die Dichtung dahingehend kritisiert, daß sie zu wenig Enthusiasmus zeige. Genie und Enthusiasmus werden hier aus der traditionellen Eingrenzung auf die Dichtung gelöst. Das Genie erscheint zwar nicht als Philosoph, sondern eher als Dichter-Redner, übernimmt jedoch die Funktionen des Philosophen und Gesetzgebers.[333]

Bonnevilles Konzeption des Genies ist trotz einiger durchaus rationaler Gedankengänge stark von mystisch-illuministischen Vorstellungen geprägt. Das Bild des Dichters als Schöpfer einer neuen Welt basiert nicht zuletzt auf einer fehlenden Unterscheidung von Sein und Bewußtsein, so erklärt er etwa den Begriff "idée" mit der für ihn durchsichtigeren Wendung "création sociale", ebenso die Sprache.[334] Im folgenden Zitat, das eine Erläuterung dessen sein dürfte, was er unter "former des hommes" versteht, ist durch den Bezug auf die illuministisch gewendete Idee der Kette der Lebewesen die Bedeutung des Wortes "art" so verdunkelt, daß sich nicht entscheiden läßt, ob es sich hier noch um die Idee einer neuen Kunst handelt:

> "Quand la main des siècles aura déposé le germe de ces conceptions dans un coeur immense ou dans quelque vaste cervelle, un nouvel art, digne de l'homme-Dieu, sera enfanté.
>
> Et par cet art nouveau, par cette culture créatrice, on pourra mûrir à la vie, à la vie intellectuelle, des hommes nés d'hier; car il y a des hommes jeunes plantes, visiblement nés d'hier; comme il en est d'autres dont le front vénérable paroît plus antique, plus sublime que les plus hautes montagnes qui s'élèvent au dessus de la foudre; (...)" (EdR App., p. 116f)

Die Identifikation von Genialität und göttlicher Schöpferkraft führt Bonneville zu ausgesprochen komischen Formulierungen:

> "Et moi aussi, je me connoissois à peine, que je me sentis né pour le bonheur du genre humain. J'ai aussi une voix éternelle, une puissance créatrice. Je dirai aussi au Soleil: ECLAIRE. Le monde sera éclairé." (BdF I, p. 37)

Auf der anderen Seite gelangt er nicht zuletzt gerade in dieser Emphase zu historisch gesehen erstaunlichen Gedankengängen:

> "Cultivez le génie, le culte du génie est le culte de l'éternel, de l'esprit créateur, le vrai culte, le culte de la loi salutaire, universelle. J'enfoncerai ma pensée dans tous les coeurs." (EdR II, p. 132)

Der Gedanke eines "culte du génie" dürfte im historischen Kontext einmalig sein, auch bei den frühen Romantikern findet sich meines Wissens keine derartige Formulierung. Die Darstellung des "culte du génie" als "vrai culte" erinnert an Vignys Ausspruch, daß die Kunst die moderne Religion sei,[335] wobei zu betonen ist, daß der Kontext, in dem die Idee des Geniekultes bei Bonneville steht, nicht vergleichbar ist mit dem der Romantiker der zweiten Generation; Bonneville geht es keineswegs um einen Rückzug aus der Gesellschaft.

Betrachten wir nun die immanenten Voraussetzungen der Idee des "culte du génie". Wir haben bereits gezeigt, wie sich im Begriff "esprit créateur" Bonnevilles Menschen- und Gottesbild überschneiden:[336] in der Entfaltung seiner schöpferischen Kraft hat der Mensch Anteil an der Weltseele. Bonnevilles Pantheismus läßt eine strenge Unterscheidung von menschlicher und göttlicher Sphäre nicht zu. In der Idee des "culte du génie" führen mehrere Linien zusammen: die Idee der Göttlichkeit des Menschen als Gattungswesen wird hier mit der Ebene der Menschen als Individuen vermittelt; das Genie ist der Mensch, der als einzelner die Göttlichkeit der Gattung realisiert. Gleichzeitig enthält dieses Geniebild die Vorstellung einer "échelle des êtres" mit ihrer tendenziell elitären Bewertung des Genies.

Der Gedanke des "culte du génie" konkretisiert weiter die Bedeutung der Konzeption des "culte de la loi": der Gesetzeskult, in seinen praktischen Ausführungen als revolutionäre Messe geplant, erhält bereits in der Bestimmung seiner Träger, der Literaten, als "ministres de la parole" eine Wendung, die die Vorstellung der revolutionären Zeremonie aufbricht. Mit der Gleichsetzung von "culte du génie" und "culte de la loi" begibt sich Bonneville klar auf den Weg einer informellen Religion. Die neue postulierte Würde der Literaten hat kein formelles Amt nötig, wenn sie über eine subjektive Kraft wie das Genie legitimiert wird.

Obwohl hier nicht explizit angeführt, mündet in die Vorstellung des Geniekultes auch die Idee des "culte de la parole". Der schöpferische Akt des Genies liegt ja für Bonneville nicht in der diskursiven Formulierung neuer Ideen - das Genie ist kein Philosoph! - sondern in der "éloquence". Träger des "culte de la parole" aber ist der Dichter, ein Dichter allerdings, der neue Ideen vermittelt, also die aufklärende Funktion des Philosophen übernommen hat. Die schöpferische Leistung des Genies, die Weltveränderung, ist zuallererst Sprachschöpfung - daher die wiederholte Gleichsetzung von Genie und Dichter, z.B. in der Formulierung, der wahre Dichter sei "Génie-Créateur" (CS I, p. 445).

6.4.3 Genie und dichterischer Enthusiasmus

In seinem Essai über Chatterton, den er als Beispiel für das junge poetische Genie in seiner sozialen Misere darstellt, zitiert Bonneville eine Stelle aus Goethes Die Leiden des jungen Werthers, was trotz der nachfolgenden entschärfenden Übersetzung seine "avantgardistische" Ausrichtung zeigt:

> "O meine Freunde! warum der Strom des Genies so selten ausbricht, so selten in hohen Fluten hereinbraust und eure staunende Seele erschüttert? Liebe Freunde, da wohnen die gelassnen Kerls auf beiden Seiten des Ufers, denen ihre Gartenhäuschen, Tulpenbeete und Krautfelder zu Grunde gehen würden, und die daher in Zeiten mit Dämmen und Ableiten der künftig drohenden Gefahr abzuwehren wissen." [337]

Er übersetzt mit bezeichnenden Veränderungen:

> "O mes amis, pourquoi voyez-vous si rarement le torrent du génie se déborder, par flots impétueux jaillir, & dans vos âmes ébranlées jetter les alarmes & l'ivresse de l'admiration? Mille petits tyrans pour arroser leurs sables arides l'ont desséché." (Choix, p. 24)

In Bonnevilles Übersetzung ist das Thema der möglichen Destruktivität des Genies ausgeklammert; es erscheint ausschließlich als Opfer böser Machenschaften.[338] Allgemein sieht er nicht einen Gegensatz zwischen Genialität und bürgerlicher Lebensweise, sondern setzt den Konflikt in den Produktionsbedingungen an: mit "mille petits tyrans" meint er im Kontext die "entrepreneurs", die Verleger, die die jungen Genies dazu zwingen, nach Auftrag und in Anpassung an den Zeitgeschmack zu schreiben. Die problematische soziale Situation der jungen poetischen Genies sieht er letzten Endes in der künstlerischen Tätigkeit selbst begründet; dabei unterscheidet er deutlich zwischen Unterhaltungslyrik und großer Dichtung:

> "De tous les jeunes Ecrivains ceux qui ont le plus besoin d'être encouragés, ce sont les jeunes Poëtes. Les Muses sont femmes, & ne donnent point leurs faveurs à des vieillards. Je ne parle pas de ces petits Couseurs d'épithetes, qui font des vers à l'incomparable Chloris, au teint de roses, & au pied voluptueux. Encore ces petits riens ont-ils leur prix quand ils sont bien faits, & que les moeurs y sont respectées. Je veux parler de ceux qui annoncent une imagination qui n'est point encore souillée, de la sublimité dans les expressions, de la création dans les images; qui toutes les fois qu'ils pensent, s'efforcent de reculer les bornes de l'esprit humain.
> Ceux-là ne font pas des vers à la douzaine; Gray n'a fait pendant sa vie que trois Odes & une Elégie: je demande si avec la vente de ses Poésies, Gray eût pu subsister de son ouvrage." (Choix, p. 25f)

Diese Stelle läßt gleichzeitig erkennen, worin Bonneville das Prinzip wahrer Dichtung sieht: der Dichter soll nicht nur neue und erhabene Bilder schaffen, sondern auch neue Ideen vermitteln; der Dichtung wird hier implizit eine ähnliche Aufgabe zugesprochen wie der Philosophie in der Aufklärung. Kriterium ästhetischer Qualität ist für ihn nicht mehr "art" im Sinne von Kunstfertigkeit als Erfüllung allgemeiner literarischer Normen, sondern "enthousiasme" und persönliche Inspiration, wie folgende Stelle über Chatterton zeigt:

> "Il voyoit préférer des rimailleries froides & correctes à ce divin enthousiasme, qui lui inspiroit tant d'images toutes neuves, tant de sublimes créations." (Choix, p. 18)

Das mit der Rezeption Chattertons in der Romantik verbundene Thema, daß die Jugend die lebensgeschichtliche Zeit des poetischen Genies sei, klingt bei Bonneville bereits an. So begreift er etwa die Vorbildgeltung der klassischen Dichter als Unterdrükkung der Jugend: "On s'arme de la gloire de Malherbe & de Rousseau pour opprimer la jeunesse." (Choix, p. 279), er hält es also nicht für die Aufgabe der Jugend, sich in der Nachahmung anerkannter Vorbilder zu üben, sondern selbst neue poetische Formen und Bilder zu entdecken.

Bonneville sieht sich selbst in der Rolle des verkannten jungen Genies; in der Begründung seiner Kandidatur für den Konvent 1792 schreibt er:

> "Hommes du peuple, si vous m'honorez de vos suffrages, vous aurez en moi un véritable représentant de vos peines, qui a senti comme Rousseau et Chatterton, tous les obstacles qui attendent le génie naissant et l'homme intègre qui est trop franc pour plaire à ceux qui donnent les places, et trop honnête pour être grand!" (EdR App., p. 166)

Sich selbst scheint Bonneville für das Beispiel schriftstellerischer Genialität zu halten, so schreibt er als Einleitung zu dem Textstück "Caractère de l'homme intègre, destiné par la nature à réveiller les nations" folgendes Eigenlob:

> "En écrivant ces observations, j'ai souvent quitté la plume trop vivement ému. Vous autres, qui ne voulez que ramper sur la terre, ou seulement avoir des maîtres de votre choix, vous que je voudrois pouvoir embrâser du feu sacré qui me dévore, sachez une fois vous recueilir (sic), et votre coeur vous dira: Ce n'est pas-là sans doute une (sic) homme de lettres, c'est un homme d'idées, qui a la conscience d'être entendu, et qui se livre à toute la chaleur de son ame. Ce n'est plus le philosophe sévère qui soupçonne la renommée de faire des géans de quelques nains. Il croit à la liberté conquise et bien sentie; de-là ces images ardentes, et tous ces traits d'un grand peintre! malheureusement c'est le style sauvage d'Ossian et des anciens Bardes: c'est quelquefois beau comme Homère et la nature, mais il faut des hommes pour l'entendre." (EdR II, p. 209f)

Bonneville verwendet hier Formulierungen, die für die Aufwertung des dichterischen Enthusiasmus typisch sind; vor allem in der Formulierung "embrâser du feu sacré qui me dévore" als Wunschbild der Wirkungsweise literarischer Texte wird die Vorstellung einer Dichtung deutlich, die, selbst aus Intuition und Inspiration entstanden, im Leser Enthusiasmus erzeuge. Dem Stil der "sensibilité" sind ebenso die Wendungen "chaleur de son ame", "trop vivement ému", "images ardentes" und die Abgrenzung vom

"philosophe sévère" zuzurechnen.
Die durchwegs positive Besetzung von "génie" und "enthousiasme" geht bei Bonneville einher mit einer Ablehnung klassischer Dichtungsprinzipien. In einer Kritik an J.B. Rousseau schreibt er zu dessen Bemerkung über die "Ode sur la naissance du Duc de Bretagne", er habe auf keine andere Ode soviel "art" verwendet:

> "Il ne falloit pas y mettre tant d'art, mais un véritable enthousiasme. A force d'étude, on apprend à écrire avec art, mais le génie seul donne l'enthousiasme." (Choix, p. 285)

J.B. Rousseaus Ausrichtung am Vorbild der römischen Literatur wertet er als eine Haltung, die die Entfaltung des Genies verhindere; der normative Anspruch auf Vorbildlichkeit der Antike erscheint ihm als nicht zu rechtfertigende Position der Kritiker, durch die der Künstler eingeschüchtert werde:

> "Cruel effet des injustes critiques, le plus beau génie n'ose s'abandonner à son vol sublime. Ce n'est plus qu'un imitateur de sang froid qui lutte avec quelques belles expressions dont il veut enrichir sa langue. Les ouvrages de Rousseau décelent un grand génie, mais ne sont pas des ouvrages de génie. Dans presque toutes ses Odes, Rousseau n'est qu'un grand Écrivain." (Choix, p. 286)

Während in der Dichtungstheorie des 18. Jahrhunderts vor Diderot und Saint-Lambert ein Zusammenspiel von "enthousiasme" und "art" postuliert wird, wobei der Enthusiasmus als bloße Voraussetzung betrachtet wird, als gesteigerte Vorstellungskraft - nicht als göttliche Inspiration -, und "art" das Gelingen des Kunstwerks bestimmt, löst Bonneville den Enthusiasmus von "art" und "imitation" ab und stellt diese sogar als Hindernisse dichterischer Genialität dar. Er steht hier in der Linie von Youngs Conjectures on Original Composition, der eine deutliche Abgrenzung von Genie und Enthusiasmus gegenüber "imitation", "art" und "goût" vornahm. Ähnlich Mercier lehnt Bonneville auch Boileau heftig ab, allerdings ohne nennenswerte inhaltliche Argumente.[339]
Als positive Antwort auf die Frage nach dem genialen Kunstwerk ist folgende Stellungnahme Bonnevilles zu Shakespeare einzuschätzen, den er im Kontext als "génie agreste et pur" bezeichnet:

"Tous ses tableaux sans art, francs comme la nature,
Pour être vus au loin sont tracés à grands traits;
La Poësie est soeur de la Peinture;
S'ils étoient plus finis, ils seroient moins parfaits."
(Poésies, La Méditation et l'Insecte, p. 66)

Bemerkenswert ist, daß "sans art" hier ein positives Attribut darstellt und Bonneville die Perfektion gerade in der Unvollkommenheit der Ausarbeitung erreicht sieht. Derartige Gedanken sind nicht völlig neu: schon Saint-Lambert sieht ein charakteristisches Merkmal der Werke, die das Genie schafft, in ihrer Unregelmäßigkeit.

Bei Bonneville führt die Opposition von "art" und "enthousiasme", von "imitation" und "génie" zu einer lapidaren Ablehnung der im 18. Jahrhundert weitverbreiteten Ansicht, daß die Antike das Zeitalter der Dichtung und die Moderne das Zeitalter der Philosophie sei und daher die Dichtung keine Zukunft habe: "Tout est fait en Poésie, disent les Critiques, & moi, je dis rien n'est fait." (Choix, p. 287)

Der Begriff "enthousiasme" hat bei Bonneville über die Reflexionen zur Dichtung hinaus durchgehend eine positive Bedeutung. Die bei den Aufklärungsphilosophen beobachtbare doppelte Wertung - "enthousiasme" positiv als künstlerischer Elan, negativ als religiöse Schwärmerei - fehlt in seinen Werken.[340] Der Enthusiasmus, nicht die Vernunft, erscheint bei Bonneville als die Kraft, die für den Aufbau einer neuen Gesellschaft erforderlich ist. Ähnlich Mme de Staël im Kapitel "De l'enthousiasme" von De l'Allemagne wertet er - am Beispiel der Germanen - den Enthusiasmus als ein heroisches Gefühl.[341]

6.5 Die Neudefinition der Dichtung und der Rolle des Dichters

Die Vorstellung einer neuen Dichtung steht bei Bonneville unter dem Thema des Verhältnisses von Dichtung und Gesellschaft. Seine Position läßt sich dahingehend umreißen, daß die Dichtung zu einem neuen Aufschwung ein Klima politischer Freiheit benötige und umgekehrt selbst eine große Rolle in der Konstitution der neuen gesellschaftlichen Ordnung spielen solle und werde. Er hat dabei jedoch nicht ein instrumentelles Verhältnis zur Dichtung, in dem Sinne, daß er ihr die Funktion zuteile, programmatisch von außen bestimmte politische Inhalte darzustellen; er sieht die neue Dichtung nicht als revolutionäre Auftragskunst, sondern spricht ihr eine autonome politische und geistige Mission zu. Bonneville sieht erst mit der politischen Freiheit die Freiheit der Kunst gegeben. Er rückt die Dichtung aus der Verpflichtung auf ein sozial abgegrenztes Publikum und aus der Norm des "delectare et prodesse" und heroisiert die Gestalt des Dichters zum Wächter über die Freiheit und zum Propheten des gesellschaftlichen Ideals.

Anders als Mme de Staël, die in De la Littérature considérée dans ses rapports avec les institutions sociales nur der Philosophie und Eloquenz eine kritische und politisch progressive Dimension zugesteht und die Dichtung und Schönen Künste für eher der republikanischen Freiheit abträglich denn förderlich hält,[342] spricht Bonneville der Dichtung eine eminent politische Funktion zu. Während Mme de Staël dahingehend argumentiert, daß die Dichtung quasi ihrem Wesen nach Unterhaltung sei und wie die Künste den Geist von jedem höheren Streben ablenke, hält Bonneville zwar der klassischen Dichtung kritisch entgegen, daß sie nur Unterhaltung für die Könige gewesen sei, behauptet jedoch gleichzeitig, daß die Dichtung in dieser Funktion noch nicht zu ihrem wirklichen Wesen gekommen sei. Anders als Mme de Staël argumentiert er also bereits von der Vorstellung einer neuen Dichtung und eines anderen Dichtertyps aus.

Im Vorwort zu seinem Stück L'Année 1789 ou Les Tribuns du Peuple setzt sich Bonneville mit Racine und dessen Werk Esther auseinander. Er kritisiert, daß Racine den Sinn der zugrundeliegenden Bibelstelle aus dem Buch Esther nicht getroffen habe, da er den Volksaufstand übergangen und die Stelle sozusagen politisch entschärft habe. Bonneville betrachtet sein eigenes Stück, in dem er die Einberufung der Generalstände und die ersten Aufstandspläne feiert, als gelungenere Gestaltung der Problematik dieser Bibelstelle, was zwar kurios, aber für diese Untersuchung nicht weiter interessant ist. Racine spricht er kurzerhand Genialität ab:

> "Racine n'a point saisi dans le poëme hébreu, tout ce qui pouvoit lui servir à éclairer son siecle. La politesse de

son langage et des images gracieuses pouvoient charmer un despote en flattant son orgueil; mais en vain il s'évertue; le vil flatteur des Rois est froid et sans génie. Tout se pétrifie à l'aspect d'un tyran; c'est la tête de Méduse!

Quelqu'admirables que soient les vers de Racine dans sa tragédie d'Esther, les plus fieres pensées y sont à la gêne, et on la sent." (CS II, L'Année 1789, Préface, p. VI)

Im Bezug auf König und Hof sieht Bonneville die Freiheit der Kunst und den dichterischen Enthusiasmus aufgegeben. Mit der Beschränkung der Tragödie auf Figuren gehobenen Standes erscheint ihm die Universalität der Dichtung nicht gewährleistet:

"Racine cherche à vous intéresser pour une poignée d'hommes avilis et curels (sic), parce qu'ils sont lâches; moi j'ai à vous peindre les espérances de tous les peuples, trouvant comme les anciens patriarches, dans le triomphe des enfans d'Abraham (enfans de la lumière) non pas seulement la gloire de quelques tribus de Juda, mais en général le salut des nations." (CS II, L'Année 1789, Préface, p. XI)

Das neue Drama muß nach Bonneville eine thematische Öffnung vornehmen und die Zuordnung der Gattungen zu bestimmten sozialen Schichten auflösen; auf der Bühne sollen als Figuren nur noch Bürger und Menschen schlechthin auftreten:

"L'invention, n'est à le vrai dire, que l'art d'ajouter à nos richesses. Hâtons-nous. Bientôt, au lieu de peindre des prêtres, on peindra des citoyens; au lieu de Rois, on voudra voir des hommes." (CS II, L'Année 1789, Préface, p. VIII)

Die Harmonie der Sprache Racines wird zwar anerkannt, jedoch relativiert, indem ihr eine höhere Harmonie gegenübergestellt wird:

"Ce que Racine a mis dans cette pièce de son art pour le plus noble langage vous force de croiser les mains d'admiration; elle offre un éternel trésor de graces et d'harmonie; mais ce n'est point encore là la sublime harmonie du poëte. Ce n'est pas là Ossian, Homère, Shakespeare, qui semblent arracher à la nature un aveu dont elle est épouvantée: L'Homme est Dieu!" (CS II, L'Année 1789, Préface, p. VII)

Die Kritik an Racine ist nicht nur politisch motiviert, sondern auch von Bonnevilles Vorliebe für die "Dichtung des Nordens" her; allerdings bilden diese beiden Ausgangspunkte für ihn selbst eine Einheit: Ossian, Shakespeare und Homer erreichten die Erhabenheit der Dichtung, weil sie zu freien Völkern gehörten, Racine dagegen konnte als Diener des Monarchen nicht die wahre Größe des Menschen darstellen. Bonneville wertet die "politesse du langage" bei Racine negativ entweder als Produkt höfischen Geschmacks, wie in der weiter oben zitierten Stelle, oder als eine Sprachform, die der Forderung nach Erhabenheit in der Dichtung nicht gerecht werde. Er vermißt bei Racine "audace"; wie sehr er diesen Begriff positiv besetzt, zeigt folgende Empfehlung seines eigenen Stücks:

> "Mes desseins, ce me semble, par cela seul qu'ils sont remplis d'audace, ne sont point indignes de mes concitoyens."
> (CS II, L'Année 1789, Préface, p. X)

Dem zeitgenössischen deutschen Theater spricht Bonneville eine vermittelnde Position zwischen dem französischen klassischen Drama und Shakespeare zu, in dessen Dramen er die Einheit der Komposition vermißt. In diesem Zusammenhang schlägt er eine freie Bearbeitung der klassischen Vorbilder vor:

> "(...) ne pourrois-je donc pas, comme il se pratique chez nos voisins, mettre une main hardie sur nos anciens chefs-d'oeuvres, qu'une grande lumiere a déjà rendus fort pâles."
> (CS II, L'Année 1789, Préface, p. VIII)

Bonneville empfiehlt den zeitgenössischen Dramatikern, sich inhaltlich und stilistisch an Shakespeare zu orientieren, in der Genauigkeit der Ausarbeitung aber Racine zum Vorbild zu nehmen:

> "Réunissez la force des pensées de Shakespeare et son style acerbe à l'infatigable correction de Racine. Sur-tout ne croyez pas avoir un théâtre parfait, et vous serez les premiers à perfectionner ce bel art qui enseigne à parler aux Rois 'quand leurs esclaves se taisent effrayés'."
> (CS II, L'Année 1789, Préface, p. VIII)

Diese Stelle ist interessant auch von der Definition des Theaters her: Bonneville spricht hier dem Theater eine eminente politische Bedeutung zu, allerdings weniger in dem Sinn, daß es politische Agitation leisten solle, sondern begreift es eher als eine Gerichtsbarkeit, die über die der Könige hinausreiche. Daß er das Theater bzw. den Dichter mit einer sakralen Würde investiert sehen möchte, geht aus den folgenden Zeilen aus dem Prolog des Dichters in L'Année 1789 hervor; der Dichter verkündet in einer Inspiration durch das Genie Frankreichs die Wiederauferstehung Racines in der Gestalt des patriotischen Dichters -

womit Bonneville sich selbst meinen dürfte - und seine Mission, das Volk zum Sieg zu führen:

> "France, prête l'oreille, oui c'est Racine encore,
> C'est l'Envoyé des cieux qu'un zèle ardent dévore;
> Ce n'est plus le poëte, esclave soudoyé,
> Des regards d'un tyran, Racine foudroyé;
> Il s'exprime à l'égal des plus mâles courages,
> La nature, à ses yeux, a déroulé les pages
> De son livre enrichi des dépouilles du tems;"
>
> "Réveille-toi, Racine, arme-toi de ta gloire,
> Prépare au peuple franc une illustre victoire;"
> (Beide Stellen CS II, L'Année 1789, p. 5)

Bonnevilles Kritik an der klassischen Tragödie enthält verschiedene Positionen: erstens die Kritik, daß die klassische Tragödie in Figuren und Thematik den neuen politischen Anforderungen an das Theater nicht gerecht werde, zweitens den Gedanken, daß der Künstler in der Abhängigkeit von Hof und Adel sein Genie nicht entfalten könne, drittens die literarische Kritik, daß Sprache und Stil der klassischen Tragödie im Bemühen um "politesse" die Möglichkeiten poetischer Sprache nicht ausschöpfen könne.

Im Bemühen um eine Neubestimmung der gesellschaftlichen Position des Dichters bezieht sich Bonneville auf Ossian, vor allem im Bild des Barden. Andere Momente der vorrevolutionären Ossian-Rezeption, z.B. das Thema der nordischen Melancholie, greift er nicht auf. Der Barde erscheint bei ihm durchweg als heroische Figur, als Krieger-Dichter, der mit seinen wilden Gesängen kämpferische Begeisterung im Volk erzeugt. Aus seiner ausgesprochen positiven Wertung der Funktion der Dichtung bei den germanischen Stämmen läßt sich erschließen, daß Bonneville zu der Vorstellung einer archaischen Eingebundenheit der Dichtung und des Dichters in die Gesellschaft tendiert.[343] Er versucht zum Teil, das Modell der germanischen Krieger-Dichter direkt in die Gegenwart zu übertragen, indem er die Dichter auffordert, die Revolutionsarmeen zu besingen:[344]

> "Des Bardes indomptés que l'immortel génie
> Célèbre les combats des Francs victorieux.
> Chants solemnels, auguste symphonie!
> Le coeur d'un Peuple-frère adore l'harmonie.
> Prêtez l'oreille au langage des Dieux."
> (Poésies, Le Triomphe de l'Harmonie, p. 194)

Die Vorstellung des patriotischen Dichters ist aus dem Wunsch motiviert, die Zielgruppe der hymnischen Dichtung zu ersetzen, und erklärt sich aus Bonnevilles Gedanken, daß die Dichtung unter dem Despotismus Verherrlichung der Könige sei; an deren Stelle will er ein neues Objekt der Verehrung, die Revolutionsarmeen, eingesetzt sehen, deren Taten der Dichter in seinen Versen ewigen Ruhm verleihen soll:

"Libérateurs du monde, ô fils de la Victoire,
Je briserai des Rois le dernier instrument;
Et j'inscrirai vos noms au temple de Mémoire;
Vos lauriers fleuriront sous la main de l'Histoire.
Ce que j'écris dure éternellement."
(Poésies, Hymne aux Guerriers de la République, p. 183f)

Das Bild des Dichters als Barde ist bei Bonneville verbunden mit der Idee des dichterischen Enthusiasmus, wie folgende Vorstellung der Dichtung der germanischen Barden zeigt:

"Ce qui nous reste de leurs débris est tout rempli de cette Poésie divine, vraiment inspirée, et qui n'a jamais été le partage que de ces grandes ames qui ont conçu dans leurs pensées le dessein immense du salut du genre humain. Ils étoient époux et pères, et leur enthousiasme pour la liberté, transportoit d'une sainte ivresse tous les défenseurs de la patrie, qu'ils accompagnoient aux combats."
(Hymne des combats, Préface, p. 3)

Bonneville stellt sich für seine eigenen Gedichte vor, daß sie als Gesänge auf den Nationalfesten kriegerische Tänze und ähnliche Darbietungen begleiten sollten. Das bedeutet, daß er eine institutionelle Verankerung der Dichtung wünscht und die Anonymität und den informellen Charakter des literarischen Publikums abgelöst sehen will von einer formierten Öffentlichkeit und darüber hinaus die schriftliche Verbreitung durch die mündliche Darbietung ersetzt wissen will, d.h. er intendiert die Rückführung der Dichtung auf die archaische Form des Gesanges. Interessant ist, daß diese Gedanken begleitet sind von der - allerdings vagen - Vorstellung einer Auflösung und Vermischung der traditionellen poetischen Formen:

"Si quelque musicien, d'un vrai génie, s'empare, un jour pour un grand spectacle, fait pour des hommes libres, de ces chants lyriques, où le poëte ne lui a marqué ni ses strophes, ni ses anti-strophes, ni ses épodes, il y trouvera ses hymnes, ses odes, ses élégies, ses cantates, ses

prophéties, le bruit des fers de l'esclavage, les soupirs et les pleurs de la nature malade, stérile sous les regards du despotisme, et les ravissemens d'un peuple libre, dont la joie réveille le Génie des siècles pour les fêtes de la fraternité.
Il y saura placer les danses martiales, des luttes civiques, et l'on verra s'élever la grande Ombre du Poëte sur l'autel de la liberté." (Poésies, Le Poëte, p. 205f) [345]

Bonnevilles Gedichte heben sich formal von der Mehrzahl der Revolutionsgedichte und -dramen ab. Die Dichter der Revolution sind formalen Neuerungen meist abgeneigt, etwa André Chénier:

"Sur des pensers nouveaux faisons des vers antiques."[346]

Bonnevilles Gedichte sind unregelmäßig aufgebaut und er bemüht sich um eine Abkehr von der gehobenen Sprache der Klassik und um neue, ungewöhnliche Bilder und Ausdrücke, was des öfteren zu fürchterlichen Versen führt, z.B. folgenden:

"Satan ... C'est le MONARQUE <u>en tranches découpé</u>!
Ce n'est pas Dieu, <u>Satan</u>, c'est moi qui t'ai frappé!
Moi, Tout-puissant Druide, armé de la PAROLE
Qui dévore le fer du tyran qui l'immole!"
(Poésies, Le Druide, p. 161)

Ähnlich auch folgende Invektive gegen Robespierre und den Konvent:

"Non, rien n'est comparable à l'horrible caverne,
Où le plus verd (sic) crapaud, les yeux sales, hagards,
Croace, en sautillant, couronné de poignards;"
(Poésies, Le Poëte, p. 217)

Monglonds Charakterisierung von Bonnevilles poetischem Stil erscheint mir sehr treffend:

"Bonneville poète est des plus curieux. Il conserve la phraséologie pseudo-classique, mais lutte désespérément pour s'en affranchir. De là je ne sais quoi de heurté, l'incohérence, les cassures, qui, parfois, donnent l'idée d'un Hugo manqué." [347]

Nach Shroder, <u>Icarus. The Image of the Artist in French Romanticism</u>, setzt nach der Revolution verstärkt das Bemühen um eine Neubestimmung der gesellschaftlichen Rolle des Künstlers ein, wobei zunehmend das archaische Bild, daß der Dichter die Kriegshelden besinge und ihnen Unsterblichkeit verleihe, aufgegeben wird zugunsten einer Heroisierung des Dichters selbst als Repräsentanten des Ideals, als Lehrer der Menschheit, Priester und

Prophet.[348] Auch Bonneville hält die Vorstellung der gesellschaftlichen Eingebundenheit der Dichtung, was ja bedeutet, daß der Dichter nicht über Autonomie verfüge, nicht durch. Der Dichter ist bei ihm zwar stets auf die Nation verpflichtet, er schreibt ihm aber an mehreren Stellen Leitungs- und Initiativfunktionen im politischen Prozeß zu. So erscheint der Barde selbst als Wächter und Bewahrer der Freiheit, z.B. im Epilog des Dichters in L'Année 1789:

" I.
Le Soleil n'attend pas notre hommage et nos voeux,
Pour éclairer le monde et pour nous rendre hereux.
II.
François, rassurez-vous, le flambeau du génie
S'allume de soi-même où meurt la tyrannie;
Il a déja marqué les traces des pervers;
Sa présence embellit et calme l'univers.
III.
Jamais dans les dangers le Barde ne sommeille;
Auguste et sainte vérité,
Toi seule, es mon trésor et ma divinité.
Roi (sic), soyez attentifs; peuples, prêtez l'oreille;
Tous mes vers seront beaux comme la liberté.
IV.
Où sont les noirs tyrans, à la face bronzée,
De mes larmes de sang qui se faisant un jeu,
Attachoient leurs langues de feu
Sur mon coeur et sur ma pensée?
Où donc est leur grandeur comme une ombre éclipsée?
Leur audace est terrassée."
(CS II, L'Année 1789, p. 76)

Der Vergleich von Sonne und Genie tritt bei Bonneville mehrmals auf, die Metapher der ersten Strophe ist hier gleichzeitig auf die Figur des Dichters als Barde bezogen: der Dichter hat keine Ehrungen nötig, er schafft aus sich selbst. Die dritte Strophe enthält Bonnevilles Vorstellung einer neuen Dichtung: sie soll über die Freiheit wachen, d.h. politisch engagiert sein, und ausschließlich der Wahrheit verpflichtet sein, womit er erstens eine unterhaltende Funktion der Dichtung ablehnt, zweitens implizit die traditionelle Bestimmung der Dichtung als Abbildung und "imitation" angreift. Der Dichter hat für Bonneville die Aufgabe, die Wahrheit zu verkünden, neue Ideen selbst zu formulieren. Dementsprechend stellt er den Dichter als Opfer, nicht als Nutzniesser des Despotismus dar (4. Strophe). Nach einer längeren Strophe, in der er an die Julitage 1789 erinnert, kommt er in der 6. Strophe auf die Gestalt des Dichters zurück:

"VI.
Ils n'insulteront plus à me fierté sauvage,
Ces protégés plus vils que leur vil protecteur;
Je dirai dans mon franc langage
Ce que disoit Moïse, au nom du créateur:
'Je veux te faire Dieu'; non un Dieu de carnage,
Un Dieu dont la bonté fit l'Homme à son image."
(CS II, L'Année 1789, p. 77)

Wir treffen hier wieder auf die Idee der Göttlichkeit des Menschen, die Aufgabe des Dichters wird in ähnlicher Weise bestimmt wie die des Genies, die Menschen zu formen; beidesmal wird auf die Bibel zurückgegriffen.

Das Gedicht "Le Poëte", das aus 27 verschieden langen Gesängen zwischen Dichter und Chor besteht, enthält die interessanteste Stellungnahme Bonnevilles zur gesellschaftlichen Funktion des Dichters: er verbindet das Thema der politischen Aufgabe des Dichters mit dem Gedanken einer göttlichen Mission, dem Bild des Dichters als Propheten.

Bonneville stellt dem Gedicht ein Zitat aus dem Johannes-Evangelium voran: "Et scribam super eum nomen Civitatis Dei mei." (Poésies, Le Poëte, p. 204), das er im letzten Gesang wieder aufgreift. Der 1. Gesang bezieht sich auf die Septembermorde: "Ils ont assassiné la liberté publique!" und schließt mit dem Ruf einer höheren Stimme an den Dichter:

"Renonce, ô mon Poëte, à lancer le tonnerre;
Ou frappe de terreur ces monts ambitieux!"
(Poésies, Le Poëte, p. 206)

Das Bild des Dichters als Organ der Rache Gottes erscheint an zwei weiteren Stellen: in der folgenden Stelle aus dem 5. Gesang gibt Bonneville als Aufgabe der Dichtung an, den unschuldigen Opfern eine Stimme zu leihen und die Zeitgenossen aufzurütteln:

"Vous des républicains, vous, qui n'entendez pas
Ces cris, ce bruit des fers, ce lugubre silence,
Ces crimes, ces assassinats?
Que viens-tu donc chercher dans mes vers?
L'éloquence?
(...)
Ces soupirs étouffés que vous n'entendez pas,
Voilà mon harmonie à moi, mon éloquence;
Et s'il en est quelqu'autre, ô ciel, je n'en veux pas!"
(Poésies, Le Poëte, p. 211)

Die moralische Integrität und das Engagement des Dichters erscheint Bonneville also als vorrangiges Kriterium der Dichtung vor jeder allgemeinen ästhetischen Norm. Daß er die Parteinahme für die Unterdrückten, wobei hier konkret die Opfer der Septembermorde gemeint sind, mit dem Begriff Harmonie besetzt, bedeutet eine Abwehr eines formalen Harmoniebegriffs, der auf Sprache und Rhythmus des Verses bezogen ist, und ist ein Ausdruck des Bemühens, die Dichtung in der Verpflichtung auf die Wahrheit mit dem Leben zu verbinden, d.h. einen innerpoetischen Raum nicht zu akzeptieren. Diese Position ist, so problematisch sie in den Konsequenzen für die Poesie sein mag, für die Zeit Bonnevilles als progressiv zu werten, da sie gegen die Erstarrung der Dichtung im 18. Jahrhundert gerichtet ist.
In der nächsten Stelle (3. Gesang) verbindet er das Bild des Dichters als Rächer und Anwalt der Unterdrückten mit dem Orpheus-Motiv:

"Ne peux-tu pas créer, et ranimer la cendre
De l'innocent persécuté?
Jusqu'aux enfers je veux descendre,
Pour y frapper le crime épouvanté.
Vous, amis de la liberté,
Accourez tous. J'ai pour m'entendre
Toutes les Nations et la postérité.

Tempêtes, taisez-vous. Siècles, faites silence!
Justice, je te rends ton glaive et ta balance!"
(Poésies, Le Poëte, p. 208)

Der Dichter wird zum Stellvertreter einer höheren Gerechtigkeit: er setzt den unschuldig Verfolgten in seine Rechte ein, indem er ihm in der Dichtung Unsterblichkeit verleiht und die Verfolger vor den Richterstuhl der Geschichte zitiert.
Das Problem, daß der Dichter nicht über gesellschaftliche Macht verfügt, mit der er die unschuldigen Opfer rächen und den Anspruch einer Gerichtsbarkeit real einlösen könnte, spricht Bonneville nicht direkt an, es schlägt sich höchstens nieder in seinen Zweifeln, wie unter widrigen gesellschaftlichen Bedingungen eine hohe poetische Qualität erreicht werden könne:

"Dans un réduit stérile et de haillons couvert,
Sous le fer de la tyrannie,
Pindare, où retrouver ton antique harmonie?
Dans l'esclavage et dans l'adversité,
Le coeur est sec, flétri. Sommeil. Caducité.

Ni théâtre adoré, ni choeur, ni symphonie,
D'un peuple libre, heureux, le spectacle enchanté,
Il n'a rien ... Il a tout! Le trésor du génie!
Son coeur aime la vérité."
(Poésies, Le Poëte, p. 208)

In der Wendung "Il n'a rien ... Il a tout!" stellt Bonneville das Fehlen einer gesellschaftlich anerkannten Position des Künstlers, d.h. seine objektive Situation, und den subjektiven Anspruch des Genies gegenüber. Während er hier dem Genie die Kraft zuschreibt, die Behinderungen der gesellschaftlichen Verhältnisse zu transzendieren, läßt er den Dichter im 13. Gesang den Verlust des Genies selbst beklagen:

"D'un Barde je n'ai plus la brûlante chaleur;
Mon front est calciné, mes regards sont timides, Stupides.
Mon coeur est desséché par des travaux arides,
Et le mépris échappe à mes lèvres livides;
C'est d'un flambeau mourant la sinistre lueur."
(Poésies, Le Poëte, p. 225)

Der pessimistische Ton der Selbstzweifel des Dichters wird im folgenden aufgehoben durch den Chor, der die Mission des Dichters, im konkreten Engagement für die universale Sache der Menschheit einzutreten, bestätigt:

"Contre les prêtres et les rois,
Qui le tiennent dans la poussière,
Lorsqu'il ose élever sa foudroyante voix,
Et les traîner à la lumière,
C'est la cause et ce sont les droits
De l'humanité toute entière."
(Poésies, Le Poëte, p. 225)

Bonneville identifiziert die Feinde des Dichters in konkreten gesellschaftlichen Positionen, er sieht den Dichter nicht isoliert von der Gesellschaft überhaupt und drückt daher kaum ein Weltschmerzgefühl aus. Er vertraut auf die Geschichte, die die Leiden des Dichters rächen werde, und auf die Kraft der eigenen Gedanken:

"Qu'importe que mon nom s'égare dans l'histoire,
Que je change de corps, de nom, de vêtemens?
Je sens que ma pensée, immortelle et divine,
Au coeur de l'homme s'enracine.

Elle saura créer des organes de fer,
De l'homme infortuné, qui prendront la défense.
Que mon frère est blessé, que mon frère a souffert!
O vengeance, vengeance!"
(Poésies, Le Poëte, p. 236)

Die Heroisierung des Dichters zum Repräsentanten der Wahrheit und Gerechtigkeit, der den Armen und Unterdrückten seine Stimme leihe und die Sache der Menschheit vertrete, rückt Bonnevilles Darstellung in die Nähe des romantischen Bildes des Dichters als geistigen Führers der Menschheit. Zum Vergleich sei folgende Stelle von Hugo zitiert, an der sich die Berührungspunkte und Differenzen ablesen lassen:

"(...) le poète sur la terre
Console, exilé volontaire,
Les tristes humains dans leurs fers;
Parmi les peuples en délire,
Il s'élance, armé de sa lyre,
Comme Orphée au sein des enfers."[349]

Bei Bonneville fehlt völlig der Gedanke der gesellschaftlichen Isolation des Dichters, das Auseinanderfallen von gesellschaftlicher Situation und geistigem Führungsanspruch wird nicht gestaltet. Zwar mag er die Erfahrung der Isolation persönlich gemacht haben - gelegentliche Selbstzweifel seinerseits legen es nahe -, doch wird sie zugedeckt von überzogenem Pathos. Die Idee des politischen Engagements des Dichters ist zudem bei Bonneville in weitaus direkterer Form vorhanden als bei den Romantikern. Hugos Bild des "exilé volontaire", das eine deutlich metaphysische Dimension enthält, wäre bei Bonneville undenkbar. Daß der Dichter eine göttliche Mission erfülle, behauptet auch er, jedoch ohne jede Andeutung, daß der Bezug auf die Menschen den Verzicht auf eine überirdische Sphäre darstelle. Das Gedicht "Le Poëte" gipfelt im Gedanken einer direkten Teilhabe des Dichters an der Göttlichkeit:

"LA Parole et la Liberté!
Le Ciel est tout entier dans le coeur du Poëte.
Ecoutez. Voilà le Prophête
De l'Eternité."
(Poésies, Le Poëte, p. 230)

Er greift hier die einleitende Stelle aus dem Johannesevangelium auf und läßt eine höhere Stimme die Mission des Dichters bestätigen:

"Oui, j'ai rempli son coeur du feu de mes prophètes;
J'ai gravé sur son front le nom de ma cité,
Ses chants, toujours sacrés à la postérité,
Effaceront, tyrans, les crimes que vous faites.

Ces bouches, si long-tems muettes,
Diront aux nations: 'Terrible vérité,
C'est toi qui l'as tiré de son obscurité,
Pour guérir, ô tyrans, tous les maux que vous faites.'
Et j'ai prouvé sa mission!
O Paris, ô ma ville, ô nouvelle Sion!
C'est le précurseur des poètes."
(Poésies, Le Poëte, p. 245)

Der Dichter erscheint damit als Organ der Stimme Gottes. Die Darstellung des Dichters als Propheten als rhetorisches Beiwerk zu deuten, mit dem Bonneville seiner Verurteilung der Septembermorde mehr Durchschlagskraft verleihen wolle, würde zu kurz greifen; erstens legte das historische Umfeld - er schrieb "Le Poëte" 1792 - derartige Gedanken keineswegs nahe, zweitens läßt sich eine Linie in seinen Ideen verfolgen, als deren Resultat die Vorstellung einer göttlichen Mission des Dichters zu begreifen ist: die Bestimmung der Literaten als Priester des Gesetzeskultes und "ministres de la parole", die Wertung der Sprache als eines göttlichen Prinzips, der Vergleich von Weltschöpfung und Dichtung und die Darstellung des patriotischen Dichters als "envoyé des cieux" bilden ihren logischen Kontext.
Während die Anhänger der Gegenrevolution, die Bénichou zufolge das Bild des Dichters als Propheten formulieren - z.B. Lamartine -, ihre Aufgabe in einer Wiederbelebung christlichen Gedankenguts sehen,[350] ist Bonneville auf traditionell christliche Vorstellungen nicht verpflichtet. Er vergleicht in unbekümmerter und recht merkwürdiger Weise direkt Gott und Dichter:

"Un Poëte n'est-il pas celui qui crée à sa <u>divine</u> image, qui purifie le <u>coeur humain</u>, qui parle à toutes les nations? <u>Poëte</u> et <u>Dieu</u>, dans l'antiquité étoient mots synonimes, (...) Chez un Peuple franc, et quand on parle une langue universelle, il faut atteindre à la hauteur du vrai <u>Poëte</u>, <u>Génie-Créateur</u>. (...) Un franc et vrai Poëte, doit être le Poëte de toutes les nations, le dieu des nations, le citoyen de l'univers." (CS I, p. 445) [351]

Der Gedanke einer sakralen Würde des Dichters hat bei Bonneville bereits einen ausgesprochen säkularen Charakter. Der Klammerbegriff zwischen der Definition des Dichters und dem Bezug auf biblische Themen und den Gottesbegriff ist das Wort "créer", nur daraus ist die Annäherung von Dichter und Gott motiviert. Dies läßt allerdings gleichzeitig Bonnevilles Gedanken als wenig zukunftsträchtig erscheinen. Die Identifikation des Dichters mit Gott ist zu unausgegoren und vorschnell, zu sehr von individuellem Pathos und Exaltiertheit getragen, als daß sie weiterreichende Wirkung hätte erzielen können. Das Bild des Dichters als Propheten und schöpferischen Genies ist weder wie bei Ballanche integriert in ein durchgehendes religiöses Ideengebäude, noch wie bei Lamartine durch ein großangelegtes dichterisches Projekt abgestützt; es fehlt der Kontext, durch den diese Idee als Moment einer kollektiven neuen Standortbestimmung des Dichters hätte wirken können.

Dennoch sind Bonnevilles Gedanken zur Rolle des Dichters als ein originaler und origineller Beitrag zur Genese der Romantik zu werten. Sein stark ausgeprägtes Bedürfnis nach einer Neubestimmung der Position des Dichters läßt ihn eine Vielfalt von Bildern finden, die zum Teil thematisch Positionen der Romantik treffen; das Spektrum umfaßt das Bild des Dichters als Barde, der die Revolutionsarmeen besingt, als Wächter über die Freiheit, Verkünder der Wahrheit, Rächer der Unterdrückten, Schöpfer einer neuen Welt, Befreier der Menschheit, Weltbürger, Prophet, Organ der Stimme Gottes und Gesandter des Himmels. Diese neuen Gedanken lassen sich nur zum Teil aus dem zweifellos vorhandenen Bedürfnis nach Selbstüberhöhung und Kompensation politischer Erfolglosigkeit erklären. Vor allem die Tatsache, daß Bonneville den Dichter mit einer neuen Würde investiert sehen will und weniger den Literaten allgemein, läßt sich nicht aus persönlichem Geltungsbedürfnis ableiten. Er nimmt neue Impulse auf, die bereits verbreitet waren, wie die gewandelte Konzeption des "enthousiasme", die illuministische Sprachtheorie und mit dem Rousseaukult verbundene Elemente der "sensibilité" sowie die Impulse, die von der englischen und zeitgenössischen deutschen Literatur ausgingen, und transformiert sie zu einer eigenwilligen Definition des Genies und der Rolle des Dichters. Der entscheidende Anstoß dazu dürfte jedoch in der Erfahrung der Revolution liegen. Er hat die allgemeine Erfahrung, daß die Revolution dem einzelnen eine Teilhabe am Geschichtsprozeß in Aussicht stellte, auf die Dichtung übertragen. Erst der revolutionäre Enthusiasmus, für den er besonders empfänglich war, führt ihn zu der dargestellten Heroisierung des Dichters. Selbst das Bild des

Dichters als Propheten enthält nicht eine Distanzierung von der Revolution; das Beispiel Bonneville zeigt damit, daß eine - zumindest thematisch gesehen - romantische Definition der Rolle des Dichters nicht zwangsläufig einen Bruch mit der Revolution bedeutete. Die literaturgeschichtliche Wertung, daß um das Jahr 1800 die Frühromantik beginne, erscheint mir von der Einheit der Konzeption in Mme de Staëls De l'Allemagne und Chateaubriands Génie du christianisme her berechtigt, jedoch darf über dieser Einteilung nicht übersehen werden, daß wichtige neue Anstöße bereits zu einem früheren Datum entwickelt wurden.

Wie weit Bonnevilles Ideen zum Genie und zur Dichtung rezipiert wurden, ist nicht zu belegen; eine zumindest persönliche Verbindung zu der späteren romantischen Bewegung bestand jedoch durch die Bekanntschaft mit Nodier. In welchem Maß dieser mit Bonnevilles Ideen vertraut war, ist konkret nicht nachweisbar; in Souvenirs et portraits bemerkt Nodier nur, daß er die Gruppe um Bonneville und Mercier den damals anerkannten literarischen Berühmtheiten wegen ihrer Unabhängigkeit und ihrem Stolz vorzog. Er charakterisiert diesen Zirkel bezeichnenderweise mit dem Attribut "romantique":

> "C'étout le rendez-vous des romantiques de l'époque, espèce de parias littéraires qui n'avoient ni drapeau, ni chef, ni journaux, ou qui n'étoient nommés dans les journaux que pour y être immolés tour à tour à ces sublimes génies du Directoire et du Consulat, dont on ne parle plus." 352

Bonneville porträtiert er als einen widersprüchlichen Menschen:

> "J'aimois à y trouver surtout ses deux habitués les plus assidus, cet excellent Bonneville, le coeur le plus simple et le plus exalté que j'aie connu de ma vie, avec son imagination de thaumaturge et sa science de bénédictin, sa faconde de tribun et sa crédulité de femme, son éducation d'homme du monde et ses moeurs d'homme du peuple; et puis le vieux Mercier (...)" 353

Nodiers Darstellung bestätigt den Eindruck, den Bonnevilles Texte vermitteln: Charakteristikum von Person und Werk ist das Nebeneinander von Exaltiertheit und Suche nach gedanklicher Konstruktivität. Schon zu seiner Zeit erscheint er als bizarre Figur am Rande der Literaturszene. Gleichzeitig erkennt Nodier in ihm einen Autor mit weiterführenden Ansätzen, wenn er ihn als "romantique" bezeichnet.

Resümee

Bonnevilles Werke weisen eine Fülle verschiedenster Gedankengänge auf, an denen sich seine Position zwischen Aufklärung und Romantik inhaltlich nachweisen läßt. Das Spektrum reicht von der Aufnahme aufklärerischer Gesellschaftstheorie und Religionskritik, z.B. in der Kategorie des Gesellschaftsvertrags, dem Gedanken der Rechtsgleichheit und der Ablehnung des christlichen Offenbarungsprinzips, bis zur Idee der schöpferischen Kraft der Sprache und zum Bild des Dichters als Propheten. Rekapitulieren wir die Ansätze, die eine Ablösung von aufklärerischen Ideen und auch von orthodox christlichem Gedankengut bedeuten; hier sind anzuführen

- die Vorstellung des Staates als kollektiven Organismus und des Gesetzes als religiös motivierten Gestaltungsprinzips der Gesellschaft,
- die Wertung der Religion als Brüderlichkeit und der Gedanke einer sozialrevolutionären Botschaft des Evangeliums,
- die pantheistische Weltvorstellung, die Ablösung der Idee einer Stufenleiter der Wesen von ihren einerseits theologischen andererseits physiologischen Implikaten und die Umlenkung der Vorstellung von Wiedergeburt auf den Gedanken geistiger Ausstrahlungskraft, die ein Autor durch seine Werke auch nach dem Tod behalte,
- die Idee der Göttlichkeit des Menschen, der Sprache, des Volkes, der Natur, des Genies,
- die Vorstellung magischer Wörter und einer inspirierten Dichtung,
- schließlich das Bild des Dichters als Organ und Priester der Sprache, Wächter über die Freiheit, Prophet und Befreier der Menschheit.

In dieser Fülle einzelner Themen läßt sich eine Linie erkennen: Bonneville nimmt durchgehend religiöse Themen und Begriffe auf und vermischt gedanklich Bereiche, die in der Aufklärungstheorie getrennt wurden, vor allem die Bereiche von Religion und Politik. Dabei läßt sich beobachten, daß er auf der einen Seite der Religion ein weltliches Anliegen zuschreibt - Herstellung von Brüderlichkeit und Gleichheit, u.a. durch das Agrargesetz -

und auf der anderen Seite weltliche Bereiche mit religiöser Begrifflichkeit belegt, am deutlichsten in der Behauptung, die Sprache, der Mensch, das Volk, das Genie seien göttlich. Letzteres Phänomen bedeutet nicht eine Rückkehr zu genuin religiösen Vorstellungen: er erklärt nicht, daß Sprache und Mensch ursprünglich in Gott entspringen, sondern daß Sprache, Mensch usw. Gott sei. Daraus ergibt sich ein durchgehendes Interpretationsproblem, nämlich die Frage, wie weit Bonnevilles Äußerungen wörtlich zu nehmen oder als metaphorische Wendungen zu betrachten sind. Eine ähnliche Schwierigkeit tritt für die Interpretation des Religionsbegriffs, der Vorstellung des Gesetzeskultes und des Priestertums der Literaten auf: faßt er die neue Religion als informelle geistige Bewegung und das Priestertum des Literaten als geistige Führungsrolle oder als offizielles, am Muster des christlichen Priestertums ausgerichtetes Amt? Tatsächlich läßt sich diese Frage nicht eindeutig beantworten; den Textstellen nach sind beide Möglichkeiten nachweisbar. Situieren wir beispielhaft das Problem im historischen Kontext: während in der Aufklärung die Begriffe "prêtre" und "sacerdoce" einen sozialen und religiösen Status bezeichneten, ist in der romantischen Vorstellung des Priestertums des Dichters eine Bedeutungsveränderung ablesbar: das Priestertum wird hier nicht mit einem genuin religiösen Amt identifiziert, es gilt vielmehr als eine informelle, spirituelle Führungskraft ohne verbindliche, sanktionsfähige Autorität; dadurch gewinnt der Begriff "sacerdoce" in Verbindung mit "poète" gegenüber der weiterbestehenden traditionellen Bedeutung einen metaphorischen Charakter. Bei Bonneville wäre somit ein Übergang zu dieser doppelten Begrifflichkeit zu beobachten.

Bonnevilles Zwischenposition manifestiert sich nicht nur thematisch, sondern auch in der Begrifflichkeit, oder vielmehr: die inhaltlichen Neuansätze sind gleichzeitig Vorstöße zu einer neuen Begrifflichkeit. In der Übertragung religiöser Terminologie auf weltliche Bereiche nimmt er in großen Zügen romantische Begrifflichkeit vorweg, mit dem relevanten Unterschied allerdings, daß ihr metaphorischer Charakter noch nicht offen zutage tritt. Hier läßt sich auch die Exaltiertheit und das Pathos seiner Sprache einordnen: das Thema einer Göttlichkeit des Menschen, der

Sprache, des Genies kann in differenzierter Form nur entwickelt werden, wenn sein metaphorischer Charakter bewußt ist; Bonneville stößt in diese Richtung vor, ihm gelingt aber nur eine unmittelbare Setzung, nämlich die der Identität von Mensch, Sprache, Genie mit Gott. Diese Setzung kann sprachlich wohl nur als Evokation vermittelt werden.

Aus der durchgehenden Übertragung religiöser Begrifflichkeit auf den weltlichen Bereich und weltlicher auf den religiösen Bereich, für die Bonneville in der aufklärerischen Theorie kaum Beispiele finden konnte, läßt sich auch sein Verhältnis zur Sprache erklären. Die Wörter und Begriffe sind für ihn nicht mehr ein selbstverständlich zu benutzendes Instrumentarium, sie scheinen ihm in ihren vorfindlichen Bedeutungen nicht mehr als Mittel geeignet, neue Inhalte zu formulieren und die Wahrheit auszudrücken. Der Versuch, neue Ideen zu entwickeln, ist bei Bonneville häufig von Reflexionen über einzelne Wörter und ihre möglichen ursprünglichen oder latenten Bedeutungen begleitet; seinem Selbstverständnis nach sind Sprachbetrachtung und Propagierung neuer Ideen sogar identisch. In dem Maße, wie ihm herkömmliche Begriffe - vor allem aus dem religiösen Bereich - nicht mehr selbstverständliche Kommunikationsträger sind, sieht sich Bonneville auf die Sprache selbst verwiesen: seiner Beschäftigung mit den Wörtern liegt der Gedanke zugrunde, daß die Sprache, wenn sie nur gereinigt und in den versteckten Bedeutungen der Wörter bewußt gemacht wird, selbst die Wahrheit erscheinen lassen wird.

Bonnevilles Werke lassen damit das interessante Phänomen erkennen, daß in der Auflösung der aufklärerischen und orthodox christlichen Unterscheidungen von sakralem und säkularem Bereich und im Vorstoß zu einer neuen Begrifflichkeit, als deren erstes in sich geschlossenes Beispiel Chateaubriands Génie du christianisme betrachtet werden kann, die Sprache selbst zum Problem wird und gleichzeitig allein der Sprache die Kraft zugesprochen wird, nicht nur neue Ideen hervorzubringen, sondern sogar das Leben selbst zu verändern. Daß Bonneville den Literaten und besonders den Dichtern der Zukunft als den Trägern der Sprache die konstitutive spirituelle Führungskraft zuschreibt, erscheint einerseits als Konsequenz dieser Sicht der Sprache, andererseits als ein Resultat des Bedürfnisses, der menschlichen Dimension eine sakrale Aura zu verleihen. Bei aller Inkohärenz und Verworrenheit von Bonnevilles Texten läßt sich somit eine innere gedankliche Ordnung feststellen, in deren Nachvollzug sich begriffliche Verschiebungen sowohl gegenüber der Aufklärungstheorie als auch gegenüber traditionell christlichem Gedankengut erkennen lassen, die als Präfigurationen romantischen Denkens gewertet werden können.

Die Tatsache, daß Bonnevilles größte gedankliche Produktivität zeitlich mit seinem revolutionären Engagement zusammenfiel und daß er mit dem Ende der Französischen Revolution seine literarische Tätigkeit einstellte - die damit nur ca. 10 Jahre dauerte -, zeigt, welch große Bedeutung die Revolution für seine gedanklichen Neuansätze hatte. Auch in dieser Hinsicht erweist sich Bonneville als ein interessantes Beispiel, zeigen seine Werke doch, daß der Vorstoß zu einem im Ansatz romantischen Denken nicht notwendig mit einer Wendung gegen die Revolution einherging.

ANMERKUNGEN

1 Einer Notiz im Moniteur zufolge (31. August 1792) war die 1. Auflage des Esprit des Religions mit einer für Revolutionszeiten erstaunlichen Geschwindigkeit vergriffen.

2 vgl. Le Harivel, Nicolas de Bonneville, préromantique et révolutionnaire, p. 14 u. 16

3 Das Problem der literaturgeschichtlichen Periodisierung der Zeit Bonnevilles ist für die vorliegende Arbeit sekundär; Beatrice Didier, Le XVIIIe siècle III, betont die Eigenständigkeit des Zeitraums von 1778 bis 1820; Leo Pollmann setzt in seiner Geschichte der französischen Literatur Bd 3 die Notwendigkeit einer neuen Standortbestimmung der Literatur mit dem Beginn der Französischen Revolution an und die erste Romantik von 1797 bis 1803.

4 Nodier, Souvenirs et portraits, Oeuvres complètes t. 8, p. 331; vgl. auch Sainte-Beuve, Portraits littéraires, éd. 1862, vol. I, p. 454

5 In den Zitatangaben verwende ich folgende Abkürzungen:

De l'Esprit des Religions	- EdR
dessen 3. Teil, die "Appendices"	- EdR App.
La Bouche de Fer	- BdF
Cercle Social	- CS
Choix de petits romans imités de l'allemand	- Choix
Nouveau Théatre Allemand	- NTA
Les Jésuites chassés de la Maçonnerie	- Jésuites
Histoire de l'Europe Moderne	- Hist.

Ich zitiere aus der um die Appendices erweiterten Ausgabe des Esprit des Religions von 1792; deren Teil I und II ist in der Pagination identisch mit der 1. Auflage von 1791. Die Orthographie der Zitate wird im folgenden unverändert beibehalten, es werden nur grobe Orthographie- oder Druckfehler mit "sic" hervorgehoben. Sperrdruck im Original (sehr häufig!) wird durch Unterstreichung wiedergegeben; eigene Unterstreichung mache ich extra kenntlich. Nachträgliche erklärende Einschübe meinerseits werden durch SK gekennzeichnet.

6 vgl. Le Harivel, Nicolas de Bonneville, p. 6

7 Révolution de Paris, Okt./Nov. 1790, no 69, p. 175, zit. n. Le Harivel, Nicolas de Bonneville, p. 66

8 siehe die entsprechende Notiz, BdF I, p. 533

9 z.B. in folgender Stelle: "(...) prenez le compas et l'équerre, mettez-les sans rivalité entre les mains d'un peuple de frères, placez dans votre enceinte vos colonnes de la plus haute architecture, enseignez-nous à rebâtir le temple de la lumière, car la vérité est toujours là où est la lumière!" (EdR II, p. 159)

10 La Harpe über La Bouche de Fer, Correspondance littéraire, t. VI, vol. 5, lettre 293, p. 46f

11 CS I, p. 5-10

12 wahrscheinlich Anspielung auf Bonnevilles Mitgliedschaft in der Versammlung der Dreihundert

13 wahrscheinlich Anspielung auf Bonnevilles Übersetzung von Russells History of Modern Europe und auf sein Projekt eines eigenen Geschichtswerkes

14 vgl. Joan McDonald, Rousseau and the French Revolution, p. 76-80

15 vgl. Jaurès, Histoire socialiste de la Révolution française, vol. I: La Constituante, p. 1058f.

16 Fauchet weist explizit darauf hin, daß er keinen Anteil an der Redaktion der Bouche de Fer habe und nur für selbst signierte Artikel verantwortlich sei (BdF II, p. 544).

17 Nach dem Dictionnaire de Biographie française dürfte Bonneville als erster die Kühnheit gehabt haben, den König zu duzen.

18 CS I, lettre LIV, p. 344

19 auch enthalten in EdR App., § 69

20 Petition Augers, abgedruckt in EdR App., p. 283-288, Zitat p. 288

21 Außer Bonneville fordern ein Agrargesetz: Restif de la Bretonne, Mercier, Brissot, Marat und vor allem Babeuf; vgl. Fischer, Babeuf. Der Krieg zwischen Reich und Arm, p. 33

22 Bonneville beschwert sich nachdrücklich über das Plagiat Babeufs "qui pourroit bien n'être qu'un triste fou, tombé dans les pièges de quelques fourbes adroits" (Vieux Tribun 1796, p. 11). Daß er Babeuf so negativ sieht, ist erstaunlich angesichts der Ähnlichkeit seiner Forderungen.

23 BdF IV, no 99. Sein Kommentar zu Robespierres Rede über die Verschwörungen der Privilegierten entbehrt nicht unfreiwilliger Komik: "On croyoit entendre l'infortuné Rowley, dire à ses bourreaux: - Frappez quand vous voudrez, et de quelle manière vous voudrez, quand le coeur est droit qu'importe où va la tête." (ebda., p. 2)

24 BdF IV, no 104, p. 2

25 BdF IV, no 101, p. 2

26 Der äußere Anlaß waren einige Veränderungen, die Bonneville eigenmächtig an einer Rede Fauchets vorgenommen hatte, der tiefere Grund lag sicher darin, daß sich Bonnevilles vehement antiklerikale Haltung kaum mit Fauchets Treue gegenüber dem Katholizismus vereinbaren ließ. Anläßlich Fauchets Weihe zum Bischof von Calvados fand zwar eine Versöhnung statt, die Zusammenarbeit wurde jedoch nicht wieder aufgenommen.

27 Moniteur (réimpression), t. 16 (1. April - 30. Juni 1793) p. 420

28 vgl. Le Harivel, Nicolas de Bonneville, p. 10

29 Fauchet wurde 1793 wegen angeblicher Verwicklung in die Ermordung Marats guillotiniert.

30 vgl. Biographie universelle ancienne et moderne (Michaud); dieser Artikel vom 19. Brumaire Jahr VIII ist nicht signiert.

31 Er bezieht sich auf Helvétius, De l'homme (EdR I, p. 83-88), Voltaires Questions sur l'Encyclopédie und Essai sur les moeurs, bezeichnet Mably als "le plus éclairé de nos politiques" (EdR II, p. 16); die Liste seiner Lieblingsbücher enthält Rousseaus Contrat social und Montesquieus Esprit des lois, den er mehrmals zitiert, außerdem Adam Smiths On the Wealth of Nations und die Junius-Briefe von Horn-Tooke, mit dem er persönlich bekannt war. Vor allem bewundert er Rousseau, als dessen Schüler er sich sieht: "Mon dernier ouvrage sur l'esprit des religions, est le germe de vingt ouvrages classiques, dans le sens de la révolution, et j'aime à croire que le bon J. Jacques, qui avoit un coeur, n'eût pas dédaigné d'en être l'auteur, et qu'il ajouteroit à sa gloire." (N. de Bonneville (...) aux Véritables Amis de la Liberté, p. 11)

32 Ausgearbeitet ist nur die Kritik an der zeitgenössischen Geschichtsschreibung: Pufendorf wirft er zu große Detailfülle und Mangel an Darstellung der Sitten und Gebräuche vor, Voltaire Parteilichkeit: "La crainte de passer pour un homme à préjugés lui donne souvent l'air d'être plutôt accusateur qu'Historien (...) Son histoire générale n'est souvent qu' un beau Roman philosophique." (Lettre à Condorcet, p. 8). Montesquieu kritisiert er nur in dessen positiver Darstellung Karls des Großen, den er selbst als einen Despoten sieht (Hist. I, p. 189). Zu Bonnevilles Geschichtsbild siehe auch Claus Werner, Zur Geschichtsauffassung Nicolas de Bonnevilles, in: Neue Beiträge zur Literatur der Aufklärung, S. 221-239.

33 La Harpe, Mercure de France, 20. Nov. 1790, p. 122

34 Diese Formulierung ist an den Contrat social angelehnt: "Il est donc douteux, selon Grotius, si le genre humain appartient à une centaine d'hommes, ou si cette centaine d'hommes appartient au genre humain." (Contrat social, livre I, chap. 2, O.C. III, p. 353)

35 vgl. z.B. folgende Stelle: "J'ai pour résultat de cet examen que l'établissement du Contract Social est un pacte d'une espece particuliere, par lequel chacun s'engage envers tous, d'où s'ensuit l'engagement réciproque de tous envers chacun, qui est l'objet immédiat de l'union." (Rousseau, Lettres écrites de la Montagne, 6e lettre, O.C. III, p. 807)

36 vgl. Contrat social I, chap. 9: "le pacte fondamental substitue au contraire une égalité morale et légitime à ce que la nature avoit pu mettre d'inégalité physique entre les hommes." (O.C. III, p. 367)

37 vgl. Groethuysen, Philosophie der Französischen Revolution, Kap. 6: Der revolutionäre und universale Charakter der Rechtsidee, bes. p. 118-120

38 Bonneville verweist auf Pufendorf, Montesquieu, Tacitus

39 Zu beachten ist die positive Bedeutung von "enthousiasme"; die enge begriffliche Verbindung von "fanatisme" und "enthousiasme" ist bei Bonneville aufgelöst: "fanatisme" dient in der traditionell negativen Bedeutung zur Denunzierung der Übergriffe des Klerus, "enthousiasme" positiv zur Charakterisierung heroischen Freiheitsstrebens und der Genialität.

40 Der Textabschnitt ist betitelt "D'un premier peuple civilisé".

41 EdR II, p. 59

42 Fetscher, Rousseaus politische Philosophie, p. 17-32

43 Strauss, Naturrecht und Geschichte, p. 295

44 vgl. Masson, Le déisme pendant la Révolution, in: Lettres et Arts, no 1, 1886, p. 63-89

45 Robespierre, Discours sur les rapports des idées religieuses et morales avec les principes républicains, 18 floréal an II, in: Discours et rapports à la Convention, p. 247

46 Man beachte die genaue Darstellung der Revolutionsfeste bei Mona Ozouf, La fête révolutionnaire, passim. Von kulturrevolutionärem Schwung ist in den Revolutionsfesten nicht viel zu spüren.

47 vgl. Bénichou, Le sacre de l'écrivain, p. 55-57

48 vgl. Hist. I, 1ère partie, p. 7f

49 vgl. Van Tieghem, Ossian en France, vol. I, p. 192-201

50 Montesquieu schreibt in De l'Esprit des Lois: "Le Goth Jornandès a appelé le nord de l'Europe la fabrique du genre humain. Je l'appellerai plutôt la fabrique des instruments qui brisent les fers forgés au midi. C'est là que se forment ces nations vaillantes, qui sortent de leur pays pour détruire les tyrans et les esclaves et apprendre aux hommes que, la nature les ayant faits égaux, la raison n'a pu les rendre dépendants que pour leur bonheur." (Montesquieu, De l'esprit des lois, livre XVII, chap. 5, O.C. II, p. 528)

51 vgl. Van Tieghem, Ossian en France, vol. I, p. 312-318

52 vgl. vorliegende Arbeit, Pkt 3.1.1

53 "Je crois fermement qu'on ne peut opprimer en face et violemment un seul homme, sans que l'opprimé, fort de sa conscience et de la vérité, ne trouve un vengeur impitoyable." (EdR I, p. 64)

54 Bei Fauchet wird damit auch Natur- und Gesellschaftszustand identisch: "Or, il a intérêt au bien-être, et il ne peut jamais l'avoir par lui seul: le voilà donc toujours naturellement et inévitablement sociable. Il a besoin d'aimer; (...) or, amour et société, c'est la même chose." (2nd Discours, BdF I, p. 174)

55 "La seule idée d'un pareil ouvrage (...) doit être plus utile que le plus beau traité de morale que nous aient laissé les anciens." (Lettre à Condorcet, p. 19)

56 siehe Condorcet, Esquisse d'un tableau historique des progrès de l'esprit humain, chap. "Des progrès futurs de l'esprit humain", p. 344-400

57 Bonneville übernimmt aus dem Contrat social, livre II, chap. 7 (O.C. III, p. 381) folgende Passage (in Schrägstrichen): "C'est avoir porté la législation au plus haut point de perfection qu'elle puisse atteindre, a dit un ami de l'humanité, que / de transformer chaque individu, qui par lui-même est un tout parfait et solitaire, en partie d'un plus grand tout dont cet individu reçoive, en quelque sorte, sa vie et son être; de subslituer (sic) une existence partielle et morale, à l'existence physique et indépendante que nous avons tous reçue de la nature /." (EdR II, p. 126)

58 vgl. Rousseau, Contrat social, liv. II, chap. 3, O.C. III, p. 371

59 Rousseau, Discours sur l'économie politique: "que la volonté la plus générale est aussi toûjours la plus juste, et que la voix du peuple est en effet la voix de Dieu." (O.C. III, p. 246)

60 vgl. Fetscher, Rousseaus polit. Philosophie, p. 111-127

61 vgl. McDonald, Rousseau and the French Revolution, p. 107-109

62 vgl. Rousseau, Contrat social, liv. II, chap. 3, O.C. III, p. 371

63 vgl. Groethuysen, Philosophie der Franz. Revolution, Kap. 3, "Montesquieu", p. 35-51

64 Eher als mit den französischen Theoretikern der Restauration ist Bonneville in seinem Bild des Staates als Organismus mit Herder vergleichbar, dessen Organismusbild ebenfalls den Staat als lebendigen, funktionalen Zusammenhang erscheinen läßt; vgl. Barnard, Zwischen Aufklärung und politischer Romantik. Eine Studie über Herders soziologisch-politisches Denken, p. 89

65 Robespierre, Discours sur la Constitution, 10. Mai 1793, Discours et rapports à la Convention, p. 134

66 Rousseau, Contrat social, liv. IV, chap. 7, O.C. III, p. 458

67 vgl. Habermas, Strukturwandel der Öffentlichkeit, § 12 "Public opinion - opinion publique - öffentliche Meinung", bes. p. 118-123

68 Bonneville war zur Zeit der Formulierung dieses Gedankens noch Anhänger einer konstitutionellen Monarchie.

69 vgl. Rousseau, Contrat social, liv. I, chap. 4, O.C. III, p. 356

70 z.B. in folgender Stelle: "Ce qui arrive a été prédit par eux (= les Amis de la Vérité, SK), et rien d'étrange dans cette prévoyance naturelle; car ils affirment expressement,

comme une loi de la nature, qu'une connoissance réfléchie de la sphère donneroit des indices presque infaillibles des inondations, (...) et des maladies, des guerres même et des révolutions." (EdR App., p. 127)

71 vgl. Groethuysen, Philosophie der franz. Revolution, p. 118-121

72 vgl. Groethuysen, p. 121: "Freiheit bedeutet im juristischen Sinn, daß alle Handlungen, die auf freier Willensentscheidung des Menschen beruhen, Rechtscharakter haben (...) Freiheit ist der Ausdruck, der juristische Begriff der Willensfreiheit des Menschen. Der Mensch ist frei geboren, weil er einen Willen hat."

73 vgl. Rousseau: "C'est à la loi seule que les hommes doivent la justice et la liberté." (Discours sur l'économie politique, O.C. III, p. 248)

74 vgl. Groethuysen, a.a.O., Abschnitt "Das Recht und die teleologische Weltvorstellung", p. 125-131

75 vgl. Groethuysen, Abschnitt "Römisches Recht und Eigentum als Grundlagen des Privatrechts", p. 135-139

76 Bonneville bezieht sich hier auf AT, Buch Esther, in das er ein Vor-Bild der Französischen Revolution hineininterpretiert: "Le 12 ils se sont assemblés en armes, ils ont délibéré le 13, et ils ont exécuté le 14." (EdR II, p. 160)

77 vgl. Groethuysen, Philosophie der franz. Revolution, Abschnitt "Naturrecht und positives Recht", p. 118-120

78 vgl. Klages, Geschichte der Soziologie, p. 45-47, zu Bonald auch Habermas, Theorie und Praxis, p. 294-296

79 siehe H. Friedrich, Die Sprachtheorie der französischen Illuminaten des 18. Jahrhunderts, insbesondere Saint-Martins, in: Deutsche Vierteljahresschrift 1935, p. 304

80 Koselleck, Kritik und Krise, p. 81-105

81 Koselleck, p. 97

82 Zum Begriff des Gesetzgebers in der Aufklärung siehe Anne Callahan, The Role of the Legislator..., Kap. 2 "The Legislator as Bearer of a Myth", passim.

83 vgl. Callahan, The Role of the Legislator..., p. 198

84 Die Formulierung "force expansive, attractive" dürfte sich dabei illuministischem Einfluß verdanken; als Anhänger des Magnetismus schreibt Bonneville dem menschlichen Geist allgemein eine quasi materielle Anziehungs- und Ausstrahlungskraft zu.

85 vgl. Koselleck, Kritik und Krise, p. 94-102; zum Begriff "indirekte Gewaltnahme" auch p. 66-68

86 "La tribu de Lévi étoit-elle autre chose que la République des lettres? Les prêtres ou vieillards de l'ancien sacerdoce étoient-ils autre chose que la République des lettres de leur tems?" (Vieux Tribun, 1796, p. 238) Vgl. auch die ähnliche Vermischung der Bereiche bei Ballanche, der dem

antiken Dichter eine "rôle d'hiérophante, de fondateur, de législateur religieux" zuschreibt (Essais de Palingénésie sociale, Oeuvres t. IV, p. 102)

87 Bénichou, Le sacre de l'écrivain, p. 474. Zum romantischen Begriff des Priestertums des Dichters ebda, passim

88 Zum Zusammenhang von Sprache und Mission des Dichters in Illuminismus und im romantischen Bild des Dichters vgl. Amiot, "L'Homme de Parole" martiniste, préfiguration du poète romantique, in: Le préromantisme, hypothèque ou hypothèse?, p. 380-393

89 Ballanche, Essai sur les Institutions sociales, Oeuvres t. II, p. 381

90 Zur Religionspolitik in der Französischen Revolution siehe Maier, Revolution und Kirche; Erdmann, Volkssouveränität und Kirche; Plongeron, Théologie et politique au siècle des lumières; La Gorce, Histoire religieuse de la Révolution française.

91 vgl. die Darstellung von Bonnevilles Verhältnis zum katholischen Klerus in Pkt 3.1.1

92 vgl. Mably, De la Législation, livre IV, chap. 4 "Principes sur la nécessité de la religion et d'un culte publique"; nach Mably ist für eine Republik nicht nur die Religion als Wächterin über die öffentliche Moral notwendig, sondern auch ein äußerer Kult, dessen Träger der Staat selbst sein solle.

93 Rousseau, Contrat social, liv. IV, chap. 8, O.C. III, p. 463

94 Zum letzten Satz vgl. Rousseau, Contrat social, IV, chap. 8: "(...) et de tout ramener à l'unité politique, sans laquelle jamais Etat ni Gouvernement ne sera bien constitué." (O.C. III, p. 463)

95 Rousseau, Contrat social, liv. IV, chap. 8, O.C. III, p. 463

96 vgl. Bloch, Thomas Münzer als Theologe der Revolution, Gesamtausgabe Bd 2

97 Voltaire, Dictionnaire philosophique, Art. "Théotime"

98 Voltaire, Lettre à Shuvalov, 3. Dez. 1768, The Complete Works of Voltaire (éd. Besterman) vol. 118 (= Correspondance XXXIV), siehe auch La Gorce, Histoire religieuse de la Révolution française, vol. I, p. 205 (andere Schreibung im Zitat!)

99 Rousseau, Contrat social, livre IV, chap. 8, O.C. III, p. 464f

100 Helvétius, De l'homme, Oeuvres t. 7, p. 96

101 ebda, p. 104

102 Rousseau, Contrat social, livre IV, chap. 8, O.C. III, p. 464-468

103 Robespierre, Discours sur les idées religieuses et morales, Discours et rapports à la Convention, p. 253

104 Robespierre, p. 261

105 Robespierre, p. 262

106 vgl. Pkt 1.2.2.3

107 Fauchet, De la Religion Nationale, p. 45

108 Fauchet, p. 7, p. 11f

109 Fauchet, p. 29

110 Fauchet, p. 5, vgl. das Bonneville-Zitat "Mais où est-elle..." Pkt 2.1.3, S. 104

111 Fauchet, Premier Discours sur la Liberté, p. 9

112 Fauchet, Second Discours sur la Liberté, p. 21

113 Fauchet, De la Religion Nationale, p. 52

114 vgl. Bloch über den utopischen Gehalt des Evangeliums: "Aber nirgends wieder ist gerade ein Omega der christ-religiösen Utopie, Weltuntergangs-, Neu-Kanaan-Utopie so untranszendent bei stärkstem Transzendieren gesetzt worden wie in Off. Joh. 21, 23 vom "Neuen Jerusalem". Religion ist voll Utopie und durchaus deren zentralster Anteil, das Omega aus "freiem Volk auf freiem Grund", aus civitas Christi in natura ut illae civitatis extensio. Gegen allen Doketismus des nichts als reinen Geistes, für die Verwandlung der Welt als ganzer, mit der der Mensch nicht mehr behaftet sei als mit einem Fremden." (Atheismus im Christentum. Zur Religion des Exodus und des Reichs, Gesamtausgabe Bd 14, p. 303)

115 Catherine Théot, zit. n. Mathiez, Contributions à l'histoire religieuse de la Révolution française, p. 112

116 Fauchet, De la Religion Nationale, p. 31. Zum Problem des Verhältnisses von Utopie und Religion im Umfeld der Französischen Revolution siehe Bowman, Religion, révolution, utopie, in: Le préromantisme, hypothèque ou hypothèse?, p. 425-442 (über Restif, Mercier, Cabet, Fourier)

117 Maier, Revolution und Kirche, p. 91. Maiers Darstellung von Fauchet und Bonneville hat den Mangel, daß er deren Vermischung von revolutionären und religiösen Ansätzen begrifflich nicht fassen kann, da sein Religionsbegriff auf den offiziellen Katholizismus fixiert ist.

118 Raboteau, klandestiner Verwalter des Erzbistums Tours, 1799, zit. n. Plongeron, Théologie et politique au siècle des lumières, p. 134

119 Das Bedürfnis, dem revolutionären Staat eine sakrale Aura zu verleihen, war, wie auch aus Mathiez' Darstellungen in L'origine des cultes révolutionnaires hervorgeht, allgemein. Die revolutionären Kulte versuchten dies naiv durch eine simple Kopie antiker oder christlicher Zeremonien zu erreichen - und scheiterten konsequent: sakrale Aura ist auf der Ebene des Politischen nur über eine informelle, keineswegs über eine explizit religiöse Symbolik möglich. Der Fehler von Mathiez' Interpretation der Revolutionskulte als religiöser Bewegung liegt darin, daß er diesen Unterschied nicht erkennt.

120 vgl. Bowman, Le Christ romantique, p. 77-87 u. 136-141

121 Genauere Darstellungen geben: Aulard, Le culte de la Raison et de l'Etre suprême; Mathiez, L'origine des cultes révolutionnaires; Soboul, Sentiment religieux et cultes populaires pendant la Révolution, in: Annales historiques de la Révolution française XXIX, p. 193-213; sowie Masson, Le déisme pendant la Révolution, in: Lettres et Arts 1, 1886

122 vgl. Bowman, Le Christ romantique, p. 19f

123 Bowman, p. 71f

124 Zu diesen gegensätzlichen Positionen siehe Aulard, Le culte de la Raison..., und Mathiez, L'origine des cultes révolutionnaires und Contributions...

125 Soboul, Sentiment religieux... . Daß sich religiöses Gefühl kaum eindeutig nachweisen läßt, thematisiert er selbst und zeigt daher vorrangig Problemstellungen auf.

126 Gilbert Romme, Feuille Villageoise, no 43, zit. n. Mathiez, L'origine des cultes..., p. 78

127 vgl. den Text dieser Rede Robespierres bei Aulard, Le culte de la Raison..., p. 312ff

128 Mathiez, Contributions à l'histoire religieuse, p. 33

129 Der hier skizzierte Unterschied von aufklärerischer und romantischer Sicht des Christentums beruht auf einer für unsere Zwecke notwendigen systematischen Vereinfachung. Das Prinzip relativer Wahrheit, d.h. die Frage nach der gesellschaftlichen Nützlichkeit des Christentums wird schon in der Aufklärungstheorie aufgeworfen, jedoch verneint.

130 Im Nouveau Code Conjugal entwickelt Bonneville seine Sicht der Ehe als "un lien social qui unit le Citoyen à la Patrie, et la Patrie au Citoyen; (p. 14); er fordert, daß nur Väter und Adoptivväter zu Aktivbürgern erklärt werden (p. 17)

131 "(...) demandez avec fermeté de quel droit ils osent entrer, comme prêtres, dans les assemblées de nos états, eux dont le royaume, de leur propre aveu, n'est pas de ce monde?" (EdR II, p. 108)

132 Rousseau, Profession de foi du Vicaire Savoyard, Emile, livre IV, O.C. IV, p. 624-628

133 vgl. Voltaire: "(...) comment concevoir, dis-je, une intelligence en quelque sorte divine et humaine tout ensemble (...) maître et serviteur, roi et sujet, sacrificateur et victime tout ensemble, mortel et vainqueur de la mort, riche et pauvre (...)", (Dictionnaire philosophique, Art. "Messie", Ergänzung von 1771, p. 577)

134 Voltaire, Essai sur les moeurs II, p. 101 "De l'idolatrie"

135 Rousseau, Profession de foi du Vicaire Savoyard, Emile, livre IV, O.C. IV, p. 607f

136 Das religiöse Gefühl ist bei Constant, De la religion, die wichtigste Kategorie.

137 Constant, De la religion considérée dans sa source, ses formes et ses développements, t. 1, livre I, chap. 4, p. 84

138 Die Formulierung "des Ecossois de quarante-cinq degrés" dürfte ein Verweis auf die Freimaurerei des schottischen Ritus sein; Bonneville sieht die freimaurerische Hierarchie als Verfallserscheinung gegenüber den ursprünglichen Intentionen des Freimaurertums.

139 siehe Viatte, Les sources occultes du romantisme, t. 1, p. 220-223

140 Mit "paire de soufflets" ist die Konfirmation gemeint!

141 Bowman, Le Christ romantique, p. 73

142 vgl. Bowman, chap. 4 "Le Christ a mis fin à l'esclavage", p. 141-151

143 vgl. z.B. Ballanches Stellungnahme zur Französischen Revolution: "Si elle se fût bornée à faire passer l'émancipation chrétienne de la sphère religieuse dans la sphère civile, elle n'aurait fait qu'accomplir la loi du progrès." (Essais de Palingénésie sociale, Oeuvres t. 4, p. 292)

144 Vom Gesamtsystem her gesehen haben Bonneville und Saint-Simon allerdings kaum Gemeinsamkeiten: bei Bonneville finden sich nicht im Ansatz Reflexionen über die Bedeutung von Manufaktur und industriellem System, während Saint-Simons gedankliches System gerade darauf basiert.

145 vgl. Saint-Simon: "La nouvelle organisation chrétienne déduira les institutions temporelles, ainsi que les institutions spirituelles, du principe que tous les hommes doivent se conduire à l'égard les uns les autres comme des frères." (Nouveau Christianisme, Oeuvres t. 23, p. 113)

146 Saint-Simon, Nouveau Christianisme, Oeuvres t. 23, p. 114

147 Bowman, Le Christ romantique, p. 67-76

148 Cabet, Voyage en Icarie, 1842, p. 345f; siehe auch folgende anschauliche Stelle: "C'est une nouvelle mission qu'il faut accomplir! Apôtres d'Icar, imitons les apôtres de Jésus-Christ! ... Partons d'Icarie pour parcourir la terre et prêcher aux Peuples la Communauté!" (Voyage en Icarie, p. 540)

149 Bonneville verweist hier merkwürdigerweise auf Rousseaus Lettre à d'Alembert.

150 "Le péché d'origine ou originel, peut-il être autre chose, pour un Ami de la Vérité, que les funestes suites de ses (sic) loix tyranniques et cruelles qui condamnent un homme, à sa naissance, à souffrir de tous les affronts, et de tous les tourmens qui attendent le pauvre?" (EdR I, p. 64)

151 Tassy, Quelques réflexions à l'occasion du gouvernement qui vient de s'établir en France, zit. n. Bowman, Le Christ romantique, p. 112

152 vgl. Viatte, Les sources occultes..., t. 1, p. 262, zu Restifs Kosmogonie p. 251-262; zu Bonnevilles Einschätzung, Restif de la Bretonne sei ein Genie gewesen, siehe das entsprechende Zitat (aus einem Gespräch zwischen Cubières-Palmézeaux und Bonneville) bei Monglond, Le préromantisme français II, p. 275.

153 siehe Viatte, Les sources occultes..., t. 1, p. 33

154 Dieser Artikel ist nicht signiert und unterscheidet sich im Stil von anderen Artikeln Bonnevilles. Seine Autorenschaft scheint mir dennoch sicher: die Bouche de Fer enthält eine eigene Erwiderung Fauchets auf La Harpe und eine weitere anonyme (wahrscheinlich von Condorcet, ganz sicher nicht von Bonneville), sodaß diese als Autoren nicht in Frage kommen; außerdem enthält der Artikel im Mercure de France (20. Dez. 1790) einige von Bonnevilles Spezialitäten, z.B. die Worterklärung Paris = Par-Isis = "par la nature".

155 Mercure de France, 20. Dez. 1790, p. 146

156 vgl. Ehrard, L'idée de nature en France dans la première moitié du 18e siècle, p. 179-199

157 Eine knappe, anschauliche Formulierung der grundlegenden Fragestellungen gibt Groethuysen, Philosophie der Französischen Revolution, p. 125-130

158 Diderot, Rêve de d'Alembert, Oeuvres philosophiques, p. 312

159 vgl. Diderot: "Depuis l'élephant jusqu'au puceron ... depuis le puceron jusqu'à la molécule sensible et vivante, l'origine de tout, pas un point dans la nature entière qui ne souffre ou qui ne jouisse." (Rêve de d'Alembert, p. 313)

160 vgl. Diderot, De l'interprétation de la nature, Oeuvres philosophiques, p. 229: "(...) que, le monde pouvant être infini, cette âme du monde, je ne dis pas est, mais peut être un système infini de perceptions, et que le monde peut être Dieu."

161 Diderot, Rêve, Oeuvres philosophiques, p. 317

162 Mercure de France, 20. Dez. 1790, p. 147

163 Senancour, Rêveries sur la nature primitive de l'homme (an VIII), 1ère rêverie, p. 28, note 1 (Punkte im Original)

164 El Nouty, Le panthéisme dans les lettres françaises au 18e siècle, in: Revue des sciences humaines, 1960; so wird z. B. Spinozas "âme du monde" als atheistisch-materialistische Kategorie begriffen, umgekehrt entwickelt d'Holbach unter dem Titel "panthéisme" eindeutig materialistische Vorstellungen.

165 El Nouty, p. 439

166 Rousseau, Rêveries du promeneur solitaire, 7e promenade, O.C. I, p. 1065f

167 Diderot, Rêve, Oeuvres philosophiques, p. 316

168 Mme de Staël, De l'Allemagne, 4e partie, chap. 9, t. 2, p. 300

169 nach C.L. de Liefde, Le Saint-Simonisme dans la poésie française entre 1825 et 1865, p. 145-169, läßt sich pantheistische Welterfahrung in der Romantik nachweisen bei Hugo - im 6. Buch der Contemplations -, bei Sainte-Beuve und ansatzweise auch bei Lamartine; seine Interpretation, die pantheistischen Tendenzen seien dem Einfluß des Saint-Simonismus zuzuschreiben, ist allerdings zu einseitig.

170 Bonneville gibt z.B. in der Liste seiner Lieblingsbücher die Werke von Bonnet an und bezeichnet ihn als "Nouveau Bramine" (EdR App., p. 212)

171 vgl. Savioz, La philosophie de Charles Bonnet, p. 335

172 Die vorliegende Darstellung ist eine Zusammenfassung verschiedener Kapitel aus Bonnets La Palingénésie philosophique, aus Contemplation de la nature und aus dem Essai analytique sur les facultés de l'âme. Die theologischen Implikate wurden bewußt aufgenommen, da sie zeigen, daß Bonnets Idee einer Stufenleiter der Wesen die Dimension historischer Entwicklung nicht enthält. Dieser Aspekt wird in Savioz' Untersuchung nicht berücksichtigt.

173 Foucault zeigt auf, daß die Idee der "Histoire naturelle" im 18. Jhdt. allgemein in der epistemologischen Struktur nicht eine Untersuchung der Naturgeschichte darstellt (Die Ordnung der Dinge, bes. p. 197f)

174 Mercure de France, 20. Dez. 1790, p. 149

175 Roos, Aspects littéraires du mysticisme philosophique, p. 410-413

176 siehe auch folgende Stelle: "(...) le christianisme est la religion éminemment plébéienne, la vraie religion de l'humanité (...) c'est là le dernier degré de l'émancipation du genre humain." (Essais de Palingénésie sociale, Oeuvres t. 4, p. 156)

177 "L'homme général, c'est-à-dire l'homme pris dans l'ensemble des générations issues de la substance primitive, je pourrais le nommer aussi, dans un sens, l'homme cosmogonique: celui-là seul est une puissance de ce monde." (Ballanche, Essais de Palingénésie sociale, Oeuvres t. 4, p. 354)

178 Ballanche, Palingénésie sociale, p. 37

179 vgl. Roos, Aspects littéraires, p. 412f

180 siehe Nodier, Lydie ou la Résurrection, Contes, p. 849 und ders., De la Palingénésie humaine, in: Rêveries littéraires, morales et fantastiques, Oeuvres t. 5, p. 297

181 Viatte, Les sources occultes, t. 1, p. 262-269; Bonnevilles Vieux Tribun (nouv. éd.) 1796, enthält auf p. 231-235 ein Gedicht von Saint-Martin mit dem Titel "Stances sur l'origine et la destination de l'homme".

182 Bonneville verweist in diesem Zusammenhang auf Nicolais Untersuchung über den Templerorden, er hatte vermutlich Verbindungen zu den deutschen Illuminaten. Der Abbé Barruel geht in seinen Mémoires pour servir à l'histoire du jacobi-

nisme (1798-99), einem breit angelegten Versuch, die Französische Revolution als Werk freimaurerischer Umtriebe zu erklären, kurz auf Bonnevilles Jésuites chassés de la Maçonnerie ein (vol. V, p. 18-21), deren Argumentation er für absurd hält. In Bonneville sieht er nur ein ausführendes Organ der deutschen Illuminaten, insbesondere von Bode (Barruel, vol. V, p. 11).

183 Saint-Martin, Des Erreurs et de la Vérité, p. 9; zu Saint-Martin vgl. Bénichou, Le sacre de l'écrivain, p. 91-111; den Artikel von Anne-Marie Amiot in Le préromantisme: hypothèque ou hypothèse, a.a.O.; Viatte, Les sources occultes, t. 1, p. 269-292

184 vgl. folgende Stelle: "On pourroit croire que les procédés de nos physiciens n'étoient pas inconnus à Moise: la foudre semble lui obéir." (!) (EdR II, p. 166)

185 Saint-Martin nimmt entsprechend der Theorie der Korrespondenzen an, daß alle natürlichen Dinge bestimmte "signes analogues et fixes" hätten, die als Hinweise auf ihr Wesen und Prinzip wirken (Tableau naturel des rapports qui existent entre Dieu, l'Homme et l'Univers I, 1782, p. 251f)

186 vgl. Saint-Martin: "(...) l'homme est né pour être le chiffre universel, le signe vivant et le tableau réel d'un Être infini" (Tableau naturel ... I, p. 73)

187 Ballanche, Orphée, livre 8: "L'homme, après avoir subi les influences des éléments, fera-t-il subir aux éléments sa propre influence? L'homme régénéré, régénèrera-t-il la terre (Oeuvres t. 6, p. 164)

188 vgl. die Bestimmung des Ich bei Mme de Staël, die ebenfalls indirekt gegen die Aufklärungsphilosophie gerichtet ist: "L'âme est un foyer qui rayonne dans tous les sens; c'est dans ce foyer que consiste l'existence; toutes les observations et tous les efforts doivent se tourner vers ce moi, centre et mobile de nos sentiments et de nos idées." (De l'Allemagne, 3e partie, chap. 2, t. 2, p. 96)

189 Saint-Martin bezeichnet die Vermittlung von Gedanken als "l'espece d'émanation dont je suis susceptible" (Tableau naturel I, p. 68)

190 Viatte, Les sources occultes, t. 1, p. 226

191 vgl. Bénichou, Le sacre de l'écrivain, p. 91-99

192 vgl. Bénichou, p. 102f. Bénichou bezieht sich vor allem auf den posthumen Text "Phanor"

193 Saint-Martin, Lettre à un ami ou Considérations politiques, philosophiques et religieuses sur la Révolution française, an III, p. 4

194 Zur Idee der Göttlichkeit des Genies vgl. Pkt 6.4.2

195 Ballanche, Orphée, livre 8, Oeuvres t. 6, p. 167

196 vgl. Windelband, Lehrbuch der Geschichte der Philosophie, über die "coincidentia oppositorum" bei Böhme § 29.2, bei Fichte und Schelling § 42.1 und 8.

197 Zur Mythendeutung im 18. Jhdt. vgl. Gusdorf, Dieu, la nature, l'homme au siècle des lumières, p. 168-173, und F.E. Manuel, The Eighteenth Century confronts the Gods.

198 Diese beiden Stellen bilden gleichzeitig Belege für die z.B. in Pkt 1.2.2.5 anhand von Bonnevilles Rechtsidee dargestellte Ausrichtung seines Gesellschaftsmodells auf eine angenommene Tradition, auf die in Ritualen und religiösen Schriften niedergelegten ideellen "Wahrheiten" der alten Welt. Die Insistenz auf der Autorität der gereinigten Tradition erklärt sich zum Teil aus Bonnevilles Sprachauffassung, vgl. Pkt 5.4.

199 siehe die Beispiele bei Deshayes, De l'abbé Pluche au citoyen Dupuis: à la recherche de la clef des fables; in: Studies on Voltaire, 1963, vol. XXIV, p. 474f (über Fréret, Dupuis, Volney)

200 siehe Deshayes, p. 459-467

201 vgl. EdR I, p. 20-22 und p. 52-54

202 Eine weitere eigenartige Erklärung gibt Bonneville über die "sorciers": das Wort "sorcier", früher "sortier" geschrieben, komme von "sorts"; dies verweise auf die biblischen "jours des destinées", die "dies sortium, jours des sorts, de la division des parts destinées à chaque membre de la communauté" (EdR II, p. 233f). Die "sortiers" seien also Befürworter allgemeiner Land- und Güterverteilung gewesen.

203 Alleau, La science des symboles, p. 30-32; für die Literatur- und Kunsttheorie Deutschlands im 18. Jahrhundert gilt ähnliches: vgl. Soerensen, Symbol und Symbolismus in den ästhetischen Theorien des 18. Jahrhunderts und der deutschen Romantik, p. 15-18

204 Bonnevilles Symbolbegriff ist hier ähnlich eindimensional wie der Boulangers, der jede Erwähnung von Wasser in den alten Kulten und Mythen unmittelbar auf die historische Realität von Naturkatastrophen zurückführt. Im übrigen ist die Vorstellung einer linearen Beziehung von Symbol und äußerer Realität vom Gegenstand her, dem religiösen Symbol, in gewisser Weise berechtigt: nach katholischem Verständnis besteht die symbolische Kraft des Brotes nicht in der Wirkung auf die Gläubigen, sondern darin, daß es in der Transsubstantiation zwei Realitäten habe: gleichzeitig Brot und Leib Christi zu sein, und das zweite nicht nur zu bedeuten; es wäre also strenggenommen gar kein Symbol. Chateaubriand dagegen gibt der Eucharistie den Charakter des Symbols, da er von ihrer Wirkung auf die Adressaten ausgeht (vgl. "Génie du christianisme", partie I, liv. I, chap. 7, p. 75-78)

205 vgl. Boulanger, L'Antiquité dévoilée par ses usages, Introduction; und Hampton, Nicolas-Antoine Boulanger et la science de son temps, p. 106-118

206 Court de Gébelin, "Du génie allégorique et symbolique des Anciens", p. 2, in Monde primitif, vol. I

207 siehe Deshayes, De l'abbé Pluche au citoyen Dupuis ..., in: Studies on Voltaire, vol. XXIV, p. 473

208 vgl. Fuhrmann (Hrsg.), Terror und Spiel. Probleme der Mythenrezeption; daraus die Aufsätze von Marquard, Zur Funktion der Mythologiephilosophie bei Schelling, p. 257-265, und von Habel, Schiller und die Tradition des Herakles-Mythos, p. 265-295, und bes. die Diskussionen dazu, p. 639-669

209 Umgekehrt ermöglicht erst der mit Anfang des 19. Jahrhunderts aufkommende Symbolbegriff etwa die psychoanalytische Interpretation der Mythologie, da mit seiner Hilfe erstens die historische Distanz aufhebbar wird, und zwar gerade in der Relativierung der unmittelbaren Aussagen des Mythos, und zweitens die Ausdrucksform als selbst bedeutungskonstitutiv erfaßbar wird.

210 vgl. F.E. Manuel, The Eighteenth Century confronts the Gods, p. 253; auch Gusdorf, Dieu, la nature, l'homme au siècle des lumières, p. 175

211 Foucault, Die Ordnung der Dinge, 4. Kap./IV: Die Derivation, bes. p. 155. Court de Gébelin faßt den Zusammenhang von Sprache, Mythologie und Traditionalität folgendermassen: "Si les mots tiennent aux idées, les idées tiennent également aux mots, sur-tout dans les Sciences qu'on se transmet par tradition; mais telle étoit la Mythologie: elle passoit de père en fils, par tradition & sans examen: elle tenoit donc essentiellement aux mots, dont on se servoit pour l'exprimer; & sur-tout aux noms Allégoriques, qui en faisoient la base essentielle." ("Du génie allégorique et symbolique des Anciens", p. 88, in Monde primitif vol. I)

212 F.E. Manuel, The Eighteenth Century ..., p. 253

213 vgl. Pkt 3.2.1 über Bonnevilles Kosmogonie, die er aus der Kritik an Boulanger entwickelt.

214 Der Terminus ist von Weinrich, vgl. Fuhrmann (Hrsg.), Terror und Spiel, p. 644

215 vgl. Terror und Spiel, 5. Diskussion: Mythos und Autonomie, p. 639-653

216 "qu'il ne faut pas juger légèrement les premiers fondateurs des anciennes religions, dont les mystères, ne sont obscurs que parce que nous avons des yeux qui ne voyent pas, comme ils nous l'ont souvent reproché, et sur-tout parce que nous avons perdu le secret de leurs langues hiéroglyphiques." (EdR App., p. 327)

217 siehe Foucault: Die Ordnung der Dinge, 4. Kap./VI, p. 152-155

218 Dies ist der Grund der "Zerstückelung" der Mythen bei Bonneville. Die Namen der verschiedenen Schöpfungsmythen werden in ein direktes Verhältnis gesetzt und ihnen ein identischer Sinn zugesprochen, statt daß er die Mythen zunächst als jeweilige Einheit einer Erzählung aufnimmt und erst nach der Interpretation ihres Sinnes die verschiedenen Schöpfungsmythen miteinander vergleicht.

219 vgl. Foucault, Die Ordnung der Dinge: "Während die symbolische Schrift in dem Wunsch, die Repräsentationen selbst räumlich aufzuteilen, dem konfusen Gesetz der Ähnlichkeiten folgt und die Sprache aus den Formen des reflexiven Denkens gleiten läßt, transponiert die alphabetische Schrift unter Verzicht auf die Zeichnung der Repräsentation in der Lautanalyse die Regeln, die für die Vernunft selbst gelten. (...) Der Bruch des exakten Parallelismus zwischen der Repräsentation und dem Graphismus gestattet die Anordnung der Totalität der Sprache, sogar der geschriebenen Sprache, im allgemeinen Gebiet der Analyse, und die jeweils gegenseitige Stützung des Fortschritts der Schrift und des Denkens." (p. 155f)

220 vgl. Pkt. 5.2, Zitate S. 216 und S. 214, 3. Zitat

221 Der Bezug auf Le Brigant und Horn Tooke erscheint im Rahmen einer Darstellung des bildhaften Stils der Antike merkwürdig: Le Brigant versucht in seinen Werken das Keltische als Ursprache nachzuweisen, Horn Tooke arbeitete an einer Grammatiktheorie.

222 "Un écrivain a son caractère particulier, comme un siècle a le sien, qui le fait connoître parmi tous les autres." (EdR I, p. 29)

223 Jauss behauptet dies schon für Saint-Evremond; vgl. Jauss, Ästhetische Normen und geschichtliche Reflexion in der "Querelle des Anciens et des Modernes", Einleitung zu Perrault, Parallèle des Anciens et des Modernes, p. 62-64

Lit

224 vgl. Rousseau, Essai sur l'origine des langues, p. 47 und seine Schlußfolgerung: "Voila comment le mot figuré nait avant le mot propre, lorsque la passion nous fascine les yeux et que la prémière idée qu'elle nous offre n'est pas celle de la vérité. (...) L'image illusoire offerte par la passion se montrant la prémiére, le langage qui lui répondoit fut aussi le premier inventé;" (p. 47)

225 Das Zitat lautet vollständig: "La mythologie, ou l'art de parler par emblêmes, se perfectionna; les histoires du monde se partagèrent alors en trois grandes époques. Les tems inconnus, ou l'origine de la création; les tems fabuleux ou les véritables actions peintes par des signes, emblêmes, et autres caractères plus ou moins obscurs: enfin, l'histoire au tems des olympiades, dont les jeux ne sont que des emblêmes de ce qu'on croyoit en ce tems-là le systême universel du monde." (EdR I, p. 40) In dieser Interpretation der Olympiaden bezieht sich Bonneville auf Scaliger. Die Einteilung in "tems inconnus", "tems fabuleux" und "tems des Olympiades" nimmt er im übrigen nicht mehr auf.

226 Obwohl dieser Gedanke nicht weiter entwickelt wird, ist die positive Bedeutung von "sensibilité" hervorzuheben: Bonneville entfernt sich hier von der rationalistischen Mythenerklärung. Dies als Vorstoß zu einer hermeneutischen Mytheninterpretation zu deuten, würde allerdings zu weit führen; Bonneville kannte Vico nicht. Zur Bedeutung von Vicos hermeneutischem Ansatz siehe Gusdorf, Dieu, la nature, l'homme au siècle des lumières, p. 182-184.

227 vgl. Bénichou, Le sacre de l'écrivain, p. 62; selbst Court de Gébelin, demzufolge das "Génie Allégorique" den Menschen natürlich sei und der die antike Dichtersprache als "langue des Dieux" feiert, fordert nirgendwo eine Wiederaufnahme bildhafter Ausdrucksformen.

228 "O Montesquieu! O Voltaire! Et toi, mon cher Rousseau, enseignez-moi donc l'art d'emmieller le breuvage salutaire! Car la vérité elle-même a son beau côté; et c'est par-là seulement qu'il faut la présenter aux hommes, pour qu'ils s'empressent de la saisir; autrement elle ne plaît pas, et quelquefois elle rebute." (EdR II, p. 28)

229 In den Jésuites chassés de la maçonnerie gestaltet Bonneville das Thema einer geheimen symbolischen Tradition, die von der Kabbala über die Gnostiker, Ophiten, Basiliden bis zu den Templern und Rosenkreuzern reiche; vgl. Jésuites I, p. 100-110

230 Die Neuansätze Bonnevilles sind zu gering, als daß man von ihnen aus die Entwicklung zur romantischen Mythen- und Symboldeutung stringent verfolgen könnte; zur französischen Romantik sei verwiesen auf Albouy, Mythes et mythologies dans la littérature française, zu Mme de Staëls Konzeption des Symbols Bénichou, Le sacre de l'écrivain, p. 244f. Hinsichtlich des Symbolbegriffs ist die deutsche Romantik weit ergiebiger und besser bearbeitet, vgl. die Studie von Soerensen, Symbol und Symbolismus in den ästhetischen Theorien des 18. Jahrhunderts und der deutschen Romantik, und vor allem das Kapitel "La crise romantique" in Todorovs Théories du symbole (p. 179-261); gute Textbeispiele gibt De Vries, Forschungsgeschichte der Mythologie.

231 "On commence enfin à sentir l'importance d'un culte à la parole.
L'amour sacré de la patrie nous a (...) arrachés à nos travaux bien aimés: le moment semble arriver où nous pourrions les reprendre." (Vieux Tribun, 1796, p. 59)

232 Nach Genette, Mimologiques. Voyage en Cratylie, bleibt die kratylische Position von Platon bis Nodier relativ immobil (p. 428). Die Wende schlägt sich etwa in folgenden Punkten nieder: Aufgabe der Idee der universalen Ursprache; Verzicht auf diskursive Begründung der Vorstellung einer semantischen Motivation bestimmter Phoneme; Anerkennung des "arbitraire du signe" auf der Ebene der Allgemeinsprache; Vorstellung, daß die Notwendigkeit der Wörter erst in literarischer Produktion, innerhalb eines Sinnkontextes hergestellt wird; vgl. bes. das Kapitel über Mallarmé "Au défaut des langues", p. 257-278. Zum Verhältnis von Philologie und Literatur im 19. Jhdt. gegenüber der Spracherfahrung des 18. Jhdts. vgl. Foucault, Die Ordnung der Dinge, 4. Kap./IV, p. 144

233 Ich übernehme diesen Terminus von Genette, Mimologiques

234 vgl. die Darstellung von Condillacs Sprachtheorie bei Coseriu, Die Geschichte der Sprachphilosophie ... Teil II, p. 223-233

235 z.B. in der Behauptung einer Verwandtschaft von Logik und Grammatik oder in folgender Definition: "La grammaire est donc le dévelopement des règles que l'Homme est obligé de suivre pour peindre ses idées." (Court de Gébelin, Monde primitif, Histoire naturelle de la parole ou grammaire universelle, livre I, chap. 3, p. 6)

236 s. Genette, Mimologiques, chap. "L'éponymie du nom", p. 19

237 Die Erklärung von A begründet Court de Gébelin z.B. folgendermaßen: "Le son A, le plus haut des sons, celui qui est à la tête de l'Octave descendante; & comme cri, effet d'une impression subite que nous recevons, devint le signe naturel; 1.° de l'état dont on est affecté ou dans lequel on se trouve: 2.° de ce qui nous est propre: 3.° par conséquent, de ce qu'on possède: 4.° de ce dont on jouit: 5.° de la domination & de la priorité." (Monde primitif, Histoire naturelle ... ou Origine du langage, liv. IV, chap. 11, p. 290). Beispiele sind 'avoir', das possessive 'à', 'habere', lat. 'ad', 'to have', 'haben' u.a.
s. auch Foucault, Die Ordnung der Dinge, p. 143 und allgemein zur Idee des Benennens im 18. Jhdt. Kap. 4/III: "Die Theorie des Verbs"

238 Nodier, Dictionnaire raisonné des onomatopées françaises, p. XIII

239 "C'est dans une telle Poésie que nous pouvons voir l'image la plus parfaite de cette langue universelle que nous essayons de faire connoître, puisque quand elle atteint vraîment son objet, il n'est rien qui ne doive plier devant elle"; (Saint-Martin, Des Erreurs et de la Vérité, p. 493)

240 Damit ist das Problem des Namens natürlich nur um eine Stufe zurückverlagert: warum heißt das Feuer Isis? weil es zischt.

241 Genette gibt folgende Definition der Eponymie als Deutungsverfahren: "C'est donc le fait, devant un nom propre dont on sait déjà qui il désigne, de se demander en outre ce qu'il veut dire, et d'enregistrer - ou d'imaginer - l'accord de ces deux fonctions, que Jean Bollack nomme respectivement 'déictique' et 'épidéictique'" (Genette, Mimologiques, p. 23f)

242 Hierzu gehört Bonnevilles Zerlegung des Namens Deucalion (s. Pkt 4.2) Vgl. auch das Beispiel von Thiébault: Romulus = Roma + moliri, Roma = ro (robur) + ma (magnus), bei Foucault, Die Ordnung der Dinge, p. 143

243 s. Genette, Mimologiques, chap. "L'éponymie du nom", p. 30

244 Court de Gébelin, Monde primitif, Histoire naturelle ... ou Origine du langage, livre IV, chap. 12, p. 339. Vgl. auch Genette, Mimologiques, chap. "L'Hiéroglyphe généralisé" (über Court de Gébelin), bes. p. 133-139

245 Zu den Isis-Varianten s. EdR I, p. 20f, zu Jehova = IEOUA s. EdR App., p. 328f

246 z.B. dem Zirkelschluß, daß aus den Bedeutungen der Wörter, die ja selbst aus den semantischen Qualitäten der Laute zu deduzieren wären, diese erschlossen werden; vgl. die dem Kratylos entnommenen Beispiele bei Genette, Mimologiques, p. 30f

247 vgl. Juliard, Philosophies of Language in Eighteenth Century France, p. 36-41

248 s. Juliard, p. 37

249 Juliard beachtet die Verschiedenheit dieser Ansätze nicht.

250 Auf Le Brigant verweist Bonneville selbst (EdR I, p. 26), zu Poisinet de Sivry s. Juliard, Philosophies of Language, p. 36f

251 De Brosses und Beauzée rekurrieren angesichts der Schwierigkeit, die Sprachenvielfalt zu erklären, auf biblische Quellen, nämlich den Turmbau von Babel: die universale Ursprache sei nicht mehr rekonstruierbar. Zu Beauzée siehe Monreal-Wickert, Die Sprachforschung der Aufklärung ..., p. 49f, zu de Brosses siehe Genette, Mimologiques, chap. "Peinture et dérivation" (über de Brosses)

252 "L'Analyse s'apuie sur deux bases inébranlables; sur l'Instrument vocal, le même aujourd'hui que dès les premiers instans, & sur la masse des mots employés dans toutes les Langues, pour exprimer les idées communes à tous les Hommes." (Court de Gébelin, Monde primitif, Histoire naturelle ... ou Origine du Langage, livre IV, chap. 2, p. 271)

253 vgl. Genette, Mimologiques, chap. "Onomatopoétique" (über Nodier), p. 156

254 Man beachte die sonderbare Mischung von christlichem Gedankengut und der aufklärerischen Idee einer "généalogie du langage", Bonneville verwischt hier - wie des öfteren - den Unterschied von göttlicher und menschlicher Sprache.

255 Bonneville unterscheidet sich hier deutlich von de Brosses und besonders von Court de Gébelin. Dieser behauptet nicht nur die Kongruenz von Phonem und Graphem, er sieht auch im Alphabet das mimographische Prinzip realisiert: die Buchstaben bilden die Bedeutungen der Laute oder deren jeweiligen Bildungsort ab. Siehe dazu die verblüffenden Beispiele bei Genette, Mimologiques, p. 142-148 und zu Nodier p. 154f, der ebenfalls die Vorstellung eines "alphabet rationnel" anspricht. Bonneville ist hier erstaunlich "modern".

256 Bestes Beispiel dieses Typus ist Condillacs Essai sur l'origine des connaissances humaines und La langue des calculs.

257 Turgot, Art. "Etymologie" der Encyclopédie, zit. n. Monreal-Wickert, Die Sprachforschung der Aufklärung ..., p. 158

258 vgl. Pkt 4.2, S. 186 die Reihe "vaisseau", "vase", "cavité", "vuide", "matrice", "ténèbres", "cahos". Zu Turgot siehe Monreal-Wickert, Die Sprachforschung der Aufklärung, p. 151

259 vgl. Foucault, Die Ordnung der Dinge, p. 154. In diese Richtung geht auch Bonnevilles platt rationalistische Erklärung der Genesis, die im übrigen seiner eigenen Vorstellung der Weltentstehung widerspricht: "La terre, dit-il, étoit déserte, vuide, incomposée. Il y avoit donc déjà une terre à l'heure de la création! mais elle étoit pleine d'eaux fangeuses et couverte de ténèbres, c'est-à-dire, de forêts." (EdR I, p. 42)

260 Foucault, Die Ordnung der Dinge, 4. Kap./V, p. 151

261 vgl. Foucault, p. 150f

262 H. Friedrich formuliert in seinem Artikel "Die Sprachtheorie der französischen Illuminaten" diese Sicht der Ursprache folgendermaßen: "Wort und Wesen sind noch so identisch, daß die Ursprache, wenn wir sie wieder hätten, alle Geheimnisse der Welt lösend erklären würde." (Dtsche Vierteljahresschrift, XIII, 1935, p. 300) Deutlich ist die Ähnlichkeit des Bonneville-Zitats mit Saint-Martins Darstellung der Ursprache: "Elle donneroit la clef de tous les calculs, la connoissance de la construction & de la décomposition des êtres ..." (Saint-Martin, Des Erreurs et de la Vérité, p. 467)

263 Condillac argumentiert etwa folgendermaßen: die abstrakten Ideen haben keine äußere Realität - der Mensch existiert nicht -, sie existieren nur als "dénominations": "Parler, raisonner, se faire des idées générales ou abstraites, c'est donc au fond la même chose". Die Sprache erfaßt in ihrer Qualität, Verallgemeinerung, Abstraktion und Analyse der "sensations" zu sein, nicht die Dinge an sich, sondern das Verhältnis, in das wir sie untereinander und zu uns setzen; nur wenn sie als analytische Methode erkannt ist, sind richtiger Sprachgebrauch und damit die Entwicklung richtiger Ideen möglich: "Or nous saurons nous servir des mots, lorsqu'au lieu d'y chercher des essences que nous n'avons pas pu y mettre, nous n'y chercherons que ce que nous y avons mis, les rapports des choses à nous, et ceux qu'elles ont entre elles." (beide Zitate Condillac, Oeuvres philosophiques, vol. 2, La logique, p. 402)

264 "Quant à moi, effrayé des difficultés qui se multiplient, et convaincu de l'impossibilité presque démontrée que les Langues ayent pû naître, et s'établir par des moyens purement humains, je laisse à qui voudra l'entreprendre, la discussion de ce difficile Problême, lequel a été le plus nécessaire, de la Société déjà liée, à l'institution des Langues, ou des Langues déjà inventées, à l'établissement de la Société." (Rousseau, Discours sur l'origine de l'inégalité, Ière partie, O.C. III, p. 151)

265 La Harpe kommentiert die zitierte Stelle so: "Voilà le Platonisme tout pur" (Mercure de France, 20. Nov. 1790, p. 95), womit er abfällig meint, daß Bonnevilles Position altbekannt und überholt sei.

266 Von diesem Zitat her erscheint Bonnevilles "La nature se nomme" und das Isis-Beispiel als rationalistische Verkleidung der Idee einer magischen Sprache der Natur, nicht als

Explikation des Gedankens, daß die Sprache ursprünglich naturnachahmend gewesen sei.

267 zu Saint-Martins Sprachauffassung siehe Des Erreurs et de la Vérité, p. 452-467 und p. 485, sowie die Darstellung von H. Friedrich in seinem Artikel "Die Sprachtheorie der französischen Illuminaten"

268 vgl. Roos, Aspects littéraires du mysticisme philosophique, p. 413f

269 Ballanche, Orphée, livre 2, Oeuvres t. 5, 1833, p. 168

270 vgl. Pkt 3.3.2

271 Ballanche, Essais de Palingénésie sociale, Oeuvres t. 4, p. 124f

272 ders., Essais sur les institutions sociales dans leur rapport avec les idées nouvelles, Oeuvres t. 2, p. 312

273 vgl. Genette, Mimologiques, chap. "L'éponymie du nom"

274 vgl. Nodier, Notions élémentaires de linguistique, die Kapitel "Langue organique", "Langue imitative, langue poétique" und "De l'étymologie et du dictionnaire étymologique". Nodier kritisiert das traditionelle Verfahren, eine Genealogie der Wörter aufzustellen, und fordert eine Beschränkung auf die Rekonstruktion des jeweils unmittelbaren Etymon und die Erforschung der verschiedenen Substrat- und Superstrateinflüsse und des autochthonen Wortschatzes. Das Thema der onomatopoetischen "Wurzeln" wird im Kapitel über die Etymologie nicht angesprochen. Im weit früheren Dictionnaire des onomatopées françaises (1808) greift er häufig auf die Etyma zurück, die dem Gegenstand angemessene synchrone Betrachtungsweise wird nicht eingehalten.

275 Nodier, Notions élémentaires de linguistique, p. 67

276 Nodier, Notions ..., p. 65

277 Nodier, Notions ..., p. 72

278 vgl. Genette, Mimologiques, p. 428

279 Genette, Mimologiques, p. 36; zu Mallarmé siehe chap. "Au défaut des langues", bes. p. 274-277

280 vgl. Pkt 1.2.3.2

281 Vieux Tribun, 1796, p. 59

282 Saint-Martin, De l'esprit des choses, vol. 1, p. 179; vgl. ebda.: "Aussi cette lyre divine que nous appelons l'homme, éprouve en elle comme une vraie création continuelle, et offre au-dehors comme une universelle fécondité, ce qui nous est indiqué matériellement par les propriétés de la voix humaine, (...)"

283 vgl. Brian Juden, Traditions orphiques et tendances mystiques dans le romantisme français, passim

284 vgl. folgende Gegenüberstellung: "(...) les langues anciennes, en images, toutes pour les yeux et nos langages modernes, qui ne sont qu'harmonie et parole." (EdR App., p. 1)

285 Van Tieghem, Le préromantisme, vol. 2, p. 68

286 vgl. Van Tieghem, Le Préromantisme, vol. 1, chap. 2 "Les sources et les modèles de la vraie poésie", bes. p. 34f

287 Zur Kritik an dieser Tendenz, die z.B. Monglond in Le préromantisme français vertritt, siehe Baczko et al., Modèles antiques et "préromantisme", in: Le préromantisme, hypothèque ou hypothèse, p. 393-413. Das Problem stellt sich ähnlich bereits für die "Querelle des Anciens et des Modernes": die ästhetisch "fortschrittliche" Position kann keiner der beiden Parteien allein zugeschrieben werden; vgl. Jauss, Einleitung zu Perrault, Parallèle des Anciens et des Modernes.

288 Die beiden Stellen lauten:
"Scio enim quod ... in novissimo die de terra surrecturus sum, et circumdabor pelle mea et in carne mea videbo ...
Job. cap. 19.V.27
Insensés, que vous êtes, ne voyez vous pas que ce que vous semez ne prend point de vie, s'il ne pourrit et ne meurt auparavent. Epit. de Paul"
(Poésies, Hymne de Résurrection, p. 167)

289 vgl. A. Hausen, Hiob in der französischen Literatur, p. 144-158

290 Bonneville gibt dazu an: "Les Mois, Poëme, par M. Roucher, t. II, p. 40" (Choix, p. 298)

291 "Heureux, si parmi les écrivains étrangers nous pouvions souvent posséder parmi nous, Hayley, Stewart, Cloots, Pio, Nicolaï, Klopstock!" (BdF I, p. 7 ter) Und zu Wieland: "L'aggrégation de M. Wieland à la confédération des amis de la vérité a fait grand plaisir à l'assemblée, qui a voté pour ce grand écrivain un hommage public de sa reconnoissance." (BdF I, p. 194 bis, no 13)

292 vgl. Van Tieghem, L'Année littéraire ..., Zitat p. 110

293 siehe Van Tieghem, Le préromantisme, vol. 1, p. 209

294 Gray, The Bard (Ode VI), Poems vol. 1, London 1778

295 vgl. Monglond, Le préromantisme français, vol. 1, p. 52-54

296 Le Tourneur, Epître au Roi, in Shakespeare (trad.) vol. 1, 1776, zit. n. Van Tieghem, Le préromantisme, vol. 3, p. 269

297 Young, Conjectures on Original Composition, frz. Conjectures sur la Composition originale, Oeuvres diverses, trad. Le Tourneur, 1770, vol. 3, p. 264-267; zur Unterscheidung von originalen, genialen Werken und Nachahmungen ("imitations") siehe auch p. 242 und p. 259-262.

298 Mercier, Mon Bonnet de Nuit, 1784: "Tel fut Shakespeare, génie vraiment original, qui ne copia ni le théâtre grec, ni aucun théâtre connu; mais qui recomposa l'art sur l'imitation fidèle de la nature (...) chez ce poëte, l'art n'est point accompagné de ces graces étudiées, de ces parures, de ce poli & de ce goût que chérissent tant les nations dégénérées, qui s'imaginent qu'embellir & créer sont

synonymes: (...)" (vol. 3, p. 303) In "Nouvel examen de la Tragédie Françoise" (Anhang zu De la Littérature et des Littérateurs, 1778) verbindet er die positive Wertung Shakespeares mit einer dezidierten Kritik am klassischen französischen Theater (p. 123-127 und note p. 139-141)

299 Le Tourneur, Discours préliminaire zur Übersetzung von Youngs Night-thoughts, Oeuvres diverses du docteur Young (trad. Le Tourneur), 1770, vol. 1, p. XLII/XLIII

300 vgl. Genuist, Le Théâtre de Shakespeare dans l'oeuvre de Pierre Le Tourneur, p. 123f, p. 150 und p. 242. Genuist zitiert ausführlich Bonnevilles Übersetzungen.

301 Bonneville zitiert die Originalstelle bei Hayley:
"Oh; ill-starr'd Youth, whom nature form'd, in vain,
With powers on Pindus's splendid height to reign!
O dread example of what pangs await
Young Genius struggling with malignant fate!"
(Choix, p. 19)

302 Die Selbstbezeichnung Bonnevilles als "petit-neveu de Racine" wird vom Dictionnaire de Biographie française gestützt, allerdings ohne Belege. Weder Le Harivel, Nicolas de Bonneville ..., noch Caron (Recherches biographiques. Les Bonneville, in: La Révolution française no 85, 1932, p. 345-349) gehen darauf ein, scheinen also keine dokumentarischen Belege für eine Verwandtschaft Bonnevilles mit Racine gefunden zu haben.

303 Diderot, De la poésie dramatique, chap. 18, Oeuvres esthétiques, p. 261

304 vgl. Van Tieghem, Le préromantisme, vol. 1, chap. 2 "Les sources et les modèles de la vraie poésie", p. 32-46

305 vor allem in folgenden Zeilen:
"Canst thou, self-flattering France, with justice vaunt
One Epic laurel as thy native plant?
(...)
So, haughty Gallia, in thy Epic school,
No great Examples rise, but many a Rule."
(William Hayley, An Essay on Epic Poetry, London 1782, p. 59)

306 vgl. Van Tieghem, L'Année littéraire ..., p. 39

307 Van Tieghem, L'Année littéraire ..., p. 39

308 Sainte-Beuve, Portraits contemporains, éd. 1846, vol. 2, p. 365

309 siehe dazu Bonneville: "A l'exception des quatre derniers actes de Clavigo, que j'ai traduits, je n'ai aucune part à ces deux premiers volumes; j'ai traduit toutes les autres pièces sur le texte allemand & toujours aidé d'un mot à mot, parola per parola, par le Professeur Friedel." (Choix, p. 58)

310 Das deutlichste Beispiel ist die Übersetzung von Goethes Gedicht "Das Veilchen", dessen erster Vers in von Gemmingens "Der teutsche Hausvater" ("Le père de famille", NTA

vol. 6) zitiert ist. Bonneville gibt es an dieser Stelle vollständig wieder, und zwar sowohl in wörtlicher als auch in freier Übersetzung. Ich zitiere nur einen Ausschnitt (zum vollständigen Text siehe Le Harivel, Nicolas de Bonneville ..., p. 100f):

Goethe: "Ach! denkt das Veilchen, wär' ich nur
Die schönste Blume der Natur,
Ach, nur ein kleines Weilchen,
(...)"

Bonnevilles Übersetzung:
"'Belle fleur, prends pitié des ennuis que j'endure;
'Rose, embellis ta soeur de ta riche parure,
'Ah, pour un moment!
'Seulement!'" (NTA, vol. 6, p. 222)

311 Friedel, Histoire abrégée du Théatre Allemand, NTA vol. 1, p. 52-54

312 siehe Mercure de France, Okt. 1787 unter "Nouvelles littéraires", p. 104-124. Der Artikel ist von Imbert und behandelt Bd 7-12 des NTA. Zur Stellungnahme der Zeitschrift Année littéraire siehe Van Tieghem, L'Année littéraire ..., p. 121-123

313 Bonnevilles Bücherliste (EdR App., p. 210-213) enthält an französischen literarischen Werken unter anderem: Voltaire: Brutus, Catilina, La Mort de César, Mahomet; Molières Le Misanthrope, Montaignes Essais, La Bruyères Caractères, La Rochefoucaults Maximes, Pascals Pensées, La Fontaines Fables, Racine, Corneille, Malherbe. Außerhalb dieser Liste bezieht er sich nur in Randbemerkungen positiv auf Montaigne und La Fontaine und setzt sich kritisch mit Malherbe (in Choix) und mit Corneille und Racine (im Vorwort zu L'Année 1789) auseinander.

314 MacDonald, Rousseau and the French Revolution, chap. 12 "The revolutionary cult of Rousseau", p. 155-175

315 vgl. z.B. Mercier über Rousseau: "(...) ou bien il aura donc été un être à part, qui ne voyoit, ne sentoit, ne jugeoit en rien comme les hommes de nos jours; déplacé en quelque sorte dans notre monde social, auquel il ne pouvoit s'unir, et fait pour une autre sphere moins grossiere et plus parfaite que la nôtre." (J.J. Rousseau considéré comme un des premiers auteurs de la Révolution, vol. 1, p. 240) Wie bei Bonneville steht bei Mercier die Verehrung Rousseaus im Kontext mit Reflexionen über das Genie, siehe z.B. J.J. Rousseau considéré ..., p. 250f

316 MacDonald gibt ein schönes Beispiel: Silvester 1790 veranstalteten Rousseauverehrer eine "Wallfahrt" zu seinem Grab und hörten dort die Stimme Rousseaus sagen, daß seine revolutionären Anhänger ihn für die Verfolgungen, die er erleiden mußte, voll entschädigt hätten (Rousseau and the French Revolution, p. 167f)

317 Gilot, Sgard: La vie intérieure et les mots, in: Le préromantisme, hypothèque ou hypothèse?, p. 520

318 siehe Art. "Génie" in: Diderot, Oeuvres esthétiques, p. 9-17; sowie Willard, Le génie et la folie au 18e siècle, p. 52-58

319 Pollmann, Geschichte der französischen Literatur Bd 3, p. 245f

320 Mercier, Le Bonheur des Gens de Lettres, 1766, p. 17. Zu Merciers Heroisierung des Literaten siehe auch De la Littérature et des Littérateurs: "Eh! qui défendra la multitude, des maux qu'on lui inflige, si ce n'est la voix éloquente de l'homme juste & sensible? (...) qu'il fasse gronder sur la tête de l'oppresseur le bruit lointain & formidable du tonnerre de la postérité, (...)" (p. 86f)

321 Mercier, Le Bonheur des Gens de Lettres, p. 8

322 Diderot, Paradoxe sur le Comédien, Oeuvres esthétiques, p. 310. Zur Bedeutungsveränderung von "imagination" und "sensibilité" siehe Gilot, Sgard: La vie intérieure et les mots, in: Le préromantisme, hypothèque ou hypothèse?, p. 521-523

323 vgl. Diderot: "La sensibilité (...) est, ce me semble, cette disposition compagne de la faiblesse des organes, suite de la mobilité du diaphragme, de la vivacité de l'imagination, de la délicatesse des nerfs, qui incline à compatir, à frissonner, à admirer, à craindre, à se troubler, à pleurer, à s'évanouir, à secourir, à fuir, à crier, à perdre la raison, à exagérer, à mépriser, à dédaigner, à n'avoir aucune idée précise du vrai, du bon et du beau, à être injuste, à être fou." (Paradoxe sur le Comédien, Oeuvres esthétiques, p. 343)
vgl. auch Willard, Le génie et la folie ..., p. 36-39

324 siehe Willard: "Le génie est considéré comme une faculté qui peut être possédée par n'importe quelle sorte de personnalité. Il n'y a donc pas un type de personnalité défini pour caractériser le génie, ou qui soit inhérent au génie." (Le génie et la folie, p. 77)

325 vgl. Art. "Génie" in: Diderot, Oeuvres esthétiques, p. 16f und Diderot, Le neveu de Rameau, Oeuvres romanesques, p. 400

326 vgl. Vignys Vorwort zu seinem Drama "Chatterton"

327 vgl. Chouillet, La formation des idées esthétiques de Diderot, p. 404

328 vgl. Schalk, Zur Geschichte von "enthousiasme", Romanische Forschungen no 87, 1975, p. 191-225, bes. p. 201

329 Batteux, Les Beaux Arts réduits à un même principe, 1747, p. 32f

330 Art. "Génie" in: Diderot, Oeuvres esthétiques, p. 17

331 Young, Conjectures sur la Composition Originale, Oeuvres diverses (trad. Le Tourneur) vol. 3, p. 288

332 Young, Conjectures ..., p. 292f

333 Schon bei Diderot ist der Umkreis von "enthousiasme" stark erweitert, vgl. Opitz, Schriftsteller und Gesellschaft in der Literaturtheorie der französischen Enzyklopädisten, p. 212; ähnlich auch bei Mercier: "On appellera ce courage enthousiasme; il est l'état naturel des âmes fortes & des Hommes de génie: sans lui point de sacrifice, point d'inspiration, point de cet attrait permanent & victorieux qui force l'Ecrivain à composer ces ouvrages qui laissent une trace profonde dans leur siècle." (De la Littérature et des Littérateurs, p. 87)

334 Die Gleichsetzung von "idée" und "création sociale" entwickelt Bonneville aus dem Satz "J'ai conçu une idée" über die Wörter "conçu" - "conception" - "enfantement" - "création" (EdR App., p. 116) Zur Bezeichnung der Sprache als "création sociale" vgl. folgende Stelle: "Si la parole est le premier principe de la création sociale, et j'ai la conscience que cette vérité sera un jour démontrée, il ne peut y avoir qu'une seule et même langue dans l'Univers." (Vieux Tribun, 1796, p. 60)

335 vgl. Shroder, Icarus. The Image of the Artist in French Romanticism, p. 50

336 vgl. Pkt 3.2.1 und folgende Stelle, in der Bonneville umstandslos religiöse Terminologie auf den Bereich der Ich-Erfahrung überträgt:
"Mon esprit créateur couve, enserre le monde,
J'en chasse les démons. Mon ame le féconde.
Mon génie aggrandi remplit l'immensité,
Et j'ai le sentiment de mon éternité." (EdR II, p. 130)

337 Choix, p. 24. Die Stelle ist bei Bonneville z.T. orthographisch falsch, aber inhaltlich richtig und vollständig zitiert (vgl. Werther, Goethes Werke in Auswahl, Berlin 1949, Bd 4, p. 25)

338 Mit dem Goethezitat ist höchstens folgende Stelle vergleichbar, die jedoch im Kontext unklar bleibt: "Le soleil n'attend point les salutations des hommes pour les bénir de sa lumière, & faire éclore, (...) tous les germes purs & impurs cachés au sein de la terre; ainsi le génie, par sa chaleur vivifiante, fait germer, dans tous les coeurs, les bonnes & les mauvaises semences qu'on y a déposées." (Tribun du Peuple, 1789, 1ère éd., p. 157f)

339 vgl. Bonnevilles Gedicht "Sur Boileau", ich zitiere vollständig:
"Courtisan de Louis, d'un tyran de la France,
Lu des rois, tu poursuis Quinault dans l'indigence,
Pour flatter un Lully qu'on vantoit dans les cours;
Boileau, je te méprise, et méprisai toujours
De tes pénibles vers la stérile harmonie;
Le vil flatteur des rois est pour moi sans génie."
(Poésies, Sur Boileau, p. 61)
Vgl. die ähnliche Position Merciers gegenüber Boileau: "Que tu es petit, ô Boileau! que tu me parois sec, froid, minutieux! (...) Ton Art poétique n'enflammera jamais aucun écrivain; c'est l'art du rimeur, & non celui du poëte.

(...) J'ai toujours dédaigné dans tes écrits ce ton préceptoral que tu t'arroges; j'ai toujours ri de ta prétendue mission de venger le goût." (Mon Bonnet de Nuit vol. 2, p. 195) In De la Littérature et des Littérateurs resultiert die Boileau-Kritik aus einer Ablehnung aller dramatischen Regeln und aus der Erwartung einer total erneuerten Kunst (p. 123f)

340 vgl. Krauss, Über franz. "enthousiasme" im 18. Jahrhundert, in: Sprache und Geschichte, bes. p. 270f

341 vgl. Mme de Staël, De l'Allemagne, 4ème partie, chap. 10 "De l'enthousiasme": "La guerre, fût-elle entreprise par des vues personnelles, donne toujours quelques-unes des jouissances de l'enthousiasme; (...)" (t. 2, p. 302); siehe auch Zitat Bonneville, Pkt 1.2.1.1, vorliegende Arbeit, S. 42

342 vgl. Mme de Staël, De la Littérature, chap. "De la Littérature dans ses rapports avec la Liberté": "La poésie a été plus souvent consacrée à louer qu'à censurer le pouvoir despotique. Les beaux arts, en général, peuvent quelquefois contribuer, par leurs jouissances mêmes, à former des sujets tels que les tyrans les desirent." (t. 1, p. 33f) In De la Littérature schließt Mme de Staël eine neue Blüte der Dichtung aus (t. 2, p. 359f)

343 vgl. Pkt 1.2.1.1, Zitat S. 43

344 vgl. auch folgende unmittelbare Identifikation: "Les anciens Bardes, après avoir chanté l'esprit des loix de leur pays, alloient commander les armées et revenoient après la victoire reprendre leurs travaux paisibles, méditer le bonheur du monde, laissant aux goujats s'emparer du butin, voilà ma destinée." (N. Bonneville (...) aux Véritables Amis de la Liberté, p. 8)

345 Bonneville kritisiert die klassische Odenform: "Par une absurde imitation des formes pindariques, on nous a donné des odes, qui n'ont que des strophes, des danses en demicercle. Ces odes sont bonnes pour des boudoirs et pour chanter des rois." (Poésies, Le Poëte, p. 205)

346 André Chénier, L'Invention, Poème, Oeuvres t. 2, p. 18

347 Monglond, Le préromantisme, vol. 2, p. 173

348 vgl. Shroder, Icarus, p. 43f

349 Hugo, Odes, livre 1, "Le poète dans les révolutions" (1821), Oeuvres poétiques complètes, p. 13; siehe auch die Heroisierung des Dichters zum Propheten:
"Un formidable esprit descend dans sa pensée.
Il paraît; et soudain, en éclairs élancée,
Sa parole luit comme un feu.
Les peuples prosternés en foule l'environnent,
Sina mystérieux, les foudres le couronnent,
Et son front porte tout un Dieu!"
(Odes livre 1, "Le poëte", a.a.O., p. 45)
vgl. Bonnevilles Qualifizierung des künftigen genialen Dichters als "Libérateur du monde, Homme-Dieu sur la terre" (Poésies, La Méditation et l'Insecte, p. 67)

350 Bénichou, Le sacre de l'écrivain, p. 171-193

351 Diese Stelle datiert von 1790; daher scheint mir die Bemerkung Bénichous (p. 77 note) nicht zutreffend, daß die Idee einer sakralen Würde des Dichters bei Bonneville - wie allgemein - aus der Wendung gegen die Revolution resultiere (Verurteilung der Septembermorde). Auch in der folgenden Stelle (ebenfalls von 1790) erfolgt eine Annäherung von dichterischer und göttlicher Schöpfungskraft, wenn auch unter anderem Akzent: "Il nous met à chaque instant sous les yeux ce mot de la Genèse où le Tout-puissant (qu'il appelle un grand Poëte, le sublime Créateur) se propose de faire l'Homme à son image. Ce grand dessein des grands Hommes (...) a quelque chose qui peint son caractère, ses talens, son étude & son génie." (CS I, p. 7f) Es handelt sich hier um eine Selbstdarstellung Bonnevilles.

352 Nodier, Souvenirs et portraits, Oeuvres t. 8, p. 331

353 Nodier, p. 333. Nodier widmete Bonneville seine Essais d'un jeune barde; zum Verhältnis des jungen Nodier zu Bonneville vgl. die Einschätzung von Sainte-Beuve, Portraits littéraires, éd. 1862, vol. 1, p. 454-456 und dessen allgemeine Wertung: "Avant 1789, il y avait en France un très-réel commencement de romantisme, une veine assez grossissante dont on est tout surpris à l'examiner de près: les drames de Diderot, de Mercier, les traductions et les préfaces de Le Tourneur, celles de Bonneville." (p. 454)

Benützte Literatur

A. Werke Bonnevilles

L'Année MDCCLXXXIX ou les Tribuns du Peuple, Paris (dans les bureaux de la Bouche de Fer) s.d.

Nicolas de Bonneville, électeur du département de Paris, aux Véritables Amis de la Liberté, Paris, impr. du Cercle Social, s.d.

Bulletin de la Bouche de Fer (par l'Abbé Fauchet et N. de Bonneville), Paris, impr. du Cercle Social, 1790

Cercle Social (par l'Abbé Fauchet et N. de Bonneville) Lettre I-LXVI; Tableau analytique des principes constitutionnels décrétés par l'Assemblée Nationale; L'Année 1789 ou les Tribuns du Peuple par N. de Bonneville; Tableau analytique 2e partie.
Paris, impr. du Cercle Social, 1790, 4 parties en 2 vol.

La Bouche de Fer (par l'Abbé Fauchet et N. de Bonneville) No I oct. 1790 - No 36 déc. 1790 et No I jan. 1791 - No 104 juillet 1791
Paris, impr. du Cercle Social, 1790-91, 4 vol. et un fascicule de prospectus

Annales de la Confédération universelle des Amis de la Vérité. Premier (-second) supplément à la Bouche de Fer (par l'Abbé Fauchet et N. de Bonneville)
Paris, impr. du Cercle Social, 1791

Choix de Petits Romans imités de l'Allemand (de Sturz, Wall, Wieland et Meisner), suivis de quelques essais de poésie lyrique, par N. de Bonneville
Paris, T. Barrois, 1798

De l'Esprit des Religions, par N. Bonneville, Paris, impr. du Cercle Social, 1791, 2 parties en 1 vol.

De l'Esprit des Religions, par N. Bonneville. Nouvelle édition: Appendices à la seconde édition de l'Esprit des Religions.
Paris, impr. du Cercle Social, 1792, 3 parties en 2 vol.

Histoire de l'Europe Moderne depuis l'Irruption des peuples du Nord dans l'Empire Romain jusqu'à la paix de 1783, par N. de Bonneville.
Genève 1789-1792, 3 vol.

L'Hymne des combats, hommage aux armées de la République, par N. Bonneville, Paris, Impr.-librairie du Cercle Social, 1797.

Les Jésuites chassés de la Maçonnerie et leur poignard brisé par les Maçons (par N. de Bonneville)
(1) La Maçonnerie écossaise comparée avec les trois professions et le secret des Templiers du XIVe siècle.
(2) Mêmeté des quatre voeux de la Compagnie de S. Ignace et des quatre grades de la Maçonnerie de S. Jean.
London, I.G. Robinson, 1788, 2 vol.

Lettre de Nicolas de Bonneville à M. le Marquis de Condorcet (sur les devoirs de l'histoire moderne). London, G. et J. Robinson, 1787

Le Nouveau Code Conjugal, établi sur les bases de la Constitution et d'aprés les principes ... de la loi ... qui a préparé ce nouveau code, par N. Bonneville. Paris, Impr. du Cercle Social, 1792

Nouveau Théatre Allemand, ou Recueil des pièces qui ont paru avec succès sur les théatres des capitales de l'Allemagne, par M. Friedel et N. de Bonneville, Paris 1783-85, 12 vol.

Les Poésies de N. de Bonneville, Paris, impr. du Cercle Social, 1793

Le Tribun du Peuple (par N. Bonneville), Paris, 1e-3e éd. 1789

Le Tribun du Peuple, ou Recueil des Lettres de quelques électeurs de Paris, avant la Révolution de 1789 pour servir d'introduction aux feuilles de la Bouche de Fer (par N. Bonneville). Paris, Cercle Social, s.d.

Le Vieux Tribun du Peuple. Année 1789-1796 par N. de Bonneville, 5e éd. Paris, Cercle Social, An IV, 2 parties en 1 vol.

Le Vieux Tribun et sa Bouche de Fer, par N. de Bonneville. L'Hymne des Combats, hommage aux armées de la République, par N. de Bonneville. Lettre de Th. Paine sur les cultes. Nouvelle éd., Paris, impr.-librairie du Cercle Social, An V (1796-97)

La Chronique du Mois ou les Cahiers Patriotiques nov. 1791 - juillet 1793, Paris, impr. du Cercle Social

Le Républicain, ou le Défenseur du gouvernement représentatif, par une société de républicains, Paris 1791

Le Bien Informé, 17 fructidor an V - 15 germinal an VIII, Paris, impr.-librairie du Cercle Social

B. Weitere Primärliteratur

Ballanche, Pierre-Simon, Oeuvres, Paris 1833 (t. 2, t. 4, t. 6)

Abbé Barruel, Mémoires pour servir à l'histoire du jacobinisme, Hamburg 1798-99

Abbé Batteux, Les Beaux Arts réduits à un même principe, Paris ^{2}1747

Boissy d'Anglas, Le magistrat-prêtre, Paris s.d.

Bonald, Louis Gabriel Vicomte de, Théorie du pouvoir politique et religieux dans la société civile, Oeuvres complètes (éd. Migne), t. 1, Paris 1859

Bonnet, Charles, Contemplation de la nature, Amsterdam 1764

Bonnet, Charles, Essai analytique sur les facultés de l'âme, Kopenhagen 1760

Bonnet, Charles, La palingénésie philosophique ou Idées sur l'état passé et sur l'état futur des êtres vivants, 2 vol., Genève 1770

Boulanger, Nicolas-Antoine, L'Antiquité dévoilée par ses usages, ou examen critique des principales opinions, cérémonies et institutions religieuses et politiques des différens peuples de la terre, Amsterdam 1766

Cabet, Etienne, Voyage en Icarie, Paris ^{2}1842

Chateaubriand, François-René, Essai sur les Révolutions (éd. critique L. Louvet), Paris s.d. 1802 (?)

Chateaubriand, François-René, Le génie du christianisme, 4 parties en 2 vol., Paris 1966

Chénier, André, Oeuvres complètes (publ. par Paul Dimoff), Paris 1911

Condillac, Etienne Bonnot de, Oeuvres philosophiques, (texte établi et présenté par Georges Le Roy) 3 vol., Paris 1947-51

Condorcet, Jean-Antoine Caritat de, Esquisse d'un tableau historique des progrès de l'esprit humain (nouvelle éd. Yvon Belaval), Paris 1970

Constant, Benjamin, De la religion considérée dans sa source, ses formes et ses développements, 5 vol., Paris 1824-31

Court de Gébelin, Antoine, Monde primitif, analysé et comparé avec le monde moderne, 4 vol., Paris 1773-76

Diderot, Denis, Oeuvres philosophiques, Paris 1956

Diderot, Denis, Oeuvres esthétiques, Paris 1959

Diderot, Denis, Oeuvres romanesques, Paris 1959

Abbé Fauchet, De la Religion Nationale, Paris 1789

Abbé Fauchet, Premier discours sur la Liberté françoise prononcé le 5 août 1789, Paris 1789

Abbé Fauchet, Second discours sur la Liberté françoise prononcé le 31 août 1789, Paris 1789

Abbé Fauchet, Troisième discours sur la Liberté françoise prononcé le 27 sept. 1789, Paris 1789

Gray, Thomas, Poems, London 1778

Hayley, William, An Essay on Epic Poetry, in five epistles to the revd Mr. Mason, London 1782

Helvétius, Claude-Adrien, De l'Homme, Oeuvres complètes t. 7 (réimpr. de l'éd. de Paris 1795), Introduction Yvon Belaval, Hildesheim 1967

Hugo, Victor, Oeuvres poétiques complètes (éd. Pauvert), Paris 1961

Juncker/Liébaut, Théâtre Allemand, 4 vol., Paris 1772-85

La Harpe, Jean François, Correspondance littéraire, t. 6, vol. 5, Paris 1807

Le Tourneur, Discours préliminaire, in: Oeuvres diverses du docteur Young (trad. Le Tourneur) vol. 1, Paris 1770

Mably, Gabriel Bonnot de, De la Législation, Oeuvres politiques t. 4, Paris 1832

Mercier, Louis-Sébastien, Le Bonheur des Gens de Lettres, Paris 1766

Mercier, Louis-Sébastien, Mon Bonnet de Nuit, 3 vol., Neufchâtel 1784

Mercier, Louis-Sébastien, De la Littérature et des Littérateurs, suivi d'un Nouvel Examen de la Tragédie françoise, Genève 1970 (réimpr. de l'éd. d'Yverdon, 1778)

Mercier, Louis-Sébastien, De J.J. Rousseau considéré comme l'un des premiers auteurs de la Révolution, Paris 1791

Mercure de France, Okt. 1787, Nov. 1790, Dez. 1790, Paris

Moniteur (réimpr.), 31. August 1792 und 20. Mai 1793, Paris

Montesquieu, De l'Esprit des Lois, Oeuvres complètes t. 2, Paris 1951

Nodier, Charles, Contes, Paris 1961

Nodier, Charles, Dictionnaire raisonné des onomatopées françaises, Paris 1808

Nodier, Charles, Notions élémentaires de linguistique, ou Histoire abrégée de la parole et de l'écriture, Oeuvres complètes, Philologie, Paris 1834

Nodier, Charles, Rêveries littéraires, morales et fantastiques, Oeuvres t. 5, Brüssel 1832

Nodier, Charles, Souvenirs et portraits, Oeuvres t. 8, Paris 1832-34

Restif de la Bretonne, Philosophie de Monsieur Nicolas, par l'auteur du Coeur humain dévoilé, Paris 1796

Robespierre, Discours et Rapports à la Convention, Paris 1965

Rousseau, Jean-Jacques, Oeuvres complètes (éd. Bernard Gagnebin/ Marcel Raymond), Paris 1964-69

Rousseau, Jean-Jacques, Essai sur l'origine des langues où il est parlé de la mélodie et de l'imitation musicale, Paris 1976

Russell, William, History of Modern Europe, 2e éd., London 1782-84

Sainte-Beuve, Portraits contemporains, vol. 2, Paris éd. 1846

Sainte-Beuve, Portraits littéraires vol. 1, Paris éd. 1862

Saint-Martin, Louis-Claude, Des Erreurs et de la vérité, Oeuvres majeures (éd. Robert Amadou) t. 1, Hildesheim/New York 1975

Saint-Martin, Louis-Claude, De l'esprit des choses, 2 vol., Paris 1800

Saint-Martin, Louis-Claude, Lettre à un ami, ou Considérations politiques, philosophiques et religieuses sur la Révolution française, Paris an III

Saint-Martin, Louis-Claude, Le ministère de l'homme-esprit, Paris 1802

Saint-Martin, Louis-Claude, Tableau naturel des rapports qui existent entre Dieu, l'homme et l'univers, 2 vol., Edimbourg 1782

Saint-Simon, Nouveau Christianisme (1825), Oeuvres de Saint-Simon et d'Enfantin t. 23, Paris 1869

Senancour, Rêveries sur la nature primitive de l'homme, Paris an VIII

Mme de Staël, De l'Allemagne, 2 vol., Paris 1968

Mme de Staël, De la Littérature, considérée dans ses rapports avec les institutions sociales, 2 vol., Paris/Genève 1959

Vigny, Alfred de, Chatterton, Oeuvres complètes t. 1, Paris 1950

Voltaire, Correspondance vol. XXXIV, The Complete Works of Voltaire (éd. Besterman) t. 118, Genève 1953-65

Voltaire, Dictionnaire philosophique, Paris 1967

Voltaire, Essai sur les moeurs et l'esprit des nations, 2 vol., Paris 1963

Young, Edward, Conjectures on Original Composition, trad. Le Tourneur: Conjectures sur la Composition originale, Oeuvres diverses du docteur Young vol. 3, Paris 1770

C. Sekundärliteratur

Albert, Maurice, La littérature française sous la Révolution, l'Empire et la Restauration (1789-1830), Genève 1970 (réimpr. de l'éd. de Paris, 1898)

Albouy, Pierre, Mythes et mythologies dans la littérature française, Paris 1969

Alleau, René, La science des symboles. Contribution à l'étude des principes et des méthodes de la symbolique générale, Paris 1977

Aulard, François, Le Culte de la Raison et de l'Etre suprême, Paris ²1904

Baldensperger, Fernand, Court de Gébelin et l'importance de son Monde primitif, in: Mélanges Edm. Huguet, Paris 1940, p. 315-330

Barnard, Frederick, Zwischen Aufklärung und politischer Romantik: Eine Studie über Herders soziologisch-politisches Denken (Philologische Studien und Quellen Heft 17), Berlin 1964

Bénichou, Paul, Le sacre de l'écrivain (1750-1830). Essai sur l'avènement d'un pouvoir spirituel laïque dans la France moderne, Paris 1973

Biographie universelle ancienne et moderne (Michaud), nouv. éd. vol. 5, Paris/Leipzig 1843-

Bloch, Ernst, Thomas Münzer als Theologe der Revolution, Gesamtausgabe vol. 2, Frankfurt (Main) 1969

Bloch, Ernst, Atheismus im Christentum. Zur Religion des Exodus und des Reichs, Gesamtausgabe vol. 14, Frankfurt (Main) 1968

Bowman, Frank Paul, Le Christ romantique (Histoire des idées et critique littéraire vol. 134), Genève 1973

Callahan, Anne Marie, The Role of the Legislator in the Political Philosophy of the Eighteenth Century French Philosophers, Diss. Case Western Reserve University, Michigan 1970

Caron, P., Recherches biographiques. Les Bonneville, in: La Révolution française no LXXXV, Paris 1932, p. 345-49

Cassirer, Ernst, Das Problem J.J. Rousseau, Darmstadt 1970 (repr.)

Cassirer, Ernst, Die Philosophie der Aufklärung, Tübingen 1932

Charlton, D.G., Secular Religions in France 1815-1870, London 1963

Chouillet, Jacques, L'esthétique des lumières, Paris 1974

Chouillet, Jacques, La formation des idées esthétiques de Diderot (1745-1763), Paris 1973

Coseriu, Eugenio, Die Geschichte der Sprachphilosophie von der Antike bis zur Gegenwart, Bd. 2: Von Leibniz bis Rousseau, Tübingen 1972

Cros, H., Claude Fauchet (1744-1793): Les idées politiques, économiques et sociales (Thèse), Paris 1912

Deshayes, J., De l'abbé Pluche au citoyen Dupuis: à la recherche de la clef des fables, in: Studies on Voltaire vol. 24, Genève 1963, p. 457-486

Dictionnaire de biographie française (J. Balteau, M. Barroux, M. Prévost), Paris 1932-

Didier, Béatrice, Le XVIIIe siècle III (1778-1820), Littérature Française vol. 11 (coll. dirigée par Claude Pichois), Paris 1976

Dieckmann, Herbert, Ästhetische Theorie und Kritik in der Aufklärung. Einige Beispiele für moderne Tendenzen, in: ders., Diderot und die Aufklärung. Aufsätze zur europäischen Literatur des 18. Jahrhunderts, Stuttgart 1972

Duval, Georges, Histoire de la littérature révolutionnaire, Paris 1879

Ehrard, Jean, L'idée de nature en France dans la première moitié du 18e siècle, Paris 1963

El Nouty, Le panthéisme dans les lettres françaises au XVIIIe siècle, in: Revue des sciences humaines no 97, Lille 1960, p. 435-457

Erdmann, Karl-Dietrich, Volkssouveränität und Kirche. Studien über das Verhältnis von Staat und Religion in Frankreich vom Zusammentritt der Generalstände bis zum Schisma, Köln 1949

Fetscher, Iring, Rousseaus politische Philosophie, Neuwied, Berlin ²1968

Fiesel, Eva, Die Sprachphilosophie der deutschen Romantik, Tübingen 1927

Fischer, Peter (Hg.), Babeuf. Der Krieg zwischen Reich und Arm, Berlin 1975

Forschner, Maximilian, Rousseau, Freiburg/München 1977

Foucault, Michel, Les mots et les choses, dtsch: Die Ordnung der Dinge. Eine Archäologie der Humanwissenschaften, Frankfurt (Main) ²1974

Französische Aufklärung. Bürgerliche Emanzipation, Literatur und Bewußtseinsbildung (Leitung Winfried Schröder), Leipzig 1974

Friedrich, Hugo, Die Sprachtheorie der französischen Illuminaten des 18. Jahrhunderts, insbesondere Saint-Martins, in: Deutsche Vierteljahresschrift für Literaturwissenschaft und Geistesgeschichte Bd. XIII, Halle 1935, p. 292-311

Fuhrmann, Manfred (Hg.), Terror und Spiel. Probleme der Mythenrezeption (Poetik und Hermeneutik IV), München 1971

Genette, Gérard, Mimologiques. Voyage en Cratylie, Paris 1976

Genuist, André, Le théâtre de Shakespeare dans l'oeuvre de Pierre Le Tourneur (1776-1783), Diss. Rennes 1971

Gilman, Margaret, The Idea of Poetry in France from Houdar de la Motte to Baudelaire, Cambridge, Massachusetts, 1958

Godechot, Jacques, La pensée révolutionnaire en France et en Europe 1780-99, Paris 1964

Goyard-Fabre, Simone, La philosophie des lumières en France, Paris 1972

Grassl, Hans, Aufbruch zur Romantik, München 1968

Griewank, Karl, Der neuzeitliche Revolutionsbegriff, Frankfurt (Main) 1973 (1955)

Groethuysen, Bernard, Philosophie der Französischen Revolution, Darmstadt 1975

Gusdorf, Georges, Les sciences humaines et la pensée occidentale,
- vol. 4: Les principes de la pensée au siècle des lumières, Paris 1971
- vol. 5: Dieu, la nature, l'homme au siècle des lumières, Paris 1972
- vol. 6: L'avènement des sciences humaines au siècle des lumières, Paris 1973
- vol. 7: Naissance de la conscience romantique au siècle des lumières, Paris 1976
- vol. 8: La conscience révolutionnaire, les Idéologues, Paris 1978

Guyénot, Emile, Les sciences de la vie aux XVII et XVIII siècles. L'idée d'évolution, Paris 1941

Habermas, Jürgen, Strukturwandel der Öffentlichkeit. Untersuchungen zu einer Kategorie der bürgerlichen Gesellschaft, Neuwied, Berlin [5]1971

Habermas, Jürgen, Theorie und Praxis, Frankfurt (Main) [4]1971 auch über Bonald

Hainlein, Gerhard, Die vorromantischen Angriffe in Frankreich auf die klassische Tragödie, Diss. Jena 1932

Hampton, John, Nicolas-Antoine Boulanger et la science de son temps (Histoire des idées et critique littéraire vol. 2), Genève, Lille, 1955

Hausen, Adelheid, Hiob in der französischen Literatur, Bern, Frankfurt 1972 (auch Diss. Köln)

Hazard, Paul, La pensée européenne au XVIIIe siècle de Montesquieu à Lessing, Paris 1963

Heitmann, Klaus, Ethos des Künstlers und Ethos der Kunst. Eine problemgeschichtliche Skizze anläßlich Diderots (Forschungen zur Romanischen Philologie, Heft 11), Münster 1962

Jaurès, Jean, Histoire socialiste de la Révolution française, vol. 1 "La Constituante", Paris 1968 (réimpr.)

Jauss, Robert, Ästhetische Normen und geschichtliche Reflexion in der "Querelle des Anciens et des Modernes", Einleitung zum Faksimiledruck von Perrault, Parallèle des Anciens et des Modernes, München 1964

Juden, Brian, Traditions orphiques et tendances mystiques dans le romantisme français (1800-1855), Paris 1971

Juliard, Pierre, Philosophies of Language in Eighteenth-Century France, Den Haag, Paris 1970

Kindermann, Heinz, Theatergeschichte Europas, vol. 4: Von der Aufklärung zur Romantik (1. Teil), Salzburg 1961

Klages, H., Geschichte der Soziologie, München 1972

Knabe, Peter-Eckard, Schlüsselbegriffe des kunsttheoretischen Denkens in Frankreich von der Spätklassik bis zum Ende der Aufklärung, Düsseldorf 1972

Koselleck, Reinhart, Kritik und Krise. Eine Studie zur Pathogenese der bürgerlichen Welt, Frankfurt (Main) 1973 (1959)

Krämer, Hans Leo, Die fraternitäre Gesellschaft. Aspekte der Gesellschafts- und Staatstheorie von Claude-Henri de Saint-Simon, Saarbrücken 1969

Krauss, Werner, Über franz. "enthousiasme" im 18. Jahrhundert, in: Sprache und Geschichte, Festschrift für Harri Meier (Hg. Eugenio Coseriu u. Wolf-Dieter Stempel), München 1971, p. 259-277

La Gorce, Pierre de, Histoire religieuse de la Révolution française, 5 vol., Paris 1924

Lauterborn, E., Beiträge zur Geschichte des französischen Geniebegriffes im 18. Jahrhundert, Diss. Freiburg 1952

Le Harivel, Philippe, Nicolas de Bonneville (1760-1828) préromantique et révolutionnaire, Diss. Strasbourg 1923

Lerel, Abraham, Diderots Naturphilosophie, Wien 1950

Liefde, Carel Lodewijk, Le Saint-Simonisme dans la poésie française entre 1825 et 1865, Diss. Amsterdam 1927

MacDonald, Joan, Rousseau and the French Revolution (1762-1791), London 1965

Maier, Hans, Revolution und Kirche. Studien zur Frühgeschichte der christlichen Demokratie 1789-1850, Freiburg 1959

Manuel, Frank E., The Eighteenth Century confronts the Gods, Cambridge, Massachusetts, 1959

Masson, Pierre Maurice, La religion de J.J.Rousseau (réimpr. de l'éd. de Paris 1916), Genève 1970

Masson, Frédéric, Le déisme pendant la Révolution, in: Lettres et Arts no 1, Paris 1886, p. 63-89 u. p. 220-236

Mathiez, Albert, Contributions à l'histoire religieuse de la Révolution française, Paris 1907

Mathiez, Albert, Les origines des cultes révolutionnaires (1789-1792), Paris 1904

Mensching, Günther, Totalität und Autonomie. Untersuchungen zur philosophischen Gesellschaftstheorie des französischen Materialismus, Frankfurt (Main) 1971

Monglond, André, Le préromantisme français, Paris 1966 (nouv. éd.)

Monréal-Wickert, Irene, Die Sprachforschung der Aufklärung im Spiegel der großen französischen Enzyklopädie, Tübingen 1977

Opitz, Alfred, Schriftsteller und Gesellschaft in der Literaturtheorie der französischen Enzyklopädisten (Europäische Hochschulschriften Bd. 31) Bern/Frankfurt (Main) 1975

Ozouf, Mona, La fête révolutionnaire 1789-99, Paris 1976

Plongeron, Bernard, Théologie et politique au siècle des lumières (1770-1820), Genève 1973

Pollmann, Leo, Geschichte der französischen Literatur Bd. 3: Zeitalter des Bürgertums von 1685 bis 1879, Wiesbaden 1978

Le préromantisme: hypothèque ou hypothèse? Colloque de Clermont-Ferrand 29-30 juin 1972, Actes et Colloques no 18, Paris 1975
Daraus besonders folgende Artikel:
- Anne-Marie Amiot, "L'homme de parole" martiniste, préfiguration du poète romantique, ou: Du messianisme illuministe au messianisme poétique, p. 380-393
- B. Baczko et al., Modèles antiques et "préromantisme", p. 393-414
- Frank-Paul Bowman, Religion, Révolution, Utopie. Etude des éléments religieux dans les projets d'utopie avant et après 1789, p. 425-443
- Michel Gilot, Jean Sgard, La vie intérieure et les mots, p. 509-529

Rauhut, Franz, Die klassizistische und romantische Lyrik der Franzosen im kulturellen Zusammenhang der Epoche 1780-1850 (Beiträge zur neueren Literaturgeschichte Bd. 33), Heidelberg 1977

Richter, Helene, Thomas Chatterton, London 1964 (Repr. der Ausgabe Wien/Leipzig 1900)

Ricken, Ulrich, Zur Sprachdiskussion während der französischen Revolution, in: Beiträge zur romanischen Philologie, vol. XIII, 1974, p. 303-318

Roger, Jacques, Les sciences de la vie dans la pensée française du XVIII siècle, Paris 1963

Roos, Jacques, Aspects littéraires du mysticisme philosophique et l'influence de Boehme et de Swedenborg au début du romantisme: William Blake, Novalis, Ballanche, Strasbourg 1951

Roudaut, Jean, Trois poètes au début de la Révolution (P.S. Maréchal, Bonneville, Chassaignon), in: Lettres Nouvelles 3, Mai 1971, p. 105-120

Roussel, Jean, Jean-Jacques Rousseau en France après la Révolution (1795-1830), Paris 1972

Roy, Marie-Luise, Die Poetik Denis Diderots, München 1966

Savioz, Raymond, La philosophie de Charles Bonnet de Genève, Paris 1948

Schabert, Thilo, Natur und Revolution. Untersuchungen zum politischen Denken im Frankreich des 18. Jahrhunderts, München 1969

Schalk, Fritz, Zur Geschichte von "enthousiasme", in: Romanische Forschungen no 87, Frankfurt (Main) 1975, p. 191-226

Schmitt, Eberhard (Hg.), Die französische Revolution. Anlässe und langfristige Ursachen, Darmstadt 1973

Shroder, Maurice, Icarus. The Image of the Artist in French Romanticism, Cambridge, Massachusetts, 1961

Soboul, Albert, La Révolution française, Paris 1972

Soboul, Albert, Sentiment religieux et cultes populaires pendant la Révolution. Saintes patriotes et martyrs de la liberté, in: Annales historiques de la Révolution française vol. XXIX, Nancy 1957, p. 193-213

Soerensen, Bengt Algot, Symbol und Symbolismus in den ästhetischen Theorien des 18. Jahrhunderts und der deutschen Romantik (Scandinavian University Books 73), Kopenhagen 1963

Strauss, Leo, Naturrecht und Geschichte, Stuttgart 1956

Todorov, Tzvetan, Théories du symbole, Paris 1977

Trahard, Pierre, La sensibilité révolutionnaire (1789-1794), Paris 1936

Van Tieghem, Paul, L'Année littéraire (1754-1790) comme intermédiaire en France des littératures étrangères, Paris 1917

Van Tieghem, Paul, Ossian en France, 2 vol., Paris 1917

Van Tieghem, Paul, Le préromantisme. Etudes d'histoire littéraire européenne, Genève 1973 (réimpr. de l'éd. de Paris 1924-47)

Viatte, Auguste, Les sources occultes du romantisme: illuminisme - théosophie (1770-1820), Paris 1965

Vries, Jan de, Forschungsgeschichte der Mythologie, Freiburg/München 1961

Wais, Kurt, Das antiphilosophische Weltbild des französischen Sturm und Drang (1760-1789), Berlin 1934

Werner, Claus, Zur Geschichtsauffassung Nicolas de Bonnevilles, in: Neue Beiträge zur Literatur der Aufklärung (Hg. Werner Krauss/Walter Dietze), Berlin 1964, p. 221-239

Willard, Nedd, Le génie et la folie au 18e siècle, Paris 1963

Windelband, Wilhelm, Lehrbuch der Geschichte der Philosophie, Tübingen 14 1948